KB212774

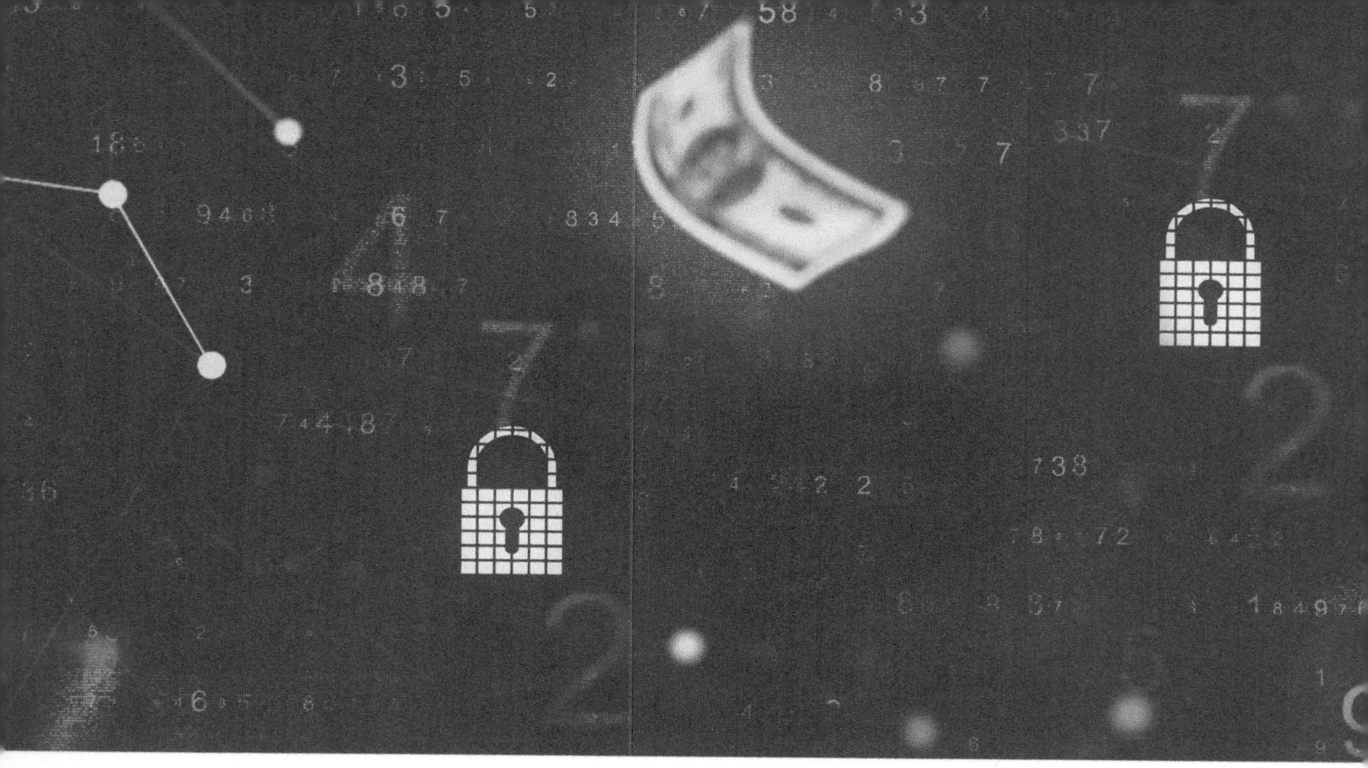

암호기술의 이해와 응용

Understanding Cryptography and Its Applications

김상진 지음

Preface

정보보호(information security)와 관련하여 바이러스(virus), 스파이웨어(spyware), 백신(vaccine), 피싱(phising), 스팸 메일, 해킹, 침입탐지 및 예방(intrusion detection, prevention), 분산 서비스 거부 공격(distributed denial-of-service attack), 방화벽(firewall) 등의 용어는 대중 매체를 통해 많이 접할 수 있다. 이들 용어 외에도 인증서(certificate), 전자서명(digital signature), 비트코인(bitcoin), 블록체인(blockchain), 대체 불가능 토큰(NFT, Non-fungible token) 등과 같은 용어도 접할 수 있다. 이 책에서는 전자와 관련된 정보보호 기술은 다루지는 않는다. 대신 후자 등과 같이 암호기술(cryptography)을 사용하는 정보보호 기술을 다룬다. 물론 최근 악성 소프트웨어 중 랜섬웨어는 전자와 관련된 것이지만 암호기술을 원래 목적과 다르게 공격에 활용하고 있다.

암호기술은 디지털 세계에서 정보보호 서비스를 제공하기 위해 사용하는 도구 집합(tool-kit)을 말한다. 하지만 정보보호 서비스를 제공하기 위해 사용하는 모든 기술을 암호기술이라 하지 않는다. 정보보호 서비스를 제공하기 위해 디지털 정보에 직접 적용하는 수학적 이론에 바탕을 두고 있는 알고리즘과 이를 응용한 프로토콜을 암호기술이라 한다.

우리가 IT 기술 좁게는 컴퓨팅 기술을 학습할 때 그 기술이 등장한 배경이나 그 기술을 활용하는 환경을 이해할 필요가 있으며, 급속하게 발전하는 IT 기술을 고려하였을 때 IT의 최근 트렌드를 이해할 필요가 있다. 현재 제4차 산업혁명이라는 것이 화두이다. 쉽게 이해하면 오래전부터 언급된 유비쿼터스 시대의 보편화 및 지능화이다. 유비쿼터스는 5A(any where, any time, any device, any network, any service)로 설명되는 컴퓨팅 환경으로 언제, 어디서나, 어떤 장치를 사용하여 어떤 네트워크이든지 원하는 서비스를 받을 수 있는 환경을 말한다. 사물인터넷(IoT, Internet of Things)이 현실화되면서 초연결 시대로 접어들고 있으며, 5A가 더는 미래의 이야기가 아니라 오늘의 현실이 되고 있다. 유비쿼터스의 또 다른 특징은 내재성(pervasive)이다. 우리가 인식하지 않더라도 지능적으로 현재 상황을 인지(context-aware)하여 서비스가 이루어지는 시대가 되고 있다. 네트워크 환경도 점점 전부 인터넷 통신 기술을 사용하는 환경으로 변하고 있다. 이를 “All IP 시대”라 한다.

오늘날 IT 기술의 또 다른 중요한 특징은 융합이다. 더는 학문의 경계를 논하기 어렵게 되었다. 특정 제품이 특정 공학 분야의 전유물이던 시대는 끝났다. 이제 자동차는 기계공학 분야로 제한되지 않고, 전자공학 더 나아가 컴퓨터공학 분야로 전환되고 있다.

이와 같은 컴퓨팅 환경의 변화는 정보보호의 중요성을 더욱 높이고 있다. 정보화는 우리 삶의 편리성에 획기적 변화를 불러오고 있지만 정보화는 보안 위협에도 매우 의미심장한 변화를 초래한다. 이와 같은 위협을 대처하지 못하면 보안 수준은 정보화 때문에 오히려 낮아질 수 있다. 예를 들어, 영상 통화 기술은 원격에서 서로의 얼굴을 보면서 대화를 할 수 있도록 해주지만 거꾸로 우리도 모르게 우리 사생활을 노출할 수 있는 위험도 있다. 또 앞서 소개한 랜섬웨어처럼 정보보호 기술이 오히려 공격 기술로 활용할 수 있고, 범죄 목적으로 사용할 수 있다.

이처럼 IT 기술의 발달은 순기능만 있지 않고 역기능도 존재할 수밖에 없다. 특히, 초연결 시대에 개인 프라이버시 침해는 더욱 심해지고 있다. 이를 극복하기 위해 다양한 기술이 연구되고 있으며, 법률도 제정되고 있다. 하지만 IT 기술의 발달은 공격 기술의 발달을 의미한다. 이 때문에 공격이 쉬워지고, 피해 전파속도나 공격의 파급 효과도 매우 커지고 있다. 또 사이버 공격의 경로가 PC, 스마트폰과 같은 기존 컴퓨팅 장치로 제한되지 않고, 냉장고, 로봇청소기, 자동차 등 다양한 스마트 기기와 제품이 대상이 되고 있다. 따라서 이를 방어하고 방지하기 위한 기술 개발이 매우 중요한 시대이다. 4차 산업혁명 시대에 필요한 각종 서비스를 실현할 수 있는 기술은 있지만 그 서비스에 필요한 보안 요구사항을 충족할 수 없다면 그 서비스를 실제 도입하기 어렵다. 서비스 신뢰의 핵심은 보안이다.

이 책에서 다루는 암호기술 측면에서 보면 학문적 공간에서만 머물던 여러 기술이 최근에 실제 서비스에 많이 적용되고 있다. 이것은 컴퓨팅 기술과 암호기술에 대한 이론이 발전하여 충분히 효율적으로 또 안전하게 적용할 수 있는 기술이 되었기 때문이다. 특히, 블록체인과 암호화폐가 큰 학문적, 사회적 관심을 받음에 따라 더 발전된 암호화폐를 실현하기 위해 논문에서만 존재하였던 많은 기술이 서비스에 직접 구현되어 대중 앞에 모습을 나타내고 있다. 이것은 암호기술이 한 단계 더 발전하는 계기가 되고 있으며, 암호기술이 대중과의 거리가 가까워지는 계기도 되고 있다.

한편으로 정보보호 기술이 정보 서비스의 올바른 동작을 위해 필수 요소가 됨에 따라 이들 서비스에 필요한 여러 암호기술에 대한 표준이 갱신되고 새롭게 제정되고 있다. 이 표준은 경쟁을 통해 보통 채택되며, 이 경쟁 과정에서 기술은 한 단계 더 발전하게 되는 효과가 있다. 이와 같은 표준은 서비스 안전성에도 큰 기여를 한다.

정보보호 분야는 다양하게 분류할 수 있지만 크게 프로그램 보안, 시스템 보안, 네트워크 보안, 응용 보안, 기타 보안으로 분류하여 생각해 볼 수 있다. 프로그램 보안은 설치된 또는 실행 중인 소프트웨어의 허점을 활용한 공격을 방어하는 기술을 말하며, 공격자가 활용할 수 있는 허점이 없도록 소프트웨어를 강건하게 구현하는 기술과 기존 소프트웨어의 허점을 발견하는 기술로 나눌 수 있다. 이때 전자를 방어 프로그래밍(defensive programming), 안전 프로그래밍(secure programming)이라 한다. 정보보호에서 허점을 발견하는 이유는 이를 이용하여 공격하는 것이 아니라 보완하여 공격에 활용할 수 없도록 하는 것이다.

시스템 보안은 시스템 침입에 성공한 공격자의 악의적인 행동으로부터 시스템을 보호하는 기술을 말한다. 이를 위해 공격자가 활용할 수 있는 시스템의 허점을 발견하는 기술과 공격자가 침입에 성공하였을 때 이에 대응하는 기술이 필요하다. 후자를 침입 탐지와 예방 기술이라 한다. 네트워크 보안은 크게 통신 트래픽 및 통신 메시지의 내용을 분석하여 공격에 대응하는 기술과 통신 프로토콜에 암호기술을 추가하여 공격자가 존재하더라도 프로토콜이 목적을 달성할 수 있도록 하는 기술로 나눌 수 있다. 이 경우 항상 프로토콜이 목적을 달성할 수 있도록 하는 것은 가능하지 않으므로 누구든지 프로토콜의 수행을 통해 부당한 이득을 얻지 못하도록 하는 것이 목표이다.

응용 보안은 각 응용의 기능 요구사항이나 보안 요구사항을 충족하기 위해 사용하는 보안 기술을 말한다. 예를 들어 전자선거는 일인일표, 비밀성, 매표 방지 등의 요구사항이 필요하며, 이와 같은 요구사항을 충족하기 위해 암호기술을 사용할 수 있다. 이 외에 컴퓨터 포렌식, 정보보호 정책, 정보보호 관련 법률, 정보보호 윤리, 정보보호 교육 등 앞서 언급한 보안 분야로 분류되지 않는 것도 있다. 현재 범죄 수사에서 정보기기에 대한 포렌식은 과학 수사에서 없어서는 안 될 요소가 되었다. 이 책에서 다루는 암호기술은 통신 프로토콜의 보호와 응용 보안에 주로 사용한다.

정보보호의 3대 핵심 서비스라 하면 비밀성, 무결성, 가용성을 말하며, 4대 핵심 서비스라 하면 여기에 인증을 추가한다. 이 4가지 중에 비밀성, 무결성, 인증은 주로 암호기술을 사용하여 제공한다. 따라서 이와 같은 측면에서 보면 암호기술이 매우 중요한 정보보호 기술 중 하나라는 것을 알 수 있다.

암호기술은 우리가 생각하였을 때 하기 힘든 것들을 가능하게 해준다. 예를 들어 원격에 있는 두 사용자가 네트워크를 통해 동전 던지기를 하고 싶다고 하자. 언뜻 생각하면 참여자가 정직하게 행동하지 않고 상대방을 속일 수 있으므로 원격에 있는 두 사용자 간의 동전 던지기를 할 수 없다고 생각할 수 있다. 하지만 암호기술을 사용하면 원격에서 두 사용자가 동전 던지기를 할 수 있다. 일반적인 동전 던지기는 상대방이 지켜보는 가운데 이루어지기 때문에 던지는 사람이나 맞히는 사람이나 속이기가 어렵다. 하지만 원격에서 이루어지면 던지는 사람은 쉽게 던지기의 결과를 속일 수 있으므로 이를 못 하게 하는 장치가 필요하다.

다음 두 가지 특성을 만족하는 함수가 있으면 원격에 있는 서로 신뢰하지 않는 두 사용자가 동전 던지기를 할 수 있다.

- 특성 1. 모든 정수 x에 대해 $f(x)$를 계산하기는 쉽지만 $f(x)$로부터 그것의 원상을 얻는 것은 계산적으로 불가능[1)]해야 한다. 특히, 원상이 짝수인지 홀수인지 구분할 수 없어야 한다.
- 특성 2. $x \neq y$이지만 $f(x)=f(y)$인 정수 쌍 (x, y)를 찾는 것은 계산적으로 불가능해야 한다.

이와 같은 특성을 만족하는 함수 f가 있으면 다음과 같이 동전 던지기가 가능하다.

- 단계 1. A는 매우 큰 정수 x를 임의로 선택하여 $f(x)$를 계산하여 $f(x)$를 B에게 전달한다.
- 단계 2. B는 $f(x)$의 원상이 짝수인지 홀수인지 추측하여 그 결과를 A에게 전달한다.
- 단계 3. A는 단계 1에서 선택한 x를 B에게 전달한다.
- 단계 4. B는 x가 $f(x)$의 올바른 원상인지 확인한다.

1) 계산적으로 불가능하다는 것은 얻는 방법이 전혀 없다는 것이 아니라 현재의 컴퓨팅 파워를 이용하여 지금까지 알려진 가장 최선의 방법을 사용하더라도 결과를 얻기 위해 너무 많은 비용(시간, 돈)이 소요되어 의미가 없다는 것을 의미한다.

위 과정을 간단히 분석하여 보자. B는 $f(x)$로부터 x에 대한 어떤 정보도 얻을 수 없으면 단계 2에서 A의 선택을 맞출 확률은 50%이다. 이것은 특성 1 때문에 만족한다. A는 $f(x) = f(y)$인 하나는 짝수이고, 하나는 홀수인 서로 다른 두 수 x와 y를 찾을 수 있으면 단계 3에서 항상 자신이 유리한 값을 주어 B가 틀리도록 할 수 있다. 하지만 이것은 특성 2 때문에 가능하지 않다. 따라서 이와 같은 함수만 있으면 불가능한 것처럼 생각한 동전 던지기를 원격에서 할 수 있다. 실제 이와 같은 특성을 만족하는 함수가 존재하며, 이 책을 통해 배우게 된다.

동전 던지기에서 사용하는 f 함수는 암호기술에서는 암호알고리즘(cryptographic algorithm)으로 분류되며, 동전 던지기처럼 암호알고리즘을 이용하는 프로토콜을 암호프로토콜(cryptographic protocol)이라 한다. 암호기술이라는 도구 집합은 암호알고리즘과 그것을 응용한 암호프로토콜로 구성되어 있다. 이 책은 암호기술 세계로 발을 딛고자 하는 분들에게 좋은 길라잡이가 될 것으로 기대한다. 특히, 앞으로 암호기술 분야를 전문적으로 연구하고 싶은 분들에게 좋은 디딤돌 역할을 할 수 있을 것으로 기대한다.

2023년 09월

김 상 진

Contents

제11장 해시함수의 활용 / 233

제12장 다자간 키 확립 프로토콜 / 261

제14장 고급 암호기술 2부: 고급 전자서명 기술, 프라이버시 보호 기술 / 313

제15장 블록체인과 암호화폐 / 335

제16장 블록체인 2.0 / 367

제17장 기타 응용 보안 / 405

제1장

암호기술 개요

제 1 장 암호기술 개요

1.1 정보보호 서비스와 암호기술

1.1.1 비밀성과 무결성

정보보호(information security)란 정보에 대한 비인가된 접근, 사용, 유출(disclosure), 수정, 파괴 등을 방지하거나 발견하고 복구하기 위한 기술적 방법을 말한다. 정보를 보호할 때 가장 기본적으로 고려되는 서비스는 **비밀성**(confidentiality), **무결성**(integrity), **가용성**(availability)이다. 이들을 정보보호의 3대 핵심 서비스라고 하여 “CIA triad”로 불린다. 여기에 **인증**(authentication)을 추가하는 경우도 종종 있다. 이 중에 사용이 요구될 때 해당 서비스를 사용할 수 있도록 하는 가용성을 제외한 3가지 서비스는 **암호기술**(cryptography)을 사용하여 제공하는 경우가 많다. 암호기술이란 메시지를 안전하게 유지하는 기술과 학문을 말한다. 과거에 암호기술은 비밀성을 보장하기 위한 기술에 초점을 두었지만, 현재는 공격자들이 고의로 공격하더라도 운영 중인 정보 서비스가 정상적으로 동작하도록 하거나 부당한 이득을 취할 수 없도록 다양한 암호기술을 개발하고 연구하고 있다. 정보보호 서비스를 제공하기 위해 사용하는 기술이 모두 암호기술은 아니다. 정보보호를 위해 디지털 정보에 직접 적용하는 알고리즘과 이를 응용한 프로토콜을 암호기술이라 한다.

비밀성이란 인가된 개인, 단체, 프로세스만 데이터의 내용을 볼 수 있도록 해주는 서비스를 말하며, 다른 용어로 기밀성이라고도 한다. 비밀성을 제공할 때는 보호해야 하는 데이터의 중요도, 보호해야 하는 기간에 따라 다른 강도의 메커니즘을 사용한다. 예를 들어 인터넷 쇼핑 과정에서 신용카드 정보를 인터넷 쇼핑몰에 전송할 때는 제삼자가 얻을 수 없도록 비밀성이 보장된 형태로 전달하여야 한다.

무결성은 데이터의 수명 동안 데이터의 정확성(내용의 불법적인 변경이 없는)을 유지하고 보증하는 것을 말한다. 여기서 변경이란 데이터의 추가, 수정, 삭제 등을 말한다. 하지만 디지털 데이터는 쉽게 수정할 수 있으므로 비밀성과 달리 데이터를 불법적으로 변경하는 것을 물리적으로 완벽하게 막기는 어렵다. 특히, 개방된 네트워크로 전달되는 데이터는 더욱더 어렵다. 따라서 무결성 서비스는 보통 불법적인 변경을 발견할 수만 있도록 해준다. 예를 들어, 인터넷 뱅킹에서 특정 금액을 이체할 때 이체 금액을 전송 중간에 변경할 수 없어야 한다. 무결성 서비스는 중간에 금액이 변경되는 것을 막아주는 것이 아니라 전송 중간에 변경되면 이를 알 수 있게 해준다.

1.1.2 인증

인증은 주장된 것을 검증하는 것을 말하며, 주장하는 것이 무엇인지에 따라 그 의미가 많이 달라질 수 있다. 통신 프로토콜에서 인증은 보통 크게 메시지 인증, 메시지 원천지(origin) 인증, 개체(entity) 인증으로 분류한다. 메시지 인증은 무결성과 같은 의미이며, 메시지 원천지 인증은 메시지가 송신된 위치 또는 송신자를 검증하는 것을 말한다. 메시지 인증과 원천지 인증을 이처럼 분리하여 고려할 수 있지만 보통 메시지 원천지 인증은 메시지 인증과 송신자 인증을 포괄하는 개념으로 많이 사용한다. 특히, 메시지의 무결성이 확인되지 않으면 보통 송신자 인증을 주장하기 어렵다. 우리가 정보보호를 논할 때 사용자를 언급하면 이것은 실제 개인을 말할 수 있고, 개인이 사용하는 소프트웨어 또는 장치를 말할 수 있다. 따라서 문맥에서 무엇을 말하고 있는지 잘 살펴볼 필요가 있다. 일반적으로 서비스가 물리적 위치에 따라 제한되지 않으므로 정보보호에서 위치는 보통 중요하지 않다. 하지만 응용에 따라 위치 정보가 중요한 경우도 있으며, 최근 많은 웹 서비스는 자주 사용하는 기기나 위치가 아니면 사용자에게 알림을 주어 계정에 대한 필요한 보호 조치할 수 있게 해준다.

우리가 가장 흔하게 접하는 인증 서비스는 개체 인증이다. 즉, 주장된 신원을 검증하는 것이다. 메시지 원천지 인증에서도 송신자를 검증할 수 있지만, 개체 인증과의 차이점은 보통 개체 인증은 인증의 최근성까지 확인할 수 있어야 한다. 개체를 인증할 때는 크게 다음 세 가지 요소를 사용한다.

- 사용자만이 알고 있는 지식(what one knows)
- 사용자만의 독특한 특징(what one is)

- 사용자만이 가지고 있는 것(what one has)

우리가 웹사이트에 로그인할 때 가장 많이 사용하는 것이 패스워드이다. 패스워드는 사용자만이 알고 있는 지식을 이용하는 인증 서비스이다. 사용자만의 독특한 특징이란 사용자의 생체 정보를 이용하는 것이다. 현재 지문, 홍채인식, 얼굴인식 등 다양한 생체 정보를 이용하고 있으며, 한 가지 생체 정보만 이용하지 않고 여러 개를 동시에 사용하는 경우도 많다. 생체 정보를 이용하기 위해서는 영상인식, 음성인식과 같은 기술이 필요하다. 하지만 생체 정보를 이용한 인증이란 저장되어 있는 정보와 현재 인식된 정보가 같은지 비교하는 방식이므로 인식된 정보와 저장된 정보에 대한 적절한 보호가 필요하며, 이 과정에서는 암호기술이 사용될 수밖에 없다. 열쇠, 출입 카드 등이 사용자만이 가지고 있는 것을 이용하는 인증 방식이다.

보통 인증의 안전성을 높이기 위해 한 가지 요소만 사용하지 않고 여러 요소를 동시에 사용하는 경우가 많다. 특히, 두 가지 요소를 사용하면 이를 **2-factor 인증**이라 한다. 예를 들어, 은행 ATM 기기에서 현금을 찾을 때 우리는 보통 카드나 통장을 사용하며, 추가로 비밀번호(pin 번호)까지 입력해야 찾을 수 있다. 따라서 ATM 기기에서 현금을 찾을 때는 사용자만이 가지고 있는 것과 그 사용자만이 알고 있는 것을 모두 이용하는 2-factor 인증을 사용한다. 최근에 웹 서비스를 사용할 때 보안 강도를 높이기 위해 2단계 인증을 사용하는 경우가 늘어나고 있다. 여기서 2단계 인증은 두 단계를 통과해야 접속을 허용한다는 개념이며, 각 단계에서 다른 요소를 사용하지 않을 수 있다. 예를 들어, 구글의 2단계 인증은 패스워드 인증 이후 다양한 방법 중 한 가지 방법(예: 보안이 취약할 수 있지만 등록된 핸드폰 SMS로 전달된 코드를 사용할 수 있음)으로 추가 검증 코드를 제공해야 한다. 두 번째 단계에서는 보통 사용자만이 가지고 있는 핸드폰을 활용하기 때문에 사용자만이 가지고 있는 것을 활용하는 것으로 간주할 수 있다. 따라서 이 경우 이 방식은 2-factor 인증이자 2단계 인증이 된다.

1.1.3 부인방지

비밀성, 무결성, 인증, 가용성 외에 또 많이 필요로 하는 정보보호 서비스가 **부인방지**(non-repudiation)이다. 부인방지란 지난 행위나 약속을 부인하지 못하도록 하는 서비스이다. 보통 행위를 한 사용자 또는 약속한 사용자가 그 과정에서 어떤 증거물을 남기게 되며, 나중에 이 증거물 때문에 부인할 수 없게 된다. 부인방지는 보통 제삼자가 이 증거물을 확인할 수 있어야 한다. 따라서 개체 인증보다 강한 개념이다.

부인방지는 다양한 응용에서 다양한 이유로 필요할 수 있다. 통신 프로토콜에서 메시지의 송수신과 관련하여 크게 다음과 같은 4가지 부인방지 서비스가 필요하다[1].

- 송신 부인방지(Non-Repudiation of Origin, NRO)
- 전달 부인방지(Non-Repudiation of Delivery, NRD)
- 제출 부인방지(Non-Repudiation of Submission, NRS)
- 수신 부인방지(Non-Repudiation of Receipt, NRR)

2자 간 메시지를 직접 교환하면 송신 부인방지와 수신 부인방지만 필요하다. 하지만 중계자를 이용하면 송신과 수신 부인방지 외에 전달 및 제출 부인방지까지 필요하다. 제출 부인방지는 중계자가 메시지 중계를 위해 메시지를 받은 사실을 부인하지 못하도록 해주고, 전달 부인방지는 수신자가 중계자로부터 메시지를 받았다는 사실을 부인하지 못하도록 해준다.

앞서 언급한 바와 같이 행위자가 증거물을 남겨야 하며, 이 증거물을 부인방지 토큰이라고 한다. 즉, 송신자는 메시지를 송신하고 자신이 송신하였음을 증명하여 주는 토큰을 수신자에게 전달해야 한다. 수신자는 메시지를 수신한 후에 수신하였음을 증명하여 주는 토큰을 생성하여 송신자에게 전달해야 한다. 나중에 상대방이 행위를 부인하였을 때 보관된 토큰을 통해 누가 부정하고 있는지 확인할 수 있게 된다. NRS와 NRD는 모두 중계자가 생성하지만 한 가지 특이한 점은 NRD는 자신의 지난 행위를 부인하지 못하게 하려고 사용하는 것이 아니라 지난 행위를 하였다는 증거를 남기는 형태이다. 보통 NRD에 NRR이 포함되어 있다.

1.1.4 프라이버시

앞서 설명한 비밀성부터 부인방지까지는 전통적으로 정보보호에서 널리 사용한 서비스이다. 반면에 프라이버시 보호는 현재의 지식정보화 및 유비쿼터스 시대가 본격화되면서 정보보호에서 가장 중요하게 요구되는 서비스이다. 이것은 정보화의 가장 큰 부작용이 개인 프라이버시 침해이기 때문이다. **프라이버시**란 개인(또는 집단)이 자신 또는 자신의 정보를 선택적으로 노출할 수 있는 권리를 말한다. 이를 위해 개인은 자신과 연관되는 정보가 수집되고 저장되는 것을 직접 제어하거나 영향을 줄 수 있어야 한다. 하지만 오늘날 사회는 George Orwell의 소설 '1984'에서 등장하는 "Big Brother"라는 독재자처럼 실제 개인의 모든 일거수일투족을 관찰하는 것이 가능하다. 도로, 건물 곳곳에 설치된 CCTV, 물건을 살 때 사용하는 신용카드 기록, 이동할 때마다 스마트폰이 접속한 기지국 정보 등 개인의 일거수일투족이 실제 기록되고 있다.

프라이버시와 관련하여 정보보호에서 제공하고 싶어 하는 서비스는 개인정보 노출을 포함하여 컴퓨팅 서비스를 사용하는 과정에서 프라이버시 침해를 방지하는 것이다. 이 측면에서 프라이버시 보호는 **익명성**(anonymity)[2)] 제공과 동일한 것으로 간주하기도 한다. 프라이버시 보호를 논할 때 누구로부터 프라이버시를 보호하고자 하는 것인지도 중요하다. 보통 제삼자에게 노출되는 것만을 보호하는 경우가 대부분이다. 특히, 과금을 포함한 다양한 이유로 서비스 제공자에게 노출되는 것까지는 보호하기 힘들다.

프라이버시는 크게 내용 프라이버시, 행동 프라이버시, 위치 프라이버시로 분류할 수 있다. 예를 들어, 사용자가 유튜브를 통해 어떤 동영상을 보고 있다고 하자. 내용 프라이버시란 어떤 동영상을 보는지 숨기는 것을 말하며, 행동 프라이버시는 유튜브 서비스를 이용하고 있다는 것 자체를 숨기는 것을 말한다. 참고로 행동 프라이버시가 보장된다고 자동으로 내용 프라이버시가 보장되는 것은 아니다. 그 반대도 마찬가지이다. 보통 내용 프라이버시는 비밀성 서비스를 통해 보장하며, 행동 프라이버시는 익명 기술을 통해 보장한다. 위치 프라이버시란 유튜브 서비스를 어디서 이용하고 있는지 숨기는 것을 말하며, 여기서 위치는 물리적 위치를 말한다. 위치 프라이버시가 지속해서 노출되면 위치 추적(location tracing)이 된다고 말한다.

디지털 서비스를 사용할 때 교환된 통신 메시지를 수집하고 관찰하면 그것을 사용한 사용자의 프라이버시가 침해될 수 있다. 행동 프라이버시가 보장되기 위해서는 다음 두 가지 요구사항이 충족되어야 한다.

- **불관찰성**(unobservability): 특정 메시지를 전송한 또는 수신한 개체를 알 수 없어야 한다는 것을 말한다.
- **불연결성**(unlinkability): 두 개의 메시지가 주어졌을 때 동일한 송신자가 전송한 것인

2) 익명성은 개체와 행동(또는 정보)을 연결하지 못하게 해주는 것을 말한다.

지 또는 동일한 수신자에게 보내는 것인지 연결할 수 없어야 한다는 것을 말한다.

불연결성은 특정 메시지의 불관찰성이 깨졌을 때 그 파급 효과를 최소화하기 위한 것이다. 예를 들어, 홍길동이라는 하나의 익명만을 사용하여 서비스를 이용하면 불관찰성은 제공될 수 있지만, 불연결성은 제공되지 않으며, 홍길동이 실제 누구인지 밝혀지면 그동안 홍길동이라는 익명으로 이용된 모든 것이 노출된다.

프라이버시가 절대 침해되지 않도록 서비스를 제공하면 사용자들은 이를 악용할 수 있다. 따라서 프라이버시는 조건부로 제공하는 것이 필요하다. **조건부 프라이버시**란 법률에 따라 필요할 경우 법률에 정해진 기관이 특정 메시지의 익명을 철회(revocation)할 수 있는 경우를 말한다. 특정 기관이 단독으로 익명을 철회할 수 있는 능력을 보유하고 있으면 해당 능력을 남용하는 것이 언제든지 가능하므로 사용자들이 서비스 이용을 꺼릴 수 있다. 따라서 정보보호에서는 이와 같은 문제를 해결하기 위해 권한을 분산할 수 있는 암호기술을 사용한다. 이 기술을 **임계기반 비밀공유 기법**(threshold-based secret sharing)이라 한다. 이 기법은 어떤 능력을 n명에게 나누고, 이 중에 n보다 적은 t명 이상이 동의하면 해당 능력을 사용할 수 있도록 하는 기술이다. 여기서 t는 보안 변수(security parameter)이다. 보안 변수란 해당 값을 변경함으로써 보안 강도를 조절할 수 있는 값을 말한다. t가 크면 클수록 보안 강도가 높아지는데 $t=n$이 되면 가용성 측면에서 꼭 필요할 때 해당 능력을 발휘하지 못할 수 있다. 임계 기반 비밀 공유 기법은 13장에서 자세히 설명한다.

1.2 통신 계층과 암호기술

현재 인터넷은 TCP/IP 프로토콜을 사용하고 있으며, 통신 프로토콜은 확장성, 유연성 등의 이유로 여러 계층으로 나누어 구성되어 있다. 계층은 크게 송신 노드와 목적 노드 간에 이루어지는 단대단(end-to-end) 기능을 하는 것과 중간 이웃 노드 간 기능을 하는 것으로 구분된다. 이 때문에 통신 메시지에 암호기술의 적용은 종단 간에 이루어질 수 있고, 중간 이웃 노드 간에 이루어질 수 있다.

두 방식의 효과는 다음과 같은 측면에서 다르다. 이때 비밀성 서비스를 위해 암호기술을 적용한다고 가정하자.

- (안전성 측면) 첫째, 종단 간 암호기술을 적용하면 중간 노드들은 메시지 내용을 볼 수 없다. 하지만 링크 간 암호기술을 반복적으로 적용하면 메시지 내용이 중간 노드에게 공개된다.
- (효율성 측면) 둘째, 종단 간 방식은 종단에서만 암호기술을 적용하므로 종단 노드들만 암호 모듈을 가지고 있으면 되지만 링크 간 방식은 모든 노드가 암호 모듈을 가지고 있어야 한다. 또 링크 간 지연을 무시하면 종단에서만 암호기술을 적용하므로 링크 간과 달리 속도가 더 빠르다.
- (강건성 측면) 셋째, 암호화하는 방식에 따라 중간에 오류가 발생하면 종단 간 방식은 메시지 단위로 암호화하기 때문에 재전송해야 하는 부분의 크기가 클 수 있지만, 링크 간 방식은 패킷 단위로 암호화할 수 있으므로 오류가 발생한 패킷만 재전송하여 문제를 해결할 수 있다.
- (프라이버시 측면) 넷째, 종단 간 방식은 헤더가 공개된 상태로 종단 간에 전달하므로 트래픽 분석이 가능하지만, 링크 간 방식은 종단 헤더 정보는 숨겨지고 링크 간 헤더만 공개되므로 트래픽 분석이 어려워진다.

트래픽 분석이란 한 사용자와 다른 사용자 간에 얼마나 자주 얼마만큼의 데이터를 교환하는지 분석하는 것을 말한다. 실제 현장에서 사용하는 종단 간 비밀성을 보장하는 표준 프로토콜은 TLS(Transport Layer Protocol)[2]이다. 웹 브라우징을 할 때 http 대신에 https를 사용하면 TLS 프로토콜을 사용하는 것이다. 반면에 링크 간 비밀성을 보장하는 표준 프로토콜은 IPsec[3]이다. 참고로 종단 간 암호화와 링크 간 암호화를 동시에 할 수도 있다.

1.3 암호기술 기초

암호기술을 본격적으로 설명하기에 앞서 앞으로 사용할 몇 가지 용어부터 알아보자. 전통적으로 암호기술은 메시지의 비밀성을 보장하기 위해 사용되었다. 메시지의 비밀성을 보장하기 위해서는 암호기술을 사용하여 기존 메시지를 조작하여야 한다. 이때 암호기술을 적용하기 전 데이터를 **평문**(plaintext, cleartext)이라 하고, 조작된 후 데이터를 **암호문**(ciphertext)이라 한다. 비밀성을 보장하기 위해 평문을 암호문으로 조작하는 과정을 **암호**

화(encryption)라 하고, 암호문을 다시 평문으로 바꾸는 과정을 **복호화**(decryption)라 한다. 현대 암호화 함수와 복호화 함수는 그림 1.1처럼 키를 사용하며 그것의 안전성이 키의 비밀성에 의존한다.

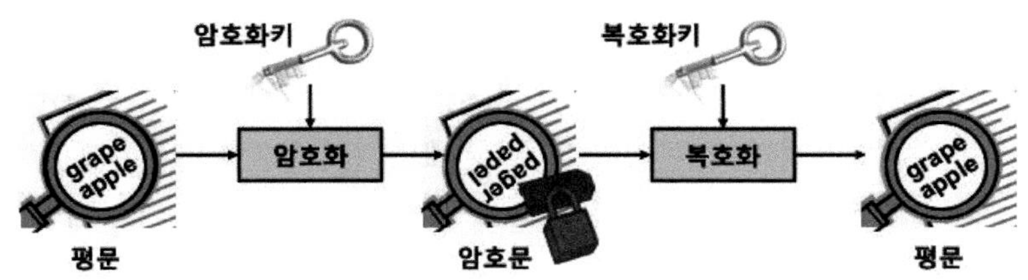

<그림 1.1> 암호화와 복호화 과정

암호기술은 공격자가 존재하는 상황에서 서비스가 안전하게 이루어지도록 하는 기술을 개발하고 연구하는 학문을 말하며, 암호해독기술(cryptanalysis)은 암호기술을 분석하여 그것의 문제점을 발견하는 기술을 연구하는 학문을 말한다. 문제점을 찾는 이유는 공격하기 위한 것이 아니라 암호기술의 문제점을 보완하기 위한 것이다. 암호학(cryptology)이라는 용어는 암호기술과 암호해독기술을 결합한 용어이다.

암호기술은 정보보호 서비스를 제공할 때 중요하게 필요로 하는 기술이지만 다음과 같은 한계를 가지고 있다.

- 한계 1. 암호기술이 모든 보안 문제를 해결할 수는 없다. 앞서 언급한 바와 같이 가용성은 암호기술로 제공할 수 없으며, **사회공학**(social engineering) **공격**은 암호기술로 방어할 수가 없다. 사회공학 공격이란 시스템 내부 권한을 가진 사람을 매수하여 정보를 얻는 등, 컴퓨팅 외적으로 공격을 하는 것을 말한다.
- 한계 2. 암호기술은 제대로 구현하고 올바르게 사용하지 않으면 효과가 없을 수 있다.
- 한계 3. 비전문가가 직접 설계하여 사용할 수 있는 기술이 아니다.

이와 같은 한계 때문에 정보보호 서비스를 개발할 때 표준 기술을 사용해야 하며, 공식적으로 널리 사용하는 암호 라이브러리를 활용해야 한다. 또 다른 범죄 예방과 마찬가지로 기술의 한계를 극복하는 데 필요한 법을 제정해야 한다. 우리나라의 경우 개인정보 보호법과 정보통신망 이용촉진 및 정보보호 등에 관한 법률 등이 여기에 해당한다. 이와 같은 법은 공격자를 처벌할 수 있도록 하여 사이버 공격을 억제하거나 의무적으로 특정 정보를 다루는 정보 서비스를 운영하면 특정 수준의 정보보호 인력과 보안장비를 갖추도록 하고 있다.

보안 문제를 해결하기 위해 암호기술을 선택할 때는 적절성(appropriateness), 강도(strength), 비용(cost)을 고려해야 한다. 주어진 보안 요구사항을 충족할 수 있는 적절한 도구를 선택해야 하며, 선택한 도구는 필요한 수준의 보안 강도를 제공해야 하고, 비용이 타당해야 한다. 여기서 비용은 금전적 비용만을 말하는 것은 아니다. 사용의 편리성, 효율성까지 포함하여 비용을 생각하여야 한다. 실제 응용에서 보안 메커니즘의 선택을 결정하는 가장 중요한 요소는 보통 비용이다.

1장 퀴즈

1. 다음 중 3대 정보보호 서비스에 포함되지 **않는** 것은?

① 인증
② 비밀성
③ 가용성
④ 무결성

2. 다음 중 2-factor 인증이 **아닌** 것은?

① 은행 ATM 기기에서 서비스를 사용하기 위해 은행카드와 비밀번호를 요구한 경우
② 집 출입문을 열기 위해 비밀번호와 지문을 요구한 경우
③ 핸드폰 잠금을 해제하기 위해 비밀번호와 비밀패턴을 요구한 경우
④ 웹 서비스에 로그인하기 위해 비밀번호와 SMS로 전달된 인증 코드를 입력해야 하는 경우 (가정. 실명 가입된 핸드폰이 없으면 해당 메시지를 가로챌 수 없음)

3. 임계기반 비밀 공유기법과 관련된 다음 설명 중 **틀린** 것은?

① 권한을 분산하여 권한 남용을 방지할 때 사용하는 기술이다.
② (t, n) 임계 기반 기법에서 t는 보안 변수로 t를 높이면 보안 강도가 내려가고 t를 줄이면 보안 강도가 올라간다.
③ (n, n)도 사용할 수 있지만 가용성 측면에서 바람직하지 않다.
④ (t, n) 임계 기반 기법은 권한을 n명에게 분산하고, 이 중 t명 이상이 동의하면 해당 권한을 수행할 수 있게 하는 방식이다.

4. 약한 프라이버시는 불관찰성만 제공하는 경우이고, 강한 프라이버시는 불관찰성과 불연결성을 모두 제공하는 경우이다. 다음 중 강한 프라이버시에 해당하는 것은? 단, 서술된 것 외에 IP 주소, CCTV 등을 통해 프라이버시가 노출되는 것은 고려하지 않고 답하라.

① 하나의 고정된 익명으로 댓글을 쓸 수 있는 경우
② 선불교통카드로 대중 교통을 이용한 경우 (해당 카드는 회원가입 후 등록된 카드는 아님)
③ 하나의 가명을 이용해 여러 책을 출판하고 있는 경우
④ 카카오 또는 네이버 QR 코드 체크인을 이용하여 출입 시설에 체크인을 한 경우 (QR 코드는 매번 바뀐다.)

연습문제

1. 과거 컴퓨터가 없던 시대를 상상해 보자. 디지털 정보를 사용하지 않는 시대에 정보를 보호하기 위한 메커니즘을 생각하여 보자. 다음 각 상황에서 사용한 정보보호 방법을 제시하라.
   ① 두 사람의 대화 내용을 다른 사람은 알 수 없도록 하고 싶다.
   ② 종이에 적혀 있는 정보를 권한이 있는 사람만 볼 수 있도록 제한하고 싶다.
   ③ 종이에 서술된 내용에 특정 사람이 동의하고 있다는 것을 확인하고 싶다.
   ④ 종이에 적혀 있는 정보가 변조되지 않았다는 것을 확인하고 싶다.
   ⑤ 현재 대화하고 있는 상대방의 신원을 확인하고 싶다.

2. 서문에 제시된 동전 던지기 프로토콜 단계 1에서 A가 매우 큰 정수를 임의로 선택한다. A가 선택하는 정수의 범위가 제한적이면 어떤 문제가 발생하는지 설명하라.

3. 서문에 제시된 동전 던지기 프로토콜에서 사용한 함수 f의 출력은 균일하게 분포되어야 한다. 즉, x가 주어졌을 때 $f(x)$가 특정 출력값을 가질 확률은 출력의 범위가 n일 때 $1/n$이어야 한다. 사용하는 함수 f가 이 조건을 만족한다고 하였을 때, $f(x)$ 출력의 범위가 작으면 특성 2를 제공할 수 없다. 그 이유를 설명하라.

4. 비트코인에서 일반 사용자는 주소로 식별된다. 사용자가 보유한 코인은 이 주소와 연결되며, A가 B에게 일정한 금액의 비트코인을 전달하고 싶으면 A는 B의 주소를 알아야 한다. 사용자는 여러 개의 주소를 만들어 사용할 수 있다. 한 사용자가 주소를 하나만 사용할 때와 여러 개 사용할 때 불관찰성, 불연결성 측면에서 분석하라.

5. 프라이버시를 더 강하게 보호하기 위해서는 불관찰성과 불연결성을 모두 제공해야 한다. 불관찰성을 보장하지만, 불연결성을 보장하지 못하면 어떤 문제가 발생할 수 있는지 설명하라. 불연결성이 프라이버시 보호에 왜 필요한지 설명하라.

6. 은행 ATM기기를 제외하고 일상생활에서 사용하는 서비스 중 하나를 선택하여 그 서비스에서 어떤 요소를 사용하여 개체 인증을 하는지 설명하라.

7. 직접 사용해 본 실제 암호기술을 사용하고 있는 서비스를 하나 설명하라. 어떤 서비스에서 어떤 암호기술을 어떻게 사용하고 있는지 조사하여 간단히 서술하라.

제2장

암호알고리즘 개요 1부

제 2 장 암호알고리즘 개요 1부

2.1 암호알고리즘

과거 전통적으로 암호기술은 비밀성 유지에 초점을 두었으므로 **암호알고리즘**(cryptographic algorithm)은 원래 암호화와 복호화 과정에서 사용하는 수학 함수를 말하였다. 하지만 암호기술을 비밀성 보장 목적으로만 사용하는 것이 아니므로 오늘날 암호알고리즘은 암호기술로 사용하는 모든 알고리즘을 포함하는 개념으로 사용한다. 이 장에서는 좁은 의미의 암호알고리즘 위주로 살펴보고, 다음 장에서 넓은 의미에서 해시함수, MAC(Message Authentication Code), 전자서명 알고리즘 등에 대해 살펴본다.

현대 암호화 함수와 복호화 함수는 모두 키(key)를 사용하며, 암호화 과정에서 사용하는 키를 암호키(cryptographic key)라 한다. 가능한 평문의 집합 $\boldsymbol{M}$, 가능한 암호문의 집합 $\boldsymbol{C}$, 가능한 암호키의 집합 $\boldsymbol{K}$, 3개의 집합이 있을 때 암호화 함수는 $M \in \boldsymbol{M}$, $K \in \boldsymbol{K}$를 입력받아 $C \in \boldsymbol{C}$를 출력하는 함수이고, 복호화 함수는 $C \in \boldsymbol{C}$, $K \in \boldsymbol{K}$를 입력받아 $M \in \boldsymbol{M}$을 출력하는 함수이다. 이 책에서는 다음 표기법을 사용한다.

$$E.K(M) = C,\ D.K(C) = M$$

암호프로토콜을 설명할 때는 $E.K(M)$ 대신에 $\{M\}.K$를 사용한다. 암호화 함수와 복호화 함수는 반드시 다음 정확성(correctness) 요구사항을 기본적으로 충족해야 한다.

$$D.K(E.K(M)) = M$$

위 수식들에서는 암호화와 복호화에 사용하는 암호키가 동일한 경우이고, 암호화와 복호화에 사용하는 암호키가 다를 수 있다. 암호화, 복호화 함수의 완전성 요구사항 때문에 복호화 함수는 암호화 함수의 역함수가 되어야 한다. 어떤 함수의 역함수가 존재하기 위해서는 함수가 전단사함수(bijection)이어야 한다.

암호알고리즘은 완전성뿐만 아니라 안전하여야 한다. 더욱이 현대 암호알고리즘의 안전성은 알고리즘의 비밀성(security by obscurity)에 의존하는 것이 아니라 암호키에 의존해야 한다. 이 원리는 1883년 케르크호프스(Kerckhoff)가 제시한 원리이다. **케르크호프스의 원리**는 다른 말로 개방 설계(open design) 또는 Shannon의 격언(maxim)이라고도 한다. 암호알고리즘의 안전성이 키에 의존하는 것이 아니라 알고리즘 비밀성에 의존하면 이 알고리즘을 **제한적 알고리즘**(restricted algorithm)이라 한다.

제한적 알고리즘은 알고리즘 자체가 비밀이기 때문에 해독하기가 상대적으로 어려울 수 있지만, 오늘날에는 알고리즘을 하드웨어로 제작하거나 소프트웨어로 구현하여 사용하므로 역공학(reverse engineering) 기술 때문에 알고리즘을 비밀로 유지하기 어렵다. 더욱이 제한적 알고리즘은 알고리즘의 내부 구조가 노출되면 알고리즘 자체를 변경해야 할 뿐만 아니라 알고리즘을 공유할 수가 없다. 비밀 통신을 하고자 하는 쌍의 수가 n이면 n개의 서로 다른 알고리즘이 있어야 한다. 이와 달리 키 의존 알고리즘은 n쌍이 모두 같은 알고리즘을 사용할 수 있다. 다만, 이때 n쌍은 모두 다른 키를 사용해야 안전하다. 키 의존 알고리즘은 키가 노출되었을 때 알고리즘을 바꾸는 것이 아니라 키만 변경하면 된다. 물론 알고리즘의 내부 내용을 상세하게 공개하기 때문에 알고리즘에 존재하는 허점을 발견하기가 상대적으로 쉽다. 하지만 이것은 부정적인 측면만 있는 것이 아니라 빨리 보완할 수 있는 긍정적인 측면도 있다. 암호해독기술자들은 알고리즘을 분석하여 존재하는 허점을 발견하여 이를 보완하도록 하는 것이 그들의 주된 연구 목표이다.

암호키는 사용하는 방식, 사용하는 횟수 등에 따라 다음과 같이 여러 가지 용어로 불린다.

- 암호키(cryptographic key): 암호알고리즘에서 사용하는 모든 종류의 키
- 암호화키(encryption key): 암호화할 때 사용하는 키
- 복호화키(decryption key): 복호화할 때 사용하는 키
- 비밀키(secret key): 암호화키와 복호화키가 같은 대칭 암호알고리즘(symmetric cryptographic algorithm)에서 사용하는 키
- 개인키(private key), 공개키(public key): 암호화키와 복호화키가 다른 비대칭 암호알고리즘(asymmetric cryptographic algorithm)에서 사용하는 키를 말한다. 보통 암호

화할 때 사용하는 키가 공개키이고, 복호화할 때 사용하는 키가 개인키이다. 더 자세한 것은 3절에서 설명한다.

- 장기간키(long-term key), 세션키(session key): 사용자가 긴 기간 동안 유지하고 사용하는 키를 장기간 키라 하며, 단일 통신 세션을 위해 생성하여 사용한 후 버리는 키를 세션키라 한다.

이 외에도 다중사용 키(many-time use key)와 일회용 키(one-time use key) 개념도 있다. 장기간 키처럼 비휘발성 메모리에 유지해야 하면 이 키를 안전하게 보호하기 위한 별도 보안 메커니즘이 필요하다. 이 측면에서 장기간 키의 사용은 최소화하고 필요할 때마다 새 일회용 키를 이용하는 것이 바람직하다. 또 키는 용도마다 다른 키를 사용하는 것이 바람직하다.

2.1.1 암호알고리즘의 분류

일반 알고리즘과 마찬가지로 암호알고리즘도 결정적(deterministic) 알고리즘과 확률적(probabilistic) 알고리즘으로 분류할 수 있다. 결정적 알고리즘은 동일 입력을 이용하면 항상 동일한 과정을 거쳐 같은 결과를 주는 알고리즘이고, 확률적 알고리즘은 동일 입력을 이용하더라도 내부적으로 사용하는 랜덤 요소 때문에 계산 과정이 달라질 수 있는 알고리즘이다. 확률적 알고리즘은 다른 말로 무작위(randomized) 알고리즘이라 한다.

암호알고리즘에서는 같은 입력에 대해 항상 같은 출력을 주는지 다른 출력을 줄 수 있는지 특성이 안전성에 영향을 줄 수 있다. 결정적 알고리즘이면 같은 입력에 대해 다른 출력을 줄 수 없지만, 확률적 알고리즘은 다른 출력을 줄 수 있다. 따라서 암호화 함수는 정보 노출을 줄이기 위해 확률적 알고리즘이어야 바람직하다. 암호화 함수가 결정적 알고리즘이면 어떤 암호문에 대한 평문이 노출되었을 때 해당 암호문을 다시 사용하면 공격자는 그것의 대응되는 평문을 알 수 있다. 하지만 암호화와 복호화 함수의 완전성 특성 때문에 복호화 함수는 반드시 결정적 알고리즘이어야 한다. 결정적 암호화 함수도 언제든지 입력에 랜덤 요소를 추가하여 확률적 알고리즘으로 변경할 수 있지만, 평문 앞에 랜덤 값을 붙이는 등 단순한 방법으로 변경할 수 있는 것은 아니다. 그와 같은 추가가 안전성에 나쁜 영향을 주지 않아야 한다.

암호화와 복호화 함수를 말하는 좁은 의미의 암호알고리즘은 암호화와 복호화할 때 사용하는 암호키가 같은지 다른지에 따라 대칭, 비대칭 암호알고리즘으로 분류한다. 비대칭 암호알고리즘의 경우 비대칭보다는 공개키 암호알고리즘 용어를 더 많이 사용한다. 대칭 암호알고리즘은 두 사용자가 같은 키를 가지고 있어야 메시지를 암호화하여 교환할 수 있다. 하지만 공개키 암호알고리즘은 전송자가 수신자의 공개키를 이용하여 메시지를 암호화하면 수신자는 자신의 개인키로 복호화하는 방식이다. 따라서 대칭 암호알고리즘에서는 대칭키의 비밀성이 중요하지만 공개키 암호알고리즘에서 공개키는 비밀로 유지할 필요가 없다. 하지만 공개키 방식에서는 공개키의 인증이 매우 중요하다. 즉, 사용하는 공개키가 누구의 공개키인지 확인할 수 있어야 한다.

2.1.2 표기법

암호프로토콜을 기술할 때 이 책에서는 주로 표 2.1에 제시된 표기법을 사용한다. 또한 아래 첨자를 사용하여 키의 소유자나 타임스탬프나 난스를 생성한 사용자를 나타낸다. 예를 들어 K_{AB}는 사용자 A와 B가 공유한 비밀키를 나타내며, T_S는 신뢰 기관 S가 생성한 타임스탬프를 나타낸다.

표기	의미	표기	의미
A, B, C, S	프로토콜 참여자	N	난스
K	비밀키 (대칭키)	$H(M)$	M에 대한 해시 값
cK	인증 암호화에서 비밀성 보장을 위해 사용하는 대칭키	$\{M\}.K$	암호키 K를 이용한 M의 암호화
iK	인증 암호화에서 MAC 키	Sig.$A(M)$	M에 대한 사용자 A의 전자서명 값
eK	공개키	Sig.$K(M)$	서명키 K를 이용한 M에 대한 전자서명 값
dK	개인키	MAC.$K(M)$	비밀키 K를 이용한 M에 대한 MAC 값
T	시간을 나타내는 타임스탬프	$M_1 \parallel M_2$	M_1과 M_2의 비트 결합

<표 2.1> 암호프로토콜 기술에 사용하는 표기법

2.2 대칭 암호알고리즘

대칭 암호알고리즘은 고대 로마 시대는 물론 그 이전에도 군사적 목적으로 사용하였다. 따라서 대칭 암호알고리즘을 다른 말로 전통 암호알고리즘(conventional cryptographic algorithm)이라 한다. 이 알고리즘에서 사용하는 키를 비밀키라 하며, 이 때문에 대칭 암호알고리즘을 다른 말로 비밀키 암호알고리즘이라고도 한다. 대칭 암호알고리즘에서는 암호화할 때와 복호화할 때 같은 키를 사용하기 때문에 원격에 있는 두 사용자가 대칭 암호알고리즘을 이용하기 위해서는 먼저 안전하게 비밀키를 공유하여야 한다. 대칭 암호알고리즘에서 비밀키는 보통 암호학적으로 안전한 의사난수 생성 알고리즘을 이용하여 생성한다.

대칭 암호알고리즘은 크게 한 바이트씩 암호화하는 **스트림**(stream) 방식과 일정한 크기만 암호화할 수 있는 **블록**(block) 방식으로 분류할 수 있다. 스트림 방식은 보통 평문의 한 바이트와 한 바이트의 키 스트림 값을 XOR하여 암호화한다. 이를 위해 주어진 키로부터 키 스트림을 생성하는 알고리즘이 필요하며, 이 알고리즘은 확률적 알고리즘이어야 한다. 현재 널리 사용하고 있는 스트림 방식의 대칭 암호알고리즘은 Salsa20[4], ChaCha20[5] 등이 있으며, 블록 방식의 대칭 암호알고리즘은 미국 표준인 AES(Advanced Encryption Standard)[6]가 있다.

블록 방식의 대칭 암호알고리즘은 치환(substitution)과 자리바꿈(transposition) 두 가지 연산을 기본 연산으로 사용한다. 치환은 주어진 데이터를 다른 데이터로 바꾸는 것이고, 자리바꿈은 데이터의 위치를 바꾸는 것이다. 치환과 자리바꿈을 보통 둘 다 사용하게 되는데, 이와 같은 방식을 합성 암호(product cipher)라 하며, 합성 암호를 여러 번 해야 원하는 암호 강도를 얻을 수 있어서 정해진 과정을 여러 차례 반복한다. 이때 정해진 과정을 한 번 수행하는 것을 라운드라 한다. 현대 대칭 암호알고리즘은 비트 연산 기반 치환과 자리바꿈 연산을 사용하고 있어 매우 큰 정수 연산을 사용하는 공개키 암호알고리즘에 비해 상대적으로 성능이 우수하다.

2.2.1 암호화 모드

블록 방식의 대칭 암호알고리즘에서 암호화와 복호화 함수는 항상 입력의 크기가 고정되어 있다. 이 크기를 블록 크기라 하며, 암호화하고자 하는 데이터의 크기가 다양하므로 다양한 크기의 데이터를 암호화하는 방식이 추가로 필요하다. 이를 **암호화 모드**(cryptographic mode)라 한다. 암호화할 평문의 크기가 블록 크기보다 작으면 평문의 크기를 블록 크기로 만들기 위해 **채우기**(padding)를 한다. 채우기는 평문의 크기가 블록 크기보다 작을 때만 사용하는 것이 아니라 클 때도 필요하다. 평문의 크기가 정확하게 블록 크기의 배수가 아니면 마지막 블록은 채우기가 필요할 수 있다.

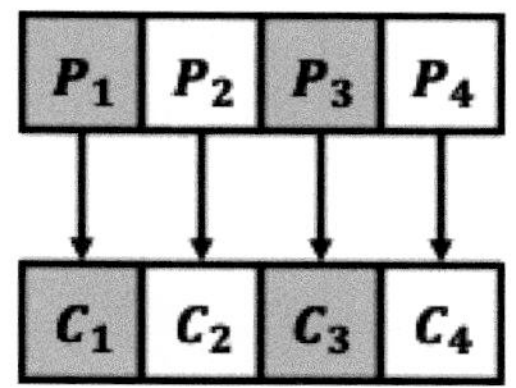

<그림 2.1> ECB 모드의 문제점: P_1과 P_3가 같으면 C_1이 C_3와 같아짐

암호화 모드 중 가장 단순한 모드가 ECB(Electronic CodeBook) 모드이다. 이 모드에서는 평문을 블록 크기로 나누어 각 블록을 독립적으로 암호화한다. 이 경우 평문의 크기가 정확하게 블록 크기의 배수가 아닐 수 있으므로 마지막 블록은 보통 채우기가 필요하다. 결정적 대칭 암호알고리즘을 사용하여 평문을 ECB 모드로 암호화할 때 평문의 블록 중 값이 같은 블록이 있으면 대응되는 암호문 블록의 값도 같게 된다. 예를 들어 그림 2.1처럼 4개의 평문 블록으로 구성된 평문에서 P_1과 P_3가 같을 때 ECB 모드로 암호화하면 암호문 블록 C_1과 C_3은 같아진다. 이처럼 ECB 모드는 암호문을 통해 평문 정보가 노출될 수 있다. 따라서 ECB 모드를 이용하여 일반 데이터를 암호화하는 경우는 거의 없으며, 이와 같은 문제점이 없는 암호화 모드를 주로 사용한다. 암호화 모드는 8장에서 자세히 설명한다.

2.2.2 사용 용도

대칭 암호알고리즘은 원격에 있는 두 사용자 간의 공개 채널로 교환하는 데이터의 비밀성을 보장하기 위해 주로 사용한다. 이때 송신자와 수신자는 사전에 안전하게 비밀키를 공유하고 있어야 한다. 사용자가 자신의 데이터를 파일 시스템에 저장할 때도 비밀성을 보장하기 위해 사용할 수 있다. 이 경우 원격에 있는 두 사용자 간의 데이터를 비밀스럽게 교환할 때와 달리 사용할 비밀키를 다른 사용자와 공유할 필요는 없다. 하지만 복호화키를 분실하면 해당 데이터를 다시 얻을 수 없게 된다. 이것에 착안하여 만들어진 악성 소프트웨어(malware)가 랜섬웨어(ransomware)이다. 랜섬웨어는 목표 컴퓨터에 불법적으로 접근하여 파일 시스템에 있는 파일들을 암호화하고 돈을 지불하지 않으면 복호화를 해주지 않는 악성 소프트웨어이다.

대칭 암호알고리즘은 개체 인증을 위해 사용할 수 있다. 여기서 개체 인증이란 통신 상대방이 누구인지 확인하는 것을 말한다. 암호기술을 사용한 개체 인증은 상대방만이 할 수 있는 행위의 확인을 통해 이루어진다. 대칭 암호알고리즘을 이용한 통신은 두 사용자가 같은 키를 가지고 있으므로 이 키로 암호화된 메시지를 보았을 때 본인이 한 것이 아니면 상대방이 한 것으로 믿을 수 있으며, 이를 통해 개체 인증을 할 수 있다.

예를 들어 A와 B가 K_{AB}라는 비밀키를 공유하고 있을 때, 다음과 같이 메시지를 주고받는다고 가정하자.

Msg 1. $B \rightarrow A$: N_B
Msg 2. $A \rightarrow B$: $\{N_B\}.K_{AB}$

여기서 N_B는 B가 생성한 랜덤 값으로 이전에 사용한 적이 없는 값이어야 한다. 이와 같은 값을 암호기술에서 **난스**(nonce, number used just once)라 한다. $\{N_B\}.K_{AB}$는 N_B를 K_{AB}로 암호화한 암호문이다. B는 암호문을 수신하면 이것을 복호화하여 복호화된 값이 N_B와 같다면 이 암호문을 메시지 1에 대한 응답으로 A가 보냈다고 믿을 수 있다. 그 이유는 K_{AB}를 가지고 있는 것은 B와 A뿐이므로 B 스스로가 해당 암호문을 만든 적이 없다면 이 암호문은 A가 만들었을 수밖에 없으며, N_B는 이번에 처음 사용한 값이므로 메시지 1에 대한 응답임을 확신할 수 있다.

2.2.3 키 위탁

암호알고리즘을 이용하여 비밀성을 보장한 상태로 통신하면 암호알고리즘의 특성 때문에 정부를 포함한 누구도 교환된 데이터의 내용을 얻기 힘들다. 이 때문에 범죄 등에 암호기술을 악용할 수 있다. 더욱이 암호화된 상태로 통신하면 정부도 필요할 때 감청할 수 없다. 이와 관련하여 암호기술이 상용화되어 도입된 초기에 등장한 개념이 키 위탁(key escrow)이다. 키 위탁이란 사용자가 사용하는 암호키를 정부에 주는 것을 말한다. 이렇게 되면 정부가 해당 권한을 남용할 수 있으므로 키 위탁이 현실적으로 이루어지기는 힘들다. 물론 1장에서 언급한 임계기반 비밀공유 방식을 이용하여 여러 기관에 나누어 유지할 수 있더라도 자발적인 키 위탁이나 강제적으로 특정 하드웨어만 사용하여 암호 통신하도록 하는 것은 여전히 현실적이지 못다. 참고로 키 위탁과 키 복구(key recovery)는 다른 개념이다. 키 위탁을 통해 키 복구를 할 수 있지만, 키 복구는 키 백업과 같은 다른 방법을 통해서도 가능하다. 실제 파일 시스템 암호처럼 키 복구 기능이 매우 중요한 응용이 있다.

2.3 공개키 암호알고리즘

공개키 암호알고리즘은 1976년에 Diffie와 Hellman이 처음 그 개념을 소개하였다[7]. 학술 문헌에 처음 등장한 것이 이때이지만 영국 정부에서 70년대 초에 공개키 기술을 발견한 사실이 영국 정부 비밀문서가 최근 공개되면서 밝혀졌다. 대칭 암호알고리즘은 고대 로마 시대 이전부터 사용된 것과 비교하면 상대적으로 역사가 짧다. 공개키 암호알고리즘은 암호화할 때와 복호화할 때 다른 암호키를 사용한다. 따라서 각 사용자는 두 개의 키를 보유한다. 하나는 자신만이 비밀스럽게 사용하는 개인키이고, 다른 하나는 누구에게나 공개할 수 있는 공개키이다. 현재 가장 널리 사용하는 공개키 암호알고리즘은 RSA[8]와 ElGamal[9] 알고리즘이다. 최근에는 이들보다 키 길이가 상대적으로 짧은 타원곡선 기반 공개키 암호알고리즘을 많이 사용하고 있다.

공개키 암호알고리즘에서 키는 보통 개인키를 안전한 의사난수 생성 알고리즘을 이용하여 생성한 후에 이를 이용하여 공개키를 생성한다. 거꾸로 공개키를 먼저 생성한 후에 개인키를 생성하는 경우도 있다. 이 경우에는 키 쌍 중에 어느 하나를 가지고 있어도 특정 비밀 정보를 모르면 대응되는 다른 것을 생성할 수 없다. 공개키 암호알고리즘의 자세한 내부 동작 원리는 9장에서 설명한다.

보통 한 사용자는 다른 사용자의 공개키를 이용하여 메시지를 암호화하여 전달하면 받은 사용자는 자신의 개인키를 이용하여 암호문을 복호화한다. 따라서 대칭 암호알고리즘처럼 원격에 있는 두 사용자가 같은 키를 공유하고 있을 필요가 없다. 하지만 사용자가 다른 사용자의 공개키를 사용할 때 해당 공개키가 누구의 공개키인지 확인할 수 있어야 한다. 이것을 공개키 인증이라 한다. 예를 들어, A가 eK_C를 C의 공개키이지만 B의 공개키로 착각하고 있다고 하자. 그러면 A는 B에게 메시지 M을 비밀스럽게 보내고 싶으면 eK_C를 이용하여 M을 암호화하여 보내게 된다. 이 경우 B는 해당 메시지를 받아도 M을 얻을 수 없으며, 대신 C는 메시지 M을 알게 되는 문제점이 발생한다. 이전 인터넷 뱅킹을 할 때 사용한 **인증서**(certificate)가 공개키를 인증하는 표준 방법이다.

2.3.1 사용 용도

공개키 암호알고리즘에서는 보통 상대방의 공개키로 메시지를 암호화하고 이것을 받은 사용자가 자신의 개인키로 암호문을 복호화하여 메시지를 얻는다. 하지만 공개키 암호알고리즘 중에는 같은 알고리즘을 이용하여 개인키로 메시지를 암호화할 수 있는 것도 있다. 대표적인 것이 RSA 알고리즘이다. 메시지를 개인키로 암호화하면 누구나 공개키를 이용하여 복호화할 수 있다. 따라서 이와 같은 방식으로는 비밀성을 제공할 수 없다. 하지만 개인키는 오직 해당 사용자만 가지고 있는 것이기 때문에 개인키로 어떤 메시지가 암호화되어 있으면 이것은 그 사용자가 암호화했다는 증거가 된다. 따라서 개체 인증을 할 때 이와 같은 방식을 많이 사용하며, 전자서명으로 활용할 수도 있다.

공개키 암호알고리즘은 이처럼 대칭 암호알고리즘과 마찬가지로 비밀성과 인증 서비스를 위해 사용할 수 있다. 하지만 공개키 암호알고리즘의 성능이 대칭 암호알고리즘에 비해 상대적으로 낮으므로 비밀성을 목적으로 일반적인 데이터를 공개키로 암호화하는 경우는 드물다. 대신에 다음과 같이 혼합 방식을 사용하여 메시지의 비밀성을 보장하는 경우가 많다.

$$\{M\}.K, \{K\}.eK_A$$

여기서 K는 랜덤하게 새롭게 생성한 일회용 대칭키이다. 이 메시지는 오직 A만 복호화할 수 있다. A는 먼저 자신의 개인키를 이용하여 두 번째 암호문을 복호화한 다음 얻은 대칭키 K를 이용하여 첫 번째 암호문을 복호화하여 메시지를 얻을 수 있다.

2.4 암호알고리즘 마일스톤

대칭 암호알고리즘과 공개키 암호알고리즘 관련된 주요 마일스톤을 나누어 살펴보자. 먼저 현대 대칭 암호알고리즘 관련하여 주요 마일스톤은 다음과 같다.

- 1949년: 암호알고리즘 안전성 관련하여 매우 중요한 이론인 완벽 안전성이라는 개념을 C. Shannon이 정립하였다.
- 1977년: DES(키 길이 56비트, 블록 길이 64bit)가 미국 대칭 암호알고리즘 표준으로 채택되었다.
- 2001년: AES(키 길이 128bit, 블록 길이 128bit)가 미국 대칭 암호알고리즘 표준으로 채택되었다.
- 2004년: 유럽에서 eStream 프로젝트가 진행되어 여러 차세대 스트림 암호알고리즘이 개발되었다.
- 2009년: 여섯 종류의 인증 암호화 모드가 미국 표준으로 채택되었다.

현대 공개키 암호알고리즘 관련하여 주요 마일스톤은 다음과 같다.

- 1976년: W. Diffie와 M. Hellman이 처음으로 학술 문헌에 공개키 개념을 제시하였다.
- 1978년: R. Rivest, A. Shamir, L. Aldeman이 인수분해 기반 RSA 공개키 암호알고리즘을 제안하였다.
- 1984년: ElGamal가 이산대수 기반 ElGamal 공개키 암호알고리즘을 제안하였다.
- 1985년: Shamir가 신원기반 공개키 암호시스템을 제안하였다[10]
- 1985년: N. Koblitz와 V. Miller[11]가 각각 타원곡선 기반 공개키 암호알고리즘을 제안하였다.
- 1993년: 겹선형 사항(bilinear pairing)이라는 개념이 암호기술에 처음으로 사용되었다[12].
- 2001년: Boneh와 Franklin이 겹선형 사상 기반 신원기반 암호시스템을 제안하였다[13].

양자 컴퓨팅 관련하여 1995년 P. Shor는 양자 컴퓨팅 알고리즘을 이용하면 인수분해와 이산대수 문제를 다차 시간에 해결할 수 있다는 것을 보였고[14], 1996년 L. Glover는 양자 컴퓨팅 알고리즘을 이용하면 $O(n)$이 요구하는 선형 검색을 $O(\sqrt{n})$에 할 수 있다는 것을 보였다[15]. 이 때문에 양자 컴퓨팅이 실제 현실화되면 현재 암호기술은 큰 영향을 받게 된다. 이와 관련한 것은 3장에서 추가로 설명한다.

2.5 공개키 기반구조

공개키 암호알고리즘에서 가장 중요한 것은 공개키의 인증이다. 이를 위해 가장 널리 사용하는 방법이 인증서이며, 이와 같은 인증서를 사용하기 위해서는 발급, 폐지 등 인증서와 관련된 여러 서비스의 제공이 필요하다. 인증서를 사용할 수 있도록 해주는 각종 서비스, 정책, 법률 등을 포함하여 관련 모든 요소를 **공개키 기반구조**(PKI, Public Key Infrastructure)라 한다. 일반적으로 우리가 사용하고 있는 공개키 기반구조는 신뢰 서버를 사용하는 중앙 집중 방식이다.

2.5.1 인증서

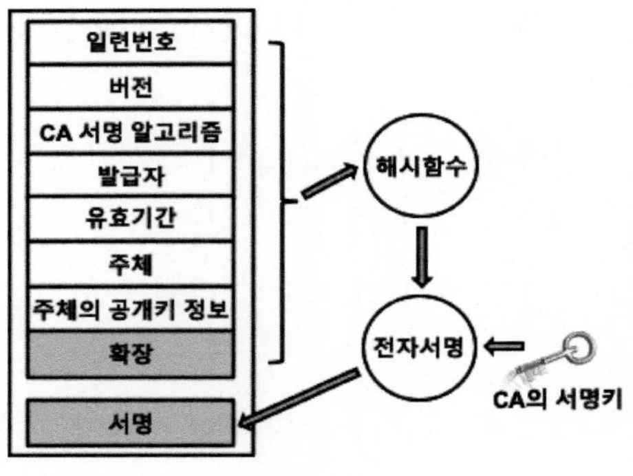

<그림 2.2> 인증서

인증서는 1977년 Kohnfelder라는 당시 석사 학생이 제안하였다. 인증서는 공개키와 그것의 주인을 바인딩하여 주는 전자문서로 그림 2.2와 같이 공개키, 공개키 소유자, 발급기관, 유효기간, 사용 용도 등 공개키 인증에 필요한 여러 정보를 신뢰할 수 있는 기관이 전자서명하여 발급한다. 이 기관을 **인증기관**(CA, Certification Authority)이라 한다. 현재 인증서는 국제 표준인 X.509 버전 3에 따라 구성된다. 전자서명 값은 서명한 데이터와 별도

로 존재하며, 전자서명의 효율성을 높이기 위해 데이터에 직접 서명하지 않고 그것의 해시 값을 구한 후에 그 값에 서명한다. 이에 대해서는 3장에서 자세히 설명한다.

보통 인증서를 발급받으면 인증서를 비휘발성 메모리에 유지한다. 처음에는 하드디스크에 유지하였지만 여러 기기에서 사용하는 것이 불편하고 PC에 불법 침입한 공격자가 훔칠 수 있는 문제가 있어 USB 메모리에 저장하는 방식으로 바뀌었다. 지금은 USB보다 자신의 스마트폰에 많이 유지하여 사용한다. 공개키 암호알고리즘에서 각 사용자는 2개의 키를 유지해야 한다. 공개키는 인증서 형태로 유지하며, 개인키는 패스워드 기반 대칭 암호알고리즘을 이용하여 암호화된 상태로 유지한다. 패스워드 기반 대칭 암호알고리즘이란 패스워드로부터 대칭키를 생성하여 사용하는 방식을 말한다. 이 때문에 인증서를 사용할 때 패스워드를 요구하는 것이다.

다른 사용자의 인증서를 사용하기 전에는 해당 인증서가 유효한 것인지 검증하여야 한다. 처음 접하는 인증서의 검증은 다음과 같은 총 4가지 단계로 이루어진다.

- 단계 1. 인증서의 서명 값 확인
- 단계 2. 인증서의 유효기간 확인
- 단계 3. 인증서의 사용 용도 확인
- 단계 4. 인증서의 폐지 여부 확인

위 4가지 단계를 매번 해야 하는 것은 아니다. 보통 자주 사용하는 다른 사용자의 인증서는 사용의 효율성을 위해 보관할 수 있으며, 동일한 용도로 인증서를 다시 사용할 때는 단계 2와 단계 4만 확인하면 된다.

인증서의 서명 값 확인은 이 인증서를 발급한 발급기관의 인증서를 확보하여 해당 인증서에 있는 공개키를 이용한다. 발급기관의 인증서 역시 확인한 적이 없으면 동일한 4가지 단계를 통해 확인해야 하며, 이것은 최상위 인증기관의 인증서까지 반복적으로 확인해야 할 수 있다. 하나의 인증기관이 전 세계의 모든 인증서를 발급할 수는 없다. 실제로는 다양한 인증기관이 어떤 신뢰 모델을 바탕으로 상하 관계나 동등 관계를 형성한다. 인증기관들이 상하 관계로만 구성되어 있으면 트리 형태로 표현할 수 있으며, 이 트리의 루트에 있는 기관을 최상위 인증기관이라 한다. 상하 관계의 경우 부모 인증기관이 자식 인증기관의 인증서를 발급하며, 안전성 측면에서 비논리적이지만 최상위 인증기관은 자체 서명한

(self-signed) 인증서를 사용한다. 동등 관계에 있는 인증기관들은 인증서 빠르게 확인할 수 있도록 서로 보증하는 상호 인증서(cross certification)를 발급하여 사용한다. 트리의 단말에 있는 인증기관들이 사용자의 인증서를 발급한다.

국내의 경우 2020년까지는 공인 인증서라는 개념을 사용하였다. 2020년 5월 법이 개정되기 전까지는 국가가 승인한 국가기관, 지방자치단체, 비영리법인만 인증기관 역할을 할 수 있었고, 이 기관이 발급한 인증서를 공인 인증서라 하였다. 미국의 경우는 공인 인증서를 사용하지 않고 verisign과 같은 일반 사기업이 인증기관 역할을 하였다. 이와 같은 일반 사기업이 발행한 인증서를 공인 인증서와 구분하기 위해 사설 인증서라 하였다. 하지만 국내의 경우 2020년부터는 법으로 공인 인증서라는 표현을 사용할 수 없도록 하였고, 네이버, 카카오 같은 일반 기업도 인증기관 역할을 할 수 있게 되었다. 법 개정 이후 과거 공인 인증서 발급 기관이 발급하는 인증서를 공동인증서라 한다.

국내와 국외의 이와 같은 차이는 여러 요인이 있지만 인증서를 주로 활용한 분야가 다른 것도 주요 원인이다. 우리나라는 주로 인터넷 뱅킹 등 사용자를 인증하기 위한 용도로 활용하였지만 국외에서는 개인 인증 용도보다는 웹에서 서버를 인증하기 위한 용도로 주로 사용 및 확산하였다.

인증서는 특정한 용도로만 사용할 수 있도록 제한할 수 있다. 예를 들어, 인증서는 인터넷 뱅킹을 할 때도 사용할 수 있고, 주민등록등본과 같은 증명서를 발급받을 때 신원을 증명하기 위해 사용할 수 있으며, 인터넷 쇼핑에서 고액을 지불할 때 안전성을 높이기 위해 사용할 수 있다. 범용 인증서는 모든 용도로 사용할 수 있지만 금융 전용 인증서는 인터넷 뱅킹을 할 때만 사용할 수 있다. 사용 용도는 범용, 전용으로 국한하지 않고 다양하게 인증서의 사용 용도를 제한하기 위해 사용할 수 있다.

우리가 거래할 때 널리 사용하는 신용카드는 유효기간이 아직 남아있지만, 분실 또는 도난 등의 이유로 재발급받을 수 있다. 이 경우 우리는 기존 신용카드를 더는 사용할 수 없도록 해야 한다. 인증서도 마찬가지이다. 유효기간이 남아있는 인증서도 그것을 보관한 USB나 다른 저장 장치에 문제가 발생하여 다시는 사용할 수 없게 될 수 있다. 이 경우 인증서를 폐지하고 새 인증서를 발급받아야 한다. 불법적으로 획득한 다른 사용자의 폐지된 인증서(인증서를 가지고 있다고 사용할 수 있는 것은 아니다. 이 인증서에 포함된 공개키에 대응되는 개인키를 확보해야 사용할 수 있음)를 사용하지 못하도록 공개키 기반구조에서는 **인증서 폐지 목록**(CRL, Certificate Revocation List)을 유지한다. 이 목록은 무결성이 유지되어야 하므로 주기적으로 인증기관이 서명하여 발급한다. 이 목록에는 유효기간이 남아 있지만, 폐지된 인증서의 일련번호와 폐지 사유 등 각 폐지된 인증서마다 최소한의 정보만 유지하며, 유효기간이 지나면 이 목록에서 자동으로 빠지게 된다. 따라서 CRL의 크기는 무한정 커지는 형태는 아니다. 사용자들은 인증서를 검증할 때 보통 최신 CRL을 다운받아 검증하는 인증서가 이 목록에 포함되어 있는지 확인한다.

CRL을 이용하는 것 외에도 OCSP(Online Certificate Status Protocol)을 이용하여 인증서의 폐지 여부를 온라인으로 문의하여 확인할 수 있다[16]. 보통 CRL은 주기적으로 갱신되기 때문에 OCSP가 더 최신 정보를 제공할 수 있다. 최근에는 인증서를 확인하는 측이 OCSP 서버에 문의하는 형태가 아니라 인증서를 제공할 때 OCSP 확인서를 첨부하는 형태를 많이 사용하며, 이를 OCSP stapling이라 한다. 또한 4가지 단계 모두를 SCVP(Server-based Certificate Validation Protocol)를 이용하여 온라인으로 문의하여 확인할 수 있다[17].

공개키 기반구조에는 크게 인증기관, 등록기관(RA, Registration Authority), 검증기관(Validation Authority), 공개 디렉터리 등이 참여한다. 등록기관은 사용자의 신원을 확인하는 기관으로 인터넷 뱅킹에서는 은행이 그 역할을 하고 있다. 검증기관은 OCSP나 SCVP 등을 서비스하는 기관이며, 공개 디렉터리는 과거 전화번호부처럼 발급된 모든 사용자의 인증서를 보관하고 사용자들의 요청에 따라 필요한 인증서를 전달해 주는 기관이다. 하지만 공개 디렉터리는 현재 현장에서 사용하고 있지는 않다.

2.5.2 신원기반 공개키 암호시스템

공개키 암호알고리즘에서 공개키의 인증은 매우 중요하며, 이를 위해 인증서를 사용한다. 또한 앞서 살펴본 바와 같이 인증서를 안전하게 활용하기 위해서는 공개키 기반구조가 확립되어 있어야 한다. 하지만 공개키 기반구조를 구축하고 운영하는 것은 비용 등 여러 측면에서 어려움이 많다. 따라서 인증서를 사용하지 않고 공개키를 사용하는 방식에 관한 연구가 있었지만 이 절에서 살펴보는 신원기반 공개키 방식을 제외하고는 특별한 대안을 찾지 못하였으며, 신원기반도 몇 가지 근본적인 문제가 있어 현장에서는 대안으로 사용하고 있지 못하다. 최근에는 블록체인 기술을 활용한 탈중앙 공개키 기반구조가 대안으로 검토되고 있다. 이것에 대해서는 다음 절에서 살펴본다. 물론 비트코인[18]처럼 공개키 인증 메커니즘 없이 공개키 기술을 활용할 수 있지만 대부분의 응용은 공개키 인증이 중요하고 필요하다.

신원기반 공개키 암호시스템은 1984년 Shamir[10]가 처음 제안하였지만, 전자서명만 가능하였고 암호화가 가능하지 않았다. 2001년에 Boneh와 Franklin[13]은 겹선형 사상(bilinear pairing)을 이용한 신원기반 시스템을 제안하면서 그 당시에 다시 연구가 활발하게 진행되었지만, 지금까지도 근본적인 문제들은 해결하지 못하고 있다.

신원기반 공개키 방식의 기본 생각은 전자우편주소나 주민등록번호처럼 사용자의 잘 알려진 독특한 신원 정보로부터 그 사용자의 공개키를 계산하여 사용하는 것이다. 사용자들은 다른 사용자의 공개키를 그 사용자의 신원 정보로부터 직접 생성할 수 있으므로 인증서를 이용하여 공개키의 소유자를 확인하는 과정이 필요 없다. 즉, 신원기반 공개키 방식에서는 통신하고자 하는 상대방이나 제3의 서버에 문의하지 않고 상대방의 신원 정보를 알고 있으면 상대방의 공개키를 생성할 수 있는 장점이 있다. 그러나 이 생각은 이 출발부터 근본적인 문제를 내포하고 있다.

일반 공개키 방식에서 사용자는 직접 공개키 쌍을 생성한 다음 개인키는 비밀로 유지하고 공개키를 인증기관에 보내 인증서를 발급받는다. 따라서 해당 사용자 외에 인증기관조차도 사용자의 개인키를 모르게 된다. 이 때문에 부인방지 서비스를 매우 안전하게 제공할 수 있다. 신원기반 공개키 방식은 사용자의 공개키를 그 사용자의 신원 정보만 알면 누구나 생성할 수 있다. 하지만 사용자의 공개키로부터 누구나 대응되는 개인키까지 생성할 수 있으면 공개키 암호시스템으로 사용할 수 없다. 이 때문에 신원기반 공개키 방식에서는 개인키를 생성하는 별도의 신뢰 기관을 사용한다. 이를 PKG(Private Key Generator)라 한다. PKG는 자신만이 알고 있는 마스터키를 가지고 있으며, 이 마스터키와 사용자의 공개키를 이용하여 해당 사용자의 개인키를 생성한다.

신원기반 공개키 방식에서 PKG는 모든 사용자의 개인키를 생성하고 유지할 수 있으므로 막강한 능력을 보유하게 된다. PKG는 사용자의 개인키를 이용하여 해당 사용자 행세를 할 수 있으며, 특정 사용자에게 전달된 암호문을 항상 복호화할 수 있다. 이와 같은 문제는 1

장에서 조건부 프라이버시를 설명할 때 언급한 임계기반 비밀 공유 기법을 사용하여 해결할 수 있다. 여러 기관에 마스터키를 분산 공유하여 여러 기관이 동의할 때만 생성할 수 있도록 만들 수 있다.

신원기반 공개키 방식은 이보다 더 근본적인 문제를 가지고 있다. 신원기반 공개키의 핵심은 공개키를 사용자의 신원 정보를 이용하여 계산하므로 인증서가 필요 없다는 것이다. 여기서 신원 정보는 사용자마다 독특한 정보이어야 한다. 그렇지 않으면 두 사용자가 같은 공개키를 가질 수 있으며, 이는 두 사용자가 같은 개인키를 사용하게 되는 것을 의미한다. 더욱이 정보가 독특하다고 하여 이들을 모두 공개키를 계산할 때 활용할 수 있는 것은 아니다. 주민등록번호, 여권번호 등은 사용자마다 독특한 정보이지만 타인이 보통 쉽게 얻거나 알 수 있는 정보가 아니다. 이 측면에서 사용자의 메일주소나 핸드폰 번호가 신원 정보로 사용하기에 가장 적합한 것으로 보인다.

하지만 신원 정보는 보통 불변 정보이다. 불변 정보란 바꿀 수 없는 정보를 말한다. 물론 메일주소나 핸드폰 번호는 엄밀한 의미의 불변 정보는 아니지만 자신이 널리 사용하는 주소나 번호를 공개키 쌍을 바꾸기 위해 변경하는 것은 불편하다. 따라서 불변 정보를 바꾸어 공개키를 변경하는 것은 널리 사용할 수 있는 방법이 아니다. 물론 PKG의 마스터키를 변경할 수 있지만, 이 경우에는 해당 사용자뿐만 아니라 모든 사용자의 공개키를 새롭게 계산하여야 하므로 이 역시 사용할 수 있는 방식이 아니다. 이에 생성 시간과 같은 변경 가능한 정보를 불변 정보와 같이 사용하는 방식이 제안되기도 하였지만 사용자들이 다른 사용자의 생성 시간을 알아야 하므로 신원기반 공개키 방식의 원래 장점이 퇴색한다. 물론 고정된 생성 시간을 사용할 수 있지만, 이 경우에는 주기적으로 공개키 쌍을 갱신하여야 하며, 주기 내에서는 변경이 어렵게 되는 문제점이 있다.

신원기반 공개키 방식은 키 갱신뿐만 아니라 키의 폐지 문제도 해결할 수 있어야 한다. 키를 폐지한다는 것은 키 갱신을 의미하며, 과거 폐지한 공개키를 다른 사용자들이 사용할 수 없도록 해야 한다. 이것도 신원기반 공개키 방식의 장점을 유지한 상태에서 해결하는 것이 쉽지 않다. 이와 같은 것을 해결하지 못하고 있으므로 인증서 기반 공개키 방식의 대안으로 사용하고 있지 못하다.

2.5.3 탈중앙 공개키 기반구조

비트코인[18]의 등장으로 비트코인에서 사용하는 **블록체인**(blockchain) 기술이 각광을 받게 되었다. 블록체인에 대해서는 15장과 16장에서 자세히 설명하지만 이 절에서는 탈중앙 공개키 기반구조를 이해할 수 있는 수준에서 간단히 설명한다. 블록체인은 분산 합의 기술을 이용하여 데이터를 자동으로 분산 저장(참여하는 모든 노드에 같은 데이터를 유지함)해주며, 블록체인에는 데이터를 첨삭(끝에 추가)만 할 수 있고, 기록된 기존 데이터를 수정 및 삭제할 수 없다.

비트코인에서 각 사용자는 공개키 쌍을 생성하여 사용하며, 공개키의 해시값을 자신의 지갑 주소로 활용한다. 이 지갑에 있는 비트코인을 지불에 사용하기 위해서는 대응되는 개인키를 알아야 한다. 이처럼 비트코인은 공개키 기술을 사용하지만, 인증서를 사용하고 있지 않다. 비트코인은 어떤 형태의 중앙기관도 사용하지 않는 것이 목표이므로 기존처럼 신뢰할 수 있는 인증기관이 발급하는 인증서를 사용할 수 없다. 하지만 비트코인에서도 특정 사용자의 지갑 주소를 착각하여 다른 지갑의 주소로 비트코인을 보내면 돈을 잃게 되므로 코인을 양도할 때 목적 주소가 자신이 실제 양도하고 싶은 대상의 주소인지 확신할 수 있어야 한다. 인증서를 이용하지 않고 각 개인에게 이 확신을 맡기는 방식을 사용하고 있다. 보통 거래 당사자들이 오프라인에서 서로의 지갑 주소를 교환하는 등의 방법을 사용하여 신뢰를 구축하는 방법을 사용하고 있다.

이와 같은 형태로 공개키 기술을 사용하는 것이 보편화되면서 블록체인을 이용하여 공개키 기반구조를 탈중앙 방식으로 제공하는 방법을 연구하게 되었다. 그중의 하나가 현재 DID(Decentralized ID)의 기본 개념에 해당하는 DPKI(Decentralized PKI)이다[19]. DPKI는 중앙집중 신뢰 기관이 인증서를 발급하지 않고, 각 개체가 스스로 인증서를 발급하고 관리하는 형태이다. 현재 웹은 중앙집중 PKI를 사용하고 있으며, 수많은 사설 인증기관이 존재한다. 각 브라우저는 신뢰하는 사설 인증기관의 인증서를 소프트웨어 내에 내장하고 있다. 공격자는 이들 인증기관 중 하나만 공격하는 데 성공하면 피싱 사이트를 쉽게 만들어 사용자들을 속일 수 있다. 이 문제를 극복하고자 하는 것이 DPKI의 가장 큰 목표이다.

DPKI에서는 사용자의 실제 신원과 공개키를 바인딩하지 않고, 조회가 가능한 일정한 규격을 갖춘 ID와 공개키를 바인딩한다. 실제 신원과 연결할 수 있지만 프라이버시 측면에서 현재 연구되는 DPKI는 신원과 공개키를 바인딩하지 않는다. 블록체인 기반 DPKI는 ID와 공개키를 바인딩하는 문서를 블록체인에 기록한다. 따라서 블록체인은 기존 PKI에서 공개 디렉토리 역할을 한다.

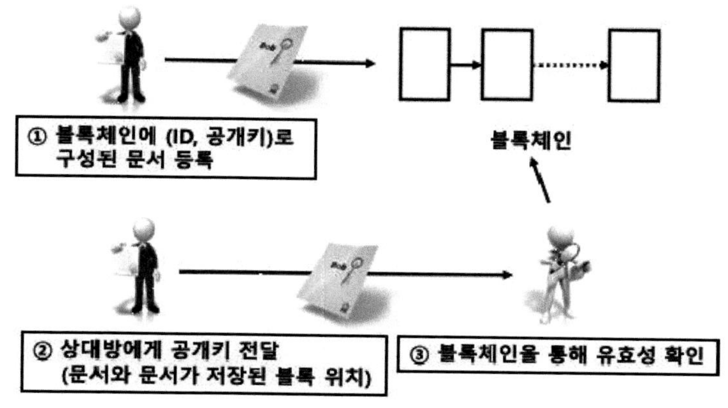

<그림 2.3> DPKI 동작 원리

블록체인에 저장은 블록체인에서 사용하는 분산 합의 기술에 의해 이루어지지만, DPKI의 이해를 위해서는 아무나 저장할 수 있다고 생각하여도 된다. DPKI에서는 중앙기관의 승인 없이 누구나 공개키 쌍을 생성하고 그것과 바인딩할 ID를 만들어 블록체인에 저장하여 사용할 수 있다. 이렇게 ID와 공개키를 바인딩하여 주는 문서가 블록체인에 저장되면 누구나 쉽게 특정 ID의 공개키를 조회하여 얻을 수 있다. 또 블록체인은 첨삭 전용이므로 저장된 공개키를 조작하거나 수정할 수 없다. DPKI의 기본적 원리는 그림 2.3과 같다.

특정 개체의 공개키를 얻기 위해서는 이 개체가 DPKI에서 사용하는 ID를 알아야 한다. 이 연결은 오프라인에서 서로 교환하거나 기관의 경우는 기관 홈페이지에 ID를 게시하는 방법 등을 사용할 수 있다. 따라서 누구나 ID를 등록할 수 있지만 해당 ID가 실제 누구의 ID인지 확인하는 것은 DPKI가 아니라 각 응용에서 자체적으로 제공해야 한다.

PKI 신뢰 모델 중 신뢰 웹(web of trust) 모델이 있다. 이 모델은 개인 간의 신뢰를 통해 신뢰를 확장하는 모델이며, 이메일 보안을 위해 개발된 PGP에서 사용한 모델이다. 신뢰 모델 중 TOFU(Trust On First Use) 모델도 있다. 이 모델에서 첫 신뢰 관계 형성은 무조건적 신뢰에 의존한다. 그다음부터는 첫 번째 형성된 관계를 이용하여 검증하며, 외부적 방법을 통해 언제든지 관계를 점검하고 중단할 수 있다. 보통 메신저나 SSH에서 이와 같은 모델을 사용한다. DPKI도 이와 같은 모델을 사용할 수밖에 없다.

인증서는 발급뿐만 아니라 갱신, 폐지할 수 있어야 하며, 주어진 인증서가 폐지된 인증서인지 알 수 있어야 한다. 블록체인은 첨삭 전용이므로 DPKI에서 갱신, 폐지는 모두 기존 ID와 관련하여 새 문서를 블록체인에 등록하여 이루어진다. ID와 관련하여 가장 최근에 등록된 문서에 있는 공개키가 해당 ID의 유효한 공개키가 되며, 등록된 문서에 공개키 항에 null 값이 등록되어 있으면 해당 ID와 관련된 공개키가 폐지된 것을 의미한다. 이 과정이 안전하기 위해서는 아무나 기존 ID에 대한 문서를 새롭게 블록체인에 등록할 수 없어야 한다. 기존 ID와 연결된 공개키에 대응되는 개인키를 모르면 이 요청을 할 수 없으며, 블록체인에서 사용하는 합의 기술에서 이 부분을 검증한다. 이 합의 기술에서는 중복 ID의 저장도 걸러준다. 보통 블록체인에서 합의 기술에 참여하는 노드는 특별한 장려책이나 페널티 시스템이 있어, 시스템에서 정한 규칙에 따라 정직하게 행동하지 않으면 불이익을 받게 된다.

각 사용자는 다른 사용자에게 공개키를 전달할 때 블록체인에 등록된 자신의 문서와 해당 문서가 어느 블록에 저장되어 있는지 알려준다. 이와 같은 정보를 수신한 사용자는 블록체인을 통해 해당 문서가 유효한 문서인지 확인해야 하며, 이 문서가 그 이후 블록에서 갱신 또는 폐지되었는지 확인할 수 있어야 한다. 블록체인 자체를 유지하는 사용자는 이것을 쉽게 할 수 있지만 그렇지 않은 일반 클라이언트에게는 어려운 작업이 될 수 있다. 이 문제를 해결하는 한 가지 방법으로 암호학적 축적기(cryptographic accumulator)[20]의 사용이 제안되기도 하였다. 모든 유효한 ID, 공개키 쌍을 작은 값으로 축적한 최신 값을 블록마다 유지하면 사용자는 본인이 유지하고 있는 쌍이 여전히 유효한 것인지 마지막 블록만 다운받아 쉽게 확인할 수 있다.

이와 같은 방식에서 한 가지 문제점은 개인키를 분실했거나 개인키가 타인에게 탈취되었을 때이다. 탈취는 먼저 폐지하여 문제를 해결할 수 있지만 분실하면 유효한 갱신 요청을 만들 수 없다. 이 경우에는 새 ID를 만들어 사용하고, 기존 ID는 해당 ID의 등록된 키들의 유효기간이 스스로 지나도록 기다리는 방법밖에 없다. 이와 같은 문제 때문에 키를 복구하는 서비스를 보통 함께 제공한다. 사용자의 개인키를 임계기반 비밀공유 기법으로 분산 저장하고, 필요하면 이를 이용하여 복구할 수 있도록 해준다.

DPKI에서 블록체인을 사용하는 이유를 요약하면 다음과 같다.

- 이유 1. 자동 분산 저장된다. 단일 실패점이 제거되며, 쉽게 특정 ID의 공개키를 확보할 수 있다.
- 이유 2. 등록된 ID의 공개키를 조작하기가 어렵다.

2.5.4 FIDO

FIDO(Fast Identity Online) 인증은 구글, 마이크로소프트, 모질라와 같은 기업이 참여하는 FIDO 연합에서 개발한 빠르고 간결하며 안전한 인증 방법들을 말한다. FIDO는 웹 서비스에서 주로 사용하는 패스워드를 이용한 사용자 로그인을 대신하기 위해 사용하는 인증 기술이다. FIDO도 공개키 기술을 사용하지만 공개키의 소유주를 증명하기 위한 인증서를 사용하지 않는다. 각 사용자는 특정 서비스에 등록할 때 새로운 공개키 쌍을 생성하며, 공개키 쌍 중 공개키를 서비스 서버에 등록한다. 사용자는 이 서비스에 로그인할 때마다 등록된 공개키에 대응되는 개인키를 소유하고 있음을 증명해야 한다. 이 증명은 사용자가 사용하는 클라이언트 소프트웨어가 자동으로 해준다. 다만, 안전하게 보관된 개인키를 사용자가 활성화해 주어야 한다. 이때 FIDO는 다양한 인증 방법을 사용할 수 있도록 해준다. 보통 국내에서는 지문 인증을 많이 사용한다. 최초 서비스에 등록할 때 클라이언트 소프트웨어는 사용자의 지문 정보를 받아 등록하며, 사용자 지문이 올바르게 인식된 경우에만 안전하게 보관된 개인키를 활성화한다. 이처럼 FIDO는 기존에 살펴본 PKI와 달리 하나의 공개키 쌍을 여러 서비스에 사용하는 것이 아니라 서비스마다 다른 공개키 쌍을 사용한다. 하지만 사용자가 이들 공개키 쌍을 관리하는 것이 아니라 사용하는 클라이언트 소프트웨어가 관리해 준다.

2장 퀴즈

1. 다음 중 인증서에 포함하는 정보가 **아닌** 것은?

① 공개키
② 공개키의 소유자 정보
③ 개인키
④ 유효기간

2. 대칭 암호알고리즘 E가 주어졌을 때, 다음 중 가능하지 않은 것은? 여기서 $K_1 \neq K_2$이며, $M_1 \neq M_2$이다.

① $E.K_1(M) = E.K_2(M) = C$
② $E.K(M_1) = E.K(M_2) = C$
③ $E.K_1(M_1) = E.K_2(M_2) = C$
④ $E.K_1(M) \neq E.K_2(M)$

3. 공개키 암호알고리즘을 사용할 때 공개키 인증이 매우 중요하다. 공개키의 소유자를 올바르게 확인할 수 없을 때 발생할 수 있는 문제점을 모두 선택하라.

① 개인키로 암호화된 것을 다른 사용자가 한 것으로 착각할 수 있음
② 공개키로 암호화하였지만, 기대하는 상대방이 복호화할 수 있는 것이 아니라 다른 사용자가 복호화할 수 있게 될 수 있음
③ 주어진 공개키에 대응되는 개인키를 쉽게 계산할 수 있음
④ 사용하는 알고리즘의 성능이 나빠질 수 있음

4. 신원기반 공개키 방식의 가장 큰 문제점은?

① PKG의 권한 집중 문제
② 사용자가 개인키를 생성할 수 없는 문제
③ 키를 갱신하는 문제
④ 공개키를 생성하는 문제

5. 한 번 확인한 인증서를 같은 용도로 다시 사용할 때 항상 다시 확인해야 하는 것을 모두 선택하라.

① 인증서의 서명 값 확인
② 인증서의 사용 용도
③ 인증서의 폐지 여부
④ 인증서의 유효기간
⑤ 인증서의 발급자

6. 탈중앙 공개키 기반구조에서 블록체인을 사용하는 이유가 **아닌** 것은?

① 주어진 ID에 대한 공개키를 쉽게 조회하기 위해
② 등록된 공개키에 대한 조작이 가능하지 않도록
③ ID와 신원 정보를 안전하게 바인딩하기 위해
④ 인증서의 유효기간을 쉽게 표현하기 위해
⑤ 자동으로 분산 저장하기 위해

연습문제

1. 대칭 암호알고리즘은 암호화할 때와 복호화할 때 같은 암호키를 사용하는 반면에 비대칭 암호알고리즘은 암호화할 때와 복호화할 때 서로 다른 암호키를 사용한다. 두 방식의 암호알고리즘을 원격에 있는 두 사용자가 활용하고자 한다. 이때 반드시 선행되어야 하는 것을 설명하라.

2. 공격자가 메시지 M과 그것에 대응되는 암호문 C를 알고 있고, 암호화 함수는 결정적 알고리즘일 때 원격에 있는 두 사용자가 C를 다시 교환하면 공격자는 어떤 메시지를 교환하였는지 알 수 있다. 따라서 암호화 함수는 확률적 알고리즘이 되는 것이 안전성에 바람직하다. 그런데 공개키 암호알고리즘에서는 이것이 더욱더 필요하다. 그 이유를 설명하라.

3. 공개키 인증서가 비대칭 암호알고리즘을 사용할 때 필요한 이유를 설명하라.

4. 공개키 인증서의 유효성을 확인할 때 폐지 여부를 확인해야 하며, 현재 인증서 폐지 목록을 이용하여 폐지 여부를 확인한다. 인증서 폐지 목록에는 폐지된 인증서의 모든 정보가 저장되는 것은 아니다. 또 인증서 폐지 목록이 무한정 커지는 것이 아니다. 그 이유를 간단히 설명하라.

5. 신원기반 암호시스템은 공개키 방식이지만 인증서의 사용이 필요 없다. 그 이유를 설명하라. 또 이 시스템이 인증서 기반 공개키 암호시스템을 대체하고 있지 못하는 이유를 간단히 설명하라.

6. 26개의 영문 문자를 각각 다른 영문 문자로 매핑하는 테이블(예: $A \rightarrow C$, $B \rightarrow N$, $\cdots$, $Z \rightarrow K$)을 이용하여 영문 텍스트를 암호화하는 방법과 관련하여 다음 각각에 대해 답변하라.

   ① 가능한 키의 개수는?

   ② 이와 같은 방식으로 암호화하였을 때 문제점을 한 가지 설명하라. (키의 개수나 보관과 관련된 문제는 아니며, 공백, 마침표, 특수문자 등의 암호는 무시하고 암호문을 통해 노출되는 정보가 무엇인지 고려해 답하라)

7. HTTPS 프로토콜로 접속이 가능한 웹사이트에 접속하여 해당 사이트의 인증서 정보를 추출하여 발급한 인증기관, 공개키의 종류, 공개키의 길이와 같은 중요 정보를 제시하라.

제3장

암호알고리즘 개요 2부

제 3 장 암호알고리즘 개요 2부

3.1 해시함수

임의 길이의 이진 문자열을 고정된 길이의 이진 문자열(해시 값, 메시지 다이제스트, 메시지 지문)로 매핑하여 주는 결정적 함수를 **해시함수**라 한다. 따라서 동일한 값을 해시하면 그 결과는 항상 같다. 해시함수 H는 기본적으로 다음 3가지 요구사항을 만족해야 한다.

- 요구사항 1. 압축: 해시 값의 길이보다 긴 길이의 데이터도 해시 값의 크기로 줄일 수 있어야 한다.
- 요구사항 2. 계산의 용이성: x가 주어지면 $H(x)$를 계산하기 쉬워야 한다.
- 요구사항 3. 일방향성(one-wayness): 입력을 모르는 해시 값 y가 주어졌을 때, $H(x')=y$를 만족하는 x'을 찾는 것은 계산적으로 어려워야 한다.

위 3가지 요구사항을 만족하는 해시함수를 **일방향 해시함수**(OWHF, One-Way Hash Function)라 하며, 요구사항 3을 다른 말로 원상 회피성(preimage resistance)이라 한다. 해시함수는 항상 압축하는 것은 아니다. 해시 값의 크기보다 작은 값도 해시할 수 있으며, 해시 값의 길이는 입력과 상관없이 항상 같다. 일방향성 요구사항을 좀 더 자세히 살펴보면 y 값을 최초로 계산할 때 입력으로 사용한 x를 포함하여 y로 매핑되는 임의의 값을 찾을 수 없어야 한다는 것을 말한다. 이 때문에 계산의 용이성 요구사항과 달리 x'로 표기한 것이다. 해시 값의 길이가 n비트일 때 2^n개의 서로 다른 입력을 검사하여야 x'을 찾을 수 있으면 이 해시함수는 일방향성에 대해 안전한 해시함수이다. 따라서 x가 $n$bit인 특정 y 값으로 해시되기 위한 확률은 $1/2^n$이어야 한다.

해시 값의 크기는 고정되어 있고, 해시함수는 임의 길이의 값을 입력받을 수 있으므로 동일한 값으로 매핑되는 정의역 값은 무수히 많을 수 있다. 이처럼 서로 다른 두 개의 값 x와

x'의 해시 값 $H(x)$와 $H(x')$이 같으면 충돌(collision)이 발생하였다고 말한다. 응용에 따라 충돌을 찾기 쉬우면 곤란한 경우가 많다. 그러므로 이와 같은 응용에서는 다음 2가지 요구사항을 추가로 만족해야 한다. 다음 두 가지 조건을 모두 만족하는 해시함수를 **충돌회피 해시함수**(CRHF, Collision-Resistant Hash Function)라 한다.

- 요구사항 4. 약한 충돌회피성(weak collision-resistance): x가 주어졌을 때 $H(x') = H(x)$인 $x'(\neq x)$을 찾는 것은 계산적으로 어려워야 한다.
- 요구사항 5. 강한 충돌회피성(strong collision-resistance): $H(x') = H(x)$인 서로 다른 임의의 두 입력 x와 x'을 찾는 것은 계산적으로 어려워야 한다.

생일로 비유하면 홍길동이 주어졌을 때 홍길동과 생일이 같은 사람을 찾기가 어려워야 한다는 것이 약한 충돌회피이고, 생일이 같은 임의의 두 사람을 찾기가 어려워야 한다는 것이 강한 충돌회피이다. 약한 충돌회피성은 다른 말로 제2원상 회피성(second-preimage resistance)이라 한다. 사람의 생일이 균일하게 분포되어 있다고 가정하였을 때, 23명이 있으면 이 중에 생일이 같은 쌍이 있을 확률이 50%가 넘는다. 생각보다 이 숫자가 작아서 이를 **생일 파라독스**(paradox)라 한다. 이 파라독스 때문에 해시값의 길이가 $n$bit일 때, 해시값을 $2^{n/2}$개만 모으면 충돌을 50%의 확률로 찾을 수 있다. 더 정확하게는 생일 파라독스에 의하면 해시값의 길이가 n이고, q개의 해시값을 계산하였을 때, 충돌을 찾을 확률은 대략 $q^2/2^{n+1}$이다.

3.1.1 해시함수의 용도

해시함수는 전자서명과 함께 많이 사용한다. 길이가 긴 데이터에 대해 직접 전자서명을 하면 계산 비용이 너무 높을 수 있고, 전자서명 값이 매우 길어질 수 있어서 데이터 대신에 데이터의 해시값에 전자서명한다. 이때 사용하는 해시함수는 반드시 충돌회피 해시함수이어야 한다. Sig.$A(H(M))$이 메시지 M에 대한 A의 전자서명 값이라고 할 때, A가 $H(M) = H(M')$인 M'을 찾을 수 있다면 A는 나중에 M에 서명한 것이 아니라 M'에 서명한 것이라고 주장할 수 있다. 또 B가 충돌을 찾을 수 있으면 A의 서명키를 모르는 상태에서 A의 서명을 위조할 수 있다.

해시함수는 무결성 서비스를 위해 사용할 수 있다. 파일 시스템에 파일 F와 그 파일에 대한 해시값 $H(F)$를 함께 저장할 수 있다. 바이러스 등에 의해 F가 F'로 변경되었다면 해시값 $H(F)$ 값을 통해 그 사실을 발견할 수 있다. 하지만 지능적인 악성 소프트웨어는 F를 F'으로 변경하면서 해시값도 새롭게 계산해 함께 저장할 수 있다. 이 경우 해시값을 이용하여 파일의 변경을 알아챌 수 없다. 따라서 해시함수도 암호키를 사용하도록 설계할 수 있다. 암호키를 사용하는 해시함수를 **메시지 인증 코드**(MAC, Message Authentication Code)라 하고, 이와 구분하기 위해 일반 해시함수를 조작 탐지 코드(MDC, Manipulation Detection Code)라 한다. 하지만 MDC라는 용어는 거의 사용하지 않는다. 파일 시스템 예에서 $H(F)$ 대신에 $\text{MAC}.K(F)$를 유지하면 키 K를 모르면 파일과 MAC값을 함께 수정할 수 없다. MAC에서 사용하는 암호키는 비밀키로써 생성한 자와 확인하는 자가 같은 키를 가지고 있어야 한다,

리눅스와 같은 다중 사용자 운영체제나 다중 사용자가 접속할 수 있는 웹 서비스는 패스워드를 이용하여 사용자를 인증하는 것이 일반적이다. 패스워드를 평문 상태로 유지할 때 해당 정보가 저장된 파일이나 데이터베이스가 노출되면 모든 사용자의 패스워드가 노출될 수 있다. 따라서 보통 패스워드 대신에 패스워드의 해시값을 유지한다. 해시함수의 일방향성 때문에 패스워드가 저장된 파일이 노출되더라도 패스워드를 알아내기 힘들어진다. 이와 관련된 내용은 11장에서 다시 자세히 설명한다.

3.2 MAC

해시함수의 용도를 설명하면서 MAC을 이미 소개하였다. MAC은 해시함수와 유사하게 주어진 메시지를 일정한 크기의 출력으로 매핑하여 주는 결정적 함수이지만 해시함수와 달리 메시지와 키를 받아 결과 값을 계산한다. 따라서 키를 모르면 MAC 값을 생성할 수 없고, 주어진 MAC 값을 확인할 수 없다. 이 때문에 MAC 값은 송신자의 인증과 무결성을 동시에 제공하는 함수이지만 해당 키를 가지고 있는 모든 사용자는 해당 MAC 값을 생성할 수 있기 때문에 부인방지 기능을 제공하기는 어렵다.

MAC은 보통 해시함수보다 무결성을 더 안전하게 제공하기 위해 사용한다. 하지만 MAC을 이용하지 않고 전자서명을 통해 무결성을 제공할 수 있다. MAC은 계산 비용이 저렴하지만, 같은 키를 가지고 있는 사용자만 확인할 수 있으며, 이 때문에 부인방지에 약하다.

이와 달리 전자서명을 이용하면 계산 비용이 많이 들지만 대응되는 확인키가 있으면 누구나 확인할 수 있으며, 서명키는 한 사용자만 비밀로 유지하므로 부인방지 서비스가 가능하다. 참고로 해시값을 대칭키로 암호화하여도 유사한 효과를 얻을 수 있다. MAC은 새로운 전용 알고리즘을 개발하여 만들 수 있지만 보통 대칭 암호알고리즘이나 해시함수를 이용하여 만든다. 해시함수를 이용하여 만든 MAC을 HMAC(Hash-based MAC)이라 한다.

3.2.1 비밀성과 무결성을 동시 제공

보통 암호알고리즘은 비밀성만 제공하고 무결성은 제공하지 않는다. 하지만 무결성을 제공하지 못하면 복호화한 값이 원래 평문인지 확신할 수 없으므로 조작될 가능성이 있다. 따라서 지금은 메시지를 암호화할 때 비밀성과 무결성을 동시에 제공하는 방법을 사용하며, 이와 같이 메시지를 암호화하는 것을 **인증 암호화**(authenticated encryption)라 한다[21].

인증 암호화를 제공하는 방법은 크게 다음 3가지 방법이 있다.

- 방법 1. 암호화할 때 메시지의 해시 또는 MAC값을 포함하는 방법

$$E.cK(M \| \mathrm{MAC}.iK(M))$$

- 방법 2. 메시지에 독립적으로 대칭 암호알고리즘과 MAC을 적용하는 방법

$$E.cK(M),\ \mathrm{MAC}.iK(M)$$

- 방법 3. 메시지를 암호화한 후에 암호문에 대한 MAC값을 계산하는 방법

$$C = E.cK(M),\ \mathrm{MAC}.iK(C)$$

방법 1에서 해시함수보다 MAC을 사용하는 것이 더 안전하므로 다른 방법과 비교할 때 MAC을 사용하는 것만 고려하여 비교한다. 또 용도가 다르면 다른 키를 사용하는 것이 안전하므로 암호화키와 MAC키는 서로 독립적인 다른 키를 사용해야 한다. 이것이 번거로우면 하나의 키로부터 서로 독립적인 두 개의 키를 계산하여 사용할 수 있다. 방법 1과 2는 무조건 복호화해야 무결성을 확인할 수 있지만 방법 3은 복호화하지 않고 무결성을 확인한 다음에 무결성이 확인된 경우에만 복호화하므로 방법 3이 다른 두 방법보다 효과적이다. 더구나 방법 2에서 메시지에 대한 MAC값은 비밀성을 제공하지 않으므로 M에 대한 정보가 일부 노출될 수 있는 문제도 있다. 이 때문에 3가지 방법 중 세 번째 방법이 가장 안전하고 효과적인 방법이다. 세 번째 방법을 다른 말로 **encrypt-then-mac 방법**이라 한다.

3.3 전자서명

전자서명은 우리가 손으로 하는 일반 서명을 정보 서비스로 바꾼 것이다. 전자서명의 특성을 살펴보기 전에 일반 서명과의 차이점을 먼저 생각하여 보자. 전자서명은 정보화된 서비스이므로 서명의 확인은 전자적으로 프로그램된 알고리즘을 통해 검증한다. 반면에 일반 서명은 보통 눈으로 기존 서명과 대조하여 이루어진다. 더욱이 전자서명은 모든 사용자에게 동일한 안전성을 제공하지만, 일반 서명은 서명에 따라 위조 가능성이 다르다. 일반 서명은 서명하고자 하는 문서 위에 하지만 전자서명은 문서와 별도로 존재한다. 하지만 한 문서의 전자서명을 다른 문서의 전자서명으로 사용할 수 없어야 하므로 전자서명은 문서를 이용하여 서명값을 생성한다. 따라서 전자서명은 같은 사용자라 하더라도 문서마다 다른 값을 생성하지만, 같은 사용자의 일반 서명은 모든 문서마다 동일하다. 끝으로 전자서명은 디지털 값이므로 원본과 복사본 개념이 없다.

전자서명처럼 기존에 컴퓨팅 요소를 사용하지 않고 제공하던 서비스를 정보화하면 서비스가 원래 만족해야 하는 요구사항뿐만 아니라 정보화 때문에 새롭게 생기는 요구사항까지 만족해야 한다. 원래 일반 서명이 가지고 있는 요구사항은 다음과 같다.

- 요구사항 1. 인증(authentic): 서명자를 확인할 수 있어야 한다.
- 요구사항 2. 위조불가(unforgeable): 서명을 위조할 수 없어야 한다.
- 요구사항 3. 부인방지(non-repudiation): 나중에 부인할 수 없어야 한다.

전자서명은 요구사항 1과 3을 충족하기 위해 서명자마다 다른 서명키를 사용한다. 따라서 같은 문서를 다른 사용자가 서명하면 다른 서명 값이 생성된다.

다음 요구사항들은 일반 서명에서는 필요가 없었지만, 정보화되면서 추가된 요구사항이다.

- 요구사항 4. 재사용불가(not reusable): 서명을 다른 용도로 사용할 수 없어야 한다.
- 요구사항 5. 변경불가(unalterable): 서명된 문서의 내용을 변경할 수 없어야 한다.

전자서명은 서명한 문서와 별도로 존재하며 디지털 정보이기 때문에 한 문서의 전자서명을 다른 문서의 전자서명으로 사용하는 것과 전자서명을 그대로 유지한 상태에서 문서를 바꾸는 것이 가능하지 않아야 한다. 두 요구사항은 모두 서명을 생성할 때 문서를 이용하여 생성하면 만족할 수 있다. 따라서 전자서명은 사용자의 서명키와 서명할 문서를 입력으로 받아 서명 값을 생성하여야 한다. 어떤 문서와 그것의 전자서명 전체를 한 번만 사용할 수 있어야 하는 경우도 있다. 이때에는 서명할 때 서명 시간을 포함하는 방법을 많이 사용한다.

3.3.1 전자서명 방식

전자서명은 보통 사용자가 자신의 서명키와 서명할 문서를 가지고 혼자 전자서명 알고리즘을 수행하여 서명 값을 생성한다. 이렇게 하는 방식을 직접 서명 방식이라 한다. 이 경우 서명키가 도난 또는 분실되었을 때 공격자에 의해 또는 서명자가 직접 악의적으로 서명한 시각을 조작할 가능성이 있다. 이를 방지하기 위해 중재 서명 방식을 사용할 수 있다. 중재 서명 방식은 더는 알고리즘이 아니며, 프로토콜 형태로 다음과 같이 진행된다.

Msg 1. $A \rightarrow S$: T_A, M, $\text{Sig}.A(T_A \| H(M))$
Msg 2. $S \rightarrow A$: T_S, $\text{Sig}.S(T_S \| H(\text{Sig}.A(T_A \| H(M)))$

사용자 A가 문서 M과 서명 시각 T_A을 함께 전자서명하여 중재자에게 전달하면 중재자가 서명 시각을 포함하여 해당 서명의 유효성을 확인한 후에 사용자의 서명 값과 중재자의 현재 시각 T_S을 포함하여 서명한다. 한 메시지에 대해 사용자와 중재자가 같이 서명하는 방식이다. 따라서 이 중재자가 신뢰할 수 있는 기관이고 사용자와 공모하지 않는다면 사용자는 서명 시각을 고의로 조작할 수 없다.

3.3.2 전자서명 알고리즘의 분류

전자서명도 알고리즘이므로 결정적 서명 알고리즘과 확률적 서명 알고리즘으로 분류할 수 있다. 하지만 전자서명은 대칭과 비대칭 암호알고리즘처럼 반드시 확률적 서명 알고리즘이 되어야 안전성이 높아지는 것은 아니다. 메시지의 비밀성이 목적이 아니므로 결정적 알고리즘이더라도 위조가 계산적으로 어려우면 문제가 되지 않는다.

전자서명은 서명키와 서명할 데이터를 입력받아 서명 값을 생성하며, 공개키 기반이므로 데이터가 매우 크면 서명 비용이나 서명 크기 때문에 데이터를 직접 입력받아 서명값을 생성하기 어렵다. 따라서 보통 전자서명은 서명키와 서명할 데이터의 해시 값을 입력받아 서명 값을 생성한다. 이와 같은 전자서명 알고리즘을 첨부 형태 전자서명(DSS with appendix)이라 한다. 이 방식에서는 전자서명 값만 가지고는 서명을 확인할 수 없고, 서명된 원 데이터와 확인키가 있어야 서명을 확인할 수 있다.

반대로 매우 작은 데이터들은 데이터를 직접 입력 받아 서명 값을 생성할 수 있다. 앞서 설명한 방식과 달리 이 경우 서명값으로부터 서명한 데이터를 얻어 낼 수 있으므로 이와 같은 전자서명을 메시지 복구 가능 전자서명(DSS with recovery)이라 한다. 이 방식은 매우 작은 크기의 메시지만 서명할 수 있다.

3.4 암호알고리즘의 안전성

3.4.1 추상적 안전성

암호알고리즘에 대한 해독이란 알고리즘을 분석하여 그것의 허점을 발견하는 것을 말한다. 이를 통해 암호알고리즘의 안전성을 분석한다. 지금까지 살펴본 5가지 알고리즘에서 우리가 바라는 안전성을 추상적으로 설명하면 다음과 같다.

대칭 암호알고리즘은 비밀키를 모르는 상태에서 암호문이 주어졌을 때, 그것의 평문을 알아내거나 비밀키를 찾아낼 수 없어야 한다. 평문 전체 또는 키 전체를 알아내지 못하더라도 그중 일부만 알아낼 수 있으면 알고리즘 안전성에 문제가 있는 것이다. 공개키 암호알고리즘은 공개키는 알지만, 개인키를 모르는 상태에서 암호문이 주어졌을 때, 그것의 평문을 알아내거나 개인키를 찾아낼 수 없어야 한다. 해시함수는 해시값의 역을 취할 수 있거나 충돌을 찾아낼 수 없어야 한다. 해시값의 원상을 구하는 것은 충돌을 찾는 것보다 상대적으로 더 어려우므로 해시함수에 대한 안전성은 주로 충돌에 초점을 둔다.

MAC은 MAC 키를 모르는 상태에서 MAC 값을 위조할 수 없거나 키를 알아낼 수 없어야 한다. 또 해시함수와 마찬가지로 충돌을 찾을 수 없어야 한다. 충돌을 찾을 수 있다는 것은 보통 위조할 수 있다는 것을 의미하므로 위조할 수 없어야 한다는 것에 충돌을 찾을 수 없어야 한다는 것이 포함되어 있다고 생각해도 된다. 전자서명도 확인키를 모르는 상태에서 서명을 위조하거나 서명키를 알아낼 수 없어야 한다. MAC이나 전자서명의 경우에는 공격자가 원하는 값에 대한 위조를 얻지 못하더라도 위조할 수 있으면 큰 문제가 될 수 있다. 참고로 이와 같은 안전성은 해독을 통해 깨질 수 있지만, 사회공학이나 사용자 부주의로 깨질 수 있으며, 이 경우에는 해독되었다고 하지 않고 노출(compromise)되었다고 한다.

3.4.2 현대 암호학의 특징

과거에는 안전성에 대한 형식적인 증명 없이 암호기술을 설계하여 발표하면 암호학자들과 공격자들이 허점을 발견하고자 노력하게 되며, 허점이 발견되면 그 허점을 보완하는 형태로 암호기술이 개발 및 발달하였다. 이렇게 기술을 개발하는 것을 "design-break-patch"라 한다. 이 때문에 오랫동안 허점이 발견되지 않으면(survived long scrutiny) 안전성이 증명된 것으로 간주하였다.

하지만 오늘날에는 엄격한 안전성 증명을 중요하게 생각한다. 이것은 암호기술과 관련된 학문적 이론이 발전했으며, 안전성을 증명하는 기술도 발달하였기 때문이다. 안전성 증명은 보통 증명하고자 하는 것에 대한 정의를 내리고, 안전성 모델(공격자 모델)을 정립하고, 필요한 가정을 나열한 후 이와 같은 능력의 공격자가 존재하더라도 주어진 가정에서는 정의된 안전성이 보장됨을 형식적으로 증명한다. 그렇지만 안전성에 대한 형식적 증명(formal proof)이 이루어졌다고 하여 안전성에 대해 완벽한 보장(bullet-proof, ironclad guarantee)이 제공되는 것은 아니다. 정의가 잘못된 것일 수 있고, 가정이 잘못될 수 있거나 가정이 현실과 조금 거리가 있을 수 있다. 그런데도 안전성 증명은 매우 중요하다. 지금은 형식적 증명이 없는 암호기술은 실제 현장에서 사용하지 않는다. 다만, 실제 현장에서 사용하는 기술은 그 응용에서 요구하는 효율성도 갖추어야 한다. 따라서 현장에서 사용하는 것보다 안전한 알고리즘도 있지만 이들은 실용성 때문에 사용을 못 할 수 있다.

현대 알고리즘의 안전성은 보통 현재의 컴퓨팅 능력을 고려한 안전성이다. 따라서 컴퓨팅 능력이 획기적으로 좋아지거나 지금까지 알려진 가장 빠른 해독 방법보다 더 빠른 방법을 발견하면 지금의 안전성 수준은 아무런 의미가 없어질 수 있다. 특히, 양자 컴퓨팅(quantum computing)이 현실화되면 지금까지 사용한 여러 가정이 무의미해질 수 있다.

이 때문에 최근에는 양자 컴퓨팅이 실용화되어도 안전한 암호기술(post-quantum cryptography)을 개발하고 있다. 이에 대해서는 4.7절에서 좀 더 구체적으로 설명한다.

3.4.3 안전성 관련 정의

암호알고리즘의 안전성은 해독에 필요한 노력을 측정하여 분석한다. 하지만 우리가 사용하는 알고리즘은 **무조건적 안전성**(unconditionally secure)을 제공하지 못한다. 무조건적 안전성이란 무한한 컴퓨팅 자원을 가져도 암호알고리즘을 해독할 수 없는 경우를 말한다. 특히, 제한된 크기의 키를 사용하면 키에 대한 전수조사를 통해 사용한 키를 발견할 수 있으므로 우리가 보통 사용하는 알고리즘은 **계산적 안전성**(computationally secure)을 가진다. 계산적 안전성이란 공격자의 능력이 가장 현실적으로 높다고 가정[3)]하였을 때 공격자가 암호알고리즘을 해독하기 위한 노력이 불합리하게 많은 컴퓨팅 시간을 요구할 경우를 말한다. 예를 들어, 대칭 암호알고리즘이 128bit 키를 사용하고, 전수조사 외에는 다른 해독 방법이 없다면 이 알고리즘은 2^{128}개의 키를 검사해야 복호화를 할 수 있으므로 계산적으로 안전한 알고리즘이다.

대칭 암호알고리즘과 달리 공개키 암호알고리즘은 어려운 수학 문제를 기반하고 있다. 알고리즘이 그것이 기반하고 있는 수학 문제와 등가임을 증명할 수 있으면 이 알고리즘은 **증명 가능 안전성**(provably secure)을 가진다. 예를 들어, RSA 공개키 암호알고리즘이 인수분해 문제와 등가인 것이 증명되어 있으면 RSA는 증명 가능 안전성을 가진다. 많은 학자가 같을 것으로 예측하지만, RSA를 해독하는 문제와 인수분해 문제가 등가인 것을 아직 증명하지 못하고 있다. 여기서 어려운 문제란 지금까지 알려진 해결 방법이 지수 시간 알고리즘밖에 없는 경우를 말하므로 증명 가능 안전성도 계산적 안전성에 해당한다[22].

Shannon은 1949년에 암호알고리즘이 **완벽한 안전성**(perfect security)을 가지기 위한 조건을 제시하였고, 이와 같은 안전성을 가지기 위해서는 키 길이가 메시지의 길이보다 커야 한다는 것을 증명하였다[23]. 확률을 이용하여 Shannon이 제시한 완벽한 안전성 조건을 수학적으로 표현하면 다음과 같다.

$$\Pr(\boldsymbol{M}=m \mid \boldsymbol{C}=c)=\Pr(\boldsymbol{M}=m)$$

3) 현존하는 가장 고성능 하드웨어를 이용하여 해독 전용 시스템을 구축할 때 소요되는 경제적 비용과 이를 통해 해독하는 데 걸리는 시간을 함께 고려한다.

즉, 암호문 c가 주어졌을 때 그것의 평문이 m일 확률은 원래 평문이 m일 확률과 같아야 한다는 것을 말한다. 원래 평문이 m이 될 확률은 응용과 사용하는 방법에 따라 달라질 수 있다. 실제 위 식이 성립하면 다음 식도 성립한다.

$$\Pr(\boldsymbol{C} = c \mid \boldsymbol{M} = m) = \Pr(\boldsymbol{C} = c)$$

즉, 어떤 평문 m이 주어졌을 때 이것이 특정 암호문 c로 암호화되기 위한 확률은 암호문이 c가 될 확률과 같아야 한다는 것을 말한다. 블록 크기가 n인 블록 방식의 대칭 암호알고리즘을 가정한다면 암호문이 c가 될 확률은 $1/2^n$이다.

Shannon의 증명에 따라 완벽한 안전성을 갖춘 알고리즘은 키 길이 때문에 현실적으로 사용하기 힘들다. 예를 들어, 항상 평문과 같은 길이의 랜덤키를 생성하여 평문과 XOR하여 암호화하는 one-time pad 암호알고리즘은 완벽한 안전성을 갖추고 있는 알고리즘이다. 하지만 항상 다른 키를 사용해야 하며, 키 길이가 메시지와 항상 같아야 하므로 실제 응용에서 사용할 수 있는 알고리즘은 아니다. 이 때문에 one-time pad 대신에 이와 유사하게 암호화하는 스트림 방식(키 길이는 고정되어 있지만 이 키를 이용하여 메시지와 같은 길이의 랜덤한 키 스트림을 생성하여 암호화함)의 암호알고리즘을 사용하고 있다.

무한한 컴퓨팅 자원을 가져도 해독할 수 없으면 좋겠지만, 계산적 안전성을 가져도 실용적으로 사용하는 데 문제가 없다. 따라서 완벽한 안전성 대신에 **의미론적 안전성**(semantic security) 개념을 사용하여 현대 암호알고리즘을 분석한다. 의미론적으로 안전하다는 것은 암호문이 주어졌을 때, 효율적으로 계산할 수 있는 것은 암호문이 없어도 계산할 수 있어야 한다는 것을 말한다. 여기서 효율적으로 계산할 수 있다는 것은 계산적 안전성을 고려한다는 것을 의미한다. 하지만 이 자체를 형식화된 형태로 증명하기가 어려우므로 이보다 많이 사용하는 개념이 **구별 불가 안전성**(indistinguishability)이다.

구별 불가 안전성이란 도전자와 공격자 간에 다음과 같은 게임으로 생각할 수 있다. 이 게임은 도전자 입장에서 $b=0$인 게임과 $b=1$인 게임으로 나누어진다.

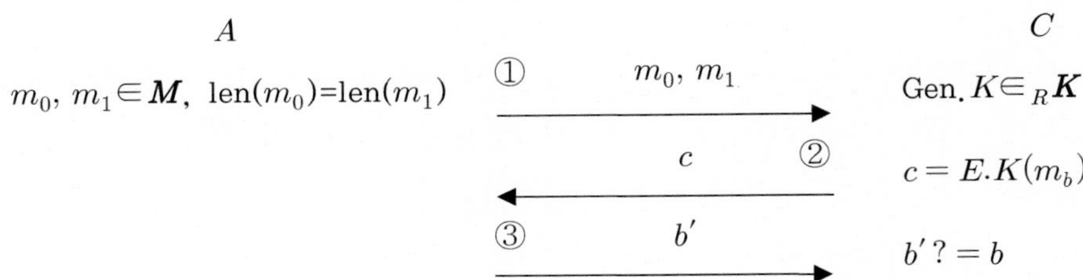

도전자는 정해진 알고리즘을 이용하여 암호키를 임의로 생성한 후에 공격자에게 게임 시작을 알리면 공격자는 서로 다르지만, 길이가 같은 평문 두 개를 생성하여 도전자에게 전달한다. 도전자는 게임의 종류에 따라 m_0 또는 m_1을 암호화하여 공격자에게 전달하면 공격자는 이 암호문이 어떤 평문을 암호화한 것인지 맞히는 게임이다. 공격자의 능력에 따라 이 과정을 한 번 하는 것이 아니라 q번 반복할 수 있다. 전체 반복이 끝난 후 공격자는 $b=0$ 게임에 참여하였는지 $b=1$ 게임에 참여하였는지 맞히는 게임이 된다.

답이 둘 중 하나이므로 공격자가 답을 맞힐 확률은 최소한 50%이다. 따라서 효율적인 모든 공격자에 대해 맞힐 확률이 정확하게 50%임을 증명할 수 있다면 이 알고리즘은 의미론적으로 안전한 알고리즘이다. 하지만 맞힐 확률이 50%를 넘어도 그 초과한 부분이 무시할 수 있을 정도로 작으면 이 알고리즘은 의미론적으로 안전한 알고리즘이라 한다.

안전성을 논할 때 한 가지 또 알고 있어야 하는 개념이 **NM 특성**(Non-Malleability)이다. NM 특성을 만족하는 알고리즘에 의해 생성된 암호문은 그것의 평문을 알고 있는지와 상관없이 의미 있는 다른 평문으로 복호화되도록 이 암호문을 다른 암호문으로 변경할 수 없어야 한다. 예를 들어, 100원을 인출하라는 평문을 암호화한 암호문을 변경하여 1,000원을 인출하라고 바꿀 수 있다면 이 암호알고리즘은 NM 특성을 만족하지 못한다. One-time pad는 완벽한 안전성을 갖춘 알고리즘이지만 키 길이가 비현실적일 뿐만 아니라 XOR 연산을 사용하므로 기본적으로 NM 특성을 만족하지 못한다. XOR의 특성 때문에 암호문의 특정 비트를 토글한 후 복호화하면 평문의 해당 위치의 비트가 토글된다.

NM 특성은 앞서 언급한 의미론적 안전성보다 강한 특성이며, 무결성이 비밀성과 함께 제공되어야 만족할 수 있는 특성이다. 안전한 암호알고리즘과 안전한 MAC 함수를 이용하여 인증 암호화를 하면 NM 특성을 만족하는 암호문을 만들 수 있다. 즉, 수정을 할 수 있어도 수정한 것을 알 수 있으면 NM 특성을 갖춘 알고리즘이라 한다.

3.4.4 암호알고리즘에 대한 공격

모든 암호알고리즘은 기본적으로 **전사공격**(brute force)에 대해서는 안전하여야 한다. 전사공격이란 가능한 모든 경우를 검사하여 공격하는 것을 말하며, 보통 가능한 모든 키를 검사하는 방식을 말한다. 예를 들어 $n$bit 암호키를 사용하는 대칭 암호알고리즘은 2^n 노력이면 키를 무조건 찾을 수 있다. 하지만 전사공격은 암호해독에 해당하지 않는다. 현재 컴퓨팅 수준을 고려하면 대칭키의 길이가 128bit 이상이면 안전하다고 말한다. 해시함수는 생일 파라독스 때문에 충돌회피가 해시값 길이의 제곱근에 비례하므로 해시 값의 길이는 256bit 이상이 되어야 한다. 대칭 암호알고리즘의 경우 전사공격이 가장 효과적인 공격이면 가장 안전한 알고리즘이 된다.

암호알고리즘 안전성을 증명할 때 공격자의 능력을 어떻게 가정하였는지에 따라 안전성의 강도가 달라진다. 가장 능력이 적은 공격자부터 가장 능력이 많은 공격자까지 분류하면 다음과 같다.

- 암호문 단독 공격(ciphertext-only attack): 공격자가 암호문만 가지고 있는 경우를 말한다. 가지고 있는 암호문의 개수에 따라 능력의 차이가 있다.
- 기지 평문 공격(known-plaintext attack): 공격자는 특정한 개수의 평문과 암호문 쌍을 얻게 된다. 하지만 공격자는 평문이나 암호문을 선택할 능력은 없다.
- 선택 평문 공격(chosen-plaintext attack): 공격자는 특정한 개수의 평문과 암호문 쌍을 얻게 되는데, 공격자는 자신이 원하는 평문을 선택할 수 있다.
- 선택 암호문 공격(chosen-ciphertext attack): 공격자는 특정한 개수의 평문과 암호문 쌍을 얻게 되는데, 공격자는 자신이 원하는 암호문을 선택할 수 있다. 선택 암호문 공격은 보통 선택 평문 공격을 포함한다.
- 적응적(adaptive) 선택 평문 공격: 적응적이지 못한 경우에는 정해진 개수만큼 한 번에 요구하여 쌍을 얻어야 하지만 적응적인 공격에서는 기존에 얻은 쌍들을 바탕으로 자신이 원하는 평문에 대한 암호문을 결정할 수 있다.
- 적응적 선택 암호문 공격: 기존에 얻은 쌍들을 바탕으로 자신이 원하는 암호문을 선택하여 평문을 얻을 수 있는 경우를 말한다.

앞서 설명한 게임은 선택 평문 공격을 설명하는 게임이다. q번 반복하는 게임에서는 공격자는 자신이 선택한 q개의 평문에 대한 암호문을 얻을 수 있다. 이 게임에서 실제 공격자는 각 게임을 반복할 때 다른 두 개의 평문을 전달하는 것이 아니라 $m_0 = m_1$인 같은 두 개의 평문을 전달할 수 있다. 선택 암호문 공격은 보통 공개키 암호알고리즘의 안전성을 분석할 때 사용하며, 비슷한 게임으로 표현하면 다음과 같다.

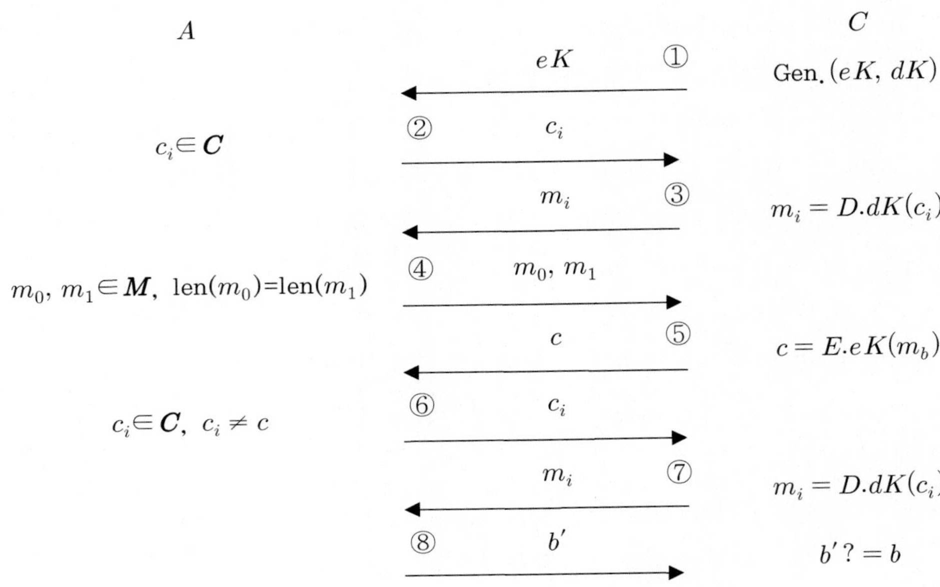

이 게임에서 알 수 있듯이 공격자는 공개키를 갖고 있으므로 얼마든지 자신이 원하는 메시지를 암호화할 수 있으며, 알고리즘이 결정적 알고리즘이면 ⑤의 c를 직접 계산하여 비교할 수 있으므로 선택 암호문 공격에 대해 안전할 수 없다. 참고로 암호기술에서 선택 평문이나 선택 암호문 공격을 할 때 자신이 원하는 평문에 대한 암호문이나 암호문에 대한 평문을 얻게 해주는 것을 **오라클**(oracle)이라 한다.

이와 같은 공격의 복잡성 정도는 보통 공격자가 공격에 성공하는 데 필요한 평문 암호문 쌍의 개수로 정의한다. 이것을 데이터 복잡도라 한다. 데이터 복잡도 외에 복잡성을 측정하기 위해 공격에 성공하는 데 필요한 시간을 말하는 시간 복잡도와 공격 알고리즘을 수행할 때 필요로 하는 공간의 크기를 말하는 공간 복잡도를 고려한다. 이 중 시간 복잡도는 컴퓨팅 능력에 의해 결정되는 요소이다.

3.4.5 암호알고리즘에 대한 공격 결과

키를 사용하는 암호알고리즘에 대한 공격 결과는 다음과 같이 표현된다.

- 완전 성공(total break): 비밀키를 발견한 경우를 말한다. 공개키 방식에서는 개인키를 찾은 경우를 말한다.
- 광역 성공(global deduction): 암호키를 발견하지 못하였지만 복호화할 수 있는 알고리즘을 발견한 경우를 말한다. 전자서명과 MAC은 서명이나 MAC 값을 무조건적으로 위조가 가능한 경우를 말한다.
- 인스턴스 성공(instance deduction): 어떤 한 암호문으로부터 또는 어떤 특정 종류의 암호문들로부터 그것의 평문을 얻어 낸 경우를 말한다. 전자서명과 MAC은 목표하는 사용자의 서명이나 MAC값을 제한적으로 위조할 수 있는 경우를 말하며, 다음과 같이 다시 세부적으로 분류한다.
  - 선택적 위조(selective forgery): 특정 종류의 메시지에 대해서만 위조할 수 있는 경우를 말한다.
  - 존재 위조(existential forgery): 어떤 메시지에 대한 서명이나 MAC값을 위조하였지만, 공격자가 위조한 메시지를 결정할 수 있는 능력이 없는 경우를 말한다.
- 정보 추출(information deduction): 암호문으로부터 평문의 일부나 암호키와 관련된 정보를 얻어 낸 경우를 말한다. 전자서명이나 MAC은 개인키, MAC키 외에 위조할 서명이나 MAC값의 일부를 얻어 낸 경우를 말한다.

해시함수의 경우 해시값의 길이가 $n$bit이면 역방향이나 약한 충돌회피는 2^n의 노력이 필요하지만, 충돌을 찾는 것은 생일 파라독스 때문에 $2^{n/2}$가 필요하다. 따라서 해시함수의 안전성은 보통 충돌을 찾는 것에 집중한다.

3.4.6 안전성에 대한 기타 고려 사항

암호알고리즘 자체가 안전하다고 증명되어 있더라도 그것을 구현한 소프트웨어나 하드웨어가 잘못 구현되어 허점이 있을 수 있다. 특히, 알고리즘의 입력과 출력 외에 다른 정보를 이용하여 공격할 수 있으며, 이를 **부채널 공격**(side channel attack)이라 한다. 대표적인 부채널 공격에는 시간 정보를 이용하는 것과 전력 소비를 이용하는 것이 있다. 시간 정보는 입력이 주어졌을 때 출력을 계산하는 데 걸리는 시간을 이용하여 키를 찾는 공격을 말하며[24], 전력 소비의 경우에는 입력이 주어졌을 때 출력을 계산하기 위해 소요된 전력의 차이를 이용하여 키를 찾는 공격을 말한다[25]. 최근에는 심화 학습(deep learning) 기술의 발전으로 부채널을 통해 얻은 정보를 더 효과적으로 분석할 수 있게 되었다. 이것을 방어하기 위해 부채널로 노출되는 정보를 얻을 수 없도록 하거나 그것이 어려우면 부채널로 노출되는 정보를 줄이는 방법을 사용한다. 이와 같은 부채널 공격 때문에 절대로 비전문가가 직접 암호알고리즘을 소프트웨어나 하드웨어로 구현하여 사용해서는 안 된다.

3.4.7 양자 컴퓨팅과 암호기술

아직 양자 컴퓨팅이 현실화되어 있지는 않지만 양자 컴퓨팅의 특성과 동작 원리는 잘 알려져 있다. 특히, 가능한 입력 범위가 n일 때, 특정 출력을 주는 입력을 양자 컴퓨팅을 이용하면 $O(\sqrt{n})$ 비용으로 찾을 수 있다는 것이 증명되었다. 이 알고리즘을 Glover 알고리즘이라 한다[14]. 따라서 대칭키가 128bit이면 기존 컴퓨팅 환경에서 전수조사 비용이 $O(2^{128})$이지만 양자 컴퓨팅이 현실화되면 비용이 $O(2^{64})$로 줄어들게 된다. Peter Shor는 비슷한 시기에 양자 컴퓨팅을 이용하면 다차 시간에 인수분해와 이산대수 문제를 해결할 수 있음을 보였다[14].

하지만 이 두 개의 발견이 양자 컴퓨팅을 이용하면 NP 난해(hard) 문제를 다차 시간에 풀 수 있다는 것은 아니다. 인수분해 문제를 해결하는 다차 시간 알고리즘이 아직 발견되지 않았지만, 이 문제가 NP 완전(complete) 문제라고 증명되어 있지 않다. 인수분해가 NP 완전 문제이면 양자 컴퓨팅을 이용하면 모든 NP 문제를 다차 시간에 해결할 수 있다는 것을 의미한다. 이 때문에 지금의 지배적인 생각은 양자 컴퓨팅을 이용하더라도 NP 난해 문제는 여전히 계산적으로 해결하기 어려운 문제라고 여겨지고 있다.

Glover 알고리즘 때문에 대칭 암호알고리즘이나 해시함수는 지금보다 키 길이나 해시값의 길이를 두 배로 늘리면 여전히 양자 컴퓨팅이 현실화되어도 사용할 수 있다. 하지만 Shor 알고리즘 때문에 지금 사용하는 인수분해, 이산대수, 타원곡선에 기반한 공개키 암호알고리즘은 더 이상 사용할 수 없게 된다. 이 때문에 **양자 내성 암호**(post-quatum cryptography, quantum-resistant cryptography) 기술이란 양자 컴퓨팅 시대에 사용할 수 있는 공개키 암호알고리즘을 말한다.

양자 내성 암호에 대한 연구는 크게 두 가지 형태로 진행되고 있다. 첫째, NP 난해 문제에 기반한 공개키 암호알고리즘(lattice-based, multivariate-based)에 대한 연구이다. NP 난해 문제 기반 공개키 암호알고리즘은 이미 오래전에 발견된 기술이지만 지금 사용하고 있는 알고리즘과 비교하였을 때 효율성이 떨어지므로 사용하지 않고 있는 기술이다.

둘째, 해시함수 기반 공개키 기술을 연구하고 있다. 앞서 언급한 바와 같이 해시함수는 해시값의 길이만 늘이면 양자 컴퓨팅 환경에서도 안전하게 사용할 수 있다. 해시함수 기반 공개키 기술도 오래전에 발견된 기술이며, NP 난해 문제 기반 공개키 기술과 마찬가지로 지금 널리 사용하고 있는 공개키 알고리즘에 비해 효율성이나 사용 편리성이 떨어진다. 해시함수 기반 전자서명에 대해서는 11장에서 조금 더 자세히 살펴본다.

NIST는 2017년부터 양자 내성 암호 표준을 진행하고 있으며[26], 현재 3라운드가 진행되고 있다. 공개키 암호알고리즘에는 McEliece(code based), Crystals-Kyber(lattice-based), NTRU(lattice-based), SABER(lattice-based), 4종류의 알고리즘이 3라운드까지 진출하였고, 전자서명 알고리즘에는 Crystals-DILITHIUM(lattice-based), FALCON(lattice-based), Rainbow(multivariate-based), 3종류의 알고리즘이 3라운드까지 진출하고 있다. 최종 후보들을 보면 대부분 격자 기반(lattice-based) 문제에 의존하는 알고리즘이다.

 부록 _ 양자 보안

양자 보안은 양자 이론이나 기술을 이용한 보안 기술을 말하며, 양자 내성 암호는 양자 보안 기술은 아니다. 양자 내성 암호는 양자 컴퓨팅 시대에도 사용할 수 있는 공개키 또는 전자서명 암호알고리즘을 말한다. 현재 개발되고 있는 양자 보안은 크게 양자 난수 생성기(QRNG, Quantum Random Number Generator), 양자 키 분배(QKD, Quantum Key Distributor), 양자 직접통신(QSDC, Quantum Secure Direct Communication)으로 분류된다. 최근에는 양자 보안 기술과 기존 보안 기술을 결합하여 사용하는 양자 하이브리드 기술에 대한 연구도 많이 진행하고 있다. QRNG, QKD, QSDC, 양자 하이브리드 기술은 모두 양자 컴퓨터가 필요한 기술은 아니다.

양자 난수 생성기는 양자 기술을 이용하여 난수를 생성하는 방법이며, 이를 위해 특수 칩을 제작하여 사용한다. 암호기술에서 보통 사용하는 암호학적으로 안전한 의사난수 생성기와 달리 실제 난수를 생성한다. 하지만 양자 난수 생성기를 사용하나 암호학적으로 안전한 의사난수 생성기를 사용하나 보안 측면에서 차이는 없다. 암호학적으로 안전한 의사난수 생성기를 통해 생성한 난수를 예측하여 공격하는 것은 계산적으로 가능하지 않기 때문이다.

양자 키 분배는 양자 이론을 이용해 빛의 가장 작은 단위인 광자에 암호키와 관련한 정보를 실어 전달함으로써, 도청이 불가능하도록 설계된 키 분배 알고리즘을 말한다. QRNG을 이용하여 대칭키를 생성하였을 경우 보통 기존 키 확립 프로토콜을 사용하여 원격에 있는 두 사용자가 키를 확립하지만, QKD는 대칭키를 양자 채널을 통해 확립한다. 따라서 일반적인 통신 매체가 아니라 양자 정보를 전달할 수 있는 광섬유와 같은 특수 매체가 필요하며, 기존 통신과 달리 도청을 감지할 수 있다. 대칭키를 확립한 이후에는 AES 등을 이용하여 암호 통신을 한다.

양자 직접통신은 양자 기술을 이용한 통신 매체를 말하며, 이 매체를 사용하면 별도 대칭키를 확립한 다음, 암호알고리즘을 이용하여 메시지를 암호화하여 교환할 필요가 없다. 매체 자체가 도청할 수 없는 매체이다. QKD는 키만 양자 채널로 교환하는 반면에 QSDC는 메시지를 양자 채널로 교환한다.

3장 퀴즈

1. 해시함수와 관련된 다음 설명 중 **틀린** 것은?

① 약한 충돌을 찾는 것이 강한 충돌을 찾는 것보다 쉽다.
② 정의역이 치역보다 훨씬 범위가 넓으므로 충돌의 발생은 불가피하다.
③ 입력과 무관하게 항상 출력은 고정된 크기이다.
④ 약한 충돌은 x가 주어졌을 때 $H(x) = H(x')$인 x와 다른 x'을 찾는 것이다. 생일에 비유하면 홍길동이 주어졌을 때, 홍길동과 생일이 같은 사람을 찾는 것을 말한다.

2. 해시 값의 길이가 $n$bit인 해시함수를 이용한 임의의 입력 x의 해시 값이 특정값이 될 확률은 어떻게 되어야 이 해시함수가 일방향성을 만족할 수 있는가?

① $1/n$
② $1/2^n$
③ $1/2$
④ $1/x$

3. 메시지의 무결성을 보장하기 위해 MAC을 사용하는 것과 전자서명을 사용하는 것을 비교한 다음 내용 중 **틀린** 것은?

① MAC을 사용하는 것이 더 효율적이다.
② 전자서명을 사용하는 것이 부인방지 측면에서 우수하다.
③ 전자서명은 검증할 수 있는 사용자와 생성할 수 있는 사용자가 비대칭적이다.
④ MAC을 사용하는 것이 다수가 검증할 수 있도록 하는 것에 유리하다.

4. 최근에는 메시지를 암호화할 때 안전성을 위해 인증 암호화를 한다. 인증 암호화와 관련된 다음 설명 중 **틀린** 것은?

① 가장 널리 안전하게 사용하는 인증 암호화 기법은 encrypt-then-mac 방법이다.
② encrypt-then-mac 방법은 암호문을 복호화한 후에 평문을 이용하여 MAC 값을 확인한다.
③ NM 특성이 만족하지 않는 대칭 암호알고리즘도 인증 암호화를 사용하면 NM 특성을 만족한다.
④ 인증 암호화는 무결성과 비밀성을 동시에 제공하는 암호화 방법이다.

5. 전자서명에서 해시함수를 사용하는 이유가 **아닌** 것은?

① 메시지 자체를 암호화하면 서명값의 크기가 메시지 크기에 비례한다.
② 메시지 자체를 암호화하면 서명값을 계산하는 비용이 메시지 크기에 비례한다.
③ 사용하는 알고리즘에 따라 메시지 자체를 암호화하면 위조가 쉬워질 수 있다.
④ 메시지 자체를 암호화하면 메시지의 비밀성이 보장되지 않는다.

6. 부채널 공격이 주는 교훈이 **아닌** 것은?

① 암호알고리즘을 직접 소프트웨어로 구현하여 사용하거나 하드웨어로 제작하여 사용하는 것은 위험할 수 있다.
② 현재 안전하다고 알려져 있더라도 지금까지 생각하지 못한 전혀 다른 형태의 공격이 가능할 수 있다.
③ 전문 업체에 의해 구현 및 제작된 소프트웨어 암호라이브러리나 하드웨어 모듈을 활용해야 안전하다.
④ 하드웨어보다는 소프트웨어를 이용하여 암호알고리즘을 사용해야 한다.

연습문제

1. 원격에 있는 두 사용자가 동전 던지기를 하기 위해 다음과 같은 프로토콜을 사용할 수 있다.

- 단계 1. A는 매우 큰 양의 정수 X를 임의로 선택하여 그것의 해시 값 $H(X)$를 B에게 전달한다.
- 단계 2. B는 짝수, 홀수 중 하나를 선택하여 A에게 자신의 선택을 알린다.
- 단계 3. A는 X를 B에게 전달한다. B의 추측이 맞으면 B가 이긴 것이 된다.

이 프로토콜과 관련하여 다음 각각에 대해 답하라.

① 선택할 수 있는 X의 범위가 이 프로토콜의 안전성에 어떤 영향을 주는지 설명하라.
② B가 무엇을 할 수 있으면 항상 이길 수 있는지 제시하고, 해시함수의 어떤 특성 때문에 그것이 가능하지 않은지 제시하라.
③ A가 무엇을 할 수 있으면 항상 이길 수 있는지 제시하고, 해시함수의 어떤 특성 때문에 그것이 가능하지 않은지 제시하라.

2. 문제 1에 주어진 프로토콜을 블록 방식의 대칭 암호알고리즘을 사용하여 다음과 같이 변경하였다.

- 단계 1. A는 블록 크기의 랜덤값 X와 대칭키 K를 임의로 선택하여 X를 K로 채우기 없이 ECB 모드로 암호화한 암호문을 B에게 전달한다.
- 단계 2. B는 짝수, 홀수 중 하나를 선택하여 A에게 자신의 선택을 알려준다.
- 단계 3. A는 K를 B에게 전달한다.

이 프로토콜에서 A가 무엇을 할 수 있으면 항상 이길 수 있는지 제시하고, 이 측면에서 이 프로토콜의 안정성을 논하라.

3. 전자서명은 공개키 기술을 이용하는 것이므로 전자서명 알고리즘을 이용하여 매우 큰 메시지에 서명하면 두 가지 문제점이 있다. 두 가지 문제점을 간단히 설명하라. 이 문제를 극복하기 위해 해시함수를 이용한다. 이때 해시함수는 충돌회피 해시함수이어야 한다. 그 이유도 간단히 설명하라.

4. 중재 서명 방식은 서명자의 서명키가 노출되었을 때 발생하는 문제점을 극복하기 위한 방식이다. 이 방식은 서명키가 노출되지 않더라도 서명자의 부정행위를 방지할 수도 있다. 15장에서 자세히 소개하는 블록체인 기술은 첨삭만 가능한 분산 데이터베이스를 제공하여 준다. 이 기술이 중재 서명 방식 대신에 어떻게 사용할 수 있는지 자신의 생각을 제시하라.

5. 어떤 메시지 M의 무결성을 확인하기 위해 메시지와 그 메시지의 해시값 $H(M)$을 유지할 수 있다. 하지만 능동적인 공격자는 메시지만 변경하지 않고 해시값까지 변경할 수 있다. 이 때문에 더 안전하게 무결성을 제공하기 위해서는 해시함수 대신에 MAC을 사용할 수 있다. 이를 포함하여 다음 세 가지 형태의 방법을 사용할 수 있다.

① MAC만 사용: $\mathrm{MAC}.K(M)$
② 일반 해시함수와 대칭키 암호알고리즘 사용: $\{H(M)\}.K$
③ 해시함수와 전자서명 알고리즘 사용: $\mathrm{Sig}.dK(H(M))$

위 3가지 방법의 차이점을 간단히 논하라. 특히 1), 2)와 3)의 차이를 논하라.

6. 대칭 암호알고리즘의 복호화 속도를 일부러 느리게 만들었다. 대칭 암호알고리즘 안전성에 어떤 영향을 주는지 설명하라.

7. 대칭키 길이가 32bit인 암호알고리즘을 전사공격하는 데 하루가 걸린다고 가정하자. 그러면 복호화 속도가 같은 대칭키 길이가 40bit인 암호알고리즘을 전사공격하는 데 걸리는 시간을 제시하라.

8. 전사공격은 가능한 모든 키를 검사하는 것을 말한다. 대표적인 대칭 암호알고리즘인 DES의 키 길이는 56bit이고, AES의 키 길이는 128bit이다. DES를 전사공격한다는 것은 2^{56}개의 가능한 모든 키를 검사하는 것을 말하며, 평균적으로 2^{55}번 시도를 하면 키를 찾을 수 있다. 전사공격을 실제 하기 위해서는 임의의 키로 복호화하였을 때, 해당 복호화가 성공적인지를 공격자가 확인할 수 있어야 한다. 다음 각각에 대해 답변하라.

① 공격자가 소유한 하나의 프로세서가 1초에 10^7개의 복호화를 할 수 있다고 가정하였을 때와 10^{13}개의 복호화를 할 수 있다고 가정하였을 때 DES와 AES를 전사공격하기 위해 걸리는 시간을 계산하라.
② 공격자가 같은 프로세서를 1,000개 보유가 있을 때 전사공격하기 위해 걸리는 시간을 계산하라.

실제 컴퓨터 프로그래밍을 이용하여 걸리는 시간을 년, 일, 시간, 분, 초로 제시하라.

9. XOR을 이용한 one-time pad는 Shannon에 의해 암호문 단독 공격에 대해서는 완벽한 안전성을 제공한다고 증명되어 있다. 하지만 one-time pad는 3가지 문제점을 가지고 있다. 첫째, 키가 너무 길다. 둘째, 매번 다른 키를 사용해야 한다. 셋째, NM 특성을 만족하지 못한다. 이와 관련하여 다음 각각에 대해 답변하라.

① One-time pad는 $C = M \oplus K$ 형태로 암호화한다. 같은 길이의 메시지 M_1과 M_2를 같은 길이의 키 K로 암호화하여 C_1과 C_2를 얻었다. C_1과 C_2를 획득한 공격자는 어떤 정보를

얻을 수 있는지 설명하라.

② One-time pad로 암호화된 $C = M \oplus K$가 있을 때, 공격자가 C를 C와 같은 길이의 P로 XOR한 $C' = C \oplus P$로 바꾸었을 때 복호화 결과를 제시하라.

③ One-time pad의 키 길이 문제 때문에 사용자는 작은 길이의 키만 유지하고, 필요한 실제 키 길이는 의사난수 생생기 PRG를 이용하여 $C = M \oplus \text{PRG}(K)$와 같은 형태로 동작하는 암호알고리즘을 만들 수 있다. 이 암호알고리즘은 PRG를 예측할 수 없어야 안전하다. 초기 무선 AP는 802.11b WEP 프로토콜을 사용하여 무선 AP와 연결된 기기 간에 암호 통신을 하였다. 그것의 동작 방식을 간단하게 표현하면 다음과 같다. 무선 AP와 무선 기기는 104bit 크기의 대칭키 K를 공유한다. 메시지 M은 $C = M \oplus \text{PRG}(IV \| K)$와 같이 암호화한다. 여기서 IV는 24bit 카운터이며, 매번 다른 값으로 메시지를 암호화하기 위해 IV를 사용하고 있다. 암호화된 메시지는 IV와 함께 상대방에게 전달($IV \| C$)된다. 참고로 IV는 0부터 시작하며, AP를 강제 초기화하면 이 값은 다시 0이 된다. 802.11b WEP의 두 가지 문제점을 제시하라.

10. One-time pad를 포함하여 암호기술에서는 XOR 연산을 많이 사용한다. 이 연산을 많이 활용하는 이유는 표본공간 $U = \{0,1\}^n$(n비트 크기의 모든 메시지)이고 U에 정의된 확률변수 Y가 있을 때, X가 U에 정의된 균등확률변수(uniform random variable)이면 $Z = Y \oplus X$도 균등확률변수가 된다. 즉, Y의 확률분포와 무관하게 랜덤한 값으로 XOR하면 그 결과는 랜덤한 값이 된다는 것이다. 다시 말하면 랜덤하지 않은 메시지를 랜덤한 키로 XOR하면 그 결과는 랜덤한 값이 된다는 것이다. 균등확률변수란 모든 $a \in U$에 대해 $\Pr[X = a] = 1/|U|$가 되는 확률변수를 말한다. 주사위는 모든 면이 나올 확률이 같으므로 균등확률변수이다. $n = 1$일 때 $\Pr[Z = 0] = 1/2$임을 보이라.

11. encrypt-then-mac 방법으로 인증 암호화하는 것과 다음과 같이 메시지를 암호화하고 메시지의 전자서명을 함께 첨부하는 것과 비교하시오.

$$\{M\}.K, \text{Sig}.A(M)$$

여기서 K는 상대방과 공유하고 있는 대칭키이고, 전자서명은 메시지 해시값에 서명하는 첨부 형태의 전자서명이다.

12. 서버는 각 사용자와 MAC 키를 공유하고 있으며, 메시지를 교환할 때 공유된 키로 계산된 MAC을 첨부해야 한다. 서버는 수신한 MAC의 유효성을 확인하기 위해 스스로 MAC값을 계산한 뒤에 최상위 비트부터 차례로 수신한 MAC값과 비교한다. 서버는 비교하다 틀린 비트를 발견하면 즉시 MAC에 문제가 있다고 알려준다. 이 문제에서 설명한 방식의 문제점과 해당 문제점을 극복하는 방법을 설명하라.

제4장

암호프로토콜 개요

제 4 장 암호프로토콜 개요

4.1 암호프로토콜

프로토콜이란 어떤 목적을 달성하기 위해 두 명 이상의 참여자(principal)가 정해진 약속에 따라 수행하는 일련의 단계를 말한다. 이와 달리 혼자 어떤 목적을 달성하기 위해 어떤 정해진 절차를 수행하는 것은 알고리즘이라 한다. 컴퓨팅 분야에서 고려하는 프로토콜은 보통 통신 프로토콜이다. 통신 프로토콜은 어떤 목적을 달성하기 위해 원격에 있는 사용자들이 정해진 약속에 따라 메시지를 교환하는 프로토콜이다. 보통 프로토콜을 기술할 때는 각 참여자가 교환하는 메시지의 형태뿐만 아니라 메시지를 수신하였을 때 참여자가 해야 하는 내부 행동(메시지가 도착하지 않은 경우, 잘못된 형태의 메시지가 수신된 경우 등)을 포함하여 기술해야 하는 것이 많다. 하지만 프로토콜을 요약하여 기술할 때는 참여자들이 교환하는 메시지 형태만 나타낸다. 이 책에서는 주로 메시지 형태만 나열하여 프로토콜을 설명한다.

프로토콜의 특성은 다음과 같다.

- 특성 1. 참여자들이 사전에 알고 있어야 한다.
- 특성 2. 참여자들 간에 동의하고 있어야 한다.
- 특성 3. 각 단계에서 해야 하는 일이 모호하지 않아야 한다.
- 특성 4. 프로토콜 수행을 정상적으로 완료하면 목표하였던 목적을 달성해야 한다.

위 4가지 특성 중 마지막 특성을 완전성(completeness) 요구사항이라 한다.

프로토콜은 동시에 병행으로 여러 참여자 간에 수행될 수 있다. 예를 들어, 웹 브라우저와 웹 서버 간에 수행하는 프로토콜이 HTTP이며, 한 웹 서버는 동시에 여러 브라우저로부터 요청을 수행할 수 있다. 이때 프로토콜의 임의 단일 실행을 **프로토콜 수행**(protocol run)이라 하고, 어떤 프로토콜 수행에서 교환한 모든 메시지를 해당 수행의 **트랜스크립트**(transcript)라 한다.

암호프로토콜(cryptographic protocol)은 암호기술을 사용하는 프로토콜을 말한다. 암호프로토콜에서 암호기술을 사용하는 이유는 프로토콜 수행에서 교환하는 각 메시지의 의미를 보장하고, 참여자 또는 제삼자가 부정행위를 하지 못하도록 하기 위한 것이다. 암호프로토콜은 일반 통신 프로토콜과 달리 공격자(attacker)의 존재를 가정한다. 일반 프로토콜은 누군가 고의로 일으키지 않은 오류가 발생하였을 때 프로토콜이 정상적으로 수행되도록 하는 메커니즘을 포함하고 있지만, 고의적인 공격으로부터 프로토콜을 보호하기 위한 메커니즘은 설계할 때 고려하지 않는다. 하지만 암호프로토콜은 완전성뿐만 아니라 안전성(secureness)을 보장해야 한다. 여기서 안전성이란 공격자가 존재하더라도 프로토콜의 요구사항을 충족하거나 부당한 이득을 얻는 자가 없어야 한다는 것을 말한다.

4.1.1 암호프로토콜에 대한 공격

암호프로토콜은 고의로 프로토콜을 공격하여 부당한 이득을 얻기 위한 공격자의 존재를 가정한다. 공격자는 영어 문헌에서는 다양한 용어로 표현된다. 이 중 가장 많이 사용하는 것이 attacker, adversary, eavesdropper 등이다. 암호프로토콜에 대한 공격은 크게 수동(passive) 공격과 능동(active) 공격으로 분류할 수 있다. 수동 공격은 프로토콜의 진행을 방해하지 않고 공격하는 것을 말하고, 능동 공격은 프로토콜의 진행에 개입(메시지 삭제(차단), 삽입, 변경, 재전송)하여 공격하는 것을 말한다. 수동 공격은 교환된 메시지를 축적하여 암호해독이나 트래픽 분석을 하는 공격을 말하며, 안전한 암호알고리즘을 올바르게 사용하면 큰 위협이 되지 않는다. 반면에 능동 공격은 안전한 암호알고리즘을 올바르게 사용하더라도 프로토콜의 허점 때문에 큰 위협이 될 수 있다. 능동 공격을 방어하기 위한 기본은 참여자가 공격을 알아챌 수 있도록 하는 것이다.

4.2 암호프로토콜 참여자

참여자는 실제 사용자를 의미할 수 있고, 사용자가 사용하는 장치 또는 소프트웨어일 수 있다. 참여자는 크게 일반 참여자와 제3의 신뢰 기관(TTP, Trusted Third Party)으로 구분한다. 일반 참여자는 프로토콜을 통해 얻고자 하는 것이 있는 이해 당사자이지만 TTP는 프로토콜의 실행 결과에 대한 어떤 이해관계가 없고, 어떤 참여자와도 특별한 협력 관계가 없지만, 프로토콜의 수행을 원활하기 위해 참여하는 참여자를 말한다. TTP를 다른 말로 중재자(arbitrator)라 한다. 암호프로토콜에서 **신뢰**(trust)한다는 것은 프로토콜에서 정한 규칙대로 프로토콜을 정직하게 수행한다는 것을 말한다. 하지만 어떤 부정행위도 하지 않는다는 것은 아니다. 참고로 앞서 설명한 것처럼 이와 같은 참여자 외에 공격자가 존재할 수 있으며, 일반 참여자도 공격자가 될 수 있다. 특히, 프로토콜의 이해 당사자들은 서로를 신뢰하지 않는다.

4.2.1 TTP

TTP는 크게 인라인(inline), 온라인(online), 오프라인(offline)으로 분류할 수 있다. 인라인과 온라인은 모든 프로토콜 수행마다 TTP가 참여해야 하며, 오프라인은 필요할 때만 또는 프로토콜의 시작 전이나 실행 후에 참여자와 상호작용한다. 프로토콜의 모든 메시지가 항상 TTP를 경유하면 인라인[4]이라 하며, 그렇지 않고 프로토콜 수행마다 참여해야 하는 TTP는 온라인이라 한다. 인라인 또는 온라인 방식으로 TTP가 참여하는 프로토콜을 중재 프로토콜이라 한다.

가장 이상적인 형태의 프로토콜은 TTP를 사용하지 않고 이해 당사자 간의 진행하는 프로토콜이다. 이와 같은 형태의 프로토콜을 **자체 강화 프로토콜**(self-enforcing protocol)이라 한다. 하지만 모든 경우에 자체 강화 방식으로 만들기 어렵다. 따라서 신뢰할 수 있는 TTP를 참여자로 활용하는 프로토콜을 많이 사용한다. 이 경우에도 온라인 형태보다는 오프라인 형태가 더 바람직하다.

4) 우리가 널리 사용하고 있는 카카오톡과 같은 메신저 서비스는 인라인 방식으로 사용자 간의 메시지를 교환한다.

온라인 형태의 중재자를 사용하는 프로토콜의 경우에는 다음과 같은 문제점이 발생할 수 있다.

- 중재자가 동작하지 않거나 중재자와 다른 참여자 간의 통신이 중단되면 프로토콜 자체를 수행할 수 없게 된다. 이와 같은 문제를 **단일 실패점**(single-point-of-failure)이라 한다.
- 중재자를 실제 신뢰하기 힘들 수 있다. 특히, 특정 프로토콜의 목적을 고려하였을 때 해당 프로토콜에서 사용할 수 있는 신뢰 기관을 찾기가 어려울 수 있다.
- 중재자를 유지하고 관리하기 위한 추가 비용이 소요되며, 자체 강화 방식보다 통신 지연이 증가할 수밖에 없다.
- 모든 프로토콜 수행마다 관여하여야 하므로 병목현상이 발생할 수 있으며, 단일 실패점이므로 서비스 거부 공격의 목표가 될 수 있다.
- 특정 참여자를 공격하면 해당 참여자 행세를 할 수 있지만, 그 피해는 한 참여자로 제한된다. 반면에 중재자를 공격하여 중재자 행세를 할 수 있으면 모든 참여자에게 피해를 줄 수 있다. 따라서 중재자는 좋은 공격 대상이 된다.

신뢰 기관과 신뢰 서버가 같은 것으로 생각할 수 있지만, 신뢰 서버는 컴퓨팅 서버로 신뢰 기관이 운영하는 서버이다. 즉, 일반적으로 신뢰는 소프트웨어, 서비스에 대한 것이 아니라 그것을 운영하는 기관에 대한 것이다.

4.3 암호프로토콜의 설계 절차

암호프로토콜마다 달성해야 하는 목적이 다르므로 프로토콜마다 만족해야 하는 요구사항이 다르다. 따라서 암호프로토콜을 설계할 때 가장 먼저 해야 하는 것은 이 프로토콜을 통해 달성하기 위한 목적이 무엇인지 명확하게 정의하는 것이다. 암호프로토콜에 대한 정의는 어떤 환경에서 어떤 참여자들이 어떤 목적을 달성하기 위해 무엇을 이용하여 프로토콜을 수행하는지 등의 내용을 포함해야 한다.

프로토콜의 정의를 명확하게 도출한 후에는 프로토콜의 요구사항을 분석해야 한다. 요구사항 분석을 통해 프로토콜이 제공해야 하는 기능이나 안전성 수준을 더 구체적이고 세부적으로 기술해야 한다. 예를 들어, 전자선거 프로토콜에서 투표자는 오직 한 번만 투표할 수 있어야 하는 요구사항이 있다.

요구사항 분석 후에는 프로토콜에서 사용할 가정을 나열하여야 한다. 이 가정에는 참여자에 대한 가정, 프로토콜을 수행할 환경에 대한 가정, 공격자에 대한 가정 등을 포함한다. 프로토콜을 수행할 환경에 대한 가정에는 사용하는 장치, 통신 환경 등이 포함된다.

참여자에 대한 가정에는 참여자 간의 신뢰 관계를 포함한다. 보통 이해 당사자들은 서로 신뢰하지 않는다고 가정한다. 예를 들어, 고객과 인터넷 쇼핑몰 간에는 서로 신뢰하지 않는다. 프로토콜에 신뢰 기관이 참여하면 보통 일반 참여자는 신뢰 기관이 정해진 절차대로 프로토콜을 충실히 수행한다고 믿는다. 하지만 프로토콜에 따라 모든 절차나 기능을 신뢰하는 것이 아니라 일부에 대해서만 신뢰할 수도 있다.

공격자에 대한 가정은 기본적으로 다음을 포함한다.

- 가정 1. 공격자는 프로토콜을 통해 교환하는 모든 메시지를 얻을 수 있다.
- 가정 2. 공격자는 프로토콜의 진행을 방해할 수 있다. 특히, 메시지를 변경, 삽입, 차단할 수 있으며, 다른 목적지로 전달할 수 있다.
- 가정 3. 공격자는 프로토콜에 정상적으로 참여할 수 있는 사용자일 수 있고, 제삼자일 수 있다.
- 가정 4. 오래된 세션키는 공격자에게 노출될 수 있다.
- 가정 5. 공모 공격을 할 수 있다.

가정 4와 관련 보통 프로토콜을 분석할 때 사용하는 키가 노출되면 어떤 문제가 발생할 수 있는지도 파악하게 되며, 그 파급 효과가 최소가 되도록 프로토콜을 설계한다.

설계가 완료되면 주어진 가정하에 요구사항이 모두 만족하는지 형식 증명이 필요하다. 하지만 프로토콜에 대한 형식 증명은 알고리즘에 대한 증명보다 더 복잡하고 어렵다.

4.4 암호프로토콜의 예: 키 확립 프로토콜

암호프로토콜을 어떻게 설계하고 잘못 설계하였을 때 어떤 문제점이 발생할 수 있는지 쉽게 이해하기 위해 가장 기초적인 암호프로토콜인 키 확립 프로토콜을 이용하여 설명한다. 키 확립 프로토콜이란 둘 이상의 참여자가 비밀키를 공유할 수 있도록 해주는 암호프로토콜을 말한다. 키 확립 프로토콜을 통해 얻어지는 비밀키는 보통 단일 세션에 사용하기 위한 세션키이다. 이처럼 확립된 비밀키를 한 세션에만 사용하는 이유는 다음과 같다.

- 이유 1. 같은 키로 암호화된 암호문을 제한할 수 있다.
- 이유 2. 키가 노출되었을 때 누설되는 정보의 양을 제한할 수 있다.
- 이유 3. 키를 휘발성 메모리에 유지할 수 있다.
- 이유 4. 세션 간 또는 응용프로그램 간의 독립성을 제공할 수 있다.

위 이유에 대해 보충 설명하면 다음과 같다. 첫 번째 이유는 암호해독하는 것이 어려워지도록 하기 위함이다. 같은 키로 암호화된 암호문이 적으면 적을수록 암호해독하기 어렵다. 두 번째 이유는 첫 번째 이유의 결과이다. 장기간 키의 경우에는 비휘발성 메모리에 유지해야 하며, 이 키를 보호하기 위한 메커니즘이 정보보호 서비스에 매우 중요한 요소가 된다. 따라서 키를 사용하고 즉시 폐기하는 형태가 효율적이며 더 안전하다. 네 번째 이유는 다른 세션에서 사용한 암호문을 활용하여 다른 세션을 공격하는 것을 방지할 수 있다.

4.4.1 키 확립 프로토콜의 요구사항

키 확립 프로토콜은 원격에 있는 참여자 간에 안전하게 사용할 수 있는 비밀키를 확립하는 프로토콜이다. 따라서 키 확립 프로토콜의 요구사항은 다음과 같다.

- 요구사항 1. 참여자는 의도한 다른 참여자와 사용할 수 있는 새로운 키를 얻어야 한다.
- 요구사항 2. 새로운 키는 의도된 참여자 외에 다른 참여자는 얻을 수 없어야 한다.

제시한 요구사항을 세부적으로 분석하여 보자. 의도한 다른 참여자란 키의 용도를 확인할 수 있어야 한다는 것을 말한다. 키의 용도란 누구와 사용하기 위한 키인지 확인하는 것이다. A가 B와 사용하고 싶은 키를 요청하여 받으면 A는 받은 키가 B와 사용하기 위한 키인지 확인할 수 있어야 한다. 이때 생성 주체에 대한 인증이 필요할 수 있다. 키 확립 프로토콜에서 확립하는 키는 세션키이며, 세션키는 다른 세션과 독립성을 위해 이전에 사용하지 않은 새로운 키이어야 한다. 이를 **키 최근성**(freshness) 요구사항이라 한다. 확립한 키를 실제 사용하기 위해서는 참여자들이 같은 키를 가지고 있어야 한다. 이를 위해 보통 **키 확인**(confirmation) 과정이 필요하다. 키 확인 과정에서는 프로토콜에 따라 상대방이 실제 내가 통신하고자 하는 상대방인지 인증해야 할 수 있다. 두 번째 요구사항은 키의 비밀성이 요구된다는 것이다. 제삼자는 교환하는 메시지에서 확립하는 키를 얻을 수 없어야 한다.

키 확립 프로토콜에서 세션키는 참여자 중 한 참여자가 홀로 생성하여 다른 참여자에게 전달할 수 있고, 여러 참여자가 함께 세션키 생성에 관여할 수 있다. 전자의 경우에는 세션키를 수신한 다른 참여자는 이 키가 프로토콜에서 정의한 참여자가 생성한 것인지 확인할 수 있어야 한다.

4.4.2 키 확립 프로토콜의 설계

지금부터 대칭 암호알고리즘만 사용하는 키 확립 프로토콜을 설계하고자 한다[27]. 이 프로토콜의 참여자는 크게 일반 참여자와 키를 발급하는 신뢰 기관, 두 종류가 존재한다. 각 참여자는 신뢰 기관과 사전에 안전하게 비밀키를 공유하고 있다고 가정한다. 실제 서비스에서 이와 같은 장기간 대칭키는 보통 오프라인으로 발급받는다. 예를 들어 우리가 사용하는 스마트폰에는 통신사에서 발급하여 주는 USIM 카드가 설치되며, 이 카드에는 통신사와 공유하는 비밀키가 저장되어 있다. 이 키는 장기간 사용하는 대칭키이며, 통신사에서 스마트폰을 인증하기 위해 사용한다.

4.4.2.1 키 확립 프로토콜의 진행 흐름

Msg 1. $A \rightarrow S$: A, B
Msg 2. $S \rightarrow A$: $\{K_{AB}\}.K_{AS}, \{K_{AB}\}.K_{BS}$
Msg 3. $A \rightarrow B$: $A. \{K_{AB}\}.K_{BS}$

<그림 4.1> 키의 비밀성만 제공하는 키 확립 프로토콜

비밀키만 사용하는 환경에서 일반 참여자 A와 B가 비밀 통신을 하고 싶으면 둘 간에는 사전에 공유된 비밀정보가 없으므로 둘이 모두 공통으로 신뢰하는 서버의 도움을 받을 수밖에 없다. 두 사용자는 각각 서버와 장기간 키를 공유하고 있으므로 이를 통해 둘 간의 사용할 세션키를 비밀스럽게 교환할 수 있다. 세션키는 두 사용자 중 한 명이 생성할 수 있지만 서버의 도움 없이는 이를 교환할 수 없으므로 보통 서버가 생성한다. 이 때문에 신뢰 서버를 이용하는 비밀키만 사용하는 키 확립 프로토콜은 보통 그림 4.1처럼 동작한다.

A는 신뢰 기관 S에 자신이 A이며 B와 통신하기 위한 키가 필요하다고 요청하면 S는 새로운 키 K_{AB}를 생성하여 A와 공유하고 있는 키 K_{AS}와 B와 공유하고 있는 키 K_{BS}로 암호화하여 A에게 회신한다. A는 K_{AS}로 암호화된 암호문을 복호화하여 세션키를 확보하고, K_{BS}로 암호화된 암호문은 B에게 전달한다. 이를 통해 둘 간의 동일한 키를 공유하게 된다. 그림 4.1의 프로토콜에서 K_{AB}라는 표기에서 아래 첨자는 키의 원래 의도를 나타내기 위한 것이지 A와 B가 수신한 암호문을 복호화하여 얻은 값은 랜덤한 비트 문자열이므로 이 값으로부터 A와 B에 대한 어떤 정보도 얻을 수 없다. $\{K_{AB}\}.K_{AS}$는 랜덤한 값만 암호화된 암호문이므로 A는 이 암호문이 K_{AS}로 암호화된 암호문인지 알 수 없으며, 같은 크기의 랜덤 비트 문자열과 이 암호문을 구분할 수 없다.

이 프로토콜은 키의 비밀성만 보장할 뿐 키 확립 프로토콜이 만족해야 하는 다른 요구사항은 전혀 만족하지 못하고 있다. 구체적으로 A는 수신한 키가 신뢰 기관이 만든 것인지도 확인할 수 없다. 또 받은 키가 상대방과 사용하기 위한 키인지 알 수 없으며, 이 키가 이번 요청의 응답으로 만들어진 키인지도 확인할 수 없다. 그뿐만 아니라 B가 같은 키를 가졌는지 확인하지 않고 있다.

이 때문에 키 용도와 관련하여 다음과 같은 공격이 가능하다. 공격자 C가 메시지 3을 전달하지 못하도록 차단한 후에 아래와 같이 A를 C로 변경하여 B에게 전달하면 B는 수신한 키가 C와 사용하기 위한 키로 착각하게 된다. 이처럼 평문으로 전달되는 값은 공격자가 쉽게 조작할 수 있다.

Msg 3′. $C \rightarrow B$: C, $\{K_{AB}\}.K_{BS}$

이 공격은 프로토콜의 진행을 방해만 할 뿐 심각한 위협은 아니다.

하지만 다음과 같은 공격을 하면 A는 C를 B로 착각하고 비밀 통신을 하게 되어, 중요한 비밀정보가 노출될 수 있다. 공격자가 첫 번째 메시지를 억압하고 B를 C로 바꾸어 신뢰 기관에 전달하면 서버는 다음과 같은 메시지를 A에게 전송한다.

Msg 2′. $S \rightarrow A$: $\{K_{AC}\}.K_{AS}$, $\{K_{AC}\}.K_{CS}$

이 메시지를 받은 A는 암호문에 포함된 키가 B와 사용하기 위한 키로 착각한다. 하지만 해당 키는 C가 알고 있으므로 C는 메시지 3을 억압하고 B인척 A와 비밀 통신을 할 수 있게 된다.

키 최근성이 보장되지 않았기 때문에 다음과 같은 공격도 가능하다. 먼저 공격자가 이전 프로토콜 수행에서 교환된 메시지 2를 보관하고 있으며, 우연히 해당 수행에서 교환된 세션키를 알게 되었다고 가정하자. 이때 A가 새롭게 B와 키 확립을 위해 프로토콜을 시작하면 공격자는 메시지 1을 억압한 후[5)]에 보관 중인 메시지 2를 A에게 전달하였다고 하자. A는 해당 메시지의 최근성을 확인할 수 없으므로 이전에 사용한 이미 노출된 키를 사용하게 되며, 공격자는 암호화하여 교환하는 모든 내용을 알게 된다. 이처럼 노출된 키를 사용하여 공격하는 것을 **기지키 공격**(known-key attack)이라 하며, 과거에 수신한 메시지를 다시 해당 사용자에게 전달하여 공격하는 것을 **재전송 공격**(replay attack)이라 한다.

4.4.2.2 키의 용도 확인하기

Msg 1. $A \rightarrow S$: A, B
Msg 2. $S \rightarrow A$: $\{B \| K_{AB}\}.K_{AS}$, $\{A \| K_{AB}\}.K_{BS}$
Msg 3. $A \rightarrow B$: A, $\{A \| K_{AB}\}.K_{BS}$

<그림 4.2> 키의 용도를 확인할 수 있는 키 확립 프로토콜

그림 4.2에 제시된 프로토콜은 메시지 2의 암호문 내에 키의 용도를 나타내는 상대방 식별자를 포함하여 키의 비밀성을 보장할 뿐만 아니라 키의 용도와 서버가 생성하였다는 것을 확인할 수 있다. 암호문을 복호화한 사용자는 식별자를 통해 암호문이 자신이 기대한 키로 암호화된 것임을 확인할 수 있으며, 이 암호키는 본인과 신뢰 기관만이 알고 있는 키이

5) 메시지 1을 억압하는 대신에 메시지 2를 억압하거나 교체할 수 있다.

므로 암호문 내에 있는 키는 신뢰 기관이 생성한 것임을 확신할 수 있다. 이렇게 식별자처럼 비밀성이 요구되지 않지만, 함께 암호화하여 복호화가 올바르게 된 것인지 확인할 수 있도록 해주는 정보를 **여분 정보**(redundant information)라 한다.

키 용도 때문에 그림 4.1에 제시된 프로토콜에 대해 가능했던 공격은 더 이상 성공할 수 없다. 예를 들어, 공격자가 메시지 3에서 암호문 외부에 있는 A를 C로 바꿀 수 있지만 암호문 내에 있는 식별자는 바꿀 수 없으므로 B는 이와 같은 공격을 알아챌 수 있다. 메시지의 1을 조작하는 공격도 메시지 2의 두 암호문에 포함하는 식별자 때문에 성공할 수 없다. 이처럼 식별자를 암호문 내에 포함하여 메시지의 의미를 명확하게 하는 것을 **명명 기법**(naming technique)이라 한다.

기본적으로 프로토콜의 메시지는 참여자가 바뀌면 그것을 구분할 수 있어야 하며, 과거 수행과도 구분할 수 있어야 한다. 명명 기법은 참여자가 바뀌면 암호문도 바뀌도록 해주지만 참여자가 같은 과거 수행과의 구분은 제공해 주지 못한다. 따라서 이 프로토콜은 여전히 시도 2와 마찬가지로 기지키 재전송 공격에 취약하다.

4.4.2.3 메시지 최근성 보장하기

Msg 1. $A \rightarrow S$: A, B, N_A
Msg 2. $S \rightarrow A$: $\{B \| N_A \| K_{AB}\}.K_{AS}, \{A \| K_{AB}\}.K_{BS}$
Msg 3. $A \rightarrow B$: $A, \{A \| K_{AB}\}.K_{BS}$
Msg 4. $B \rightarrow A$: $\{N_B\}.K_{AB}$
Msg 5. $A \rightarrow B$: N_B

<그림 4.3> 난스를 이용하는 키 확립 프로토콜

그림 4.3에 제시된 프로토콜에서는 난스를 사용하여 A에게는 키의 최근성을 확인할 수 있도록 하고 있다. 이 프로토콜은 실제 Needham과 Schroeder가 제안한 프로토콜을 약간 변형한 프로토콜이다[28]. 난스는 한 번만 사용하는 값이기 때문에 두 번째 메시지에 있는 K_{AS}로 암호화되어 있는 암호문은 첫 번째 메시지를 보아야만 만들 수 있다. 이 때문에 최근성이 보장되지 않아 가능했던 공격은 더 이상 가능하지 않다. 예를 들어, 이전에 사용한 키를 공격자가 알고 있고, 해당 키를 확립할 때 주고받은 메시지를 보관하고 있다고 하자.

A가 다시 B와 세션키를 확립하고자 할 때 신뢰 기관 대신에 이전 메시지 2를 보내면 이전 메시지에 포함된 난스값과 현재 난스값이 같을 수 없으므로 A는 이 메시지가 재전송 공격인 것을 알 수 있다. 하지만 B는 그림 4.2의 프로토콜과 마찬가지로 여전히 기지키 재전송 공격에 취약하다.

두 번째 메시지에서 난스 N_A 때문에 A가 최근성과 관련하여 확신할 수 있는 것은 K_{AS}로 암호화되어 있는 암호문 전체이고, 해당 암호문 내에 포함된 K_{AB}가 최근에 생성된 키임을 확신할 수는 없다. 이 확신은 신뢰를 이용해야 확신할 수 있다. 즉, 해당 암호문은 이번 요청에 대한 결과로 만들어진 암호문이고, 신뢰하는 서버가 만든 것이므로 프로토콜 규칙에 따르면 서버는 이 메시지에 새로운 세션키를 생성해서 포함해야 한다. 따라서 A는 이를 믿을 수 있게 되는 것이다.

이 프로토콜은 메시지 1, 2와 나머지가 독립적인 측면이 있다. 따라서 동일 공격자가 메시지 2를 재전송하는 대신에 메시지 3을 B에게 재전송하면 기지키 재전송 공격에 성공할 수 있다.

이 프로토콜에서 메시지 4와 5는 키 확인 과정이다. 하지만 여기서도 한쪽만 키 확인이 된다. A는 B가 자신과 같은 키를 가졌는지 알 수 없지만, B는 메시지 5를 통해 A가 자신과 같은 키를 가졌는지 확인할 수 있다. A가 N_B를 정확하게 회신하면 B는 자신이 갖고 있는 K_{AB}와 같은 키를 A가 갖고 있다고 확신할 수 있다. 이처럼 암호화 능력 대신에 복호화 능력을 프로토콜에 활용할 수 있다.

4.4.2.4 키 확인하기

Msg 1. $A \rightarrow B$: A, N_A
Msg 2. $B \rightarrow S$: A, B, N_A, N_B
Msg 3. $S \rightarrow B$: $\{B \| N_A \| K_{AB}\}.K_{AS}, \{A \| N_B \| K_{AB}\}.K_{BS}$
Msg 4. $B \rightarrow A$: $\{B \| N_A \| K_{AB}\}.K_{AS}, \{N_A \| N_B\}.K_{AB}$
Msg 5. $A \rightarrow B$: $\{N_B\}.K_{AB}$

<그림 4.4> 키 확인 과정이 포함된 키 확립 프로토콜

그림 4.4에 제시된 프로토콜이 최종 시도이다. 실제 이 프로토콜은 Bauer 등이 제안한 프로토콜이다[29]. 이 프로토콜은 기존 3개의 시도와 달리 통신하는 흐름이 바뀌었다. 그 이유는 A와 B의 난스를 모두 신뢰 기관에 전달해야 하기 때문이다. 메시지 3의 두 개 암호문에 각 사용자가 생성한 난스가 포함되어 있으므로 각 사용자는 수신한 키의 최근성을 확신할 수 있다. 또한 메시지 4의 두 번째 암호문과 메시지 5를 통해 A와 B는 모두 상대방이 자신과 같은 키를 가졌는지 확인할 수 있다. 이처럼 키 확인 과정을 추가하는 것은 어렵지 않으므로 키 확인 과정 부분을 프로토콜 기술에서 생략할 수도 있다. 하지만 기술 과정에서 생략하였다고 필요 없는 것은 아니다.

4.4.2.5 블록 암호의 특성

그림 4.2의 프로토콜부터 세션키만 암호화하지 않고 참여자의 식별자나 난스를 함께 암호화하고 있다. 이와 같은 암호문의 의미를 올바르게 이해하기 위해서는 사용하는 블록 암호의 특성을 이해해야 한다. 블록 암호는 정해진 고정된 크기의 입력을 고정된 크기의 출력으로 바꾸어 주므로 암호화해야 하는 평문의 크기가 블록 크기보다 작거나 크면 암호화 모드를 사용해야 한다. 이 절에서는 2장에서 살펴본 ECB 모드를 사용한다고 가정하고, 이전 절에서 살펴본 프로토콜에 포함된 암호문을 해석해 보자.

그림 4.2의 프로토콜에서 S는 참여자의 식별자와 세션키를 함께 암호화하였다. 이때 평문을 C 프로그래밍 언어로 표현하면 다음과 같은 구조체로 정의할 수 있다.

```
struct SessionKeyMsg {
    char id[16];
    byte key[16];
};
```

우리가 사용하는 대칭 암호알고리즘의 블록 크기가 128bit(16byte)이고, 해당 알고리즘에서 사용하는 비밀키의 길이도 128bit라 가정하면 SessionKeyMsg는 두 개의 평문 블록으로 나누어 암호화해야 한다. ECB 모드를 사용한다고 가정하였고, 추가로 채우기를 고려하지 않으면 결과 암호문 $\{B \| K_{AB}\}_{K_{AS}}$의 크기는 평문의 크기와 같다. 이를 $C_1 \| C_2$라 가정하자.

ECB는 각 평문 블록을 독립적으로 암호화하므로 B를 암호화한 결과가 C_1이고, K_{AB}를 암호화한 결과가 C_2이다. C_i를 조작하거나 C_i를 원래 암호화할 때 사용한 키가 아닌 다른 키로 복호화하면 그 결과를 예측할 수 없다. 이 때문에 C_1을 복호화하여 기대하는 B를 확인하면 복호화한 사용자는 C_1이 어떤 키를 사용하여 암호화한 암호문인지 확신할 수 있다. 그러나 C_2는 랜덤값을 암호화한 암호문이므로 C_2가 어떤 키를 사용하여 암호화한 암호문인지 확신할 수 없다. 따라서 공격자가 C_2를 랜덤한 같은 크기의 다른 값으로 바꾸더라도 A는 그것을 알아채기 어렵다.

더욱이 공격자가 이전에 사용한 암호문 $C'_1 \| C'_2 = \{C \| K_{AC}\}.K_{AS}$를 갖고 있으면 C_i 중 하나를 C'_i로 바꿀 수 있다. 따라서 이전 절에서 B와 K_{AB}가 함께 암호화되어 있으므로 K_{AB}의 용도를 확인할 수 있다는 것은 정확한 설명은 아니다. 실제 평문의 각 요소의 크기, 사용하는 암호알고리즘의 블록 크기, 사용하는 암호 모드에 따라 그것이 보장되지 않을 수 있다. 이 때문에 인증 암호화의 사용이 필요하다. 인증 암호화를 하면 무결성까지 확인할 수 있으며, 평문에서 각 요소의 크기, 사용하는 암호알고리즘과 무관하게 식별자나 난스를 세션키와 함께 암호화하여 그 키에 필요한 의미를 부여할 수 있다.

4.5 암호기술과 암호프로토콜

암호프로토콜은 공격자가 존재하는 상황에서 프로토콜이 그 목적을 달성하거나 공격자가 부당한 이득을 취하지 못하도록 암호기술을 사용하며, 암호기술 중에 가장 기초적인 것이 암호알고리즘이다.

4.5.1 암호프로토콜과 암호알고리즘

암호알고리즘은 암호프로토콜의 각종 요구사항을 충족하기 위해 사용하는 가장 기본적이며 핵심 도구이다. 따라서 암호알고리즘의 안전성은 암호프로토콜의 안전성에 큰 영향을 주는 것은 당연하다. 하지만 암호프로토콜을 설계할 때는 이상적인 암호알고리즘의 존재를 가정한다. 이를 통해 설계의 복잡성을 줄일 수 있다. 이상적인 암호알고리즘이란 각 암호알고리즘이 만족해야 하는 요구조건을 무조건 만족한다는 것을 말하며, 프로토콜 설계 과정에서는 기능을 충족하는 블랙박스처럼 사용한다. 하지만 실제로 사용한 각 블랙박스가 어떤 수준의 안전성을 요구하는지는 구체적으로 기술해야 하며, 암호프로토콜을 구현할 때는 반드시 고려해야 한다. 예를 들어, 4.4.2절에서 살펴본 키 확립 프로토콜은 대칭 암호알고리즘을 사용하고 있지만 어떤 대칭 암호알고리즘을 사용하는지 제시하지 않아도 프로토콜을 이해하거나 분석하는 데 문제가 없다. 하지만 구체적으로 제시하지는 않았지만, NM 특성을 만족하는 대칭 암호알고리즘을 사용해야 한다. 암호문을 조작하여 암호문에 포함된 식별자를 특정 식별자로 바꿀 수 있으면 키 용도와 관련하여 제시하였던 여러 공격이 여전히 가능하다.

4.5.2 암호화의 용도

프로토콜에서 메시지나 메시지 일부를 암호화하는 이유는 비밀성이나 인증을 제공하거나 메시지 요소를 바인딩하기 위함이다. 통신 메시지의 일부 또는 전부를 비밀성을 위해 암호화하였을 경우 오직 의도된 수신자만이 복호화키를 갖고 있어야 기본적인 비밀성이 보장된다. 대칭 암호알고리즘의 경우에는 당연히 송신자도 복호화키를 갖고 있으며, 키를 분배한 신뢰 기관도 갖고 있을 수 있다. 하지만 비대칭 암호알고리즘의 경우에는 수신자만이 복호화키를 갖도록 할 수 있다. 예를 들어, A에게 비밀스럽게 메시지 M을 전달하고 싶으면 $\{M\}.eK_A$와 같이 A의 공개키를 이용하여 암호화하여 전달한다. 4.4.2절에서 살펴본 키 확립 프로토콜에서 서버는 세션키의 비밀성을 보장하기 위해 대칭 암호알고리즘을 사용하여 메시지를 암호화하고 있다.

어떤 특정 메시지를 자신이 생성 또는 전송하였음을 증명하기 위해 해당 메시지를 특정 키로 암호화할 수 있다. 이때는 생성 또는 전송한 사용자만 갖고 있는 암호키로 암호화하여야 한다. 대표적으로 공개키 방식에서 개인키를 이용하여 메시지를 암호화하여 전송하면 생성자나 전송자를 수신자에게 인증할 수 있다. 프로토콜 표기법을 이용하여 표현하면 $\{M\}.dK_A$와 같다. 참고로 모든 공개키 암호알고리즘이 같은 알고리즘을 이용하여 공개키 또는 개인키를 이용하여 암호화할 수 있는 것은 아니다. 예를 들어, RSA 암호알고리즘은 같은 알고리즘을 이용하여 공개키 또는 개인키로 암호화할 수 있지만 이산대수 문제에 기반하는 공개키 방식의 경우에는 같은 알고리즘을 이용하여 암호화할 수 없다. 보통 공개키로만 암호화할 수 있고, 개인키를 이용하여 인증을 제공하고 싶으면 전혀 다른 알고리즘을 사용해야 한다.

비밀키를 이용하는 대칭 암호알고리즘이나 MAC은 여러 사용자가 같은 암호키를 갖고 있으므로 인증 용도로는 메시지를 암호화할 수 없다고 생각할 수 있다. 하지만 A와 B만 알고 있는 비밀키 K_{AB}가 있을 때, $\{M\}.K_{AB}$나 M, $\mathrm{MAC}.K_{AB}(M)$을 A가 B에게 전달하였다고 하자. B가 해당 암호문이나 MAC값을 본인이 생성한 적이 없다는 것을 확신할 수 있으면 A가 그것들을 만들었다고 확신할 수 있다. 그림 4.4에 제시된 프로토콜의 경우 암호문을 복호화한 후에 난스나 상대방 식별자를 확인함으로써 해당 암호문을 서버가 생성한 암호문임을 확신할 수 있다. 서버가 세션키를 생성하여 두 사용자에게 전달하면 해당 키는 실제 2명이 아니라 3명이 공유하는 키가 된다. 하지만 이 경우에도 서버를 신뢰할 수 있으면 상대방을 인증하는 데 사용할 수 있다.

비밀성 보장이 필요하지 않은 것을 필요한 것과 함께 암호화하는 경우가 많다. 이것은 비밀성이 필요한 것에 어떤 의미를 부여하기 위한 것이다. 그림 4.4에 제시된 프로토콜에서 사용한 암호문 $\{B \| N_A \| K_{AB}\}.K_{AS}$에서 비밀이 요구되는 정보는 K_{AB} 뿐이다. 나머지 B와 N_A는 K_{AB}의 용도와 최근성을 확인할 수 있게 하려고 함께 암호화한 것이다. 이 때문에 K_{AB}와 같이 암호화된 식별자 B와 난스 N_A는 K_{AB}에 바인딩된 정보라 한다. 참고로 $\{B \| N_A\}.K_{AS}$, $\{K_{AB}\}.K_{AS}$와 같이 전달하면 독립적으로 암호화된 정보는 서로 영향을 줄 수 없어 B와 N_A가 K_{AB} 해석에 어떤 영향도 줄 수 없다.

바인딩이 성립하기 위해서는 반드시 함께 암호화된 것임을 확신할 수 있어야 한다. 하지만 블록 암호 방식의 경우 정해진 블록 단위로 암호화할 수밖에 없으므로 4.4.2.6절에서 설명한 것처럼 사용하는 암호화 모드에 따라 함께 암호화된 것인지 확신을 못 할 수 있다. 이 측면에서 다음과 같이 해시함수나 MAC을 통해 바인딩을 제공하면 사용한 암호화 모드와 무관하게 필요한 바인딩이 잘 되었다고 확신할 수 있다.

$$\{K_{AB}\}.K_{AS},\ \mathrm{MAC}.K_{AS}(B \| N_A \| K_{AB})$$

A는 MAC값을 통해 $\{K_{AB}\}.K_{BS}$에 포함된 키가 B와 사용하기 위해 신뢰 기관이 생성하여 준 최신 키임을 확신할 수 있다. 또 이와 같이 사용하면 K_{AB}의 무결성까지 확인할 수 있다.

하지만 이와 같은 방법이 키 추측 공격을 어렵게 하지는 않으며, MAC은 비밀성을 보장하지 않는다. 이 때문에 이 방법보다는 encrypt-then-mac 방법의 인증 암호화를 사용하는 것이 더 바람직하다.

$$C = \{B \| N_A \| K_{AB}\}.cK_{AS},\ \mathrm{MAC}.iK_{AS}(C)$$

위 예에서 제시한 것처럼 하나의 키를 여러 용도로 사용하지 않는 것이 바람직하다. 따라서 암호화할 때 사용하는 키와 MAC 키는 독립적인 서로 다른 키를 사용해야 한다. Encrypt-then-mac 방법의 또 다른 이점은 무결성이 확인되지 않으면 복호화하지 않는다는 것이다. Encrypt-then-mac 방법은 먼저 태그(MAC값)를 검증한 후에 태그가 유효하면 암호문을 복호화한다. 이 예에서 태그가 확인되고 본인이 생성한 것이 아니라는 것을 확신할 수 있으면 이 태그는 서버가 생성한 것이라고 확신할 수 있다. 또 태그가 확인되면 C는 전송 과정에서 조작되지 않았다는 것을 확신할 수 있다. 따라서 메시지의 최근성[6]만 추가로 확인되면 프로토콜의 약속에 따라 만들어진 정상적인 메시지임을 확신할 수 있다.

보통 비밀이 요구되는 정보에 바인딩되는 정보는 복호화는 측이 알고 있거나 기대하는 값이므로 암호문을 복호화한 후에 이 값을 확인하여 이 암호문이 어떤 키로 암호화된 것인지 확인할 수 있다. $\{K_{AB}\}.K_{AS}$와 같이 랜덤한 값만 암호화된 암호문은 같은 크기의 랜덤한 값과 구분할 수 없다. $\{B \| K_{AB}\}.K_{AS}$와 같은 암호문의 경우에는 K_{AS}로 복호화하여 B가 확인되면 대응되는 암호 블록은 반드시 K_{AS}로 암호화된 암호문임을 확신할 수 있다. 하지만 평문을 어떻게 구성하였고, 어떤 암호화 모드를 사용했는지에 따라 차이가 있지만 B가 포함되어 있지 않은 평문 블록에 대응되는 암호 블록은 그것이 K_{AS}로 암호화된 암호문임을 확신할 수 없다. 이 때문에 인증 암호화가 필요한 것이다. 인증 암호화하였다면 전송 과정에서 조작되지 않았다는 것을 확신할 수 있고, 송신자 또는 메시지 생성자를 신뢰할 수 있으면 복호화하여 B를 확인하지 않아도 해당 암호문은 해당 암호키를 암호화된 암호문임을 확신할 수 있다. 하지만 재전송된 메시지일 수 있으므로 인증 암호화를 한다고 키 용도나 최근성 확인을 위해 함께 암호화한 식별자나 난스를 생략할 수는 없다.

4.5.3 대칭과 비대칭 암호알고리즘의 사용

A와 B 간의 공유한 비밀키 K_{AB}로 메시지 M을 A가 암호화하여 B에게 전달하면 이

6) 이 프로토콜 수행을 위해 만들어진 메시지이고 프로토콜에서 이 순서를 위해 만들어진 메시지라는 것을 확인해야 한다.

암호문은 메시지 M에 대한 비밀성을 제공할 수 있다. 사용된 암호알고리즘이 안전하면 통신으로 전달되는 $\{M\}.K_{AB}$를 누가 가로채더라도 M을 얻을 수 없다고 A와 B는 둘 다 확신할 수 있다. A 입장에서는 오직 B만 M을 얻을 수 있다고 확신할 수 있다.

이 암호문은 비밀성뿐만 아니라 인증도 제공할 수 있다. 수신한 B가 본인이 생성한 암호문이 아니라는 것을 확인할 수 있으면 B는 이 암호문을 A가 생성하였다고 확신할 수 있다. 물론 비밀키 방식에서는 통신의 참여자인 A와 B 외에 신뢰 기관도 K_{AB}을 알고 있을 수 있다. 그렇다 하더라도 신뢰 개념 때문에 확신에 대한 믿음은 여전히 성립한다. 여기서 다시 한번 강조해야 하는 것은 원격에 있는 두 사용자가 대칭 암호알고리즘을 이용하기 위해서는 먼저 안전하게 비밀키를 공유하여야 한다. 하지만 이것은 간단한 문제가 아니다.

대칭 암호알고리즘과 달리 공개키 암호알고리즘은 알고리즘에 따라 메시지를 공개키로도 암호화할 수 있고 개인키로도 암호화할 수 있다. A가 본인의 개인키 dK_A로 메시지 M을 암호화하여 전달하면 중간에서 누구든지 가로채어 A의 공개키를 이용하여 복호화함으로써 M을 얻을 수 있다. 따라서 개인키를 이용한 암호화로는 메시지의 비밀성을 보장할 수 없다. 하지만 누구나 동일한 과정을 통해 A가 생성한 메시지임을 확신할 수 있다. 반대로 A가 B의 공개키로 메시지 M을 암호화하여 전달하면 공격자가 이 메시지를 가로채더라도 M을 얻을 수 없으므로 비밀성이 보장된다. 공개키 방식에서는 상대방의 공개키를 사용하기 전에 이 공개키가 실제 그 사용자의 공개키인지 확인해야 한다. 참고로 대칭이나 비대칭 암호알고리즘은 기본적으로 무결성을 제공해 주지는 않는다.

4.6 암호프로토콜의 안전성

암호프로토콜은 그것의 보안 요구사항을 모두 충족하였을 때 안전한 프로토콜이라 한다. 하지만 암호프로토콜은 안전한 것만으로는 부족하고, 사용하는 응용에서 요구하는 효율성도 충족해야 한다. 보통 안전성과 효율성은 상반관계이다. 즉, 안전성을 높이면 효율성이 떨어지고, 효율성을 높이면 안전성이 줄어든다. 그러나 응용에 따라서는 안전성을 희생하는 것이 절대 용인되지 않을 수 있다.

암호알고리즘은 충족해야 하는 요구사항이 알고리즘의 종류에 따라 고정되어 있다. 하지만 암호프로토콜은 프로토콜마다 충족해야 하는 요구사항이 매우 다양하며, 하나의 프로토콜이 만족해야 하는 요구사항이 매우 많을 수 있다. 따라서 암호프로토콜의 안전성을 증명하는 것은 암호알고리즘과 비교하였을 때 상대적으로 어렵다. 이 때문에 보통 지금까지 알려진 공격에 대해서만 안전하거나 여러 가정하에서만 증명할 수 있으며, 특정 요구사항 충족에 대해서만 증명할 수도 있다.

암호프로토콜이 안전하다고 하여 전체 시스템이 안전한 것은 아니다. 시스템의 모든 요소가 같은 수준의 안전성을 제공하여야 시스템이 안전하다고 할 수 있다. 또한 서비스 거부 공격 등 프로토콜의 설계를 통해서 방지할 수 없는 보안 위협도 많다.

4.6.1 안전성 증명

암호프로토콜의 안전성 증명은 형식에 있어서는 암호알고리즘과 유사하다. 먼저 해당 암호프로토콜이 충족해야 하는 요구사항을 나열한다. 즉, 설계할 때 분석한 내용을 정리한 다음 이를 바탕으로 증명하기 위한 보안 모델을 수립한다. 보안 모델이란 프로토콜의 안전성을 논하기 위해 세우는 가정의 집합을 말하며, 이와 같은 가정 중에 가장 중요한 것은 공격자의 능력이다. 따라서 보안 모델을 다른 말로 **공격자 모델**(adversary model, threat model)이라 한다. 이 모델에서 정의한 공격자가 존재하더라도 각종 요구사항이 충족됨을 증명하여야 한다. 여기서 공격자는 원래 프로토콜에 참여할 수 있는 참여자일 수 있고, 참여할 수 없는 제삼자일 수 있다. 전자를 내부 공격자라 한다.

가정하는 공격자의 능력에 따라 특정 공격의 성공 가능성이 다르다. 또한 특정 공격을 논할 때 항상 가정하는 공격자의 능력도 있다. 당연하지만 공격자의 능력이 강력할수록 공격이 성공할 가능성은 커지며, 이와 같은 상태에서도 프로토콜이 안전하다고 증명할 수 있으면 프로토콜의 안전성 수준이 매우 높다는 것을 의미한다. 또 참여자들이 공모하면 공격이 성공할 가능성이 커진다. 따라서 안전성 증명은 반드시 공모 공격을 고려해야 한다.

4.7 암호프로토콜의 효율성

암호프로토콜에서는 크게 계산 효율성(computational efficiency), 통신 효율성(communications efficiency), 두 가지 측면에서 효율성을 고려한다. 계산 효율성은 프로토콜의 참여자가 프로토콜을 완료하기 위해 계산해야 하는 양에 의해 측정된다. 이 양은 사용하는 암호기술에 의해 결정되는데, 상대적으로 차이가 나는 연산을 사용하면 가장 비용이 많이 소요되는 연산을 사용하여 측정 또는 비교한다. 예를 들어, 공개키와 비밀키를 같이 사용하는 프로토콜이라면 공개키 연산을 몇 번 하는지 계산하여 효율성을 논할 수 있다. 따라서 공개키 연산을 사용하는 프로토콜은 공개키 연산을 최소화할 필요가 있다. 또 사용하는 공개키 암호알고리즘 특성에 따라 효율성을 측정하는 방법이 달라질 수 있다. 예를 들어, RSA 공개키 암호알고리즘의 경우에는 개인키를 사용하는 연산보다 공개키를 사용하는 연산이 더 효율적이므로 어떤 키를 이용하는지를 고려하여 비교 분석하는 것이 필요할 수 있다. 프로토콜의 효율성은 기술의 발달에 따라 변할 수 있으므로 이에 대한 고려도 필요하다.

통신 효율성은 메시지의 수와 각 메시지의 크기에 의해 측정한다. 통신 효율성에서는 필요한 라운드(round)의 수를 줄이는 것이 가장 효과적이다. 즉, 메시지 크기를 늘리는 대신 라운드 수를 줄일 수 있다면 효율성을 높일 수 있다는 것이다. 한 라운드에는 한 시점에서 병렬로 전달할 수 있는 모든 메시지를 포함한다. 만약 메시지가 서로 독립적이지 않으면 서로 다른 라운드에 포함해야 한다. 예를 들어, 그림 4.3에 제시된 프로토콜에서 메시지 2는 1의 난스값이 있어야 만들 수 있으므로 다른 라운드에 포함된다.

프로토콜에서 사용하는 단말의 특성에 따라 효율성이 매우 강조될 수도 있다. 예를 들어, 무선 통신 기반 이동 휴대 단말은 전원이 매우 중요한 자원이다. 전원 소모를 줄이면 수명을 연장할 수 있으므로 전원 소모를 최소화할 수 있도록 프로토콜을 설계한다. 참고로 이동 단말에서 전원 소모에 가장 많은 영향을 주는 것은 무선 메시지 전송이다.

전원 소모를 줄이기 위해 내부 연산을 줄이는 방법 중 사전 계산(pre-computation)을 이용하는 방법이 있다. 사전 계산이란 단말이 온라인 상태에서 수행해야 하는 연산을 고정 전원을 사용할 때 미리 계산해 놓은 후 사용하는 것을 말한다. 사전 계산할 수 있는 것은 제한적일 수 있으며, 저장 공간 요구가 높아지는 단점도 있다. 또 다른 방법으로는 이동 단말에서 해야 하는 연산을 서버로 옮기는 방법도 있다.

4장 퀴즈

1. ECB 모드를 이용한 블록 방식 대칭 암호의 특징이 **아닌** 것은? (인증 암호화를 하지 않은 경우를 물어보는 것임)

① 랜덤값만 암호화한 암호문 블록을 복호화하여 얻은 평문을 통해 복호화하는 측이 알 수 있는 것은 없다.
② 두 개의 암호문 블록을 수신하였을 경우, 한 블록을 통해 얻은 확신을 다른 블록을 해석하는 데 사용할 수 있다.
③ 잘못된 키로 복호화하였을 때 우연히 식별할 수 있는 정보를 얻을 확률은 무시할 정도로 작다.
④ 특정 블록을 복호화하였더니 기대한 값을 얻었다. 그러면 이 암호문은 복호화한 키로 암호화된 암호문이다.

2. 키 확립 프로토콜을 통해 확립하는 대칭키는 보통 단일 세션에서만 사용하기 위한 세션키이다. 이처럼 확립한 키의 사용을 단일 세션으로 제한하는 이유가 **아닌** 것은?

① 같은 키로 암호화된 암호문을 제한할 수 있다. 이것은 암호해독을 어렵게 한다.
② 키가 노출되었을 때 누설되는 정보의 양을 제한할 수 있다.
③ 키를 확립하는 비용이 저렴하기 때문이다.
④ 키를 휘발성 메모리에 유지할 수 있어, 키를 보호하기 위한 메커니즘이 단순해진다.

3. 일반 암호화 대신에 encrypt-then-mac 방식의 인증 암호화를 하였다. 이를 통해 얻어지는 장점이 **아닌** 것은?

① 전송 과정에 조작되면 이를 발견할 수 있다.
② 메시지의 최근성을 확인할 수 있다.
③ 일반 암호화는 사용하는 암호화 모드와 평문의 구성에 따라 바인딩이 제공되지 않을 수 있지만 인증 암호화는 상대방을 신뢰할 수 있으면 여러 암호 블록을 결합한 것이 아니라는 것을 믿을 수 있으므로 바인딩을 더 확실히 제공할 수 있다.
④ 암호문을 복호화하여 평문의 내용을 확인하지 않아도 상대방을 신뢰할 수 있으면 암호문이 특정 암호키로 암호화된 암호문임을 믿을 수 있다. 단, 상대방이 인증 암호화할 때 사용하는 MAC키와 암호화키는 사용하는 프로토콜에 의해 지정되어 있다.

4. 제3의 중재자를 인라인 또는 온라인 방식으로 사용하는 암호프로토콜의 문제점이 **아닌** 것은?

① 중재자가 단일 실패점이 된다.
② 참여자들이 신뢰할 수 있는 컴퓨팅 서버를 구축하기가 어렵다.
③ 모든 프로토콜에 관여해야 하므로 병목현상이 발생할 수 있다.
④ 특정 참여자를 공격하여 성공하면 그것의 피해는 한 참여자로 제한되지만 중재자를 공격하여 중재자 행세를 할 수 있으면 모든 참여자에게 피해를 줄 수 있으므로 좋은 공격 대상이 된다.

연습문제

1. 암호프로토콜과 일반 통신프로토콜과의 차이점을 설명하라.

2. 그림 4.3에서 A가 두 번째 메시지를 수신하였을 때 N_A를 통해 수신한 K_{AB}의 최근성은 실제 확인할 수 없다. 그러면 A가 N_A를 통해 무엇의 최근성을 확인할 수 있는지 설명하라.

3. 문제 2에서 N_A를 통해 K_{AB}의 최근성을 확인할 수 없다면 어떤 근거로 K_{AB}의 최근성을 확신할 수 있는지 설명하라.

4. 그림 4.4에 제시된 프로토콜을 난스 대신에 타임스탬프를 이용하도록 다음과 같이 변경하였다.

Msg 1. $A \rightarrow S$: A, B
Msg 2. $S \rightarrow A$: $\{B \| T_S \| K_{AB}\}.K_{AS}$, $\{A \| T_S \| K_{AB}\}.K_{BS}$
Msg 3. $A \rightarrow B$: $\{A \| T_S \| K_{AB}\}.K_{BS}$, $\{A \| T_A\}.K_{AB}$
Msg 4. $B \rightarrow A$: $\{T_B \| B\}.K_{AB}$

여기서 T_X는 참여자 X가 포함한 현재 시각을 나타내는 타임스탬프이다. 또 인증 암호화를 하고 있지 않지만, 인증 암호화를 하여 생성한 암호문(MAC값이 생략된 형태)이라 가정한다. 이와 관련하여 다음 각각에 대해 답변하라.

① A와 B는 수신한 키 K_{AB}가 이번 요청을 위해 새롭게 생성한 키임을 어떤 조건이 충족되면 확신할 수 있는지 설명하라.
② A와 B는 상대방이 자신과 같은 키를 갖고 있음을 확신할 수 있는지 설명하라.
③ 그림 4.4의 프로토콜과 비교하여 차이점을 설명하라.

5. 다음과 같이 인증 암호화하는 것과

$$C = \{B \| N_A \| K_{AB}\}.cK_{AS},\ \mathrm{MAC}.iK_{AS}(C)$$

다음과 같이 암호화하는 것의 차이점을 설명하라.

$$\{K_{AB}\}.cK_{AS},\ \mathrm{MAC}.iK_{AS}(B \| N_A \| K_{AB})$$

6. 다음과 같은 간단한 프로토콜을 생각하여 보자.

Msg 1. $A \rightarrow B$: $\{N_A\}.eK_B$
Msg 2. $B \rightarrow A$: N_A

이와 관련하여 다음 각각에 대해 답변하라.

① A는 메시지 2에서 N_A를 수신하면 무엇을 확신할 수 있는지 설명하라.

② 2번 메시지를 $\mathrm{Sig}.B(A \| N_A)$로 변경하면 A는 이를 통해 무엇을 확신할 수 있는지 설명하라.

7. 전자선거 시스템을 만들고자 한다. 전자선거 시스템이 갖추어야 하는 보안 요구사항을 나열하라.

제5장

암호프로토콜 기초 설계 기법

제 5 장 암호프로토콜 기초 설계 기법

5.1 여분 정보

여분 정보 기법을 이해하기 위해서는 블록 암호의 특성을 이해하고 있어야 한다. 블록 암호의 특성에 대해서는 4장에서 이미 간단히 설명한 바 있지만 여분 정보 기법에 대한 이해를 높이기 위해 조금 더 구체적으로 살펴보자. 참고로 인증 암호화가 보편화되면서 여분 정보의 필요성은 줄어들고 있다.

5.1.1 블록 암호의 특성

블록 암호는 항상 블록 크기 단위로 메시지를 암호화하며, 입력과 출력의 크기가 같다. 따라서 암호화할 데이터가 블록 크기보다 작으면 채우기가 필요하고, 블록 크기보다 크면 암호화 모드를 사용해야 한다. 이와 관련 더 자세한 내용은 8장에서 설명한다. 이 절에서는 2장에서 언급한 ECB 모드를 이용하여 암호화한다고 가정하고 설명한다.

크기가 블록 크기와 같은 임의의 서로 다른 두 메시지 M과 M'을 다음과 같이 대칭키 K로 암호화하였다고 하자.

$$C = E.K(M),\ C' = E.K(M')$$

이 경우 C와 C', M과 M' 간에는 어떤 상관관계도 존재하지 않는다. 또 C나 C'을 $K'(\neq K)$로 복호화하면 그 결과는 예측할 수 없다. 즉, 잘못된 키로 복호화하였을 때 그 결과는 예측할 수 없다. 암호화된 이후 C와 C'이 조작된 경우(일부 비트가 변경된 경우), 이를 K로 복호화한 결과도 예측할 수 없다.

M이 랜덤값이면 K로 C를 복호화 하더라도 그 결과로부터 C가 K를 이용하여 생성한 암호문인지 알 수 없다. 하지만 M의 일부가 복호화한 사용자가 확인할 수 있는 값이고, 복호화한 후에 그것이 확인되면 C가 K를 이용하여 생성한 암호문인지 확인할 수 있으며, 복호화하여 얻은 M의 무결성에 대해 확신할 수 있다. 그 이유는 확인해야 할 정보가 일정한 비트 크기 이상이면 그것이 우연히 기대한 값과 일치할 확률은 무시할 수 있으며, 블록 암호의 특성 때문에 일부분만 올바르게 복호화될 수 없기 때문이다. 이처럼 암호문을 생성할 때 사용한 암호키를 확인할 수 있게 해주는 평문의 요소를 여분 정보라 한다.

블록 크기보다 큰 메시지를 ECB 모드를 사용하여 암호화할 때는 메시지를 먼저 블록 크기로 나누어야 한다. 이때 메시지가 정확하게 블록 크기로 나누어지지 않으면 마지막 블록은 채우기를 하여 블록 크기로 만들어 암호화한다. 보통 표준 채우기 방법을 사용하면 정확하게 블록 크기로 나누어지더라도 채우기를 한다. 이에 대해서는 8장에서 다시 자세히 설명한다. 여기서는 크기가 정확하게 블록 크기의 2배인 메시지 $M=(M_1 \| M_2)$을 채우기 없이 다음과 같이 ECB 모드로 암호화하는 경우를 생각하여 보자.

$$E.K(M=M_1 \| M_2)=C=C_1 \| C_2=E.K(M_1) \| E.K(M_2)$$

M_1과 M_2에 복호화한 사용자가 확인할 수 있는 여분 정보가 있어야 C_1과 C_2가 모두 K로 암호화하여 만든 블록임을 확신할 수 있다. 둘 다 여분 정보가 있어도 복호화한 M_1과 M_2를 연결할 수 있는 정보가 없으면 C_1과 C_2가 하나의 메시지 M을 암호화하여 만든 것임을 확신할 수 없다. 실제 통신으로 전달되는 메시지는 공격자에 의해 다양하게 조작될 수 있다. 일부 비트를 조작할 수 있고, 일부 블록을 다른 블록으로 교체할 수 있다.

예를 들어, 다음과 같은 암호문을 생각하여 보자.

$$\{B \| K_{AB}\}.K_{AS}=C_1 \| C_2,\ \{D \| K_{AD}\}=C_1' \| C_2'$$

여기서 사용자 식별자, 대칭키의 길이는 16byte이고, 사용하는 대칭 암호알고리즘의 블록 크기도 16byte라 하자. A는 수신한 암호문에 B 식별자를 기대한다고 하였을 때, 다음과 같은 4종류의 메시지를 받았다고 가정해 보자.

(1) $C_1 \| C_2'$

(2) $C_1' \| C_2$

(3) $C_1 \| X$, X: C_2의 몇 비트를 조작한 것

(4) $Y \| C_2$, Y: C_1의 몇 비트를 조작한 것

(1)과 (3)의 경우 A는 기대하는 B를 얻게 되지만 (2)와 (4)는 기대하는 식별자를 얻지 못하므로 문제가 있다는 것을 알 수 있다. 하지만 (1)과 (3)의 경우도 두 번째 암호문 블록이 조작 또는 교체되었다는 것은 알 수 없다. 수신한 것이 원래 하나의 메시지를 암호화한 것인지 확신할 수 없으므로 어떤 암호 블록을 복호화하여 확인한 내용은 다른 블록을 해석하는 데 아무런 영향을 줄 수 없다. 예를 들어, (2)의 경우 A는 K_{AB}를 B가 아닌 D와 사용하기 위한 키로 해석하게 된다. 즉, 공격자가 조작하면 바인딩이 올바르게 해석되지 않을 수 있다는 것을 알 수 있다.

또 다른 예를 생각하여 보자.

$$\{N_A \| B \| K_{AB}\}.K_{AS} = C,\ \{N_A \| K_{AB} \| B\}.K_{AS} = C',\ \{K_{AB} \| N_A \| B\}.K_{AS} = C''$$

여기서 난스의 크기는 8byte이고, 나머지는 이전 예와 같다고 가정하자. A는 각 암호문을 복호화하여 N_A와 B를 확인하였고 채우기(채우기도 여분 정보에 해당함)가 문제가 없었다고 하였을 때, 3개의 암호문 중에 K_{AB}의 무결성을 확인할 수 있는 것이 있는지 생각하여 보자. 평문 크기는 모두 40byte이므로 마지막 평문 블록에 8byte 채우기를 추가하여 암호화한다. 따라서 3개의 암호문은 총 3개의 암호 블록으로 구성된다. C''에서 M_1이 K_{AB}이므로 나머지 2개 평문 블록의 확인은 M_1 해석에 아무런 영향을 줄 수 없다. C의 경우 K_{AB}가 M_2와 M_3에 나누어져 있고, C'의 경우에는 M_1과 M_2에 나누어져 있다. A는 N_A와 B를 확인하였고, 채우기도 확인하였기 때문에 C에서 C_2와 C_3, C'에서 C_1과 C_2는 조작되지 않았다고 생각할 수 있다. 조작되지 않았기 때문에 K_{AB}의 무결성을 확신할 수 있다고 생각할 수 있다. 하지만 그렇지 않다.

다음을 생각하여 보자.

$$\{N_A \| B \| K_{AB}\}.K_{AS} = C = C_1 \| C_2 \| C_3,\ \{N_A' \| B \| K_{AB}'\}.K_{AS} = X = X_1 \| X_2 \| X_3$$

공격자가 $C_1 \| C_2 \| X_3$를 C 대신에 A에게 주었다고 생각하여 보자. 그러면 여전히 N_A, B를 확인할 수 있으며, 채우기도 문제가 없다는 것을 확인할 수 있다. 하지만 얻게 되는

키는 K_{AB}의 왼쪽 반과 $K_{AB}^{'}$의 오른쪽 반을 결합한 키를 얻게 된다. C'의 경우도 비슷한 공격이 가능하다. 이와 같은 문제는 ECB 모드 때문에 더 가중된 측면이 있지만 평문의 구성에 따라 다른 암호화 모드를 사용할 때도 나타날 수 있는 문제이다. 8장을 학습한 후에 그 장에서 소개한 암호화 모드에서 유사한 문제가 발생하는지 실제 살펴보면 암호화 모드를 이해하는데 큰 도움이 될 것이다.

다음과 같이 메시지를 인증 암호화하면 이와 같은 문제가 여전히 존재하는지 살펴보자.

$$C = E.cK(M), \text{MAC}.iK(C)$$

인증 암호화를 하면 MAC 값이 확인된 경우에만 복호화를 시도한다. 또 MAC 값이 확인되면 C를 복호화하지 않아도 상대방을 신뢰할 수 있다면 C가 어떤 키로 암호화된 것인지 확신할 수 있다. 프로토콜에서 각 메시지에 사용할 MAC키에 대응되는 암호화키가 정해져 있으므로 MAC이 확인되고 전송자를 신뢰할 수 있으면 그 MAC의 입력인 C도 프로토콜에서 정한 키로 암호화되어 있을 것이다. 또 MAC 값이 확인되면 C가 전송 과정에서 조작되지 않았다는 것을 확신할 수 있다. 앞서 살펴본 두 가지 예에 있는 것과 달리 인증 암호화를 하면 공격자의 조작은 MAC 값 때문에 모두 발견할 수 있다. 인증 암호화를 하면 메시지의 일부를 조작, 교체하는 것은 가능하지 않지만, 전체를 과거나 다른 세션에 있는 것으로 교체를 할 수 있다. 따라서 인증 암호화를 한다고 모든 보안 문제가 해결되는 것은 아니다.

지금까지 살펴본 블록 암호의 특성을 요약하여 보자. 인증 암호화를 하지 않는 경우 여분 정보가 없으면 해당 암호 블록이 어떤 키로 암호화되었는지 알 수 없다. 또 전송 과정에서 조작된 것을 발견할 수 없으므로 바인딩을 위해 함께 암호화된 것이 실제 바인딩 되었다고 확신하기 어렵다. 반면에 인증 암호화를 하면 전송 과정의 조작은 발견할 수 있다. 상대방을 신뢰할 수 있다면 여분 정보 없이 암호문이 어떤 키로 암호화되었는지 확신할 수 있고, 조작되지 않았으므로 바인딩에 대해서도 확신할 수 있다. 상대방에 대한 신뢰가 필요한 이유는 상대방이 애초에 메시지를 엉뚱하게 구성할 수 있기 때문이다. ECB 모드가 아닌 다른 암호화 모드를 사용하면 해석이 조금 달라질 수 있지만 큰 틀은 변하지 않으며, 전체 메시지가 조작되지 않았다는 것을 확인하기 위해서는 여전히 인증 암호화가 필요하다.

이 장에서 여러 기법을 소개하면서 인증 암호화를 한다고 구체적으로 제시하지 않고 암호문을 제시할 수 있다. 이 경우 앞서 설명한 것처럼 조작 공격이 있으면 바인딩을 해석할 때 문제가 발생할 수 있지만 바인딩에 문제가 없다고 가정하고 설명한다. 이렇게 하는 것이 기법을 이해하는데 복잡성을 줄일 수 있기 때문이다.

5.1.2 여분 정보 기법

평문 블록에 복호화한 사용자가 기대하거나 알 수 있는 요소가 없으면 이 암호 블록이 원래 어떤 키로 암호화된 것인지 알 수 없다. 반대로 복호화하였을 때 사용자가 확인할 수 있는 요소가 있고 그것을 확인하면 맞는 키로 복호화한 것이 되며, 얻은 평문 블록은 그 암호 블록에 대응된 블록이 맞다고 확신할 수 있다. 우리는 이와 같은 요소를 **여분 정보**라 한다[30]. 여분 정보라 하면 불필요한 정보라고 생각할 수 있으며, 인증 암호화를 하면 실제 필요 없을 수 있다. 하지만 오직 여분 정보 역할만 하기 위해 포함하는 요소는 거의 없다. 키의 용도나 최근성 등 메시지 의미를 명확하게 나타내기 위해 꼭 필요한 요소인데, 그 값 자체의 특성이나 사용하는 방법에 따라 여분 정보 역할까지 하는 것이다.

여분 정보는 크게 명백한(explicit) 여분 정보와 함축적(implicit) 여분 정보로 구분한다. 명백한 여분 정보란 사용자 식별자처럼 누구나 확인할 수 있는 정보를 말한다. 따라서 명백한 여분 정보는 암호해독에 도움이 되는 부작용이 있다. 그러므로 가급적 명백한 여분 정보를 사용하지 않는 것이 바람직하지만 키의 용도와 같이 다른 측면의 안전성을 위해 필요하므로 명백한 여분 정보를 전혀 사용하지 않도록 프로토콜을 설계하기는 어렵다.

무결성을 제공하기 위해 $\{M \| H(M)\}.K$처럼 평문의 해시값을 함께 암호화할 수 있다. 이 경우 이 해시값은 명백한 여분 정보이다. 따라서 누구나 복호화의 정확성을 확인하기 위해 이 해시값을 활용할 수 있다. 명백한 여분 정보로 활용할 수 없도록 MAC을 사용하는 것을 생각해 볼 수 있다. 물론 M에 여분 정보가 포함되어 있다면 이와 같은 시도는 의미가 없다.

그런데 $\{M \| \mathrm{MAC}.K(M)\}.K$처럼 암호화키와 MAC키가 같으면 여전히 이 MAC값은 명백한 여분 정보이다. 키를 추측하여 복호화한 공격자는 얻은 M과 추측한 키를 이용하여 MAC을 계산하여 얻은 MAC과 비교하여 추측이 맞았는지 확인할 수 있다. 서로 다른 두 개의 독립적인 키를 암호화키와 MAC키로 사용하면 앞서 살펴본 추측 공격이 가능하지 않다. 하지만 보통은 독립적인 키이지만 하나의 키로부터 계산된 키를 사용하는 경우가 많다. 이

경우에는 MAC값이 여전히 명백한 여분 정보에 해당한다. 공격자는 하나의 키를 추측한 후에 이로부터 두 개의 키를 계산하고 이들을 이용하여 자신의 추측이 맞았는지 확인할 수 있다. 보통 메시지의 무결성을 제공하고 싶으면 해시값이나 MAC값을 함께 암호화하는 것보다 encrypt-then-mac 방법의 인증 암호화를 사용하는 것이 더 일반적인 방법이다.

함축적 여분 정보는 송신자와 수신자만이 확인할 수 있는 여분 정보이다. 예를 들어, A와 B가 비밀정보 I_{AB}를 공유하고 있을 때, A가 B와 공유한 K_{AB}를 이용하여 $\{H(I_{AB}) \| \cdots\}.K_{AB}$를 B에게 전송하면 $H(I_{AB})$는 B만 확인할 수 있는 함축적 여분 정보이다. 하지만 나머지 부분에 명백한 여분 정보가 들어 있다면 이 값은 아무런 효과를 발휘하지 못한다. 여기서 비밀정보 대신에 그것의 해시값을 사용하는 이유는 해시값이 노출되어도 일방향성 특성 때문에 비밀정보는 노출되지 않도록 하는 효과가 있으며, 비밀정보가 명백한 여분 정보인 경우에도 함축적 여분 정보로 사용할 수 있도록 해주는 효과도 있다.

5.2 명명 기법

명명 기법이란 메시지의 의미를 명확하기 위해 참여자의 식별자를 암호문 내에 포함하는 기법을 말하며, 이미 3장에서 제시한 키 확립 프로토콜의 두 번째 시도 프로토콜부터 확립하는 세션키의 용도를 나타내기 위해 사용한 기법이다. 명명 기법을 사용하는 이유는 메시지를 통해 전달하고자 하는 의미는 해당 메시지에 명백하게 나타나야 하기 때문이다[31]. 만약 나타나지 않으면 그 부분을 공격에 활용할 가능성이 커진다.

4장 그림 4.2에 제시된 프로토콜에서 신뢰 기관이 메시지 2의 첫 번째 암호문 $\{B \| K_{AB}\}.K_{AS}$를 통해 A에게 전달하고 싶은 것을 글로 표현하면 "A와 B가 사용하기 위한 새로운 키 K_{AB}를 비밀로 A에게 전달함"과 같다. 이 글에 포함된 새롭다는 것을 제외하고 암호문으로 나타내면 $\{A \| B \| K_{AB}\}.K_{AS}$와 같다. 이 암호문은 키 K_{AS}로 암호화되어 있으므로 A를 위한 것이 명백하므로 이 암호문에서 A는 생략할 수 있다. 어떤 암호키를 사용하여 생성한 암호문의 경우 해당 암호키로부터 유추할 수 있는 것은 평문에 포함하지 않아도 된다.

$\{A \| B \| K_{AB}\}.K_{AS}$를 공개키만 사용하여 만들면 다음과 같다.

$$\{\{A \| B \| K_{AB}\}.dK_S\}.eK_A$$

공개키는 비밀성만 제공할 수 있고, 개인키는 인증만 제공할 수 있으므로 신뢰 기관이 생성한 것임을 나타내고 비밀성을 제공하기 위해 신뢰 기관의 개인키와 A의 공개키를 모두 이용하여 암호화하고 있다. 보통 공개키를 이용하여 인증과 비밀성을 동시에 제공하기 위해서는 메시지를 개인키로 먼저 암호화하고 그 결과를 다시 공개키로 암호화하는 방식을 사용한다. 이때 비밀키를 이용한 암호문처럼 A의 식별자를 생략할 수 있다고 생각할 수 있다. 하지만 A의 식별자를 A의 공개키로 직접 암호화하고 있지 않으므로 생략할 수 없다. 다시 말하면 데이터를 직접 암호화하는 키로부터 유추할 수 있는 것만 생략할 수 있다. 실제 생략을 하면 공격자 C는 B와 비밀 통신하기 위한 키를 받은 후에 해당 메시지의 내부 암호문만 A의 공개키로 암호화하여 A가 자신이 알고 있는 키를 사용하도록 다음 메시지를 전달하여 공격할 수 있다.

$$\{\{B \| K_{BC}\}.dK_S\}.eK_A$$

5.3 메시지 최근성 제공 기법

암호프로토콜에서 참여자가 메시지를 수신하였을 때 보통 많이 하는 검사 중 하나가 **메시지의 최근성**(freshness, timeliness)을 확인하는 것이다. 여기서 메시지는 오해의 소지가 있는 용어의 사용이다. 오히려 이 절에서는 메시지를 암호문으로 바꾸어 이해하는 것이 더 정확할 수 있다. 메시지의 평문 부분은 조작할 수 있으므로 암호프로토콜에서 최근성은 암호문의 최근성을 확인하는 것이며, 더 나아가 암호문 내에 있는 세션키와 같은 특정 요소의 최근성을 확인하고 싶은 것이다.

메시지의 최근성을 검사한다는 것은 메시지가 이전 또는 다른 세션에서 사용한 메시지가 아니라 현재 프로토콜 수행을 위해 새롭게 작성한 메시지임을 확인하는 것을 말한다. 메시지의 최근성은 과거 세션에서 사용한 것들만 배제하는 것이 아니라 현재 병행으로 수행하고 있는 다른 세션에서 사용한 것도 배제할 수 있어야 한다. 메시지의 최근성은 메시지의 구성 요소로부터 유추해야 하며, 어떤 메커니즘을 사용하든 간에 재전송 메시지에는 있을 수 없거나 재전송 메시지와 현재 메시지를 구별할 수 있어야 한다. 메시지와 특정 프로토콜 수행과의 연결은 일반적으로 **시간적인 관계**(temporal relationship) 또는 **인과 관계**(causal relationship)를 통해 이루어진다. 시간적 관계 또는 인과 관계는 일반적으로 관계를 증명할 수 있는 식별자를 메시지에 포함하여 형성한다.

메시지의 최근성을 보장하기 위한 식별자로 가장 널리 사용하는 것은 타임스탬프와 난스이다. 타임스탬프 기반 기법은 시간적 관계를 통해 메시지의 최근성을 보장하는 기법이며, 이 기법은 메시지에 타임스탬프라고 하는 메시지 작성 시간을 포함하여 최근성을 보장한다. 난스 기반 기법은 인과 관계를 통해 메시지의 최근성을 보장하는 기법이며, 이 기법은 어떤 메시지 M에 처음으로 사용한 값을 그 메시지의 응답에 포함하여 응답이 메시지 M 이후에 생성한 것임을 증명함으로써 메시지의 최근성을 보장한다. 타임스탬프 기반 기법은 시간적 관계를 이용하기 때문에 병행으로 수행하는 프로토콜에는 같은 시간 정보가 포함될 수 있으므로 타임스탬프만으로는 다른 프로토콜 수행과 완벽하게 구분하기는 어렵다.

메시지 최근성을 보장하기 위한 관계를 형성하는 과정에서 참여자는 크게 다음의 3가지 역할을 한다.

- 제공자(supplier): 식별자를 제공하는 참여자
- 입증자(prover): 제공된 식별자를 메시지에 포함하는 참여자
- 검증자(verifier): 메시지에 포함된 식별자를 통해 메시지의 최근성을 확인하는 참여자

제시한 세 역할을 모두 다른 참여자가 하는 것은 아니다. 방식에 따라 제공자와 입증자가 같은 참여자일 수 있고, 제공자와 검증자가 같은 참여자일 수 있다.

어떤 특정한 값이 최근성 식별자로서 적합하기 위해서는 반드시 사용하는 값이 예측할 수 없어야 하는 것은 아니다. 타임스탬프는 본질적으로 예측이 가능한 값이고, 난스 기법에서 난스는 사용하는 방식에 따라 불예측성이 필요할 수 있고 필요하지 않을 수 있다. 하지만 난스는 예측할 수 있더라도 반드시 매번 다른 값을 사용하여야 한다.

5.3.1 타임스탬프 기법

타임스탬프 기법은 다음과 같이 암호문에 현재 시각을 추가하여 암호문의 최근성을 보장하는 기법이다.

$$A \rightarrow B: \{T_A \parallel \cdots\}.K_{AB}$$

B는 위 암호문을 수신하면 그것을 복호화한 후에 자신의 지역 시간의 현재 값 T_B와 T_A를 비교하여 두 시각의 차이 $|T_A - T_B|$가 허용할 수 있는 범위 내에 있으면 암호문이 최근에 생성한 것으로 인식한다. 따라서 두 사용자의 지역 시간이 어느 정도 동기화되어 있어야 한다. 보통 두 사용자의 시간을 동기화하기보다는 각 사용자가 절대 시간과 동기화하여 사용자 간에도 동기화하는 방식을 사용한다. 타임스탬프를 유효한 값으로 허용하는 범위를 허용 윈도우(acceptance window)라 하며, 메시지 통신 지연과 시간 동기화 메커니즘에 의해 결정된다.

타임스탬프 기법에서 암호문에 타임스탬프를 포함하는 사용자가 제공자인 동시에 입증자이며, 암호문을 수신하는 사용자가 검증자다. 제공자와 입증자가 같은 사용자이기 때문에 하나의 메시지만을 이용하여 해당 메시지에 포함된 암호문의 최근성을 보장할 수 있다.

타임스탬프 기법의 취약점은 다음과 같다.

- 취약점 1. 허용 윈도우 내에는 항상 재전송 공격이 가능하다.
- 취약점 2. 타임스탬프의 형태는 공개된 것이므로 제공자는 쉽게 특정 순간을 가리키는 타임스탬프를 메시지에 포함할 수 있다.
- 취약점 3. 시스템 시간이 보호해야 하는 중요한 자산이 된다.

취약점 1을 방어하기 위해서는 메시지 중복 검사가 필요하다. 이를 위해 허용 윈도우의 길이가 t초이면 지난 t초 내에 수신한 모든 메시지를 보관하고 있어야 한다. 취약점 2를 방어할 수 있는 수단은 많지 않다. 전자서명 중재 방식처럼 별도 신뢰 기관을 사용하여 타임스탬프 값을 확인하는 방식을 생각할 수 있지만 모든 상황에 적용할 수 없을 뿐만 아니라 하나의 메시지로 최근성을 보장할 수 있다는 타임스탬프의 장점이 없어지는 문제점도 있다. 따라서 검증자는 제공자가 정직하게 현재의 타임스탬프 값을 메시지에 포함한다고 신뢰할 수 있어야 한다. 하지만 이 신뢰 관계는 보통 성립하지 않는다. 따라서 타임스탬프를 이용하는 프로토콜에서는 이 값의 고의적 변경이 어떤 문제를 일으킬 수 있는지 살펴보아야 한다.

취약점 3 때문에 다음과 같은 문제가 발생할 수 있다. 타임스탬프에서 제공자나 검증자의 시간이 오류나 공격 때문에 현재 시간과 다를 수 있다. 검증자의 시간이 미래 시간인 경우와 제공자의 시간이 미래 시간인 경우를 생각하여 보자. 전자를 선행(predated) 메시지라 하고, 후자를 사후(postdated) 메시지라 한다[32]. 두 경우 모두 검증자는 수신한 메시지가 허용 윈도우를 벗어나기 때문에 해당 메시지를 거부한다. 하지만 사후 메시지는 해당 미래 시간이 되면 유효한 메시지가 되므로 공격자가 이를 보관한 후 메시지가 유효해지는 시점에서 사용하는 공격에 대해서는 방어할 방법이 없다. 물론 사용자의 시간을 미래 시간으로 모두 바꾸면 방어할 수 있지만 사용자의 시간은 다른 응용들 때문에 절대 시간과 동기화해야 하므로 이와 같은 방법은 사용하기 어렵다. 사후 메시지는 송신자 시간과 수신자 시간의 차이가 중요한 것이 아니라 절대 시간 기준으로 미래 시간이 포함된 경우를 말한다.

이와 같은 취약점이 있음에도 타임스탬프는 제공자와 입증자가 같으므로 하나의 메시지만을 이용하여 그 메시지의 최근성을 보장할 수 있다는 장점이 있다. 타임스탬프의 단점은 앞서 살펴본 바와 같이 사용자 간의 시간 동기화가 필요하며, 이 동기화는 절대 시간과의 동기화를 통해 이루어진다. 이 때문에 시스템 시간이 매우 중요하게 보호되어야 하는 자산이 된다. 특히, 사후 메시지를 해결할 방법이 없으므로 공격자들이 시스템에 침입하여 시간을 변경할 수 없도록 하여야 한다.

5.3.2 난스 기법

난스 기법은 그림 4.3과 그림 4.4의 프로토콜에서 사용한 기법으로 제공자가 메시지에 난스를 포함하여 입증자에게 전달하면 입증자는 최신성을 보장하고자 하는 암호문에 해당 난스를 포함하여 회신하는 방식이다. 이 방식에서 제공자와 검증자는 같고 이들과 입증자는 다르다. 따라서 특정 메시지의 최근성 보장을 위해서는 2개의 메시지가 필요하다. 이와 같은 방식으로 진행하므로 난스 기법을 시도응답(challenge-response) 방식을 사용하는 기법이라 한다. 시도응답 방식이란 메시지 M에 대한 응답 메시지는 오직 M의 내용을 알고 있을 때만 생성할 수 있도록 하는 기법을 말한다. 따라서 시도와 응답 간의 인과 관계가 성립하며, 두 메시지를 바인딩하는 역할을 한다. 보통 난수를 난스값으로 많이 사용하지만,

사용 방식에 따라서는 타임스탬프나 카운터도 난스값으로 사용할 수 있다. 타임스탬프를 난스값으로 사용하면 그 값을 시스템 시간과 비교하지 않고 이전 메시지에 포함된 값이 회신 메시지에 포함되어 있는지 확인하는 형태가 된다.

난스 기법은 크게 다음과 같은 3가지 방식으로 사용할 수 있다. 방식 1은 아래와 같이 시도를 평문으로 전달하면 입증자는 암호문 내에 난스를 포함하여 암호문의 최근성을 보장하는 방식이다.

Msg 1. $A \rightarrow B: N_A$
Msg 2. $B \rightarrow A: \{N_A \| \cdots\}.K_{AB}$

방식 2는 아래와 같이 제공자가 난스를 암호문에 포함하여 전달하면 입증자는 난스를 평문으로 보내는 방식이다.

Msg 1. $A \rightarrow B: \{N_A \| \cdots\}.K_{AB}$
Msg 2. $B \rightarrow A: N_A$

방식 2는 메시지 2의 최근성을 보장하기보다는 시도 메시지 1의 암호문을 입증자가 최근에 복호화하였다는 것을 입증하는 방식이다.

방식 3은 아래와 같이 제공자도 입증자도 난스를 암호문에 포함하여 교환하는 방식이다.

Msg 1. $A \rightarrow B: \{N_A \| \cdots\}.K_{AB}$
Msg 2. $B \rightarrow A: \{N_A \| \cdots\}.K_{AB}$

방식 3에서는 두 암호문의 구조나 내용이 같으면 여러 가지 공격이 가능하므로 암호문의 구조와 내용을 다르게 하는 것이 중요하다. 방식 3에서 시도 메시지가 암호화되어 있는 이유는 난스의 비밀성을 보장하기 위한 것은 아니고, 난스 기법을 활용하는 프로토콜에서 필요해서 암호화한 것이다. 난스 기법은 대칭, 비대칭 암호알고리즘 외에 다른 암호알고리즘에서도 사용할 수 있다.

위 3가지 방식에서 방식 2의 경우에만 난스의 예측 불가능성이 필요하다. 하지만 계속 강조하지만, 난스는 매번 절대 사용한 적이 없는 새로운 값을 사용해야 한다. 실제 응용에서는 의사난수를 생성하여 사용하는 경우가 많다. 이렇게 하면 중복될 수 있다고 생각할 수 있지만, 범위가 충분하고 균일하게 생성하면 우연히 같은 값을 다시 사용하는 것에 대해 걱정할 필요가 없다. 물론 프로토콜 수행에 참여하는 횟수가 많아지면 우연히 같은 값을 사용할 수 있는 확률은 높아진다. 이 문제는 시기적절하게 사용하는 장기간 키를 갱신하여 해결한다. 다른 키를 사용하면 같은 난스를 다시 사용하여도 문제가 되지 않는다.

난스 기법의 최대 장점은 타임스탬프 기법과 달리 입증자를 신뢰할 필요가 없으며, 시간 동기화도 요구하지 않는다. 하지만 메시지의 최근성을 보장하기 위해서는 2개의 메시지가 필요하다. 참고로 연속적인 n개의 메시지의 최근성이 필요하면 필요한 메시지 개수는 $n+1$이므로 필요한 메시지 수가 계속 2배로 증가하는 것은 아니다.

5.3.3 기타 메시지 최근성 보장 기법

타임스탬프 대신에 **카운터**를 이용하여 메시지의 최근성을 보장할 수 있다. 카운터는 타임스탬프와 매우 유사하다. 사용자는 자신의 카운터 값을 1 증가한 다음 그 값을 암호문 내에 포함하면 수신자는 암호문 내에 포함된 카운터가 자신의 카운터보다 크면 메시지가 최신에 생성한 메시지로 판단하는 방식이다. 이 기법은 타임스탬프와 마찬가지로 제공자와 입증자가 같은 사용자이며, 검증자가 다른 사용자이다. 따라서 단일 메시지를 통해 메시지의 최근성을 보장할 수 있다.

두 사용자가 카운터를 이용하기 위해서는 두 사용자 모두 카운터를 유지하여야 하며, 사용자 쌍마다 다른 카운터를 사용해야 한다. 한 사용자가 n명과 통신하면 그 사용자는 n개의 카운터를 유지해야 한다. 따라서 일반 사용자 간의 카운터를 사용하기에는 유지해야 하는 카운터의 수 때문에 적절하지 않지만, 신뢰 기관은 사용자마다 어떤 정보를 유지하고 있으므로 사용자마다 카운터를 하나 추가로 유지하는 것은 큰 문제가 되지 않는다. 따라서 신뢰 기관과 사용자 간에는 카운터 기법의 이용이 충분히 가능하다.

타임스탬프는 앞서 설명한 바와 같이 절대 시간을 활용하여 동기화하기 때문에 사용자마다 하나의 시간만 유지하면 되지만 카운터는 그렇지 못하다. 반대로 타임스탬프는 절대 시간에 구속되기 때문에 사후 메시지 문제가 발생할 수 있지만 카운터는 항상 큰 값으로 동기화할 수 있으므로 사후 메시지 문제는 발생하지 않는다. 공격자가 유지하는 카운터 값을 불법적으로 바꾸면 최근성 보장이 정상적으로 이루어지지 않기 때문에 타임스탬프 방식과 마찬가지로 유지하는 카운터가 중요한 보호 자산이 된다.

카운터를 사용하면 제한적 크기의 카운터를 사용할 수밖에 없으므로 무한한 카운터가 아니다. 하지만 어느 정도 길이의 비트 값을 사용하면 응용의 수명 동안 카운터 값이 소진되어 반복된다는 걱정은 하지 않아도 된다. 또 키를 바꾸면 다시 카운터를 초기화하여 사용할 수 있다.

지금까지 살펴본 타임스탬프, 난스, 카운터는 메시지에 어떤 값을 포함하게 되며 그 값이 검증자가 기대하는 값이면 최근에 생성한 것으로 믿게 된다. 사용자가 어떤 값이 최근에 생성된 것으로 믿고 있으면 그 이후에 해당 값을 사용한 암호문도 최근에 생성한 것으로 믿을 수 있다. 예를 들어, 어떤 키가 최근에 생성한 것이라 믿고 있을 때, 이 키로 암호화된 메시지를 수신하면 사용자는 이 암호문의 생성 시점을 예측할 수 있다.

5.4 신뢰 관계

그림 4.3에 제시된 프로토콜에서 S가 A에게 $\{B \| N_A \| K_{AB}\}.K_{AS}$를 전달한다. 이 암호문은 전송 과정에서 조작되지 않았다고 가정하자. A는 이 암호문을 K_{AS}로 복호화하여 여분 정보를 확인하면 이 암호문은 서버 S가 생성한 암호문임을 확신할 수 있다. 또 암호문 내에 있는 N_A를 통해 이 암호문이 최근에 생성한 암호문임을 확신할 수 있다. 하지만 여기서 최근성을 보장하고 싶은 것은 암호문 자체가 아니라 암호문 내에 포함된 세션키이다. 그러나 N_A를 통해서는 암호문 내에 함께 포함된 세션키의 최근성을 직접 확인할 수 없다. 이를 위해서는 신뢰 관계를 활용하여야 한다. 타임스탬프 기법을 이용하여도 마찬가지이다.

참여자가 다른 참여자를 신뢰한다는 것은 해당 참여자는 프로토콜에서 정한 약속대로 정직하게 진행한다는 것을 믿을 수 있다는 것을 말한다. 그림 4.3에 제시된 프로토콜의 약속

중 하나는 서버 S는 사용자의 요청을 받으면 새로운 세션키를 생성하여 준다는 것이다. 사용자가 S를 신뢰하고, 난스를 통해 $\{B \| N_A \| K_{AB}\}.K_{AS}$가 이번 세션을 위해 생성한 것임을 확인하면 이 암호문에 포함된 K_{AB}는 서버가 이번에 생성해 준 세션키임을 확신할 수 있다.

신뢰와 관련된 주장(또는 가정)은 잘못되었다고 말할 수 없지만 적절하지 않다고 말할 수는 있다. 이 때문에 프로토콜에서 신뢰와 관련하여 어떤 가정을 사용하는지 분석하고 관계들이 부적절하면 해당 프로토콜을 사용하지 말아야 한다. 보통 프로토콜에 참여하는 이해당사자들은 서로를 신뢰하기 어렵다. 이 때문에 신뢰 기관과 같은 제3의 중재자를 활용하는 것이다. 하지만 프로토콜에 따라 실제 현장에서는 중재자 역할을 할 기관을 찾기가 어려울 수 있다. 따라서 정부가 직접 운영하거나 승인한 기관을 신뢰 기관으로 많이 사용한다.

이와 관련하여 하나의 응용을 살펴보자. 현재 컴퓨팅 환경의 변화로 클라우드 서비스를 활용하는 경우가 많아지고 있다. 특히, 자신의 데이터를 자신의 컴퓨터에 유지하는 것이 아니라 클라우드에 유지하는 경우가 늘어나고 있다. 이때 사용자들은 자신의 데이터에 대해 클라우드를 운영하는 기관을 신뢰할 수밖에 없다. 이 신뢰가 부적절하다고 생각하면 편리성에도 불구하고 자신의 데이터를 외부에 유지하지 않을 것이다.

5.5 개체 인증

암호프로토콜에서 수신한 암호문을 생성한 참여자의 확인이 중요할 수 있다. 예를 들어, 4장에서 살펴본 키 확립 프로토콜의 경우 일반 참여자는 세션키가 포함된 암호문을 서버가 생성한 것인지 확인할 수 있어야 한다. 보통 암호문을 생성할 때 사용한 암호키를 통해 그것을 생성한 참여자를 확인한다. 암호프로토콜에서 참여자의 인증은 크게 강한 개체 인증과 약한 개체 인증으로 구분할 수 있다. **약한 개체 인증**은 인증 대상 참여자가 현재 온라인 상태인 것을 검증자가 확인한 경우를 말하며, **강한 개체 인증**은 인증 대상 참여자가 현재 온라인에서 활동하고 있을 뿐만 아니라 검증자를 통신의 상대방으로 인식하고 있다는 것을 확인할 수 있는 경우를 말한다.

Msg 1. $A \rightarrow B$: A, N_A
Msg 2. $B \rightarrow A$: $\mathrm{Sig}_B(N_A)$

<그림 5.1> 약한 개체 인증 프로토콜

개체 인증을 위해 가장 널리 사용하는 암호기술은 전자서명이다. 그림 5.1에 제시된 프로토콜에서 A는 메시지 2의 서명값을 통해 B가 현재 온라인 상태인 것을 확인할 수 있다. 하지만 자신을 상대방으로 인식하고 메시지를 보낸 것인지 알 수 없다. 예를 들어, 그림 5.2와 같은 공격이 이루어졌다고 하자. 이것이 실제 공격이라고 보기 힘들 수 있다. 공격자 C는 A가 전송하는 메시지 1을 차단하고 자신이 대신 이 메시지를 B에게 전달한다. 이 때문에 B는 수신한 난스가 A가 아닌 C가 보낸 것으로 착각하게 된다. 결과적으로 B는 C와 통신하고 있는데 A는 B가 자신과 통신하고 있다고 생각하게 된다.

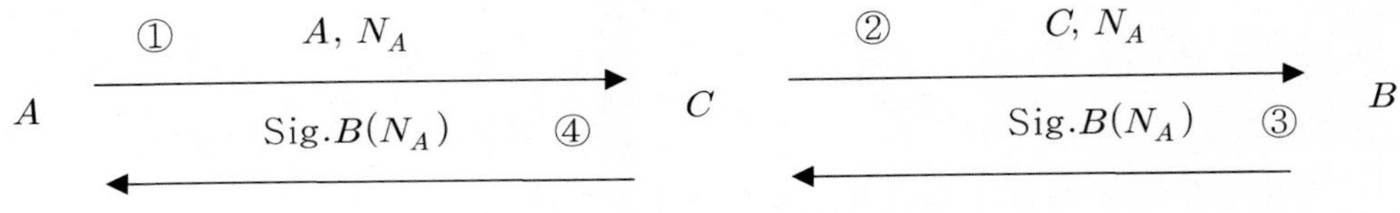

<그림 5.2> 약한 개체 인증 프로토콜에 대한 공격

이와 같은 공격은 강한 개체 인증을 제공하고 있지 않기 때문에 가능한 것이다. 하지만 프로토콜에 대한 간단한 분석으로 이와 같은 허점을 제거할 수 있다. 2자간 프로토콜의 참여자는 프로토콜을 시작하는 참여자(개시자)와 그것에 대해 반응하는 참여자(반응자)로 구분할 수 있다. 이때 프로토콜이 안전하기 위해서는 개시자가 서로 다른 두 명의 반응자와 프로토콜을 수행할 때 두 수행을 구분할 수 있어야 하며, 반대로 반응자 입장에서 서로 다른 두 명의 개시자와 프로토콜을 수행할 때 두 수행을 구분할 수 있어야 한다.

Msg 1. $A \rightarrow C$: A, N_A
Msg 2. $C \rightarrow A$: $\mathrm{Sig}_C(N_A)$

<그림 5.3> 약한 개체 인증 프로토콜에 대한 개시자 입장 분석

Msg 1. $C \rightarrow B$: C, N_C
Msg 2. $B \rightarrow C$: $\mathrm{Sig}_B(N_C)$

<그림 5.4> 약한 개체 인증 프로토콜에 대한 반응자 입장 분석

그림 5.1과 그림 5.3을 비교하여 보자. A는 메시지 2의 서명값을 통해 누구와 프로토콜을 진행하는지 구분할 수 있다. 하지만 그림 5.1과 그림 5.4를 비교하면 B 입장에서는 프로토콜을 구분할 수 없다. A와 할 때 보내는 메시지 형태나 내용이 C와 할 때 보내는 것과 차이가 없다. 이를 구분하는 가장 쉬운 방법은 명명 기법을 사용하는 것이다. 그림 5.1과 달리 다음과 같이 서명값에 상대방 식별자를 포함하면 서로 다른 개시자와 수행하는 프로토콜을 쉽게 구분할 수 있다.

Msg 2. $B \rightarrow A$: $\mathrm{Sig_B}(\mathrm{A} \,||\, \mathrm{N_A})$

실제 위와 같이 프로토콜을 진행하면 A는 B가 온라인에 있다는 것은 물론 B가 자신을 상대방으로 인식하고 있다는 것을 확신할 수 있다. 따라서 위와 같은 메시지를 사용하면 강한 개체 인증이 된다.

프로토콜에서 두 참여자가 서로를 인증할 수 있다면 **상호 인증**(mutual authentication)을 제공한다고 말하며, 한 참여자만 다른 참여자를 인증할 수 있다면 일방향 인증(unilateral authentication)을 제공한다고 말한다. 이 절에서 제시한 프로토콜은 일방향 인증만 제공하고 있다. 상호 인증과 일방향 인증 중 어느 것을 제공할지는 응용에서 필요에 따라 결정하면 된다.

5.6 공개키 사용 원리

암호프로토콜을 설계할 때 공개키 방식을 사용하면 다음 원리[33]를 충분히 숙지하고 설계해야 한다.

Msg 1. $A \rightarrow B$: $\{\mathrm{Sig}.dK_A(M)\}.eK_B$

(1) 개인키 후 공개키 방법

Msg 1. $A \rightarrow B$: $\mathrm{Sig}.dK_A(\{M\}.eK_B)$

(2) 공개키 후 개인키 방법

<그림 5.5> 개인키, 공개키 동시 사용 방법

첫째, 공개키 방식으로 인증과 비밀성을 모두 제공하고 싶으면 개인키로 먼저 암호화한 다음 상대방의 공개키로 암호화하여야 한다. 여기서 개인키로 암호화한다는 것은 첨부 형태 전자서명하는 것을 의미한다. 즉, 5.5.(1)에 기술된 프로토콜은 실제 다음과 같다.

Msg 1. $A \rightarrow B$: $\{M\}.K$, $\{K\}.eK_B$, $\mathrm{Sig}.dK_A(H(M))$

여기서 K는 A가 이 메시지를 전송하기 위해 새롭게 생성한 대칭키이다. 보통 비용 때문에 공개키를 이용하여 일반 메시지를 암호화하지 않는다는 것을 생각해야 한다. 그림 5.5.(2)의 경우 $C=\{M\}.K$일 때, 위 식에서 서명이 $\mathrm{Sig}.dK_A(H(C))$로 바뀌는 것으로 생각하면 된다.

그림 5.5에 제시된 두 가지 방법을 비교하여 보자. 두 방법은 모두 오직 B만 M을 얻을 수 있다. 즉, 비밀성은 둘 다 보장된다. 하지만 방법 1에서 B는 A가 M을 알고 있다고 확신할 수 있지만 방법 2는 확신할 수 없다. 반면에 방법 2에서 B는 A가 이 메시지를 전송하였다고 확신할 수 있다. 따라서 서로 장단점이 있지만, A가 M을 알고 있다는 것이 보통 더 중요하므로 개인키로 먼저 암호화한 후에 상대방의 공개키로 암호화하는 방법을 더 많이 사용한다.

Msg 1. $B \rightarrow A$: $\{N_B\}.eK_A$
Msg 2. $A \rightarrow B$: N_B

<그림 5.6> 오라클 공격에 취약한 프로토콜

둘째, 개인키로 서명하거나 복호화할 때 상대방이 자신을 오라클로 활용할 수 있으므로 주의해야 한다. 그림 5.6에 제시된 프로토콜은 공격자가 오라클로 활용할 수 있는 프로토

콜이다. 취약점을 살펴보기 전에 프로토콜의 내용을 살펴보면 다음과 같다. B는 난스를 생성하여 A의 공개키로 암호화하여 A에게 전달하면 A는 이것을 복호화하여 회신하는 프로토콜로서 B는 A가 자신의 요청에 대해 최근에 응답하였다고 확신할 수 있다. 이 프로토콜은 사용자의 복호화 능력을 이용하는 프로토콜이다. A의 공개키로 암호화된 것은 오직 A만 복호화할 수 있다.

이 프로토콜의 문제점은 공격자가 A의 공개키로 암호화된 임의의 암호문을 메시지 1로 전달하면 A는 이것을 인식하지 못한 상태로 복호화해 줄 수 있다. 따라서 이 프로토콜은 A의 공개키로 암호화된 것을 무조건 복호화해 주는 오라클로 활용할 수 있다. 이와 같은 문제는 수신한 메시지의 크기와 복호화하여 얻은 평문이 이 프로토콜의 형식에 맞는지 확인하면 극복할 수 있다.

실제 그림 5.1에 제시된 프로토콜도 서명 오라클로 활용할 수 있는 프로토콜이다. 해당 프로토콜은 상대방이 전달한 난스를 전자서명하여 회신하고 있다. 만약 공격자가 난스로 특정 메시지의 해시값을 전달하면 그것을 무조건 서명해 줄 수 있다. 이와 같은 오라클 문제는 공개키를 활용할 때만 발생하는 것은 아니다. 따라서 모든 프로토콜을 설계할 때 혹시 결과 프로토콜이 오라클로 활용할 수 있는지 살펴보아야 한다. 오라클 문제는 프로토콜 설계 과정뿐만 아니라 소프트웨어 구현 과정에서도 충분한 고려가 있어야 한다. 소프트웨어가 허점 없이 올바르게 구현되어 있으면 프로토콜이 오라클로 활용할 수 있어도 실제 활용하기가 어려울 수 있다.

5장 퀴즈

1. 주어진 다음 프로토콜과 관련된 다음 설명 중 **틀린** 것은?

> Msg 1. $A \rightarrow B$: A, N_A
> Msg 2. $B \rightarrow A$: $\text{Sig}_B(N_A)$

① 약한 개체 인증만 제공한다.
② 상호(양방향) 인증을 제공한다.
③ 서명 오라클로 활용할 수 있는 문제점이 있다.
④ A는 B의 인증서가 있어야 수신한 서명을 확인할 수 있다.

2. 난스 기법과 관련된 다음 설명 중 **틀린** 것은?

① 난스 기법은 상대방에 대한 신뢰가 필요 없다.
② 난스 기법은 시스템 간의 어떤 동기화도 필요 없다.
③ 난스 기법에서 사용하는 난스 값은 무조건 예측이 가능하지 않아야 한다.
④ 난스 기법에서 한 사용자는 제공자와 검증자 역할을 하며, 다른 사용자는 입증자 역할을 한다.

3. 메시지의 최근성 보장 기법 중 타임스탬프와 카운터 기법의 차이점을 설명한 다음 내용 중 **틀린** 것은?

① 타임스탬프 기법은 시스템 간 시간 동기화가 필요하지만, 카운터 기법은 시간 동기화가 필요 없다.
② 카운터 기법은 각 사용자 간의 별도 카운터가 필요하지만, 타임스탬프 기법은 모든 사용자가 절대 시간과 동기화된 하나의 클록만 유지하면 된다.
③ 타임스탬프 기법은 미래 시간이 메시지에 포함되면 나중에 해당 메시지를 다시 사용할 수 있는 문제가 있지만 카운터 기법은 현재보다 매우 큰 값을 사용하더라도 그 카운터 값으로 동기화할 수 있으므로 그와 같은 문제가 없다.
④ 타임스탬프 기법에서 시스템 클록은 중요하게 보호해야 하는 자산이지만 카운터 기법에서 카운터는 중요한 보호 자산이 아니다.

4. 평문을 encrypt-then-mac 방법을 이용하여 인증 암호화하였을 때 특징을 설명한 다음 내용 중 **틀린** 것은?

① MAC 값이 확인되면 수신자는 암호문이 전송 과정에 조작되지 않았다는 것을 믿을 수 있다.
② MAC 값이 확인되고 상대방을 신뢰할 수 있다면 암호문 내에 포함된 여분 정보를 확인하지 않아도 암호문이 프로토콜에 정해진 암호키로 암호화되어 있다는 것을 확신할 수 있다.
③ MAC 값이 확인되면 수신자는 복호화한 평문이 조작되지 않았다는 것을 믿을 수 있다.
④ MAC 값이 확인되면 수신자는 평문의 내용을 확인하지 않아도 메시지의 최근성을 확신할 수 있다.

5. 평문이 두 개 블록 M_1, M_2로 구성되어 있다. 이 평문을 ECB 모드를 이용하여 대칭키 K를 이용하여 암호화한 결과를 C_1, C_2라 하자. 다음 내용 중 **틀린** 것은?

① M_1에는 여분 정보가 있고, M_2에는 여분 정보가 없을 때, 복호화한 후 M_1의 여분 정보가 확인되면 C_1과 C_2가 모두 K로 암호화된 암호문임을 확신할 수 있다.
② C_1을 복호화하여 여분 정보를 확인하였으면, C_1에 있는 나머지 정보의 무결성도 확신할 수 있다.
③ 공격자가 추측한 키로 암호문을 복호화하여 C_1에 있는 명백한 여분 정보를 확인하였다. 이 경우 공격자는 자신의 추측이 맞았다는 것을 확신할 수 있다.
④ C_1과 C_2가 같은 키를 암호화된 암호문임을 확신할 수 있다는 가정하에 두 암호문 블록의 차이를 통해 대응되는 두 평문 블록의 차이를 예측할 수 없다.

연습문제

1. 16byte(128bit) 블록 방식의 대칭 암호알고리즘을 이용하여 키 K로 $A \| K_{AB} \| padding$을 ECB 모드를 사용하여 암호화하였다고 하자. 여기서 A는 20byte, K_{AB}는 16byte이다. 수신자는 이 메시지의 내부 형태를 알고 있다고 가정하고, 채우기는 표준 채우기 이용하였다고 하자. 즉, 채워야 하는 12byte의 각 바이트를 정수 12(0x0C)로 채웠다고 하자. 실제 암호화된 평문을 C/C++의 구조체로 표현하면 다음과 같다.

```
struct Msg {
    char id[20];
    char key[16];
};
```

수신자가 암호문을 K로 복호화하였을 때 3개의 블록에 대해 무엇을 확신할 수 있는지 설명하라. 여기서 id에는 널문자로 끝나는 C문자열이 유지된다. 이 문자열의 실제 크기가 답에 어떤 영향을 주는지도 답에 포함해야 하며, 영향을 주면 크기가 16보다 작은 경우와 16이상인 경우를 나누어 답하라.

2. 5.1.2절에서 두 사용자가 공유한 비밀정보 I_{AB}를 이용하여 함축적 여분 정보를 암호문에 포함하여 공유하는 방법을 소개하였다. A와 B가 소개한 방법을 이용하여 함축적 여분 정보를 포함하여 같은 키로 암호화된 여러 개의 암호문을 교환하면 어떤 문제점이 있는지 설명하라.

3. 인증 암호화를 사용하면 명백한 여분 정보의 포함이 필요 없는 것인지 논하라. 이를 위해 다음에서

$$C = \{M\}.cK, \text{MAC}.iK(C)$$

C가 cK으로 암호화된 데이터인지 확인할 수 있는지 논하라. 여기서 cK와 iK는 송신자와 수신자 간의 공유된 비밀키이다.

4. 메시지의 최근성을 보장하기 위해 타임스탬프 또는 난스 기법을 사용할 수 있다. 예를 들어, 난스 기법을 사용하는 시스템에서 신뢰 서버가 A로부터 받은 난스 N_A를 이용하여 A에게 다음과 같은 메시지를 전달하였다고 가정하자.

$$\{N_A \| B \| K_{AB}\}.K_{AS}$$

이 메시지를 수신한 A는 이 암호문 전체를 최근에 생성한 것으로 믿을 수 있다. 그 근거는 무엇인지 설명하라. 또 이때 K_{AB}의 최근성을 A가 믿을 수 있는지 설명하라.

5. 메시지의 최근성을 보장하기 위해 타임스탬프 기반 기법을 사용할 수 있는데, 타임스탬프 기법은 사후 메시지 문제가 발생할 수 있다. 이 문제를 설명하고, 이 문제의 극복이 어려운 이유를 설명하라.

6. 카운터는 타임스탬프 대신에 사용할 수 있는 기법으로 메시지에 포함된 카운터 값이 자신이 유지하는 카운터 값보다 크면 최근 메시지로 인식한다. 카운터를 이용한 기법의 가장 큰 문제는 각 사용자 쌍마다 별도의 카운터가 필요하다는 것이다. 하지만 별도의 카운터를 유지해야 한다는 것이 항상 문제가 되지는 않는다. 그 이유를 설명하라.

7. 본인이 사용하는 컴퓨팅 장치가 절대 시간과 시간 동기화를 어떻게 하고 있는지 간단히 조사하여 설명하라.

8. 16bit 카운터(unsigned)를 사용할 때 1초에 1 증가한다고 가정하자. 그러면 이 카운터의 값이 순환되어 0이 될 때까지 걸리는 시간을 계산하라. 또 32bit를 사용할 때도 같은 시간을 계산하라. 실제 컴퓨터 프로그래밍을 이용하여 걸리는 시간을 년, 일, 시간, 분, 초로 제시하라.

9. 카운터를 이용한 메시지 최근성 보장 기법의 단점 중 하나는 사용자 쌍마다 다른 카운터를 유지해야 한다는 것이다. 서버가 사용자마다 다른 카운터를 유지하지 않고 하나의 카운터만을 사용하는 것이 가능한지 논하라. 사용 자체가 가능한 것인지, 사용하면 어떤 문제가 있는지 생각하고 본인의 생각을 서술하라.

10. 타임스탬프 기반 기법에서는 보통 32bit 정수 값으로 시간(1970년 1월 1일 이후 경과된 초 값을 사용)을 나타낸다. 예를 들어, C언어에서는 time_t 타입을 사용한다. 이와 같은 타입은 2038 문제를 가지고 있다. 이것이 무엇인지 설명하라.

11. 강한 개체 인증과 약한 개체 인증의 차이점을 설명하라.

12. A가 현재 온라인 상태인지를 확인하기 B가 다음과 같은 프로토콜을 사용한다고 하자.

Msg 1. $B \rightarrow A$: $\{N_B\}.K_{AB}$
Msg 2. $A \rightarrow B$: N_B

이 프로토콜의 문제점을 제시하라. 여기서 K_{AB}는 A와 B가 공유하고 있는 대칭키이다.

13. 다음과 같은 인증 프로토콜이 있다고 가정하자.

Msg 1. $A \rightarrow B$: A, N_A
Msg 2. $B \rightarrow A$: B, N_B, $\text{Sig}.dK_B(N_B \| N_A)$
Msg 3. $A \rightarrow B$: $\text{Sig}.dK_A(N_B)$

이 프로토콜은 강한 개체 인증을 제공하지 못한다. 강한 개체 인증을 제공하도록 수정하라.

14. 문제 13에서 강한 개체 인증을 제공하도록 수정한 프로토콜에 대해 프로토콜의 시작자로써 A가 C와 하는 프로토콜을 작성하고, A 입장에서 두 프로토콜의 수행이 구분할 수 있는지 설명하라. 또 프로토콜의 반응자로써 C와 B가 하는 프로토콜을 작성하고, B 입장에서 두 프로토콜의 수행이 구분할 수 있는지 설명하라.

제6장

키 확립 프로토콜 개요

제 6 장

키 확립 프로토콜 개요

6.1 n명 간의 비밀 통신 문제

n명의 사용자가 대칭 암호알고리즘을 이용하여 각 사용자 간의 메시지를 비밀스럽게 교환하고 싶다. 이것이 가능하기 위해서는 사용자 쌍마다 서로 다른 비밀키의 공유가 필요하다. 암호키의 특성상 장기적으로 사용하면 안전성이 약해(우연한 난스 중복 등)지므로 사용 중인 키를 새 키로 바꾸는 키 갱신도 필요하다. 이 문제를 해결하기 위한 여러 해결책을 살펴보자.

6.1.1 비밀키만 사용하는 방식

이 절에서는 대칭키만을 사용하여 n명 간의 비밀 통신 문제를 해결하는 3가지 방법을 살펴보자. n명 간의 비밀 통신 문제를 해결하기 위한 가장 단순한 방법은 $n(n-1)/2$개의 비밀키를 생성한 후 각 사용자에게 $n-1$개의 키를 오프라인으로 나누어 주는 것이다. 이 방법은 각 사용자가 유지하는 키가 사용자 수 n에 비례하기 때문에 확장성이 없다. 그뿐만 아니라 키 갱신이나 새로운 사용자가 추가되었을 때 이를 해결하기 위한 수단도 마땅히 없다.

이와 같은 확장성 문제를 해결하기 위해 신뢰 기관을 사용하는 방식을 생각해 볼 수 있다. 사용자는 신뢰 기관과 장기간 비밀키를 공유하고, 각 사용자 간의 비밀키는 필요할 때 신뢰 기관을 통해 키를 확립하는 방식을 사용하면 각 사용자는 하나의 비밀키만 유지하면 된다. 물론 신뢰 기관은 n개의 키를 유지해야 하지만 이것은 충분히 실제 현장에서 사용할 수 있는 모델이다. 다만, 각 사용자와 신뢰 기관이 최초에 장기간 키를 확립하는 문제와 필요할 때 또는 주기적으로 이 키를 갱신하는 문제의 해결이 필요하다. 이 확립과 갱신을 오프라인(예: 스마트폰 USIM에 등록된 키로 이동통신사와 장기간 대칭키 공유)으로 할 수 있지만, 현재 대부분의 서비스에서는 이 과정을 오프라인 방식으로 진행하기에는 적절하지 않다.

사용자가 유지해야 하는 키의 개수가 1은 아니지만, 확장성이 있도록 하는 방법도 있다. Blom의 방법[34]과 Blundo 등의 방법[35]이 여기에 해당하는데, 전자는 대칭 행렬을 활용하며, 후자는 $f(x, y) = f(y, x)$인 이변량 함수(bivariate function)를 사용한다. 둘 다 1부터 n 사이의 값인 보안 변수 t를 결정하면 각 사용자는 t에 비례한 정보만 유지하면 된다. 각 사용자는 이 정보만 있으면 $n-1$명의 다른 사용자와 사용할 수 있는 독특한 비밀키를 생성할 수 있다. 물론 이 키는 변하지 않는다. 이 문제를 해결하기 위해 매번 해당 키로 세션키를 확립하여 사용할 수 있다. 이 방법에서 각 사용자는 최초에 신뢰 서버로부터 t개의 정보를 안전하게 받아 비밀로 유지해야 하며 t가 클수록 안전성이 높아진다. 또 이 정보는 각 사용자가 개별적으로 갱신할 수 있는 것은 아니다.

6.1.2 공개키를 사용하는 방식

2자 간 공개키를 이용하여 세션키를 확립하고 싶으면 한 사용자가 세션키를 생성하여 다른 사용자의 공개키로 암호화하여서 전달하면 된다. 이때 메시지 수를 줄이기 위해 다음과 같이 비밀로 전달하고 싶은 메시지 M를 해당 세션키 K로 암호화하여 함께 보낼 수 있다.

Msg 1. $A \rightarrow B$: $C = \{M\}.cK$, $\text{MAC}.iK(C)$, $\{T_A \| K\}.eK$

여기서 cK과 iK는 K를 이용하여 계산한 서로 독립적인 키이다. 하지만 B는 이 메시지가 A가 보냈다고 확신할 수 없다. 여기에 이 기능을 추가하는 방법은 $\text{Sig}.A(H(M))$과 같은 값을 함께 전달하면 된다. 참고로 A는 이 메시지를 보내기 전에 B의 인증서를 받아 확인하여야 한다.

대칭키만을 사용하는 방식과 비교하면 각 사용자는 인증서와 개인키만 유지하면 된다. 따라서 확장성에 문제가 없다. 물론 대칭키와 비교하였을 때 공개키의 길이는 상대적으로 길다. 사용자는 편리성을 위해 다른 사용자의 인증서를 보관할 수 있지만, 이것이 확장성에 문제가 되지는 않는다. 반면에 공개키를 사용하면 인증서를 확인하는 비용을 포함하여 공개키 연산 비용이 대칭키에 비해 상대적으로 높다는 단점이 있다. 이외에도 공개키 기반구조가 구축되어 있어야 하는 단점이 있다. 하지만 인증기관은 오프라인 서버인 반면에 대칭키 방식에서 키를 발급하는 신뢰 기관은 온라인 서버이다.

6.1.1절에서 소개한 두 번째 방법에서 최초 장기간 키를 확립하는 문제와 필요할 때 장기간 키를 갱신하는 문제의 해결이 필요하다고 하였는데, 이 문제를 공개키 기반 프로토콜을 사용하여 해결할 수 있다. 이와 같은 방법을 사용하면 최초 장기간 키를 확립할 때와 갱신이 필요할 때만 공개키 기반 프로토콜을 사용하고, 평소에는 대칭키만 사용하는 프로토콜을 통해 효율적으로 서비스를 받을 수 있다.

6.2 키 확립 프로토콜

키 확립 프로토콜은 4장에서 이미 살펴본 바와 같이 둘 이상의 참여자들이 비밀키를 공유할 수 있도록 해주는 암호프로토콜이다. 키 확립 프로토콜을 통해 얻어지는 비밀키는 보통 단일 세션에 사용하기 위한 세션키이다. 키 확립 프로토콜은 크게 키 전송 또는 동의 과정과 키 확인 과정으로 구성된다. 키 확인 과정은 키 확립 프로토콜을 통해 키를 공유한 사용자들이 서로 같은 키를 가졌는지 확인하는 과정을 말한다. 4장에서 언급한 바와 같이 키 확인 과정은 비교적 쉽게 추가할 수 있다.

키 확립 프로토콜은 다음과 같이 다양하게 분류할 수 있다.

- 분류 1. 키를 생성하는 주체에 따른 분류
- 분류 2. 사용하는 암호기술에 따른 분류
- 분류 3. 키를 확립하는 사용자 수에 따른 분류

6.2.1 키 생성 주체에 따른 분류

참여자 중 어느 한 참여자가 홀로 키를 생성하여 다른 참여자에게 주는 방식을 **키 전송 프로토콜**(key transport protocol)이라 하고, 특정 참여자가 홀로 키를 생성하지 않는 방식을 **키 동의 프로토콜**(key agreement protocol)이라 한다. 위 두 가지 요소를 다 가지고 있으면 혼합 프로토콜(hybrid protocol)이라 한다. 하지만 혼합 프로토콜은 실제 사용하는 경우는 거의 없다. 보통 키 동의 프로토콜에서 키를 확립하는 모든 참여자는 동등하게 키 생성에 기여하며, 가장 널리 사용하고 있는 키 동의 프로토콜은 신뢰 서버를 사용하지 않고 공개키 기술을 이용하는 자체 강화 방식의 프로토콜이다.

대칭키만을 사용할 때는 주로 키 전송 프로토콜을 많이 사용한다. 이와 같은 프로토콜에서 키를 홀로 생성하는 주체는 보통 신뢰 기관이다. 이 신뢰 기관을 키 분배 센터(KDC, Key Distribution Center)라 한다. 신뢰 기관이 키를 생성하지 않고 사용자들 사이에 안전하게 중계해 주는 역할만 하면 키 중계 센터(KTC, Key Translation Center)라 한다. 하지만 신뢰 측면에서 보통 키 분배 센터 방식을 더 선호한다.

6.2.2 키를 확립하는 사용자 수에 따른 분류

키를 확립하는 사용자 수에 따라 분류하면 크게 2자 간, 3자 간, 다자 간으로 나뉜다. 가장 많이 사용하는 것은 2자 간이다. 2000년도에 Joux[36]가 3자 간 자체 강화 방식의 키 동의 프로토콜을 처음으로 제안한 이후 2자 간, 다자 간으로 분류하던 것을 2자 간, 3자 간, 다자 간으로 분류하고 있다. 다자 간은 다른 말로 그룹키(group key) 프로토콜, 회의키(conference key) 프로토콜이라고 한다. 회의키라는 이름에서 알 수 있듯이 원격에서 다자 간 영상, 문자 회의를 할 때 다자간 키 확립 프로토콜을 사용할 수 있다.

6.2.3 키 확립 프로토콜의 요구사항

3장에서 이미 키 확립 프로토콜의 요구사항을 살펴본 바 있으며, 크게 다음과 같이 요약할 수 있다.

- 키의 비밀성: 키를 확립하는 참여자 외에는 확립하는 비밀키를 얻을 수 없어야 한다. 단, 신뢰 기관이 참여하는 프로토콜에서는 보통 신뢰 기관이 생성하므로 이 기관도 비밀키를 알고 있다.
- 키의 최근성: 키를 확립하는 참여자는 수신한 키가 이전에 사용한 적이 없는 이번에 생성한 키임을 확신할 수 있어야 한다.
- 키의 용도: 키를 확립하는 참여자는 수신한 키가 본인이 생각하고 있는 상대방과 사용

하기 위한 키인지 확인할 수 있어야 한다.

- 생성 주체 확인, 참여자 확인: 키 전송 프로토콜의 경우 키를 수신한 참여자는 이 키를 프로토콜에서 정의한 주체가 생성한 것인지 확인할 수 있어야 한다. 프로토콜에 따라 현재 참여하고 있는 상대방이 자신이 의도한 상대방인지 확인하는 것이 필요할 수 있다.
- 키 확인: 키를 확립하는 참여자는 상대방이 같은 키를 가졌는지 확인할 수 있어야 한다. 키 확인을 프로토콜에 추가하는 것은 어렵지 않으므로 프로토콜 서술에서 생략할 수도 있다.

참여자 확인의 경우 프로토콜의 구성에 따라 상대방을 직접 확인하지 않는 경우도 많다. 예를 들어, 4장에서 살펴본 키 확립 프로토콜에서 A와 B는 직접 상호 인증을 하고 있지 않다. 직접 확인하지 않아도 서버로부터 받은 K_{AB}가 상대방과 사용하기 위한 키임을 확신하게 되면 이 키를 가지고 있는 사용자를 상대방으로 확신할 수 있다. 하지만 자체 강화 방식의 키 동의 프로토콜에서는 상대방에 대한 명백한 인증이 꼭 필요하다.

위 다섯 가지 요구사항 외에 키 무결성이라는 개념도 있다. 키 무결성이 보장된다는 것은 키가 분배될 때 키값이 원래 생성된 그대로 수정 없이 전달되었다는 것을 말한다. 따라서 키 분배 센터를 이용한 2자 간 키 전송 프로토콜에서 키 무결성이 보장되면 키 분배 센터에 대한 신뢰 때문에 두 참여자는 동일한 키를 얻게 된다. 하지만 키 무결성보다 키 확인이 더 중요하며, 키 무결성을 보장하지 않더라도 키 비밀성과 키 확인 요구사항이 충족되면 해당 키는 안전하게 사용할 수 있는 키가 된다. 예를 들어, 키값이 0110 4bit라고 가정하자. 그런데 두 사용자는 0110 대신에 둘 다 0100을 수신하였다고 하자. 그러면 키 무결성은 만족하지 못하지만, 키 확인은 가능할 것이며, 해당 값의 비밀성이 보장되었다면 세션키로 사용하는 데 문제가 없다.

6.2.4 키 전송 프로토콜의 예

Msg 1. $A \rightarrow S$: A, B, N_A
Msg 2. $S \rightarrow A$: $\{B \| N_A \| K_{AB} \| \{A \| K_{AB}\}.K_{BS}\}.K_{AS}$
Msg 3. $A \rightarrow B$: $A, \{A \| K_{AB}\}.K_{BS}$
Msg 4. $B \rightarrow A$: $\{N_B\}.K_{AB}$
Msg 5. $A \rightarrow B$: $\{N_B - 1\}.K_{AB}$

<그림 6.1> Needham-Schroeder 프로토콜

그림 6.1은 Needham과 Schroeder가 제안한 프로토콜로서[28], 그림 4.3에 제시된 프로토콜과 유사하다. A만 키의 최근성을 확인할 수 있으므로 B는 기지키 재전송 공격에 취약하다. 또 메시지 2에서 불필요하게 이중 암호화를 하고 있으며, B만 키 확인을 하고 있다. 메시지 5에서 -1은 메시지 4와 5를 구분하기 위한 요소로 +1 등 두 메시지를 차별화할 수 있는 다른 방법을 대신 사용할 수 있다.

Msg 1. $A \rightarrow S$: A, B
Msg 2. $S \rightarrow A$: $\{B \| T_S \| K_{AB} \| \{A \| T_S \| K_{AB}\}.K_{BS}\}.K_{AS}$
Msg 3. $A \rightarrow B$: $A, \{A \| T_S \| K_{AB}\}.K_{BS}$

<그림 6.2> Denning-Sacco 프로토콜

그림 6.2에 제시된 키 전송 프로토콜은 타임스탬프를 이용하여 그림 6.1에 제시된 프로토콜의 문제점을 해결하고 있다[37]. 하지만 여전히 불필요한 이중 암호화를 하고 있다. 이 두 프로토콜을 통해 70년대 후반부터 80년대 초까지는 키 확립 프로토콜조차 제대로 설계하지 못하였다는 것을 알 수 있다.

6.2.5 키 동의 프로토콜의 예

6.2.5.1 이산대수 문제

공개키 암호알고리즘에서 가장 널리 사용하고 있는 문제 중 하나가 이산대수(discrete

logarithm) 문제이다. 이산대수를 이해하기 위해서는 군(group)이라는 수학 개념을 이해할 필요가 있다. 쉽게 생각하면 군은 이항(binary) 연산에 대하여 닫혀 있는 집합이다. 닫혀 있다는 것은 집합에 있는 임의의 두 원소를 선택하여 군의 이항 연산을 적용하면 그 결과값은 집합의 원소가 된다는 것을 말한다.

예를 들어, 집합 $G=\{1, 2, 3, 4, 5, 6\}$과 $\circ = \times \bmod 7$ 연산을 생각하여 보자. 집합 G는 이항 연산 $\circ$에 대해 닫혀 있다. 또한 1이 항등원(identity element)이며, 모든 원소는 역원을 가지고 있다. 항등원이란 모든 원소 a에 대해 $a \circ e = a$가 되는 e를 말하며, 어떤 원소 a의 역원은 $a \circ b = e$가 되는 b를 말한다.

앞으로 편리상 $\circ$ 연산을 곱셈이라 하자. G에서 항등원은 1이며, $3 \circ 5 = 1$이므로 3의 역원은 5이다. 이를 통해 $3 \circ x = 2$와 같은 방정식의 해를 구할 수 있다. 이 식 양변에 5를 곱하면 5는 3의 역원이므로 $x = 2 \circ 5 = 3$임을 알 수 있다.

3을 계속 거듭제곱하면 다음과 같이 집합에 있는 모든 수를 생성할 수 있다.

$$3^1 = 3,\ 3^2 = 2,\ 3^3 = 6,\ 3^4 = 4,\ 3^5 = 5,\ 3^6 = 1$$

이처럼 어떤 특정 원소를 계속 거듭제곱하여 군에 있는 모든 요소를 생성할 수 있으면 이 군을 순환군(cyclic group)이라 하고, 해당 원소를 군의 생성자(generator)라 한다. 또 기저 3에 대한 2의 이산대수는 2가 된다. 즉, $y = g^x$일 때 기저 g에 대한 y의 이산대수는 x가 된다.

임의의 소수 p를 선택하면 이항 연산 $\circ = \times \bmod p$에 대해 집합 $\{1, 2, \cdots, p-1\}$은 순환군이 된다. 이 군을 Z_p^*로 보통 표기한다. 군의 크기를 군의 위수(order)라 하며, Z_p^*의 위수는 $p-1$이다. **이산대수 문제**란 순환군의 정보, 생성자 g, 군의 임의 원소 y가 주어졌을 때, 기저 g에 대한 y의 이산대수를 구하는 문제를 말한다. 기저를 이용하여 계속 거듭제곱하면 궁극에는 답을 찾을 수 있다. 하지만 순환군의 위수가 일정 크기 이상이면 이 문제를 해결하는 것은 계산적으로 어렵다.

6.2.5.2 Diffie-Hellman 키 동의 프로토콜

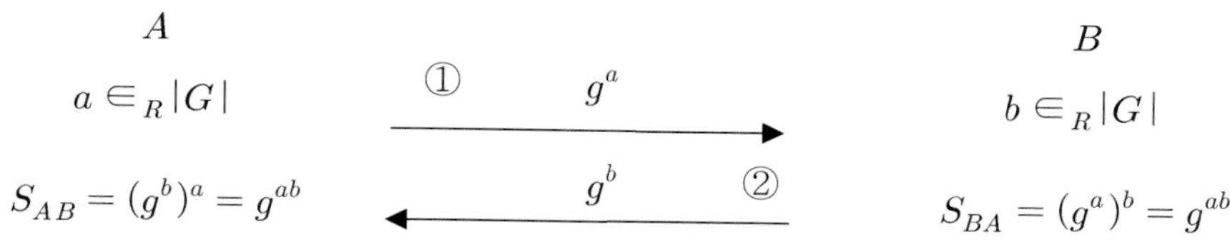

<그림 6.3> Diffie-Hellman 키 동의 프로토콜

그림 6.3에 제시된 Diffie와 Hellman이 제안한 키 동의 프로토콜[7]은 암호기술에 있어 역사적이며, 매우 중요한 프로토콜이다. 공개키 개념이 소개된 최초 학술적 논문에 등장한 프로토콜이며, 지금까지도 가장 널리 사용하고 있는 프로토콜이다.

이 프로토콜을 수행하기 위해서는 먼저 사용할 군을 결정해야 한다. 프로토콜이 사용하는 군이 G이고, 그것의 생성자가 g이며, 이 군의 위수가 n이라고 가정하고 프로토콜을 설명하면 다음과 같다. A는 $a \in \{1, \cdots, n\}$를 임의로 선택하여 그만큼 g를 거듭제곱한 값을 B에게 전달하면 B도 $b \in \{1, \cdots, n\}$를 임의로 선택하여 그만큼 g를 거듭제곱한 값을 전달한다.

두 사용자는 받은 값을 이용하여 g^{ab}를 계산하며, 이 값을 이용하여 사용할 비밀키를 계산하여 사용한다. 이때 사용하는 함수를 키 유도 함수(KDF, Key Derivation Function)라 한다. 군이 충분히 크다는 가정하에 두 사용자가 계산한 g^{ab}는 두 사용자 외에는 이산대수 문제 때문에 계산하기가 매우 어렵다. 이 때문에 이 값은 두 사용자만이 알게 되는 비밀값이 되며, 그림 6.3에서 S_{AB}, S_{BA}로 표현하고 있다.

이 프로토콜의 안전성은 이산대수 문제는 물론 Diffie-Hellman 계산 문제와 결정 문제가 어려워야 한다. Diffie-Hellman 계산 문제란 군 정보, 군 생성자 g, g^a, g^b가 주어졌을 때 g^{ab}를 계산하는 것이고, 결정 문제란 계산 문제 때 주어지는 것을 포함하여 군의 또 다른 원소 z가 주어졌을 때 z가 g^{ab}와 같은지 여부를 답하는 문제이다. 이 프로토콜은 수동 공격에 대해서는 안전하지만 서로 교환하는 값을 인증하고 있지 않으므로 능동 공격에 취약하다. 이 문제는 7장에서 자세히 살펴본다.

지금까지 살펴본 키 확립 프로토콜은 모두 키 전송 프로토콜이었다. 하지만 그림 6.3에 제시된 프로토콜은 키 동의 프로토콜이다. 키 동의 프로토콜은 어떤 특정 참여자가 홀로 키를 결정하지 않는다. 보통 키를 확립하는 모든 참여자가 키를 결정하는 데 동등하게 참여한다. Diffie-Hellman 키 동의 프로토콜에서는 g^{ab}를 이용하여 세션키를 계산하게 되는데, A와 B는 모두 이 값을 결정하는 데 있어 대칭적 기여를 하였다. 이처럼 키 동의 프로토콜에서는 각 참여자가 같은 수준의 계산 및 통신 비용이 소요되도록 설계하며, 각자 선택한 랜덤 값이 세션키 계산에 포함된다. 따라서 각 참여자 입장에서 자신이 선택한 랜덤 요소가 충분히 랜덤하면 프로토콜을 통해 생성한 세션키도 역시 충분히 랜덤하다는 것을 믿을 수 있다. 이 때문에 키 전송 프로토콜들과 달리 키 동의 프로토콜에서는 키의 최근성을 입증하기 위한 별도 메커니즘의 사용이 필요 없다. 하지만 반대로 키 제어 요구사항처럼 키 전송 프로토콜에는 없는 요구사항도 있다.

키 제어 요구사항은 키 동의 프로토콜에서만 필요한 요구사항으로 참여자 중 누구도 공유할 세션키를 사전에 계산할 수 있거나 선택한 값이 되도록 만드는 것이 계산적으로 어려워야 한다는 것을 말한다. Diffie-Hellman 프로토콜에서 두 사용자는 랜덤하게 a와 b를 선택하므로 최종값 g^{ab}가 특정 값이 되도록 만드는 것은 매우 어렵다. 하지만 Mitchell 등 [38]은 참여자 중 랜덤 요소를 가장 늦게 제공하는 참여자는 다른 참여자보다 키를 제어할 수 있는 확률이 높다는 것을 보였다. 이 문제점은 그림 6.4처럼 랜덤 요소를 해시한 값을 미리 제공한 후에 실제 랜덤 요소를 나중에 전달하여 해결할 수 있다. B는 해시함수의 일방향성 때문에 메시지 3을 받아야 A가 선택한 값을 알 수 있으며, A는 해시함수의 충돌회피성 때문에 자신이 선택한 값을 나중에 바꿀 수 없다. 이 해결책의 단점은 프로토콜의 라운드 수가 하나 증가한다는 것이다.

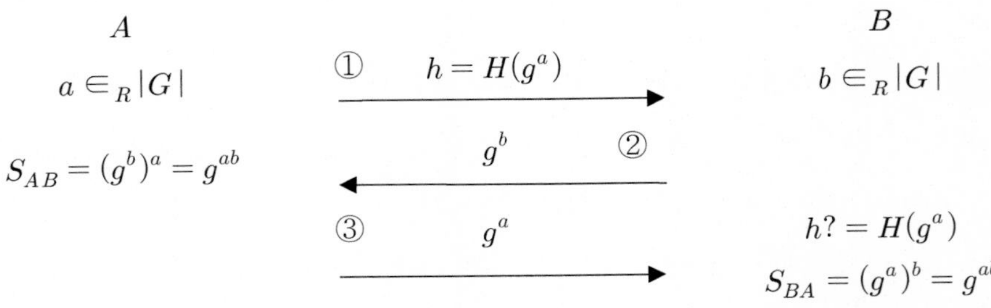

<그림 6.4> 키 제어 요구사항이 충족되는 Diffie-Hellman 프로토콜

6.2.6 키 확립 프로토콜의 최근 추세

Msg 1. $A \to S$: A, B, N_A
Msg 2. $B \to S$: A, B, N_A, N_B
Msg 3. $S \to B$: $C_{AS} = \{B \| N_A \| K_{AB}\}.cK_{SA},\ T_{AS} = \text{MAC}.iK_{SA}(C_{AS})$
$C_{BS} = \{A \| N_B \| K_{AB}\}.cK_{SB},\ T_{BS} = \text{MAC}.iK_{SB}(C_{BS})$
Msg 4. $B \to A$: $C_{AS}, T_{AS}, \{N_A \| N_B\}.K_1$
Msg 5. $A \to B$: $\{N_B\}.K_1$
Msg 6. $B \to A$: $C_1 = \{M_1\}.K_4,\ T_1 = \text{MAC}.K_5(C_1)$
Msg 7. $A \to B$: $C_2 = \{M_2\}.K_2,\ T_2 = \text{MAC}.K_3(C_2)$
Msg 8. $B \to A$: $C_3 = \{M_3\}.K_4',\ T_3 = \text{MAC}.K_5'(C_3)$
⋮ ⋮ ⋮

<그림 6.5> 최근 추세를 반영한 키 중재 서버 기반 키 확립 프로토콜

이제는 기본 암호화 방식으로 암호화 후 MAC값을 계산하는 인증 암호화 방식을 사용하므로 하나의 세션키가 필요한 것이 아니라 두 개의 키가 필요하다. 두 개의 키 중 하나는 암호화할 때, 다른 하나는 MAC값을 계산할 때 사용한다. 확립해야 하는 키의 개수가 많아진다고 키 확립 프로토콜을 여러 번 수행하는 것은 아니며, 키 전송 방식의 경우 필요한 개수의 키를 생성하여 분배하지 않는다. 기존처럼 하나의 비밀키 또는 비밀정보를 확립한 후, 이 값으로부터 필요한 개수의 키를 생성하여 사용한다.

그림 6.5의 프로토콜은 4장에서 제시한 프로토콜을 최근 추세를 반영하여 수정한 프로토콜이다. 여기서 각 사용자는 서버 S와 기존처럼 하나의 키를 공유하고 있는데, 이 키로부터 4개의 키 cK_{AS}, iK_{AS}, cK_{SA}, iK_{SA},를 생성하여 사용한다. 여기서 cK_{AS}는 암호화키이고, iK_{AS}는 MAC키이며, 아래 첨자는 사용하는 키의 방향을 나타낸다. 이 프로토콜은 여전히 기존처럼 하나의 대칭키 K_{AB}만 교환한다. 하지만 이 키로부터 양 사용자는 필요한 만큼의 키를 계산하여 사용한다. 하나의 키에서 실제 사용할 여러 개의 키를 생성할 때 사용하는 것이 키 유도 함수이다. 이 함수는 주어진 입력을 이용하여 필요한 크기의 랜덤 비트 문자열 출력하여 준다. 출력된 비트 문자열은 서로 독립적이기 때문에 256bit 출력을 2개의 128bit로 나누었을 때, 이 중 하나가 노출되더라도 다른 하나를 추측하는 데 도움이 되지 않는다. 키 유도 함수에 대해서는 11장에서 자세히 살펴본다.

이전에는 A와 B 간의 키를 확립하면 A도 B도 같은 키를 사용하여 메시지를 암호화하여 상대방에게 전달하였다. 또 이 키 자체를 키 확인 과정에서 사용하였다. 최근에는 이와 달리 용도마다 다른 키를 사용한다. 이를 **키 분리**(key separation) **원리**라 한다. 그림 6.5에 제시된 프로토콜은 K_{AB}로부터 K_1부터 K_5까지 다섯 개의 키를 생성하여 사용한다. 이 중 K_1은 키 확인할 때 사용하며, K_2, K_3은 A가 B에게 메시지를 전달할 때 사용하고, K_4, K_5는 B가 A에게 메시지를 전달할 때 사용한다.

키 확인을 위한 두 개의 암호문은 인증 암호화를 하고 있지 않다. 이 암호문의 평문 크기가 한 블록으로 충분히 표현할 수 있어 생략하고 있다. 만약 이 두 암호문도 인증 암호화가 필요하면 최초 5개가 아니라 6개를 만들어 사용할 수 있다.

키 분리가 극단화되어 한 번 확립된 키를 계속 사용하는 것이 아니라 메시지마다 다른 키를 사용하도록 그림 6.5의 메시지 8처럼 프로토콜을 구성할 수 있다. 여기서 $K_4' = H(K_4)$이고 $K_5' = H(K_5)$이다. 메시지 10에서는 다시 메시지 8에서 사용한 키를 해시하여 새 키를 만들어 사용할 수 있다. 이렇게 하면 특정 메시지에 사용한 키가 노출되어도 그 이전 메시지에 사용한 키는 알 수 없다. 물론 그 메시지 이후 사용된 키는 계산할 수 있다.

6장 퀴즈

1. $\{1, 2, \cdots, 10\}$은 곱하기 한 후 11로 나머지를 취하는 이항 연산에 대하여 닫혀 있는 곱셈군이다. 이 군에서 5의 역원은?

① 2
② 8
③ 9
④ 3

2. 최근 키 확립 프로토콜은 키 분리 원리를 엄격하게 적용하여 용도마다, 방향마다 다른 키를 사용한다. 심지어 메시지마다 다른 키를 사용하기도 한다. 이와 관련된 설명 중 **틀린** 것은?

① 각 참여자가 유지해야 하는 키가 많아지지만, 이들은 장기간 키가 아니라 일회용 키이므로 키 관리 비용이 증가하는 것은 아니다.
② 방향마다 다른 키를 사용하면 이들은 서로 독립적인 키이므로 때문에 이들 중 하나가 노출되어도 다른 키의 노출로 이어지지 않는다.
③ 메시지마다 다른 키를 사용하기 위해 해시 함수에 기존 키를 입력하여 새 키를 계산하여 사용할 수 있다. 이 경우 키가 노출되면 과거 키는 계산할 수 없지만 노출된 이후 메시지에 사용된 키는 계산할 수 있다.
④ 최초 확립한 비밀키 또는 비밀정보가 노출되어도 실제 사용하는 키에는 영향이 없다.

3. 공개키를 이용할 수 있으면 다음과 같이 비교적 간단하게 2자간의 세션키를 확립하여, 교환하는 메시지의 비밀성을 보장할 수 있다. 이 방식과 관련된 설명 중 **틀린** 것은?

Msg 1. $A \rightarrow B$: $C = \{M\}.cK$, $\text{MAC}.iK(C)$, $\{T_A \,\|\, K\}.eK_B$

여기서 cK과 iK는 K로부터 계산한 대칭키이다.
① 자체 강화 방식이다.
② 키 전송 방식이다.
③ 세션키의 최근성을 보장할 수 없다.
④ 수신자는 송신자를 인증할 수 있다.

4. Diffie-Hellman 키 동의 프로토콜은 이산대수 문제, DH 계산 문제, DH 결정 문제가 어려운 유한순환군을 이용한다. 이와 같은 특성을 만족하는 유한순환군 G의 생성자 g가 있을 때 A와 B는 1에서 $|G|$ 사이의 수 a와 b를 임의로 선택한 후 g^a, g^b를 서로 교환하여 키를 확립한다. 공격자가 1에서 $|G|$ 사이의 수 c를 선택하여 g^c를 계산한 후에 중간에서 교환되는 값을 차단하고, 그 값 대신에 A와 B에게 g^c를 주었다고 하자. 그러면 A와 B가 각각 계산하는 비밀값은?

① A: g^{ab}, B: g^{ab}
② A: g^{bc}, B: g^{bc}
③ A: g^{ac}, B: g^{ac}
④ A: g^{ac}, B: g^{bc}

5. $\{1, 2, \cdots, 10\}$은 곱하기 한 후 11로 나머지를 취하는 이항 연산에 대하여 닫혀 있는 군이다. 이 군의 원소 2는 이 군의 생성자이다. 이 군에서 기저 2에 대한 7의 이산대수는?

① 7
② 6
③ 8
④ 4

연습문제

1. 6.1.2절에 다음과 같은 하나의 메시지를 이용하는 키 확립 프로토콜이 제시되어 있다. 이 프로토콜을 사용하기 위한 전제 조건은 무엇이며, 이 메시지를 받은 B가 해야 할 일은 무엇인지 구체적으로 서술하라.

   Msg 1. $A \rightarrow B$: $C = \{M\}.cK$, $\text{MAC}.iK(C)$, $\{T_A \| K\}.eK_B$

2. 키 확인과 키 무결성 개념을 비교하라. 이때 키 무결성보다는 키 확인이 중요한 이유와 그것이 보장되기 위한 조건이 무엇인지 설명하라.

3. 그림 6.1과 6.2에 제시된 프로토콜은 이중 암호화를 하고 있다. 예를 들어, 그림 6.1에서 $\{B \| N_A \| K_{AB} \| \{A \| K_{AB}\}.K_{BS}\}.K_{AS}$ 대신에 $\{B \| N_A \| K_{AB}\}.K_{AS}$, $\{A \| K_{AB}\}.K_{BS}$ 처럼 구성하면 어떤 차이가 있는지 설명하라.

4. 법 7에서 곱셈을 이항 연산으로 사용하는 곱셈군 $G = \{1, 2, 3, 4, 5, 6\}$이 있을 때, 이 군에서 3^{80}을 구하라.

5. 법 11에서 곱셈을 이항 연산으로 사용하는 곱셈군 $G = \{1, 2, \cdots, 10\}$에서 2의 역원을 구하시오.

6. 그림 6.5에 주어진 프로토콜에서는 키 분리 원칙에 따라 확립된 비밀정보 K_{AB}를 이용하여 생성한 K_1부터 K_5를 모두 다른 용도로 사용한다. 심지어 A가 K_2와 K_3를 이용하여 인증 암호화하여 메시지를 교환할 때, 메시지마다 $K_i' = H(K_i)$를 이용하여 이전 키로부터 새 키를 생성하여 사용한다. 이 프로토콜에서 K_{AB}가 노출된 경우, K_i^j가 노출된 경우 추가로 노출되는 키를 나열하고, 그 이유를 설명하라. 여기서 K_i^j는 K_i를 j번 해시하여 만든 키를 나타낸다.

제 7 장

암호프로토콜 공격 방법

제 7 장 암호프로토콜 공격 방법

7.1 암호프로토콜에 대한 공격

암호프로토콜에 대한 공격은 매우 다양하므로 지금까지 알려진 공격에 대해 암호프로토콜이 강건함을 보이는 것만으로는 완벽하게 안전하다고 주장할 수 없다. 하지만 이미 알려진 공격 방법에 대해 안전하다는 것이 의미가 없다는 것은 아니다. 알려진 공격 방법을 고려하여 프로토콜을 설계해야 명백한 허점을 만드는 일을 줄일 수 있다.

프로토콜마다 목적이 다르므로 프로토콜에 대한 특정 공격의 의미가 다를 수 있다. 더욱이 어떤 공격에 대해 특정 프로토콜이 취약하더라도 해당 프로토콜 요구사항에 어떤 영향도 주지 못할 수 있다. 이 경우 특정 프로토콜은 그와 같은 공격을 설계에 고려하지 않아도 된다. 이 장에서는 암호프로토콜에 대한 다양한 공격을 살펴본다. 주로 키 확립 프로토콜에 대한 공격을 살펴보지만 이들 공격은 다른 다양한 암호프로토콜에서도 발생할 수 있는 공격이다.

7.2 재전송 공격

암호프로토콜에 대한 공격은 크게 수동 공격과 능동 공격으로 분류하며, 능동 공격 중 재전송 공격이 초기에는 가장 위협이 되는 공격이었다. 재전송 공격이란 현재 프로토콜 수행을 포함하여 사용된 메시지의 일부 또는 전체를 다시 전송하여 공격하는 것을 말한다. 재전송 공격은 크게 다음과 같은 속성을 기준으로 분류[39]하여 분석할 수 있다.

- 억압(suppressed) 여부: 공격에 이용할 메시지를 원래 수신자가 받은 적이 있을 수 있고, 공격자가 차단하여 받은 적이 없을 수 있다.
- 변경 여부: 메시지를 재전송할 때 원래 메시지를 그대로 전송할 수 있고, 일부 내용을 변경하여 전송할 수 있다.
- 의도 변경: 원 메시지와 같은 효과를 위해 재전송할 수 있고, 다른 효과를 위해 재전송할 수 있다.
- 순방향, 역방향: 메시지를 원래 수신자에게 재전송하면 순방향이고, 거꾸로 송신자에게 전송하면 역방향이 된다.
- 수행 내부, 수행 외부: 한 프로토콜 수행에 사용된 메시지를 해당 수행에서 사용하면 수행 내부 공격이고, 다른 프로토콜 수행에 사용된 메시지를 이용하면 수행 외부 공격이다.
- 전통, 중첩: 공격에 성공하기 위해 두 개의 프로토콜을 병행으로 수행하여야 하면 중첩(interleaved) 공격이고, 병행 수행이 필요 없으면 전통 공격에 해당한다.

재전송 공격은 프로토콜의 종류가 같아야만 가능한 것은 아니다. 프로토콜이 다르더라도 같은 암호키를 사용하면 한 프로토콜의 메시지를 전혀 다른 프로토콜을 공격하는 데 사용할 수 있다. 재전송과 달리 앞으로 사용할 메시지 또는 메시지 일부를 사용하여 프로토콜을 공격하는 것을 사전전송(preplay) 공격이라 한다.

메시지가 억압되면 단순 중복 검사를 통해 재전송 공격을 방어할 수 없다. 보통 기존 메시지를 보관하는 비용과 검사 비용 때문에 재전송 공격을 방어하기 위해 중복 검사를 사용하지는 않는다. 이보다는 메시지의 최근성을 보장하는 기법을 사용하는 것이 더 효율적이며 효과적이다. 역방향 공격이 가능하기 위해서는 주고받는 암호문의 형태가 같아야 한다. 같은 암호키를 여러 프로토콜에 사용하면 다른 프로토콜의 메시지를 활용하는 수행 외부 공격이 가능할 수 있다. 이 때문에 역방향, 수행 내부, 수행 외부를 방어하기 위한 간단한 방법은 다음과 같다.

- 방법 1. 프로토콜의 메시지와 각 메시지 내 암호문의 형태를 다르게 한다.
- 방법 2. 각 메시지 암호문 내에 메시지 번호, 메시지 방향, 프로토콜 수행 식별자를 포함한다.
- 방법 3. 각 방향마다 다른 세션키를 사용한다.
- 방법 4. 같은 키를 여러 프로토콜에서 사용하지 않는다.

6장에서 설명하였듯이 최근에는 방향마다 다른 키를 사용하며, 심지어 메시지마다 다른 키를 사용한다. 여기서 방향이란 A와 B 간의 프로토콜을 진행하면 A가 B에게 메시지를 보낼 때와 B가 A에게 보낼 때 다른 키를 사용하는 것을 말한다. 이처럼 방향마다 메시지마다 다른 키를 사용하면 재전송 공격 방어에 매우 효과적이다. 더욱이 이들 키는 보통 장기간 키가 아니므로 여러 개의 키를 사용한다고 키 관리 비용이 증가하는 것은 아니다.

재전송 공격의 예로 그림 7.1에 제시된 프로토콜을 살펴보자. 이 프로토콜은 난스를 이용하여 상호 인증하는 프로토콜이다. 하지만 메시지 1의 암호문과 메시지 2의 암호문의 형태가 같다. 또한 공격자가 메시지를 무조건 복호화해 주는 형태이므로 오라클로 활용할 가능성도 있다.

Msg 1. $A \rightarrow B$: $A, \{N_A\}.K_{AB}$
Msg 2. $B \rightarrow A$: $\{N_B\}.K_{AB}, N_A$
Msg 3. $A \rightarrow B$: N_B

<그림 7.1> 재전송 공격에 취약한 상호 인증 프로토콜

Msg 1. $A \rightarrow B$: $A, \{N_A\}.K_{AB}$
Msg 1′. $C \rightarrow A$: $B, \{N_A\}.K_{AB}$
Msg 2′. $A \rightarrow B$: $\{N_A'\},K_{AB}, N_A$
Msg 2. $C \rightarrow A$: $\{N_A'\},K_{AB}, N_A$
Msg 3. $A \rightarrow B$: N_A'
Msg 3′. $C \rightarrow A$: N_A'

<그림 7.2> 그림 7.1의 프로토콜에 대한 재전송 공격

그림 7.2에 제시된 재전송 공격에서 공격자는 A로부터 B로 가는 모든 메시지를 가로챌 뿐만 아니라 차단한다. 또한 B 행세를 하여 동일 프로토콜을 A와 중첩으로 수행한다. 따라서 이 공격은 억압, 역방향, 수행 외부, 중첩, 재전송 공격이다. 공격자는 메시지 1을 그대로 다시 A에게 전달하여 두 번째 프로토콜을 병행으로 시작한다. 이와 같은 공격이 가능한 이유는 A가 프로토콜을 시작하거나 B가 시작하거나 메시지 1의 형태가 같기 때문이다. 이 문제를 해결하는 가장 단순한 방법은 메시지 1의 암호문에 암호문 생성자나 수신자의 식

별자를 포함하면 된다. 예를 들어, $\{B \| N_A\}.K_{AB}$처럼 수신자의 식별자를 포함하면 공격자는 메시지 1′과 같이 역방향 재전송 공격에 성공할 수 없다. 또 다른 해결책은 방향마다 다른 키를 사용하면 이 공격을 방어할 수 있다.

7.3 서비스 거부 공격

서비스 거부 공격은 가용성에 대한 공격이며, 종종 매체 기사를 통해 접하는 공격이다. 예를 들어, 2014년에 소니사가 북한 김정은 암살 영화인 “디 인터뷰”의 상영을 계획하자 소니사 운영 사이트가 서비스 거부 공격을 받아 다운된 적이 있으며, 2009년 3월 4일에는 청와대 등 40곳이 디도스 공격을 받은 사례도 있다.

서비스 거부 공격은 암호프로토콜을 통해 방어할 수 있는 공격은 아니다. 또한 다른 메커니즘을 이용하더라도 원천적으로 방어하기 힘들다. 서비스 거부 공격은 크게 자원 소모 공격(resource depletion attack)과 연결 소모 공격(connection depletion attack)으로 분류할 수 있다. 자원 소모 공격이란 서버 또는 클라이언트 시스템의 자원을 소모하여 서비스를 제공할 수 없도록 하는 공격이다. 특히, 이동 단말과 같이 고정된 전원을 사용하지 않는 단말에 대해서는 전원 소모 공격이 큰 문제가 될 수 있다. 물론 서비스 거부 공격은 클라이언트가 아니라 보통 서버에 대한 공격이다. 연결 소모 공격이란 서버 또는 클라이언트가 허용하는 연결을 고갈하기 위한 공격이다. 연결도 또 다른 자원이라고 보면 연결 소모도 자원 소모 공격의 한 종류로 볼 수 있다. 참고로 연결 시도는 유효한 시도인지 판단하기 위한 계산이 필요하며, 이 계산에 큰 비용이 들면 공격을 식별하기 위한 비용이 커져 서비스 거부 공격이 더욱 쉬워질 수 있다.

서비스 거부 공격은 앞서 언급한 바와 같이 암호프로토콜의 설계만으로는 방어하기 어렵다. 하지만 암호프로토콜을 설계할 때 서비스 거부 공격에 대해 고려할 수 있는 부분도 있다. 암호프로토콜에서 사용하는 몇 가지 기법을 소개하면 다음과 같다.

첫째, 상태 기반 프로토콜을 **비상태**(stateless) **기반**으로 바꾸는 것이다[40]. 보통 서버는 프로토콜을 수행하면서 현재 어디까지 수행하고 있는지 등을 알기 위해 프로토콜 수행과 관련된 상태 정보를 유지한다. 그런데 서버가 접속된 클라이언트의 연결 상태 정보를 유지하기 위한 공간은 본질적으로 한정되어 있으며, 이 공간이 고갈되면 더는 클라이언트의 접속을 허용할 수 없게 된다. 연결 소모 공격은 이것을 목표로 하는 공격이다. 따라서 서버 대신에 클라이언트가 연결 상태 정보를 보관하도록 하면 이 문제를 극복할 수 있다. 현재 웹 브라우징할 때 클라이언트가 보관하는 쿠키 정보가 이와 유사한 역할을 한다. 프로토콜이 비상태 기반이 되면 서버를 분산(여러 개 사용)하는 측면에서도 유리하다. 하지만 비상태 기반에서 상태는 클라이언트가 유지하여야 하며, 현재 상태를 매번 서버에 전달해야 하므로 통신 비용과 계산 비용이 커지는 단점이 있다.

Msg 1. $C \rightarrow S$: M_1
Msg 2. $S \rightarrow C$: M_2, $state_1$, $\mathrm{MAC}.iK_S(state_1)$
Msg 3. $C \rightarrow S$: M_3, $state_1$, $\mathrm{MAC}.iK_S(state_1)$
Msg 4. $S \rightarrow C$: M_4, $state_2$, $\mathrm{MAC}.iK_S(state_2)$
⋮ ⋮ ⋮

(1) 무결성만 보장하는 방법

Msg 1. $C \rightarrow S$: M_1
Msg 2. $S \rightarrow C$: M_2, $C_1 = \{state_1\}.cK_S$, $\mathrm{MAC}.iK_S(C_1)$
Msg 3. $C \rightarrow S$: M_3, $C_1 = \{state_1\}.cK_S$, $\mathrm{MAC}.iK_S(C_1)$
Msg 4. $S \rightarrow C$: M_4, $C_2 = \{state_2\}.cK_S$, $\mathrm{MAC}.iK_S(C_2)$
⋮ ⋮ ⋮

(2) 비밀성과 무결성을 모두 보장하는 방법

<그림 7.3> 비상태 기반 프로토콜에서 상태 정보의 보호

상태 정보는 그림 7.3처럼 암호기술을 사용하여 보호할 수 있다. 그림 7.3.(1)은 MAC만 사용하여 무결성을 제공하는 기법이고, 그림 7.3.(2)는 인증 암호화를 이용하여 비밀성과 무결성을 모두 제공하는 기법이다. 두 경우 모두 상태 정보와 MAC은 서버만 확인하고 서버만 내용을 보면 되므로 여기에서 사용하는 비밀키는 클라이언트를 포함하여 누구와도 공유할 필요가 없다.

상태에 타임스탬프를 포함하여 재전송 공격에 강건해지도록 만들 수 있다. 세션별로 새로운 비밀키를 생성하여 한 세션에 사용한 상태 정보를 다른 세션에 사용할 수 없게 만들 수 있다. 하지만 접속마다 다른 키를 사용하면 이 키는 세션 정보가 되므로 비상태 기반 프로토콜의 목적에 맞지 않는 방법이다. 오히려 상태 정보를 보호하기 위해 사용하는 비밀키를 자주 갱신하는 것이 더 좋은 방법이다.

둘째, 무의미한 서비스 요청을 할 수 없도록 요청을 인증하는 방법을 사용할 수 있다. 하지만 인증하는 비용이 많이 들면 이것은 오히려 서비스 거부 공격을 유리하게 만들 수 있다. 따라서 프로토콜이 진행됨에 따라 점진적으로 인증 비용을 높여가는 방식도 사용한다. 이를 위해 클라이언트 퍼즐[41]을 사용하기도 한다. 클라이언트 퍼즐은 간단한 문제이지만 그것을 여러 개 해결하기 위해서는 비용이 상대적으로 높아지는 문제를 말한다. 하지만 오늘날 분산 서비스 거부 공격은 하나의 컴퓨터를 이용하여 다른 컴퓨터를 공격하는 것이 아니기 때문에 퍼즐을 사용하는 효과는 크지 않다.

7.4 타입 공격

Msg 1. $A \rightarrow B$: $N, A, B, \{N_A \| N \| A \| B\}.K_{AS}$
Msg 2. $B \rightarrow S$: $N, A, B, \{N_A \| N \| A \| B\}.K_{AS}, \{N_B \| N \| A \| B\}.K_{BS}$
Msg 3. $S \rightarrow B$: $N, \{N_A \| K_{AB}\}.K_{AS}, \{N_B \| K_{AB}\}.K_{BS}$
Msg 4. $B \rightarrow A$: $N, \{N_A \| K_{AB}\}.K_{AS}$

<그림 7.4> Otway와 Rees 프로토콜

그림 7.4는 Otway와 Rees가 제안한 키 전송 프로토콜이다[42]. 여기서 N은 프로토콜 수행 식별자이다. 메시지 3의 두 암호문 내에는 키 용도를 나타내는 식별자가 포함되어 있지 않다. 하지만 메시지 2의 암호문을 통해 각 난스가 식별자와 바인딩되어 있으므로 메시지 3의 암호문에서는 생략할 수 있다. 이미 어떤 정보(A, B)와 바인딩된 요소(N_A)만 포함하고, 해당 정보(A, B)를 포함하지 않더라도 그 정보(A, B)까지 바인딩할 수 있다.

타입 공격이란 메시지의 요소를 잘못 해석하도록 하여 공격하는 것을 말한다. 그림 7.4에 제시된 프로토콜에 대해 타입 공격이 가능하기 위해서는 $N \| A \| B$의 길이와 K_{AB}의 길이가 같아야 한다. 이들의 길이가 같으면 암호문 $\{N_A \| N \| A \| B\}.K_{AS}$와 $\{N_A \| K_{AB}\}.K_{AS}$의 길이가 같아진다. 따라서 공격자가 메시지 4를 차단하고 대신에 $\{N_A \| N \| A \| B\}.K_{AS}$를 전송하면 A는 $N \| A \| B$를 세션키로 착각하게 되며, 공격자는 이 값들을 알고 있으므로 이후 교환되는 비밀 메시지가 노출될 수 있다.

이와 같은 문제는 암호문의 길이를 다르게 하거나, 암호문마다 메시지 번호를 추가하여 방어할 수 있다. 또 방향마다 다른 키를 사용하여도 방어할 수 있다. 그런데 암호문의 길이가 다른 것만으로는 충분한 방어가 안 될 수 있다. ECB 모드를 사용하지 않겠지만 이 프로토콜에서 ECB 모드를 사용하여 암호화하면 블록 크기, $N \| A \| B$의 길이에 따라 여전히 공격할 수 있다. 이것이 어떻게 가능한 것인지는 연습문제를 통해 고민하여 보자.

7.5 중간자 공격

A		C		B
$a \in_R \|G\|$	① g^a →	$c \in_R \|G\|$	② g^c →	$b \in_R \|G\|$
$S_{AB} = (g^c)^a = g^{ca}$	← g^c ④	$S_{AB} = (g^a)^c = g^{ac}$ $S_{BA} = (g^b)^c = g^{bc}$	← g^b ③	$S_{BA} = (g^c)^b = g^{cb}$
$K = H(S_{AB})$	① $\{M\}.K$ →	$K = H(S_{AB})$ $K' = H(S_{BA})$	② $\{M\}.K'$ →	$K' = H(S_{BA})$

<그림 7.5> Diffie-Hellman에 대한 중간자 공격

중간자(man-in-the-middle) **공격**은 프로토콜을 수행하는 참여자들 중간에 공격자가 자리 잡고 능동 공격을 하고 있지만, 참여자들은 본인들 사이에 어떤 공격자가 능동 공격을 하고 있다는 것을 인식하지 못하는 공격을 말한다. 기본 Diffie-Hellman 공격은 그림 7.5에 제시된 것처럼 중간자 공격에 취약하다. 공격자는 주고받는 메시지를 중간에서 차단하고, 두 사용자에게 모두 g^c를 전달하면 A와 B는 모두 키를 g^c를 이용하여 계산하게 된다.

공격자는 c를 알고 있으므로 각 참여자가 계산한 키를 계산할 수 있다. 공격자는 이를 이용하여 A와 B가 교환하는 모든 메시지를 가로채어 모든 메시지를 볼 수 있으며, 이를 다시 암호화하여 보내 중간에 자신이 있다는 것을 인식하지 못하게 할 수 있다. 이처럼 중간자 공격이 유효하기 위해서는 두 참여자가 계산하게 되는 세션키를 중간자도 계산할 수 있어야 한다.

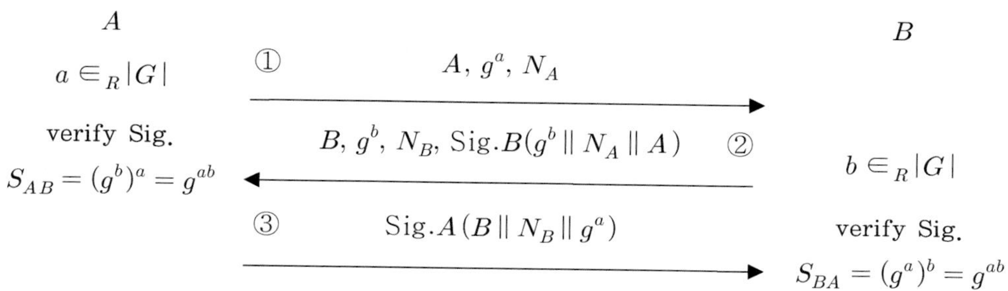

<그림 7.6> MITM에 강건한 Diffie-Hellman 키 동의 프로토콜

$A\ \ (y_A = g^{x_A})$ $\qquad$ $B\ \ (y_B = g^{x_B})$

$a \in_R |G|$ $\qquad$ ① $A,\ g^a$ $\qquad$ $b \in_R |G|$

$S_{AB} = (g^b)^{x_A}(y_B)^a = g^{bx_A + x_B a}$ $\qquad$ $B,\ g^b$ ② $\qquad$ $S_{BA} = (y_A)^b (g^a)^{x_B} = g^{x_A b + a x_B}$

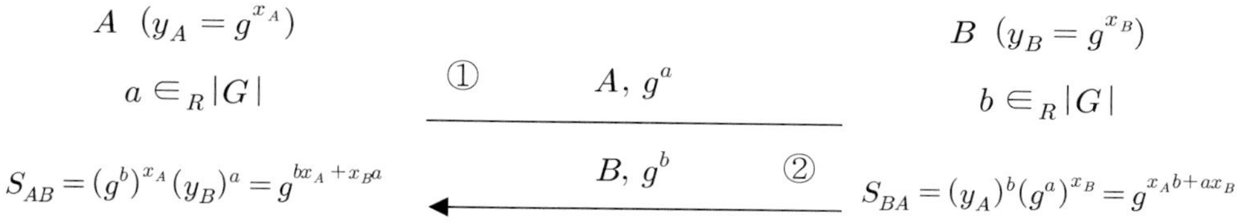

<그림 7.7> Matsumoto 등의 Diffie-Hellman 키 동의 프로토콜

Diffie-Hellman에 대한 중간자 공격은 교환하는 메시지를 인증하지 않고 있어 가능한 공격이다. 이를 방어하는 방법은 크게 두 가지다. 하나는 그림 7.6에 제시된 것처럼 교환하는 메시지를 인증하는 것이고, 다른 하나는 그림 7.7에 제시된 것처럼 세션키를 계산하는 방법을 바꾸어 중간자 공격이 있더라도 중간자가 키를 계산할 수 없도록 하는 것이다[43].

보통 키 동의 프로토콜에서 각 참여자가 키 계산에 기여하는 값을 충분히 랜덤하게 선택하였다면 각 사용자는 자신이 생성한 키 값의 최근성을 믿을 수 있다. 이 때문에 키 전송 프로토콜과 달리 키 최근성을 보장하는 별도 메커니즘을 사용할 필요가 없다고 생각할 수 있다. 하지만 아래와 같이 프로토콜을 구성하면 이 허점을 활용한 공격이 가능하다.

A		B
$a \in_R \vert G \vert$	① $A, g^a, \mathrm{Sig}.A(B \parallel g^a)$ →	$b \in_R \vert G \vert$
verify Sig.	← $B, g^b, \mathrm{Sig}.B(g^b \parallel A)$ ②	verify Sig.
$S_{AB} = (g^b)^a = g^{ab}$		$S_{BA} = (g^a)^b = g^{ab}$

공격자가 g^a에서 a를 우연히 알게 되면 공격자는 메시지 1을 재전송하여 이 프로토콜을 수행할 수 있으며, 이 공격자는 확립된 세션키를 이용하여 B에게 A 행세를 할 수 있다.

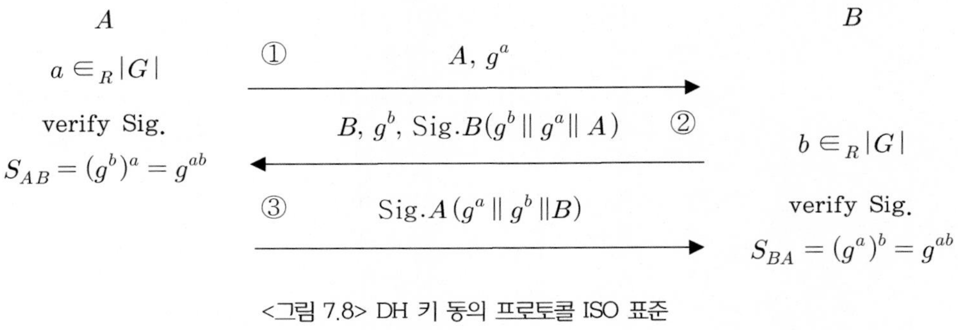

<그림 7.8> DH 키 동의 프로토콜 ISO 표준

그림 7.6에 제시된 프로토콜은 공격자가 a를 우연히 알게 되더라도 B가 제시한 난스가 포함된 메시지 3의 서명을 만들 수 없어 이 공격에 대해 강건하다. 따라서 전자서명을 통해 상호인증하는 것만으로 부족하고, 서명의 최근성이 보장되어야 한다. 국제 표준은 별도 난스를 사용하지 않고 그림 7.8과 같이 g^a와 g^b를 난스로 활용하고 있다[44].

그림 7.7에서 A의 개인키는 x_A이고 공개키는 $y_A = g^{x_A}$이다. 이 프로토콜에서는 세션키를 계산할 때 장기간 키와 이번 세션에서 만든 랜덤 정보를 함께 사용한다. 공격자는 각 사용자의 장기간 키를 모르므로 중간자 공격을 하더라도 두 사용자가 계산하는 세션키를 계산할 수 없다. 이 방식은 최근성과 관련된 어떤 조처도 하고 있지 않다. 하지만 앞서 살펴본 것처럼 공격자가 사용자들이 기존에 사용한 g^a의 이산대수를 알게 되더라도 장기간 개인키까지 확보하지 않는 이상 재전송 공격을 하여 성공할 수 없다. 하지만 안전성이 장기간 키에 의존하므로 두 사용자의 장기간 키가 모두 노출되면 세션키를 계산할 수 있다.

두 방식을 비교하면 인증 방식은 통신 비용이 증가하지만, Matsumoto 등의 방식과 달리 계산 비용은 변하지 않은 것으로 생각할 수 있다. 하지만 인증 방식에서는 서명을 생성하고 확인하는 비용이 추가되었으므로 오히려 전체적인 계산 비용은 Matsumoto 등의 방식보다 더 많이 요구된다. 하지만 안전성 측면에서는 인증 방식은 다음 절에서 설명하는 완벽한 전방향 안전성을 제공하므로 더 안전한 방법이다.

두 방법은 모두 참여자가 장기간 공개키 쌍을 가지고 있어야 한다. 특히, Matsumoto 등의 방식에서 참여자는 Diffie-Hellman 키 동의 프로토콜에서 사용하는 군에서 생성한 장기간 공개키 쌍이 필요하다. 실제 서비스 환경에서는 양 참여자가 모두 장기간 공개키 쌍이 없는 경우가 많으며, 장기간 공개키 쌍이 있더라도 전혀 다른 방식의 장기간 공개키 쌍을 가지고 있을 수 있다. 예를 들어, 웹 브라우저와 웹 서버의 경우, 브라우저는 장기간 공개키 쌍을 가지고 있지 않을 수 있다.

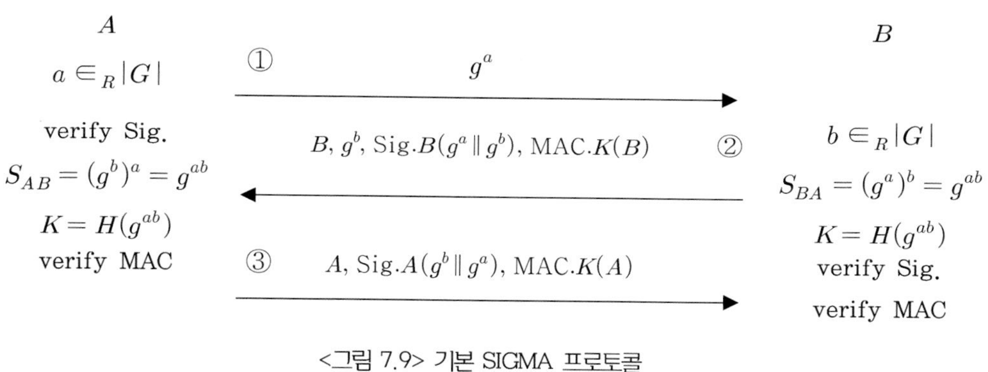

<그림 7.9> 기본 SIGMA 프로토콜

중간자 공격을 방어하기 위해 제안된 그림 7.9에 제시된 SIGMA(SIGn-and-MAc)라는 프로토콜이 있다[45]. 이 프로토콜은 ISO 표준과 비교하면 서명에 상대방 식별자를 포함하지 않고, 대신에 g^{ab}를 이용하여 계산한 K를 사용하여 식별자에 대한 MAC 값을 계산하여 전달하고 있다. 이 프로토콜에서 A는 메시지 3에서 자신의 신원을 밝힘으로 B는 메시지 2의 서명에서 강한 인증을 제공할 수 없다. 즉, 응용에 따라 상대방의 신원을 알 수 없을 수도 있고, 신원을 밝히는 순서도 제한적인 경우도 있다. 이에 따라 프로토콜 구성이 달라질 수밖에 없다.

ISO 표준이나 그림 7.9에 제시된 프로토콜은 참여자의 식별자가 노출된다. 이 노출을 방지하고 싶으면 다음과 같이 메시지 2와 메시지 3을 암호화하여 교환할 수 있다.

Msg 2. $B \rightarrow A$: g^b, $C = \{B \| \text{Sig}.B(g^a \| g^b)\}.cK$, MAC,$iK(C)$

여기서 cK와 iK은 g^{ab}로부터 계산된 서로 독립된 키이다. 그림 7.9에 제시된 프로토콜과 달리 4개의 대칭적 메시지로 구성된 버전도 있으며, 이 프로토콜은 현재 현장에서 사용하고 있는 TLS 등에서 활용하고 있다.

7.6 키 노출 관련 공격

사용자 부주의 등의 이유로 사용하는 암호키가 노출될 수 있다. 암호프로토콜은 이처럼 암호키가 노출되더라도 그것의 파급 효과가 최소화되도록 설계해야 한다.

7.6.1 장기간 키의 노출

장기간 키가 노출되면 어떤 문제가 발생하는지 살펴보자. 장기간 키가 노출되면 해당 장기간 키를 사용한 과거 프로토콜 수행에서 추가로 노출되는 것이 있을 수밖에 없다. 이를 최소화하는 것이 중요한 목표가 된다. 이를 위해 장기간 키가 노출되더라도 해당 장기간 키를 이용하여 확립한 세션키를 계산할 수 없으면 노출의 피해를 최소화할 수 있다. 하지만 대칭키만을 이용한 키 전송 프로토콜은 장기간 키로 세션키를 암호화하여 교환하므로 장기간 키가 노출되고, 해당 트랜스크립트를 가지고 있으면 공격자는 세션키를 쉽게 얻을 수 있다. 이와 달리 Diffie-Hellman과 같은 키 동의 프로토콜을 사용하면 장기간 키가 노출되더라도 세션키를 계산할 수 없도록 만들 수 있다. 이 특성을 **전방향 안전성**(forward secrecy)이라 한다. 키 동의 프로토콜에 참여하는 모든 참여자의 장기간 키가 공격자에게 노출되더라도 공격자가 세션키를 계산할 수 없으면 **완벽한 전방향 안전성**(PFS, Perfect Forward Secrecy)을 가지고 있다고 한다[46]. 그림 7.6에 제시된 프로토콜은 완벽한 전방향 안전성을 보장하는 프로토콜이다. 하지만 그림 7.7에 제시된 프로토콜은 전방향 안전성은 제공하지만, 완벽한 전방향 안전성을 보장하지 못한다.

당연하지만 장기간 키가 노출되면 공격자는 이를 이용하여 해당 사용자 행세를 할 수 있다. 이에 대한 방어는 노출된 사실을 인지하였을 때 빠르게 키를 갱신하는 것이다. 과거에 대한 공격과 마찬가지로 키 동의 방식을 사용한다면 장기간 키의 노출과 상관없이 노출 이후에 확립된 세션키를 공격자가 계산할 수 없도록 만들 수 있다. 이 특성을 **후방향 안전성**(backward secrecy)이라 한다. 용어가 조금 혼란스러운 측면이 있다.

장기간 키가 노출되었을 때 공격자가 할 수 있는 또 다른 공격은 **키 노출 위장**(key compromise impersonation) **공격**이다. 예를 들어, A의 장기간 키가 노출되었을 때 공격자 C가 A의 키를 이용하여 A에게 접근하여 다른 사용자 행세를 하는 공격을 말한다. 실제 공격자가 다른 사용자의 장기간 키를 얻게 되면 해당 사용자가 할 수 있는 것을 대부분 할 수 있게 되며, 키 노출 위장 공격은 이것을 이용한 공격이다.

$A\ (y_A = g^{x_A})$		$B\ (y_B = g^{x_B})$
$r \in_R \lvert G \rvert$	① $y_A,\ \{r\}.y_B$	
$S_{AB} = (y_B)^{x_A r} = g^{x_B x_A r}$	$\longrightarrow$	$S_{BA} = (g^{x_A})^{x_B r} = g^{x_A x_B r}$

<그림 7.10> Agnew 등의 프로토콜

그림 7.10에 제시된 Agnew 등의 프로토콜[47]은 키 노출 위장 공격에 취약하다. 이 프로토콜에서 A의 개인키는 x_A이고, 공개키는 $y_A = g^{x_A}$이다. 이 프로토콜은 사용자의 장기간 키와 한 사용자가 선택한 랜덤값 r를 이용하여 세션키를 계산한다. 이때 공격자가 B의 장기간 키를 알고 있으면 공격자는 B에 접근하여 아무 사용자의 행세를 할 수 있다. 예를 들어, 공격자 C가 D 행세를 하고 싶으면 D의 공개키 y_D를 확보한 다음 y_D, $\{r\}.y_B$를 전달하면 된다. C는 x_B를 알고 있으므로 B와 같은 방식으로 세션키를 계산할 수 있다.

7.6.2 단기간 키의 노출

장기간 키와 달리 세션키가 노출되면 보통 노출되는 정보는 해당 세션으로 제한된다. 따라서 각 세션키를 독립적으로 생성하면 세션키의 노출에 대한 피해를 최소화할 수 있다. 반대로 독립적이지 않으면 하나의 세션키의 노출이 다른 세션키의 노출로 이어질 수 있다. 또 메시지의 최근성이 보장되지 않으면 노출된 세션키가 확립되었을 때 교환된 메시지를 이용하여 공격할 수 있다. 이 공격은 4장에서 이미 살펴본 바 있으며, 이와 같은 공격을 기지키 공격이라 한다.

최근에는 완벽한 전방향 안전성이 다른 의미로 사용하고 있다. 새 개념은 장기간 키의 노출이 아니라 세션키의 노출에 초점을 두고 있다. 오늘날 PFS는 세션키가 노출되더라도 그 세션키 이전에 확립된 세션키들이 노출되지 않는다는 것을 의미할 수 있다. 앞서 언급한 바와 같이 세션마다 독립적인 세션키를 사용하면 PFS는 보장된다. 하지만 비용을 절약하기 위해 처음에는 DH 프로토콜을 통해 새로운 세션키 K를 확립하여 사용하고 그다음부터는 $H(K)$를 사용한다고 가정하자. 이 경우에도 해시함수의 일방향성 때문에 특정 세션의 세션키가 노출되더라도 그 이전 세션키들은 노출되지 않는다. 하지만 미래 세션키들은 모두 노출된다. 이와 관련하여 **미래 안전성**(future secrecy)이라는 개념도 등장하였다. 특정 세션의 세션키가 노출되더라도 미래 세션키가 노출되지 않으면 미래 안전성을 가지고 있다고 한다.

이와 같은 개념들이 새롭게 등장한 이유는 메신저 보안처럼 특수한 환경을 위한 키 확립 프로토콜은 효율성을 위해 매번 DH 프로토콜을 수행하지 않고 키를 확립하는 것이 필요하였기 때문이다. 이에 대해서는 10장에서 자세히 설명한다.

7.7 프로토콜 상호작용 공격

Kesley 등[48]은 프로토콜 P_1의 안전성을 증명하였더라도 이를 공격하기 위한 프로토콜 P_2를 만들어 사용하도록 할 수 있다면 P_1을 공격할 수 있다는 것을 보였다. 이때 공격하기 위해 만든 프로토콜을 **선택 프로토콜**(chosen protocol)이라 한다. 선택 프로토콜을 통한 공격이 가능하기 위해서는 공격 대상 프로토콜에서 사용하는 장기간 키를 선택 프로토콜에서도 사용하도록 만들어야 한다. 따라서 프로토콜 상호작용 공격의 교훈은 암호키는 한 가지 용도로만 사용해야 한다는 것이지만 그렇게 하면 각 사용자가 많은 수의 키를 사용해야 하는 문제점이 발생한다. 그러므로 동일 암호키를 여러 프로토콜에서 사용하면 하나의 프로토콜만 독립적으로 분석하는 것으로 충분하지 않고, 해당 암호키를 사용하는 모든 프로토콜을 종합적으로 분석해야 한다.

7장 퀴즈

1. 서비스 거부 공격을 어렵게 만들기 위해 비상태 기반으로 프로토콜을 구성할 수 있다. 비상태 기반에서 서버는 진행 중인 세션에 대해 상태 정보를 유지하지 않고 클라이언트에 전달한다. 이때 상태 정보를 조작할 수 없도록 상태 정보에 대한 MAC 값을 계산하여 상태 정보와 함께 클라이언트에 줄 수 있다. 이와 같은 보호 조치와 관련된 다음 설명 중 **틀린** 것은?

① 상태 정보에 세션 ID, 메시지 번호, 타임스탬프 등을 포함하여 서버는 수신한 상태 정보가 유효한 것인지 확인할 수 있다.
② 세션마다 다른 키를 사용하면 재전송 공격을 방어하는데 효과적이다.
③ 상태 정보는 서버가 생성하고 서버가 확인하는 것이므로 서버는 MAC키를 누구와 공유할 필요가 없다.
④ 세션별 다른 키를 사용하는 것보다 하나의 키를 사용하되 이 키를 자주 변경하는 것이 비상태 기반 프로토콜 특성에 맞는 방법이다.

2. 전방향 안전성은 장기간 키가 노출되었을 때도 고려하고, 세션키가 노출되었을 때도 고려한다. 장기간 키 또는 세션키가 노출되었을 때 과거 세션키가 노출되지 않으면 전방향 안전성이 제공된다고 한다. 다음 중 전방향 안전성과 관련된 내용 중 **틀린** 것은?

① 서버가 사용자의 장기간 키로 세션키로 암호화하여 분배하는 키 전송 방식의 키 확립 프로토콜은 장기간 키 관련 전방향 안전성을 제공할 수 없다.
② 현재 세션키가 K일 때, $H(K)$를 이용하여 다음 세션키를 계산하면 세션키 관련 전방향 안전성을 보장할 수 없다.
③ $S_{AB}=(y_B)^a(g^b)^{x_A}$와 같이 계산하는 MTI 프로토콜은 장기간 키 및 세션키 관련 전방향 안전성을 보장한다. 여기서 S_{AB}는 A가 계산하는 B와 공유하게 되는 비밀정보이고, x_A는 A의 장기간 개인키이며, a는 A가 선택한 랜덤값이다. y_B는 상대방 B의 공개키이고, g^b는 B가 전달한 Diffie-Hellman 값이다.
④ 기본 Diffie-Hellman 키 동의 프로토콜은 장기간 키 및 세션키 관련 완벽한 전방향 안전성을 제공한다.

3. 기본 Diffie-Hellman 키 동의 프로토콜은 중간자 공격에 취약하다. 이 공격을 방어하는 방법은 크게 2종류가 있다. 하나는 교환하는 값을 인증하여 중간자가 값을 바꿀 수 없도록 하는 것이고, 다른 하나는 중간자가 교환하는 값을 바꾸더라도 중간자가 유효한 키를 계산할 수 없도록 하는 것이다. 두 방법을 비교한 다음 설명 중 **틀린** 것은?

① 두 방법 모두 장기간 키가 추가로 필요하다.
② 키 계산 방법을 바꾼 MTI 기법에서 장기간 키(개인키)가 모두 노출되어도 공격자는 세션키를 계산할 수 없다.
③ 두 방법 모두 상대방의 인증서를 이용하여 상대방의 공개키를 인증해야 한다.
④ 두 방법 모두 계산 비용이 기본 DH에 비해 증가한다.

4. 암호프로토콜에 대한 공격 중 타입 공격은 메시지의 구성 요소를 원래와 다른 것으로 해석하도록 하여 공격하는 것으로 재전송 공격의 한 종류이다. 타입 공격을 방어하기 위한 수단으로 적절하지 **않은** 것은?

① 암호화하는 평문의 형태를 타입 공격을 할 수 없도록 적절하게 구성한다.
② 암호문 내에 메시지 번호를 포함한다.
③ 암호문마다 다른 키를 사용하여 암호화한다.
④ 인증 암호화를 한다.

연습문제

1. 앞으로 사용할 메시지 또는 메시지 일부를 사용하여 프로토콜을 공격하는 것을 사전전송 공격이라 한다. 4장에 제시된 그림 4.4의 프로토콜에 대해 공격자는 사용자 A가 사용할 난스 값을 예측할 수 있다고 가정하자. 공격자는 앞으로 사용할 예측한 난스 값을 이용하여 메시지 2를 만들어 서버에 전송할 수 있다. 서버는 이 요청에 대해 응답할 것이고, 공격자는 이 응답을 보관할 수 있다. 공격자가 이를 통해 추가로 어떤 공격이 가능한지 제시하라.

2. 그림 7.1에 제시된 프로토콜은 방향과 상관없이 K_{AB}를 이용한다. 방향마다 다른 키를 사용하면 그림 7.2에 제시된 공격이 가능한지 논하라.

3. 그림 7.4에 제시된 프로토콜은 메시지 1과 2에 포함된 $\{N_A \parallel N \parallel A \parallel B\}.K_{AS}$와 메시지 3과 4에 포함된 $\{N_A \parallel K_{AB}\}.K_{AS}$에서 K_{AB}와 $N \parallel A \parallel B$의 길이가 같으면 타입 공격이 가능하다. 이와 관련하여 다음 각각에 대해 답하라.

① 이 프로토콜도 방향마다 다른 키(사용자가 서버로 메시지를 보낼 때 사용하는 키와 서버가 사용자로 보낼 때 사용하는 키가 다른 경우)를 사용하면 타입 공격이 가능한지 논하라.
② 이 프로토콜에서 N_A가 64bit, K_{AB}가 128bit, N은 64bit, A와 B는 각 20byte라 하고, 128bit의 블록 암호를 ECB 모드를 이용하여 메시지를 암호화한다고 하였을 때 타입 공격이 여전히 가능한지 논하라.

4. 기본 Diffie-Hellman 키 동의 프로토콜은 중간자 공격에 취약하다. 그뿐만 아니라 키 확인 과정이 없다. 물론 키 동의 과정은 쉽게 추가할 수 있다. 이와 관련하여 다음 각각에 대해 답하라.

① 그림 7.6과 7.7에 제시된 중간자 공격에 강건한 두 프로토콜에 키 확인 과정을 추가하라.
② 그림 7.6의 프로토콜은 키 확인 과정과 무관하게 메시지 1과 메시지 2에서 수신한 서명에 문제가 있으면 프로토콜의 수행을 중단한다. 하지만 그림 7.7에 제시된 프로토콜은 인증을 하지 않으므로 중간에 중단하지는 않는다. 실제 그림 7.7의 프로토콜에 중간자 공격이 일어났을 때, 키 확인 과정이 있는 경우와 없는 경우 어떤 차이가 있는지 설명하라.

5. 중간자 공격에 취약한 기본 Diffie-Hellman 키 동의 프로토콜을 개선하기 위해 다음과 같이 프로토콜을 구성하였다.

> Msg 1. $A \rightarrow B$: g^a
> Msg 2. $B \rightarrow A$: g^b, B, $\text{Sig}.B(g^a \| g^b)$
> Msg 3. $A \rightarrow B$: A, $\text{Sig}.A(g^b \| g^a)$

이 프로토콜의 문제점을 찾아라.

6. 그림 7.6, 그림 7.7, 그림 7.8에 제시된 3개 프로토콜에서 a가 노출되었을 때, 재전송 공격이 가능한지, 가능하지 않으면 왜 가능하지 않은지 설명하라.

7. 그림 7.7의 프로토콜은 완벽한 전방향 안전성을 제공하지 못한다. 이 프로토콜에서 확립하는 비밀정보를 계산하는 방법을 $S_{AB} = (g^b)^a(y_B)^{x_A} = g^{ba+x_Bx_A}$, $S_{BA} = (g^a)^b(y_A)^{x_B} = g^{ab+x_Ax_B}$로 수정하면 중간자 공격을 방어할 수 있는지 분석하고, 전방향 안전성은 제공할 수 있는지 분석하라.

8. 근거리에 있는 두 사용자가 Diffie-Hellman 키 동의 프로토콜을 수행하여 세션키를 확립할 때, 중간자 공격을 방어하기 위해 서로 교환된 값을 해시하여 이 값으로부터 여섯 자리 수를 만들어 화면에 표시해 주고, 서로 기기의 화면을 보고 각자 보낸 값이 맞는지 직접 확인한 후에 세션키를 생성하여 사용한다고 하자. 이 방법을 사용하면 실제 중간자 공격이 방어되는지 설명하라. 중간자가 교환하는 값을 억압하고 두 사용자를 속이는 데 필요한 노력을 생각해 보고 답하라.

9. 키 노출과 관련하여 단기간 키의 노출과 장기간 키의 노출이 발생하였을 때 우리가 보호하고 싶은 것은 무엇인지 설명하라. 둘 다 노출 시점을 기준으로 과거와 미래에 대해 나누어 설명하라.

10. 프로토콜 상호작용 공격이 주는 교훈을 설명하라.

제8장

암호알고리즘: 대칭 암호알고리즘

제 8 장 암호알고리즘: 대칭 암호알고리즘

8.1 암호화 모드

대칭 암호알고리즘은 크게 스트림 암호와 블록 암호로 나뉜다. 이 중 블록 암호는 대부분 결정적 알고리즘이며, 정해진 크기의 입력만 받도록 설계되어 있다. 따라서 블록 크기보다 큰 메시지나 작은 메시지를 암호화하는 방법이 필요하며, 이를 암호화 모드라 한다.

가장 기본적인 모드는 2장에서 이미 살펴본 ECB 모드이다. 이 모드는 평문을 블록 크기로 나눈 후 각 블록을 독립적으로 암호화한다. 이 때문에 같은 평문 블록은 같은 암호문 블록으로 암호화된다. 따라서 평문의 패턴이 암호문에 나타나는 문제점이 있어, 일반적으로 사용하는 암호화 모드는 평문 패턴이 암호문에 나타나지 않도록 설계한다. 보통 평문 블록을 단독으로 암호화하지 않고, 다른 것에 영향을 받도록 하여 평문 블록이 같더라도 다른 암호문 블록으로 암호화되도록 하고 있다. 이 과정을 피드백이라고 한다. 하지만 피드백 과정으로 인하여 암호화 성능에 무시할 수 없을 정도로 많은 영향을 주면 해당 모드는 실용적으로 사용하기 어렵다. 따라서 피드백 과정이 매우 효율적이어야 한다.

암호화 모드를 분석할 때 보통 다음 4가지를 검토한다.

- (평문 오류) 암호화하기 전에 한 평문 블록에 오류가 발생하였을 때 암호문 블록과 전체 암호문에 미치는 영향
- (암호문 조작) 암호화한 후에 암호문을 조작하였을 때 평문 블록과 전체 평문에 미치는 영향
- (추가 보안 문제) 암호화 모드 사용에 따른 추가적인 보안 문제의 유무
- (효율성) 모드 연산의 비용, 다중 프로세서(코어)의 활용 가능 여부 등을 분석

암호문 조작의 경우에는 두 암호문 블록을 바꾼 후 복호화하였을 때 평문에 미치는 영향과 암호문 블록에 오류가 발생하였을 때 복호화한 평문에 미치는 영향을 보통 살펴본다.

첫 번째 분석은 유사한 평문의 암호 결과를 보기 위한 것이다. 너무나 당연하지만, 평문에 오류(일부 비트 값이 바뀐 경우)가 있을 때 나중에 암호문을 복호화하면 그 오류는 평문에 그대로 남아있다. 따라서 여기서 분석하고자 하는 것은 암호문의 변화이다. 이때 대응되는 암호문 블록의 변화와 전체 암호문의 변화를 나누어 살펴볼 수 있다. 둘 다 미치는 영향이 클수록 바람직하다. 그 이유는 암호문 블록을 통해 평문 블록을 유추할 수 없어야 하기 때문이다. 그렇지 않으면 두 암호문 블록이 유사하면 그것의 평문 블록도 유사하다는 것을 알 수 있다. 특히, 평문 블록의 변화가 암호문 블록에 미치는 영향은 예측할 수 없어야 한다. 이것은 평문 전체와 암호문 전체에 대해서도 마찬가지이다.

암호문 조작의 경우에는 두 가지 세부적 검토가 필요하다. 첫째, 암호문 조작을 통해 평문에 의미 있는 변화를 줄 수 있는지를 분석한다. 이것은 2장에서 설명한 NM 특성과 관련된 것이다. 둘째, 암호문이 조작되었을 때 복호화된 평문에 미치는 영향을 분석한다. 이 영향은 앞서 평문의 조작과 마찬가지로 복호화된 평문 블록과 전체 평문 블록에 미치는 영향을 나누어 살펴보게 된다. 복호화된 평문 블록에 미치는 영향은 크고 예측할 수 없어야 NM 특성이 제공되며, 전체 평문에 미치는 영향은 반대로 적어야 정상적인 사용자가 원 평문을 얻기 위한 비용을 최소화할 수 있다. 하지만 복호화한 사용자가 어떤 블록이 문제가 되었는지 판단하기 어렵고, 이 특성을 오히려 공격에 활용할 수 있으므로 이것이 중요하게 요구되는 특성이라고 보기는 어렵다.

세 번째 분석은 원래는 없던 보안 문제가 모드의 도입으로 새로 생길 수 있다. 이와 같은 문제점들을 살펴보는 것이다. 네 번째 효율성에서는 여러 블록을 동시에 암호화하거나 복호화할 수 있는지를 분석한다. 이것이 가능할 경우 다중 프로세서를 활용하여 암호화 속도를 높일 수 있다. 또한 어떤 암호화 모드의 경우에는 암호화와 복호화 함수가 모두 필요하지 않을 수 있다. 이 경우 암호 모듈을 더 소형화할 수 있는 이점도 있다.

8.1.1 채우기

평문 메시지가 블록 크기보다 작거나 평문 메시지의 크기가 정확하게 블록 크기의 배수가 아니면 마지막 평문 블록을 블록 크기로 만들기 위해 임의의 데이터를 추가하는 것을 **채우기**(padding)란 한다. 보통 일련의 비트(예: 모두 0, 모두 1)를 추가하여 완전한 블록을 만드는 방법을 사용한다. 채우기는 복호화한 사용자가 채워진 부분을 정확하게 제거할 수 있어야 한다. 이를 제공하는 방법은 다음과 같다.

- 방법 1. 암호문과 별도로 원 평문의 크기를 전달
- 방법 2. 채우기를 한 부분에 채운 부분을 제거할 수 있는 요소를 포함

보통 통신 프로토콜에서는 이번에 받아야 하는 메시지의 크기가 결정되어 있으므로 수신자가 메시지에 포함된 암호문의 평문 크기를 알고 있다. 따라서 보통 원 평문의 크기를 별도 전달하지 않아도 알 수 있다. 하지만 이 경우에도 방법 2를 사용하면 채우기 데이터를 통해 메시지를 검증할 수 있는 효과가 있으므로 임의의 데이터로 채우기보다는 약속된 데이터로 채우는 것이 바람직하다. 물론 채우기 데이터가 명백한 여분 정보가 되는 문제점은 있다.

방법 2는 크게 비트 채우기와 바이트 채우기로 나누어진다. 보통 비트 채우기는 채우기의 첫 비트만 1로 하고 나머지를 0으로 채운다. 복호화한 사용자는 마지막 블록 끝에 있는 연속된 0과 그다음 1 하나를 제거함으로써 채워진 데이터를 제거한다. 바이트 채우기에서는 마지막 바이트에 채우기하는 바이트 수를 기록하고 나머지 부분은 일련의 비트로 채우는 방법을 사용한다. 비트 채우기와 바이트 채우기는 모두 평문이 정확하게 블록 크기의 배수이면 한 블록 전체를 채우기해야 한다. 이렇게 하지 않으면 원래 데이터를 채우기 데이터로 오해할 수 있는 문제점이 발생할 수 있다.

<그림 8.1> PKCS7 채우기: 블록 크기 16byte, 채우기 크기 4byte

RFC 5652 PKCS 7에 정의된 표준 채우기 방법은 채우는 모든 바이트를 채우는 바이트 크기 값으로 채운다[49]. 이를 통해 채운 데이터에 대한 추가 확인을 할 수 있도록 한다. 예를 들어, 블록 크기가 128bit(16byte)일 때 4byte의 채우기가 필요하면 그림 8.1과 같이 마지막 4byte에 각각 4로 채우는 방법이다.

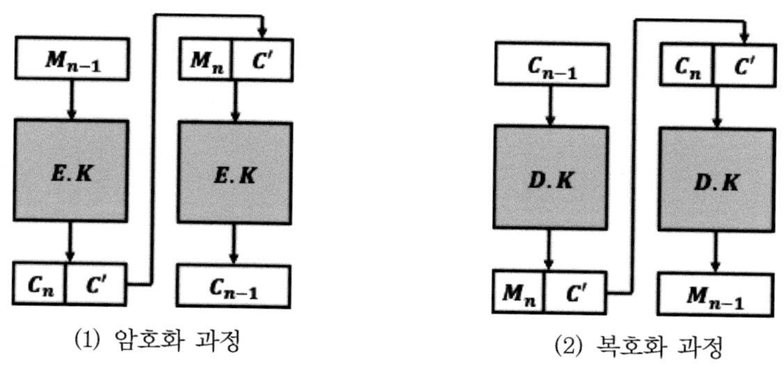

(1) 암호화 과정 (2) 복호화 과정

<그림 8.2> 암호문 훔침 기법

지금까지 살펴본 채우기 방법은 평문의 크기가 정확하게 블록 배수이면 한 블록 전체를 채우기 해야 하는 문제점이 있다. 따라서 암호문의 크기가 평문보다 최대 한 블록이 커질 수 있다. 이 문제는 **암호문 훔침 기법**(ciphertext stealing)이라는 채우기 기법을 사용하면 암호문의 크기와 평문의 크기를 일치시킬 수 있다. 총 n개의 평문 블록이 있을 때 $n-1$번째 암호문의 일부를 채우기 값으로 사용하는 기법이다. 암호문 훔침 기법은 그림 8.2와 같이 동작하며, 마지막 두 평문 블록의 암호화를 수식으로 나타내면 다음과 같고,

$$\begin{aligned} C_n \parallel C' &= E.K(M_{n-1}) \\ C_{n-1} &= E.K(M_n \parallel C') \end{aligned}$$

이 두 암호문 블록의 복호화는 다음과 같다.

$$\begin{aligned} M_n \parallel C' &= D.K(C_{n-1}) \\ M_{n-1} &= D.K(C_n \parallel C') \end{aligned}$$

위 식에서 C_n를 복호화하기 위해서는 C'이 필요한데, C'은 C_{n-1}를 복호화하여 얻을 수 있다. 참고로 마지막 두 블록의 위치가 바뀌게 된다. 이 기법은 이 때문에 암호화할 평문이 한 블록보다 작으면 사용할 수 없다.

8.1.2 ECB 모드

ECB 모드는 평문을 블록 크기로 나누어 각 블록을 독립적으로 암호화하는 방식으로 식으로 표현하면 다음과 같다.

$$C_i = E.K(M_i)$$
$$M_i = D.K(C_i)$$

ECB 모드는 채우기가 필요한 모드이며, 암호문 크기와 평문 크기를 일치시키고 싶으면 암호문 훔침 기법을 사용할 수 있다. ECB 모드를 분석하면 다음과 같다.

- 평문 오류: M_i 블록에 오류가 있으면 C_i에만 오류가 발생한다. 따라서 유사한 평문을 암호화하면 암호문도 유사해진다.
- 암호문 블록 교체: C_i와 C_j를 교체하면 M_i와 M_j의 위치가 바뀐다. 평문의 내용에 따라 의미 있는 변화를 줄 수 있다. 이 때문에 같은 키로 암호화된 또 다른 암호문의 블록과 교체하여 의미 있는 변화를 주는 공격도 가능하다.
- 암호문 오류: C_i에 오류가 발생하면 M_i는 예측하지 못하게 변한다. 하지만 다른 블록에는 영향을 주지 않는다.
- 추가 보안 문제: CBC 모드에서 자세히 살펴보지만, 같은 키로 암호화된 여러 암호문 블록을 조합하여 새 암호문을 만들 수 있으며, 그것의 복호화하는 오류 없이 대응되는 평문 블록으로 복호화된다.
- 효율성: 암호화와 복호화 과정을 모두 병렬 처리할 수 있다.

분석 결과 ECB 모드는 평문 패턴이 암호문에 나타나는 심각한 문제를 가지고 있으며, NM 특성(암호문 블록 교체)도 제공하지 못한다. 따라서 일반 메시지는 ECB 모드로 절대 암호화하지 않는다. 하지만 암호화할 데이터가 한 블록 이하이면 암호문의 크기를 최소화하기 위해 ECB 모드를 사용할 때도 종종 있다.

8.1.3 CBC 모드

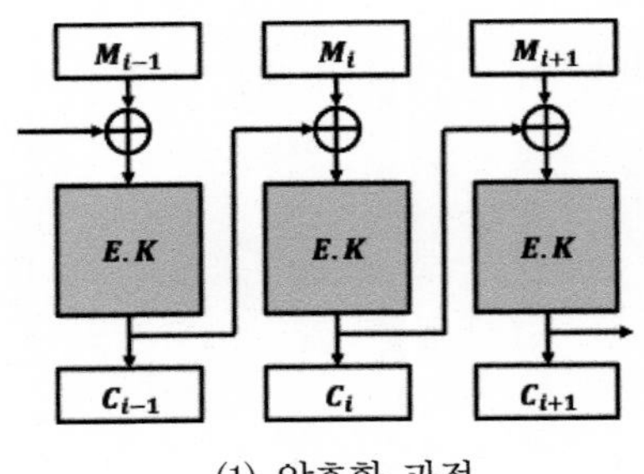

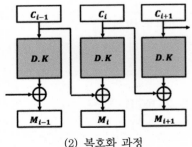

(1) 암호화 과정

(2) 복호화 과정

<그림 8.3> CBC 모드

CBC 모드는 이전 암호문 블록을 평문 블록과 XOR하여 그림 8.3과 같이 암호화하는 방법이다. 이것을 수식으로 나타내면 다음과 같다.

$$\begin{aligned} C_i &= E.K(M_i \oplus C_{i-1}) \\ M_i &= D.K(C_i) \oplus C_{i-1} \end{aligned}$$

이전 암호문 블록이 있어야 현재 평문 블록을 암호화할 수 있으므로 평문은 순차적으로 암호화할 수밖에 없다. 따라서 CBC 모드에서 암호화는 병렬 수행이 가능하지 않다. 복호화는 모든 암호문을 다 받은 상태에서는 병렬 수행이 가능하다.

CBC 모드는 이전 암호문 블록을 이용하므로 첫 평문 블록은 활용할 암호문 블록이 없다. 따라서 랜덤한 블록을 생성하여 사용하며, 이를 **초기 벡터**(IV, Initialization Vector)라 한다. 다른 초기 벡터를 사용하면 같은 평문을 같은 암호키로 암호화하더라도 결과가 달라지는 이점이 있다. 따라서 내부적으로 사용하는 암호화 함수는 결정적 알고리즘이지만 전체적인 측면에서 보면 암호화는 확률적 알고리즘이다. 하지만 초기 벡터 때문에 암호문의 길이는 한 블록이 증가하게 되며, 채우기까지 생각하면 최대 두 블록이 커질 수 있다. 초기 벡터는 암호문의 일부로 전달하는 방식을 주로 사용하며, 초기 벡터의 비밀성은 요구되지 않는다. 하지만 예측할 수 없어야 한다.

CBC 모드도 앞서 언급한 네 가지에 대해 분석해 보자. 첫째, 평문 블록 M_i에 오류가 있으면 C_i 이후 모든 암호문이 달라진다. 이것은 다음 식을 통해 이해할 수 있다.

$$\begin{aligned} C_i &= E.K(M_i \oplus C_{i-1}) & C_i^{'} &= E.K(M_i^{'} \oplus C_{i-1}) \\ C_{i+1} &= E.K(M_{i+1} \oplus C_i) & C_{i+1}^{'} &= E.K(M_{i+1} \oplus C_i^{'}) \end{aligned}$$

CBC 모드는 평문이 조금 다르더라도 그 영향이 다른 부분 이후 모든 블록에 영향을 준다. 더욱이 이와 같은 특성이 없더라도 초기 벡터 때문에 같은 평문을 다시 암호화하면 결과 암호문은 달라진다. 평문이 조금만 달라져도 마지막 암호문 블록은 달라지는 특성 때문에 CBC로 암호화한 암호문에서 마지막 암호문 블록은 평문 전체를 대표하는 값으로 활용할 수 있다. 즉, 마지막 블록을 MAC으로 활용할 수 있다. 이에 대해서는 9장에서 자세히 다룬다.

둘째, 특정 암호문 블록 C_i의 오류는 두 개의 평문 블록에 영향을 준다. 이것은 다음 식을 통해 확인할 수 있다.

$$\begin{aligned} M_i &= D.K(C_i) \oplus C_{i-1} & M_i' &= D.K(C_i') \oplus C_{i-1} \\ M_{i+1} &= D.K(C_{i+1}) \oplus C_i & M_{i+1}' &= D.K(C_{i+1}) \oplus C_i' \\ M_{i+2} &= D.K(C_{i+2}) \oplus C_{i+1} & M_{i+2} &= D.K(C_{i+2}) \oplus C_{i+1} \end{aligned}$$

하나의 암호문 블록에 오류가 발생하더라도 두 블록 이후에는 다시 오류 없이 복호화되므로 CBC는 자체 회복(self recovering) 기능을 가지고 있다고 한다. 그런데 여기서 좀 더 자세히 분석하면 M_i'은 어떤 값이 될지 예측할 수 없지만 M_{i+1}'과 M_{i+1}은 C_i와 C_i'의 차이에 의해 그 차이가 결정된다. C_i의 j번째 비트만 토글한 것이 C_i'이면 M_{i+1}'과 M_{i+1}은 j번째 비트만 차이가 난다. 따라서 공격자가 이를 이용하여 예측된 변화를 줄 수 있으며, 이를 활용한 공격을 bitflip 공격이라 한다. 이 때문에 CBC 모드도 NM 특성을 만족하지 못한다.

CBC 모드는 몇 가지 추가적인 보안 문제를 가지고 있다. 첫째, 암호문 끝에 동일 키로 암호화된 암호문을 추가할 수 있다. 예를 들어, 두 개의 암호문 C_0, C_1, …, C_n과 C_0', C_1', …, C_m'이 있을 때, 이를 C_0, C_1, …, C_n, C_1', …, C_m' 처럼 결합하면 C_1'를 복호화한 부분($M_1^* = D(C_1') \oplus C_n$)만 오류가 발생한다. 이와 같은 문제는 ECB 모드에도 나타나는 문제이다.

둘째, 두 개의 암호문을 조합하여 새로운 암호문을 만들 수 있다. 예를 들어, 위 예제의 두 암호문을 다음과 같이 조합하여 하나의 암호문을 만들면 결합한 위치의 암호문 블록인 C_k'만 오류가 발생한다.

$$C_0,\ C_1,\ \ldots,\ C_j,\ C_k',\ C_{k+1}',\ \ldots,$$

이 문제도 이전 문제와 마찬가지로 ECB에서도 나타나며, 심지어 ECB는 뒤에 추가하거나 조합하여도 엉뚱하게 복호화되는 평문 블록이 없다.

표준 채우기를 사용하면 항상 맨 마지막 블록은 유효한 채우기가 있어야 한다. 따라서 이처럼 결합하거나 조합할 때 유효한 채우기가 포함된 블록이 마지막 블록이 되도록 하지 않으면 복호화하는 측에서 쉽게 메시지가 조작되었다는 것을 알 수 있다. 또 인증 암호화를 하면 이와 같은 결합, 조합한 암호문에 대한 MAC 값을 공격자가 제시할 수 없으므로 쉽게 알아챌 수 있다.

셋째, 암호문 블록 오류에서 살펴보았듯이 하나의 암호문 블록 C_i을 조작하면 두 개의 평문 블록에 영향을 주게 되는데, 이 중 M_{i+1}에는 의도된 변화를 줄 수 있다. 넷째, C_i와 C_j가 같으면 다음 식에 알 수 있듯이 두 개의 평문을 XOR한 값을 얻을 수 있다.

$$C_{i-1} \oplus C_{j-1} = M_i \oplus D.K(C_i) \oplus M_j \oplus D.K(C_j) = M_i \oplus M_j$$

보통 평문은 예측할 수 있으므로 두 개의 평문이 XOR된 값으로부터 각 평문을 구하는 것은 어렵지 않다. 두 암호문 블록이 우연히 일치할 확률은 매우 낮으므로 걱정할 문제점은 아니다. 하지만 같은 키로 많은 양의 데이터를 암호화하면 이 확률이 점점 높아지기 때문에 시기적절한 키 갱신은 필요하다.

지금까지 시기적절한 키 갱신을 요구한 기술적 이유를 다시 정리해 보면 다음과 같다.

- 이유 1. 난스 기법의 사용에서 난스를 랜덤하게 생성할 때 우연히 과거에 사용한 것과 같은 것을 사용할 가능성을 줄이기 위해 필요하다.
- 이유 2. CBC 모드 사용에서 우연히 두 암호문 블록이 같아질 확률을 줄이기 위해 필요하다.
- 이유 3. CBC 모드에서는 필요하지 않지만, 다음에 소개할 CTR 모드를 사용하면 우연히 같은 IV를 사용할 가능성을 줄이기 위해 필요하다.

보통 구체적인 시점은 생일 파라독스를 이용하여 계산할 수 있다. 예를 들어, 64bit 난스이면 2^{32}개의 난스를 생성하여 사용하기 전에 키를 갱신할 필요가 있다. 2^{32}개의 난스를 생성하면 50% 확률로 같은 것을 생성하게 되므로 실제는 훨씬 이전에 키 갱신을 해야 한다.

보통 CBC 모드는 표준 채우기 방법을 사용하지만, CBC 모드도 암호문 훔침 기법을 통해 평문의 크기와 암호문의 크기를 일치시킬 수 있다. 다만, 암호문 훔침 기법을 사용하더라도 IV 때문에 암호문이 한 블록만큼은 커지게 된다.

8.1.4 CBC 채우기 오라클 공격

블록 크기가 16byte이고, CBC 모드 PKCS #7 채우기를 사용하여 메시지를 암호화하여 교환하는 프로토콜이 있다고 가정하자. 수신자가 메시지를 복호화한 다음 먼저 채우기를 확인하고 채우기 값이 올바른지를 송신자에게 알려주는 프로토콜을 사용한다면 공격자는 이 회신을 이용한 다음과 같은 공격을 할 수 있다.

공격자가 $IV \| C_1 \| \cdots \| C_n$ 암호문을 가지고 있으면 C_i에 대응되는 평문 M_i을 다음과 같이 수신자의 채우기에 대한 회신을 통해 알아낼 수 있다. 예를 들어, 공격자가 C_2에 대응되는 평문 M_2의 마지막 바이트를 $0xXY$로 예측하였을 때, 자신의 예측이 맞았는지 암호문 $IV \| C_1 \oplus 0xXY \oplus 0x01 \| C_2$를 수신자에게 전송하여 확인할 수 있다. 예측이 정확했다면 다음과 같이 수신자가 복호화한 M_2의 마지막 바이트는 0x01이 되며, 수신자는 채우기가 1byte로 인식하고 채우기가 문제없다는 메시지를 회신하게 된다.

$$\begin{aligned} M_1 &= D.K(C_1 \oplus 0xXY \oplus 0x01) \oplus IV \\ M_2 &= D.K(C_2) \oplus C_1 \oplus 0xXY \oplus 0x01 \\ &= M_2 \oplus C_1 \oplus C_1 \oplus 0xXY \oplus 0x01 \\ &= M_2[15 \cdots 1] \| 0x01 \end{aligned}$$

반대로 정확하게 예측하지 못하였으면 엉뚱한 값이 되며, 채우기 방법 때문에 마지막 바이트가 연속으로 같아야 하므로 채우기가 잘못되었다고 회신하게 된다.

따라서 256번을 공격하면 한 블록의 마지막 바이트를 무조건 정확하게 알 수 있다. 마지막 바이트를 알게 되면 그것을 이용하여 같은 방법으로 다음 바이트에 대한 채우기 오라클 공격을 할 수 있다. TLS 초기 버전은 mac-then-encrypt 방식을 사용하였으며, CBC 모드로 메시지를 암호화하였다. 복호화 절차는 채우기를 확인하고, 그다음 MAC 값을 확인하는 방식이었으며, 두 종류의 오류 여부를 상대방에게 알려주었다. 여기서 교훈은 암호 세계에서는 오류의 종류를 구분하여 알려주는 것도 매우 위험하다는 것이다. 현재의 TLS는 이 공격에 안전하지만, 이전 버전을 사용하도록 하여 공격할 수도 있다.

8.1.5 CTR 모드

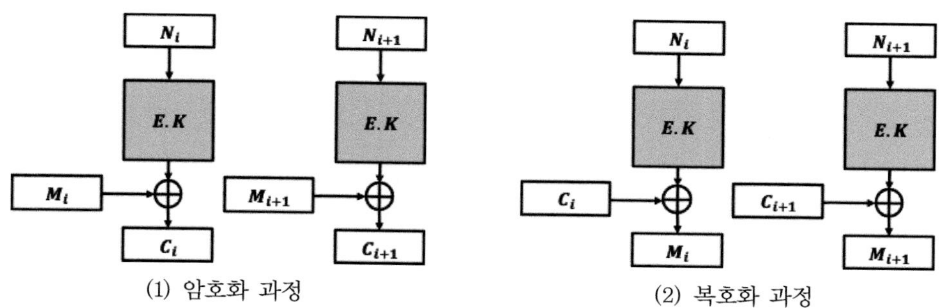

<그림 8.4> CTR 모드

CTR 모드는 사용하는 암호화 함수를 이용하여 평문을 암호화하지 않는다. 대신 암호화 함수를 이용하여 랜덤 스트림을 만들어 XOR 연산을 통해 평문을 암호화하며, 병렬 수행을 할 수 있도록 카운터를 이용하여 스트림을 생성한다. CTR 모드는 그림 8.4와 같이 동작하며, 이 모드를 수식으로 나타내면 다음과 같다.

$$C_i = M_i \oplus E.K(N_i)$$
$$M_i = C_i \oplus E.K(N_i)$$

위 식에서 알 수 있듯이 CTR 모드는 암호화 함수만 필요할 뿐만 아니라 꼭 암호화 함수를 이용할 필요도 없다. 암호화 함수 대신에 MAC 함수를 사용할 수 있다. 따라서 하드웨어로 제작하면 복호화 함수가 필요 없으므로 더 간편한 회로로 제작할 수 있다. $N_i = N_{i-1}+1$인 카운터의 특성 때문에 N_0만 알면 모든 N_i를 계산할 수 있어 암호화와 복호화 과정을 모두 병렬로 수행할 수 있다. 이 모드는 XOR을 이용하여 평문을 암호화하기 때문에 마지막 블록이 완전한 블록이 아니더라도 채우기가 필요 없다. 이것은 마지막 블록 크기만큼의 스트림을 사용하여서 암호화하면 되기 때문이다.

CTR 모드도 CBC 모드와 마찬가지로 초기 벡터가 필요하며, 이 벡터를 카운터의 시작 값으로 사용한다. 그런데 같은 초기 벡터를 사용하면 XOR하는 스트림이 같아진다. 이 경우 두 암호문을 XOR하여 평문 블록 간 XOR한 값을 얻을 수 있으므로 심각한 보안 문제가 발생한다. IV가 같지 않아도 두 암호문에 사용된 카운터가 일부 중첩될 수 있다. 이 때문에 IV를 랜덤하게 생성하지 않고, IV 일부만 랜덤하게 생성하는 방식을 주로 사용한다. 예를 들어, 블록 크기가 128bit이면 첫 96bit만 랜덤하게 생성하고 나머지 32bit는 카운터 역할을 하게 된다. 이와 같은 중첩 가능성 때문에 시기적절한 키 갱신(2^{48}개 이상은 암호화하지 않아야 함)이 CTR 모드를 사용할 때도 매우 중요하다.

IV 문제를 극복하기 위해 사용하는 또 다른 방법은 **SIV**(Synthetic IV)이다. SIV는 랜덤 IV 대신에 평문을 이용하여 IV를 계산한다. 이와 같은 방법을 사용하면 서로 다른 평문을 암호화할 때 같은 IV를 사용할 확률이 더 낮아진다. 하지만 같은 평문을 다시 암호화하면 IV가 바뀌지 않으므로 IV를 통한 확률 암호알고리즘으로의 전환 효과는 없어진다.

CTR 모드도 앞서 언급한 네 가지에 대해 분석해 보자. 첫째, 평문 블록 M_i의 오류는 C_i 암호문 블록에만 영향을 준다. 하지만 평문이 유사하더라도 암호화할 때 사용하는 스트림이 다르면 결과가 다르기 때문에 이것이 문제가 되지는 않는다.

둘째, 특정 암호문 블록에 오류가 발생하면 해당 평문 블록에만 영향을 주므로 CBC 모드와 마찬가지로 자체 회복 기능을 가지고 있다. 하지만 XOR 연산을 사용하여 암호화하므로 공격자는 암호문을 조작하여 복호화 결과에 원하는 변화를 줄 수 있다. 즉, C_i의 j번째 비트만 토글하면 M_i의 j번째 비트만 원래와 다르게 된다. 따라서 CTR 모드도 NM 특성을 만족하지 못한다. 두 개의 암호문 블록을 교체하면 CTR 모드의 특성에 따라 해당 블록의 평문만 영향을 받는다.

$$\begin{aligned} M_i &= C_i \oplus E.K(N_i) \qquad & M_i' &= C_j \oplus E.K(N_i) \\ M_j &= C_j \oplus E.K(N_j) \qquad & M_j' &= C_i \oplus E.K(N_j) \end{aligned}$$

셋째, CTR은 XOR 연산을 이용하여 암호화하므로 같은 또는 중첩된 초기 벡터의 사용에 따른 문제와 공격자가 암호문 블록을 조작하여 CBC보다 더 쉽게 의도된 변화를 줄 수 있다는 문제가 있다. CTR은 CBC의 효율 문제를 극복하기 위해 제안된 것이므로 효율성 측면에서는 다른 모드보다 우수하며, 암호화, 복호화 과정을 모두 병렬 처리할 수 있다.

8.1.6 인증 암호화와 암호화 모드

인증 암호화가 기본 암호화 방법이 되어 암호 모드에도 변화가 필요하게 되었다. 인증 암호화 중에 가장 안전하고 효과적인 방식이 encrypt-then-mac 방법이지만 처음에는 mac-then-encrypt 방식도 널리 사용하였다. 실제 TLS도 1.3 이전까지는 이 방식을 사용하였다. mac-then-encrypt 방식의 대표적인 인증 암호화 모드가 CCM(Counter Mode with CBC-MAC)이다. CCM 모드는 메시지에 대한 CBC-MAC을 계산한 후에 메시지와 MAC 값을 결합하여 CTR 모드로 암호화를 진행한다.

이 모드를 encrypt-then-mac 방식으로 대체하기 위해 처음 제안된 것이 EAX(encrypt-then-authenticate-then-translate) 모드이다. 이 방식은 CTR 모드로 암호화를 수행한 후 결과 암호문을 이용하여 MAC 값을 계산한다. 이렇게 하는 것을 2-pass 인증 암호화 방식이라 한다. 더 빠르게 이 과정을 수행하기 위해 암호화와 MAC 계산을 동시에 수행하는 1-pass 암호화 모드가 제안되었으며, 현재는 이 방식을 더 많이 사용한다.

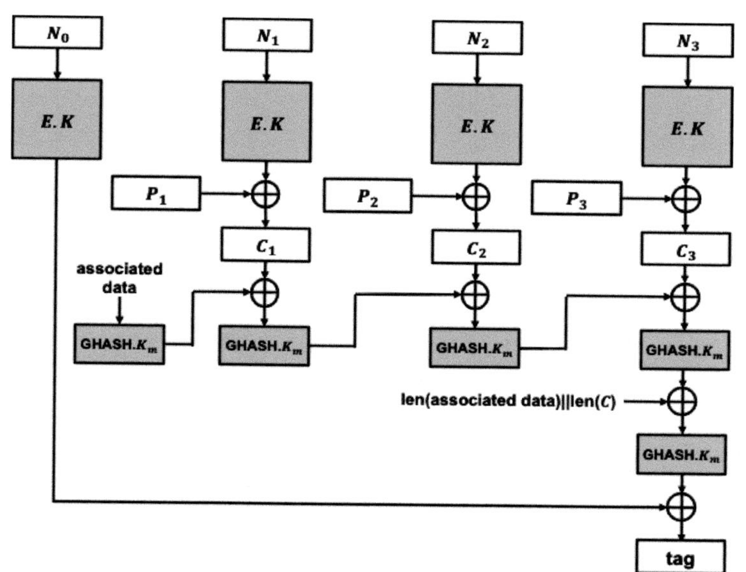

<그림 8.5> GCM 인증 암호화 모드

대표적인 1-pass 암호화 모드가 **GCM**(Galois-Counter-Mode)이다[50]. GCM 모드는 그림 8.5와 같이 동작한다. 기본적으로 카운터 모드를 이용하여 메시지를 암호화하지만 각 C_i를 이용하여 병렬로 MAC 값도 함께 계산한다. 이 과정에서 갈로아 필드에서 곱셈 연산을 사용하며, 이 연산은 비트 연산을 이용하여 효율적으로 계산할 수 있다. 최종적 MAC 값은 다음과 같이 계산한다.

$$T = \mathrm{MAC}.K_m(C) \oplus E.K(N \| 0)$$

여기서 $K_m = E.K(0)$이며, $\mathrm{MAC}.K_m(C)$는 암호화 과정에서 출력되는 C_i와 갈로아 필드에서 곱셈 연산을 이용하여 계산된다. 보통 encrypt-then-mac을 할 때 암호키와 MAC키는 서로 독립적인 키이어야 한다. 이들을 독립적으로 생성하여 암호화 모드에 전달할 수 있지만, 제시된 것처럼 GCM은 MAC키를 모두 0인 평문을 암호키로 암호화하여 생성한다.

GCM 모드는 내부적으로 블록 암호화를 사용한다. 내부적으로 블록 암호화 대신에 스트림 암호화를 이용하여 인증 암호화를 할 수 있다. 현재 대표적으로 사용하는 것이 ChaCha20-Poly1305이다. 하지만 ChaCha20-Poly1305은 1-pass 인증 암호화는 아니다. ChaCha20-Poly1305은 내부적으로 ChaCha20 스트림 암호화[5]를 사용하고 MAC은 Poly1305[51]를 사용한다.

인증 암호화 관련하여 AEAD(Authenticated Encryption with Associated Data)라는 모드도 있다. 지금까지 소개한 CCM, EAX, GCM, ChaCha20-Poly1305은 모두 AEAD를 지원한다. AEAD는 암호화되는 평문 외에 암호화되지 않는 평문 데이터(associated data)의 무결성까지 보장하여 준다. AEAD를 encrypt-then-mac 형태로 표현하면 다음과 같다.

$$A,\ C = E.cK(M),\ T = \mathrm{MAC}.iK(A \| C)$$

여기서 A가 암호화되지 않는 연관 데이터이다.

8.1.7 암호화 모드의 선택

ECB는 가장 빠른 모드이지만 근본적인 문제점을 가지고 있는 모드이다. 따라서 일반 메시지를 ECB 모드로 암호화하는 것은 바람직하지 않지만, 암호키와 같이 한 블록보다 작은 크기의 랜덤한 값은 ECB 모드를 사용하여 암호화할 수 있다. 특히, 다른 모드를 사용하면 초기화 벡터가 필요하므로 암호문의 크기가 평문에 비해 상대적으로 커지므로 응용에 따라 블록보다 작은 데이터는 ECB 모드를 사용하는 것이 효과적일 수 있다.

반면에 파일과 같은 많은 양의 데이터를 암호화할 때는 초기 벡터에 의한 크기의 증가를 무시할 수 있으므로 CBC나 CTR 모드를 사용한다. 하지만 CBC나 CTR 모드는 둘 다 NM

특성을 만족하지 못하므로 지금은 encrypt-then-mac 방식의 인증 암호화 모드를 사용하는 것이 가장 바람직하다.

8.2 DES 대칭 암호알고리즘

8.2.1 DES의 역사

1972년 미국 표준화 기구인 NIST(National Institute of Standards)는 대칭 암호알고리즘에 대한 표준화 작업을 시작하여 1977년에 IBM에서 제안한 Lucifer라는 알고리즘을 일부 수정하여 표준으로 공식 채택하였다. 이 알고리즘을 DES(Data Encryption Standard)라 하며, 표준번호는 FIPS 46이다[52]. Lucifer는 IBM의 암호학자 Feistel이 제안한 알고리즘이며, DES의 내부 구조는 Lucifer와 동일이다. DES 이후에 제안된 많은 대칭 암호알고리즘도 같은 내부 구조로 되어 있다. 이 때문에 DES의 내부 구조를 **Feistel 구조**(structure)라 하며, Feistel 구조를 가진 대칭 암호알고리즘을 Feistel 암호알고리즘이라 한다.

표준화 과정에서 NIST는 미국 국가안보국인 NSA(National Security Agency)에서 자문을 받아 IBM이 원래 제안했던 키 길이(128bit)를 56bit로 축소하였으며, 내부 동작 메커니즘 중 교체 연산에 해당하는 S-박스를 수정하였다. 이 때문에 NSA가 DES에 트랩도어를 포함하였다는 음모론이 있었지만 2009년 비밀문서의 공개로 NSA가 IBM과 Lucifer 암호를 강건하게 만들기 위해 상호 협력한 사실이 밝혀졌으며, 학문적 연구 결과도 수정된 S-박스가 차분 암호해독(differential cryptoanalysis) 공격에 매우 강건하다는 것도 밝혀졌다. 하지만 축소된 키 길이가 오늘날 컴퓨팅 능력을 고려하였을 때 너무 짧다는 문제점을 가지고 있으며, 소프트웨어보다는 하드웨어에 더 적합한 알고리즘이라는 단점도 있다.

1977년에 표준으로 채택될 당시 이 표준의 유효기간은 10년이었으며, 유효기관이 만료되기 전에 10년을 더 연장하였다. 하지만 90년대 후반에는 컴퓨팅 기술의 발달과 비용 감소로 56bit 키로는 전사공격에 취약해짐에 따라 미국은 1997년에 새 표준을 마련하는 작업을 시작하였다. 새 표준으로 2000년 10월에 Rijndael 알고리즘이 채택되었으며, 이 표준을 AES(Advanced Encryption Standard)[6]라 한다.

8.2.2 DES의 특징

DES는 블록 방식의 대칭 암호알고리즘으로 블록 크기는 64bit이고, 키 길이는 56bit이다. 키 길이는 원래 64bit이었지만 패리티 비트의 필요성 때문에 56bit로 축소했다. DES도 내부적으로 치환, 자리바꿈, 키와 XOR, 3가지 기본 연산을 사용하는 합성 암호(product cipher)이며, 기본 연산으로 구성된 라운드를 총 16번 반복한다. 라운드마다 해당 라운드의 중간 결과값과 키 값이 XOR되는데, 라운드마다 서로 다른 랜덤한 키 값을 사용하는 것이 안전성 측면에서 필요하다. 라운드마다 48bit의 키 값이 필요하고 총 16라운드로 구성되어 있으므로 실제 필요한 키 길이는 96byte인데, DES의 키 길이는 7byte다. 96byte의 랜덤키를 DES키로 사용할 수 있지만, 교환, 보관 등의 문제뿐만 아니라 유사 키 공격이 가능해지므로 좋은 방법이 아니다. 따라서 대부분의 암호알고리즘은 사용자가 유지하는 키를 확장하여 알고리즘이 내부적으로 필요로 하는 키를 만들어 사용하게 되며, 이때 사용하는 확장 알고리즘을 키 스케줄링(key scheduling) 알고리즘이라 한다.

8.2.2.1 DES 암호화와 복호화 함수

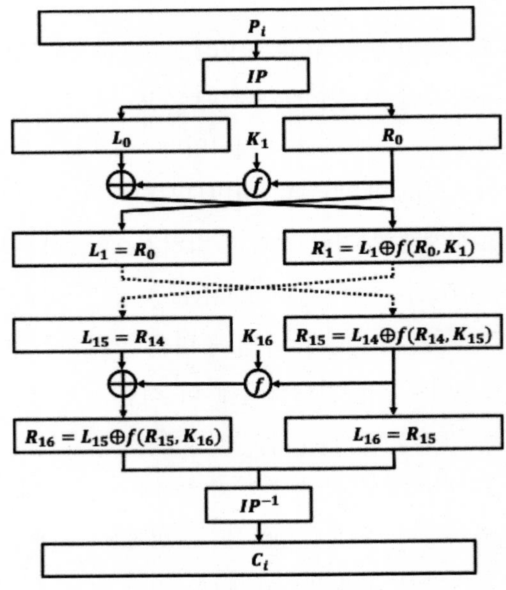

<그림 8.6> DES 암호화 과정: Feistal 구조

DES의 암호화 함수는 그림 8.6과 같이 동작하며, 암호화 함수와 복호화 함수를 식으로 표현하면 다음과 같다.

$$E.K(M) = IP^{-1} J_{16}^{K_{16}} \cdots J_2^{K_2} J_1^{K_1} IP(M)$$
$$D.K(C) = IP^{-1} J_{16}^{K_1} \cdots J_2^{K_{15}} J_1^{K_{16}} IP(M)$$

여기서 J는 라운드 함수이며, 식에서 알 수 있듯이 총 16라운드로 구성되어 있다. DES의 라운드 함수는 64bit 입력을 두 개의 32bit로 나누어 처리하며, 마지막 라운드에서 같은 과정을 거치지만 왼쪽과 오른쪽이 바뀐다. 또 식에서 알 수 있듯이 사용자 암호키는 내부적으로 총 16개의 라운드키로 확장되며, 암호화할 때와 복호화할 때 사용하는 순서가 거꾸로이다. 이것은 적용된 XOR 연산을 차례로 역하기 위한 것이다. IP(Initial Permutation)는 초기 자리바꿈으로 모든 비트 위치가 바뀌게 되며, IP를 통해 바뀐 출력을 IP^{-1}에 적용하면 원래 입력을 얻게 된다. 이들은 암호화와 복호화 과정에 서로 쌍으로 존재하므로 서로 상쇄된다. 그리고 DES의 정확성 만족을 위해 암호화에 있는 $J_i^{K_i}$와 복호화에 있는 $J_{16-i+1}^{K_i}$은 서로 상쇄되는 특성이 있다.

DES의 라운드 함수는 64bit 입력을 두 개의 32bit로 나누어 다음 식과 같이 처리한다.

$$L_i = R_{i-1}$$
$$R_i = L_{i-1} \oplus f(R_{i-1}, K_i)$$

두 개의 32bit 중 하나는 그대로 반대쪽으로 내려오고, 다른 하나는 라운드 키와 함께 f 함수를 통해 복합적으로 암호화한다. f 함수는 총 4개의 세부 과정으로 구성되어 있다. 첫째는 확장 자리바꿈으로 32bit 입력을 48bit로 확장한다. 이때 일부 비트를 중복하여 확장한다. 이것은 입력의 각 비트가 선형적으로 영향을 주지 않고 고루 영향을 주게 하는 효과가 있다. 이것을 눈사태 효과(avalanche effect)라 한다. 실제 1bit만 다른 입력을 암호화하면 평균 반 이상이 다른 값으로 암호화된다.

둘째, 확장된 48bit와 라운드 키가 XOR된다. 따라서 DES의 라운드 키는 48bit이고, 총 16개가 필요하므로 원래 7byte 키가 96byte로 확장되어야 한다. 셋째, 6bit를 4bit로 교체하여 주는 8개의 S-박스를 통해 다시 32bit로 바꾼다. DES의 모든 과정은 역이 가능하지만, S-박스만 역이 가능하지 않다. 6비트를 4비트로 변경하게 되므로 특정 결과값을 줄 수 있는 경우의 수가 4개 존재한다. 따라서 결과값을 통해서는 입력을 예측할 수 없다. 마지막으로 32bit 자리바꿈을 한 번 더 한다.

8.2.3 3중 DES

DES는 표준화된 이후 허점을 찾기 위한 많은 연구가 진행되었음에도 키 길이가 짧은 문제를 제외하고는 심각한 문제가 발견되지 않았다. RSA사에서는 DES의 짧은 키 길이의 문제점을 알리기 위해 DES-Challenge라는 대회를 3차례 개최하였다. 1999년에 개최된 마지막 대회에서 22시간 15분 만에 전사공격에 성공하였다. 따라서 90년대 후반부터는 DES가 안전하지 않다는 것이 널리 인지된 사실이었으며, 이 때문에 이 시기에는 DES 대신에 다른 대칭 암호알고리즘들을 더 많이 사용하였다. 하지만 전사공격에 의한 취약성을 제외하고는 다른 문제는 없으므로 DES를 활용할 방안도 연구가 되었으며, 그 결과로 등장한 것 중 하나가 3중 DES이다.

3중 DES는 한 평문을 DES를 이용하여 3번 암호화한다. 암호화할 때마다 다른 키를 사용하면 키 길이가 총 168bit가 되지만 그렇게 하지 않고 다음과 같이 암복호화한다.

$$\begin{aligned} C &= E.K_1(D.K_2(E.K_1(M))) \\ M &= D.K_1(E.K_2(D.K_1(C))) \end{aligned}$$

이렇게 하면 키 길이가 112bit가 되지만 당시 컴퓨팅 수준을 고려하였을 때 전사공격에 대해 안전한 길이이다. 더욱이 모두 다른 키를 사용하더라도 **중간 만남**(meet-in-the-middle) **공격** 때문에 어차피 안전성은 112bit밖에 되지 않는다. 이 때문에 2중 DES를 사용하지 않고 3중 DES를 사용하는 것이다. 또 $K_1 = K_2$로 설정하면 3중 DES가 단일 DES와 같아지므로 3번 연속 암호화하는 대신에 중간에 복호화 연산을 사용하고 있다.

참고로 다음이 성립하면 중 암호화를 무시하고 56bit 키만 찾으면 된다.

$$E.K_i(D.K_j(E.K_i(M))) = E.K_k(M)$$

하지만 DES는 이것이 성립하지 않으므로 3중 DES는 112bit 안전성을 가진다[53]. 하지만 3중 DES는 암호화 과정을 3번 반복하므로 속도가 기존 DES보다 약 3배 느리다.

8.3 AES

8.3.1 AES의 역사

DES는 앞서 살펴본 바와 같이 키 길이가 너무 짧아 현재 컴퓨팅 수준을 고려하였을 때 안전하지 못하다는 것과 소프트웨어보다는 하드웨어를 고려한 설계였으므로 소프트웨어로 구현하였을 때 성능이 떨어지는 문제도 있었다. 이에 NIST는 1997년에 차세대 암호화 표준에 대한 제안 요청(call for proposal)을 시작하였다. 이 요청의 중요 요구사항은 키 길이는 128bit, 196bit, 256bit를 모두 지원할 수 있어야 한다는 것과 블록 크기는 128bit를 지원해야 한다는 것이었다. 접수된 것 중 15개(CAST-256, CRYPTON, DEAL, DFC, E2, FROG, HPC, LOKI97, MAGENTA, MARS, RC6, Rijndael, SAFER+, Serpent, Twofish)가 1차로 채택되었다. 이 중 CRYPTON은 한국에서 제안된 것이고, 이들 중 Feistel 구조로 되어 있는 것도 많다. 1999년에 이들 15개 중 5개(MARS, RC6, Rijndael, Serpent, Twofish)를 최종 후보로 선택하였다. MARS는 IBM이, RC6는 RSA의 개발자 중 한 명인 MIT의 Rivest 교수가, Serpernt는 영국 케임브리지 대학 Anderson 교수 등이, Rijndael는 벨기에 석사 학생들이, Twofish는 유명한 암호학자인 Schneier가 제안한 것이다. 이 중 MARS, RC6, Twofish는 Feistel 구조이다. NIST가 2001년에 최종적으로 선택한 것은 아이러니하게도 유명한 기관이나 학자가 제안한 것이 아닌 석사 학생들이 제안한 Rijndael이었다[6].

8.3.2 AES 암호화와 복호화 함수

표준번호 FIPS 197인 AES는 벨기에 암호학자인 Daemen과 Rijmen이 개발한 알고리즘이며, 블록 크기는 128bit, 192bit, 256bit를 지원하고, 키 길이는 128bit, 192bit, 256bit를 지원한다. 하지만 블록 크기가 128bit인 것만 표준으로 채택되었다. 128bit 기준으로 키 길이가 증가함에 따라 알고리즘은 10라운드, 12라운드, 14라운드로 구성된다. 이 알고리즘은 DES와 달리 Feistel 구조가 아니며, SPN(Substitution-Permutation Network) 구조로 되어 있다. 즉, 꼬임이 없이 치환과 자리바꿈을 하는 구조이다.

AES의 각 라운드는 S-박스를 위한 치환, 행 이동(자리바꿈), 열 섞음(교체), 라운드키 XOR로 구성된다. 블록 크기가 128bit인 경우에는 11개의 128bit 라운드키가 사용된다. 각 세부 연산 중 기존 대칭 암호알고리즘과 달리 다항식 링이라는 수학적 개념을 사용하는 것도 있지만 그 자체가 이동과 XOR 연산으로 구현할 수 있으므로 AES는 소프트웨어로 구현하기에도 매우 적합하다는 이점도 있다.

AES 알고리즘에 대한 여러 형태의 최적화를 사용하고 있다. 특히, 각 라운드에서 하는 일을 매번 새롭게 계산하지 않고 다양한 사전 계산을 하여 테이블에 저장하여 사용하는 방법으로 성능을 높이는 방법도 있다. Intel은 Intel Westmere부터 AES 암호화와 복호화 수행 성능을 높이기 위한 명령어 집합 AES-NI(New Instruction)를 지원하고 있다. 이 명령어 집합은 총 7개의 명령어로 구성되어 있다.

8.4 Salsa20

스트림 암호 방식은 키를 이용하여 생성하는 의사난수 스트림과 평문을 XOR하여 암호화하는 방식이다. 스트림 암호 방식은 one-time pad를 실용적으로 사용할 수 있도록 만든 암호 방식이다. one-time pad는 수동 공격에 대해 완벽한 안전성을 제공하는 암호알고리즘이지만 키 길이가 평문 길이보다 커야 하며, 매번 다른 키를 사용해야 하므로 현장에서 실제 사용할 수 없는 알고리즘이다. 오래전부터 스트림 암호 방식이 제안되어 사용되었지만, 그것의 안전성에 대해서는 확신이 없었다. 하지만 관련 암호 이론의 발전과 유럽에서 안전하고 효율적인 스트림 암호 방식을 찾기 위한 2004년에 시작한 eStream 프로젝트의 결과로 지금은 블록 암호 방식 못지않게 현장에서 스트림 암호 방식을 사용하고 있다.

eStream 프로젝트에서는 소프트웨어에 적합한 스트림 암호 방식과 자원이 제한된 하드웨어에 적합한 스트림 암호 방식 두 분야에 대한 제안 요청을 받아 3단계에 걸쳐 분야마다 4개의 스트림 암호 방식을 최종 선정하였다. Salsa20은 Bernstein이 제안한 스트림 방식으로 eStream 프로젝트에서 소프트웨어에 적합한 최종 4개의 스트림 암호 방식 중 하나이며, 자원 제한 하드웨어 분야에서도 2단계까지 선발된 알고리즘이다[4]. 지금은 같은 저자가 발표한 Salsa20을 조금 변형한 ChaCha20이 TLS 등 현장에서 널리 사용하고 있다.

Salsa20은 add-rotate-xor 연산에 기반한 의사난수 함수를 이용한다. Salsa20에서 키 길이는 128bit 또는 256bit이다. Salsa20이 내부적으로 사용하는 핵심 함수 F는 512bit 입력을 받아 512bit를 출력하여 주는 의사난수 조합(PRP, PseudoRandom Permutation)이며, 입력은 키 K, 64bit 난스 r, 64bit 카운터를 사용하여 구성된다. 즉, Salsa20은 필요한 만큼의 키 스트림을 다음과 같이 생성한다.

$$F(K, (r, 0)) \| F(K, (r, 1)) \| \cdots$$

여기서 F 함수는 내부적으로 또 다른 함수를 사용하며, 이 함수는 키 K, 난스 r, 카운터 값 등으로 구성된 입력을 이 내부 함수에 반복적으로 적용하여 결과값을 계산한다. 키 스트림 생성에 사용된 r이 IV 역할을 한다. 같은 키를 보유한 사용자가 암호문을 복호화하기 위해서는 암호화할 때 사용한 r이 필요하다. 암호화는 키 스트림과 평문을 XOR하여 이루어지기 때문에 절대 같은 r를 다시 사용하지 않아야 한다.

8장 퀴즈

1. CTR 모드와 관련된 다음 설명 중 **틀린** 것은?

① CTR 모드는 다른 암호화 모드와 마찬가지로 암호화, 복호화 함수가 모두 필요하다.
② CTR 모드는 이전에 사용한 초기 벡터를 사용하면 심각한 보안 문제가 발생한다.
③ 우연히 일부 카운터 값이 중첩되는 것을 막기 위해 카운터의 초깃값을 랜덤하게 생성하지 않고, 카운터 크기의 앞부분만 랜덤하게 생성한다. 예를 들어, 카운터의 크기가 128bit이면 96bit만 랜덤하게 생성하고, 나머지 32bit는 0인 값을 초깃값으로 사용한다.
④ 암호문 블록을 조작하면 해당 평문 블록에 원하는 변화를 줄 수 있으므로 CTR 모드는 NM 특성을 만족하지 못한다.

2. CBC 모드의 특성과 관련된 다음 설명 중 **틀린** 것은?

① 특정 암호문 블록을 조작하면 그다음 평문 블록에 원하는 변화를 줄 수 있으므로 CBC 모드는 NM 특성을 만족하지 못한다.
② 표준 채우기를 하면 암호문의 크기는 평문에 비해 최대 2블록이 커질 수 있다.
③ 마지막 암호문 블록은 마지막 평문 블록에만 영향을 받으므로 MAC값으로 사용하기 어렵다.
④ 이전 암호문 블록을 피드백으로 사용하기 때문에 순차적으로 암호화할 수밖에 없어 다중 프로세서가 있더라도 이를 이용하여 암호화 속도를 향상할 수 없다.

3. 블록 크기가 8byte인 대칭 암호알고리즘을 이용하여 CTR 모드로 한 블록보다 작은 서로 다른 메시지를 암호화한 결과가 각각 "01 02 03 04 05 06 07 08 33 22 11 05 21 AA F2 F6", "01 02 03 04 05 06 07 08 12 34 55 42 77 04 28 F2"이다. 채우기를 포함한 두 평문의 마지막 바이트를 XOR한 값은?

① 00
② 02
③ 01
④ 04

4. 블록 길이가 8byte인 대칭 암호알고리즘을 이용하여 한 블록보다 작은 메시지를 CBC 모드로 암호화한 결과가 16진수로 "01 02 03 04 05 06 07 0B 01 09 0A 0B 0C 0D 0E 0F"이었다. IV의 마지막 바이트 0B를 공격자 09로 바꾸었다. 그런데 복호화하는 사용자는 채우기 측면에서 아무런 문제를 발견하지 못하였다. 복호화한 사용자는 평문의 크기를 무엇이라 생각하는가? 그리고 원래 평문의 크기는 얼마인가?

① 7byte, 5byte
② 6byte, 7byte
③ 7byte, 6byte
④ 6byte, 7byte

5. 블록 길이가 8byte인 대칭 암호알고리즘을 이용하여 6byte 메시지를 CBC 모드로 암호화한 결과가 16진수로 "01 02 03 04 05 06 07 08 01 09 0A 0B 0C 0D 0E 0F"이었다. 표준 채우기를 하였기 때문에 평문의 마지막 두 바이트의 값은 02 02이다. $D.K$(01 09 0A 0B 0C 0D 0E 0F) = X_7 X_6 X_5 X_4 X_3 X_2 X_1 X_0라 하면 16진수로 X_1과 X_0의 값은?

① 0A, 05
② 05, 0A
③ 07, 08
④ 02, 02

연습문제

1. 블록 길이가 8byte인 대칭 암호알고리즘을 이용하여 7byte 메시지를 CBC 모드, 표준 채우기로 암호화하였다고 가정하자. 이때 결과 암호문이 16진수로 "07 06 05 04 03 02 01 01 08 09 0A 0B 0C 0D 0E 0F"라고 가정하자. 또한 암호화한 데이터는 모르지만 7byte이므로 16진수 01을 채우기로 사용하였을 것이다. 공격자가 IV 중 마지막 두 바이트 "01 01"을 "00 02"로 바꾸었지만, 수신자가 복호화하는 과정에서 문제점을 발견하지 못하였다. 그러면 원래 메시지의 7번째 바이트 값을 계산하라.

2. 블록 길이가 8byte인 대칭 암호알고리즘을 이용하여 ASCII 코드 문자열 "sendme$2"를 CBC 모드로 암호화하여 얻은 암호문을 16진수로 표현하면 "FF 09 28 30 8C 93 81 06 39 D0 81 5A 07 79 17 43"이다. 이 암호문을 받은 수신자가 복호화하였더니 결과가 "sendme$4"가 되었다. 수신자가 실제로 받은 암호문을 구하라. (채우기는 없다고 가정)

3. 블록 길이가 4byte인 대칭 암호알고리즘을 이용하여 16진수 "00 00 01 01"을 CBC 모드로 암호화한 결과가 "01 01 01 01 05 06 07 08"이라고 가정하자. 여기서 "01 01 01 01"은 IV이다. 그러면 16진수 "01 01 01 01"을 암호화한 유효한 암호문을 제시하라.

4. CBC나 CTR 모드는 IV 벡터를 사용한다. 이것의 장단점을 설명하라.

5. CBC 모드를 암호화할 때 어떤 IV를 사용할지 예측이 된다고 가정하자. 또한 특정 메시지를 보내 암호화를 요청할 수 있는 공격자가 있다고 가정하자. 이 경우 공격자는 암호문 C_0, C_1이 평문 M을 암호화한 것인지 확인할 수 있다. 그 방법을 설명하라.

6. CTR 모드에서 항상 다른 IV를 사용하여야 한다. 같은 IV를 사용하면 평문 블록과 XOR하는 값들이 같아지는 문제점이 있다. 다른 IV를 사용하더라도 평문 블록과 XOR하는 값들이 중첩될 수 있으며, 중첩되면 여전히 두 평문 블록을 XOR한 값을 얻어 낼 수 있다. 이 때문에 매번 IV를 랜덤하게 생성하는 대신에 IV의 일정 부분만 랜덤하게 생성하는 방식을 더 많이 사용한다. 예를 들어, 블록 크기가 128bit이면 앞 96bit만 랜덤하게 생성하고 나머지 32bit는 0으로 채운다. IV 전체를 랜덤하게 생성하는 것과 제시한 예처럼 끝 32bit를 제외하고 나머지만 랜덤하게 생성하는 것을 중첩 가능성 측면에서 비교하라.

7. CBC 암호화 모드에서 평문의 블록 수보다 암호문의 블록 수가 최대 2개 증가할 수 있다. 그 이유를 설명하라.

8. CBC와 CTR 모드를 비교하였을 때 CTR 모드의 장점을 나열하라.

9. 5장에서 살펴본 것처럼 ECB 모드를 이용하여 $\{N_A \| B \| K_{AB}\}.K_{AS}$를 암호화하면 모든 여분 정보를 확인하여도 여전히 블록 교체 공격에 취약하다. 이 암호문을 CBC와 CTR 모드로 암호화하였을 때도 비슷한 취약점이 있는지 설명하라. 여기서 N_A는 8byte, B는 16byte, K_{AB}는 16byte, 블록 크기는 16byte이다.

10. CBC 모드의 마지막 블록은 MAC값으로 충분히 활용할 수 있지만 CTR 모드를 이용하여 암호화하였을 때 마지막 블록은 MAC값으로 사용하기 힘들다. 그 이유를 간단히 설명하라.

11. CBC 모드를 이용하면 최종 암호문 블록을 MAC값으로 충분히 활용할 수 있다고 하지만 실제 마지막 블록을 그대로 MAC으로 활용하면 공격자가 쉽게 위조할 수 있다. 공격자는 이 방식의 MAC을 위조하기 위해 한 블록 크기의 메시지 M에 대한 CBC-MAC값 t을 얻으면 공격자는 t가 $(M \| t \oplus M)$에 대한 MAC임을 주장할 수 있다. 그 이유를 설명하라. CBC-MAC값을 계산할 때 IV는 모든 비트가 0인 블록을 사용한다.

12. 디스크 단위 암호화(디스크 전체를 하나의 키로 투명하게 암호화함)에서 고려해야 하는 특성을 나열하고, 디스크 단위 암호를 위해 ECB, CBC, CTR 모드를 사용하는 것의 문제점을 설명하라.

13. 3중 DES는 두 개의 키를 사용하지만, 내부적으로 3번의 DES를 수행한다. 3번 대신에 2번만 DES를 수행하는 2중 DES 방식을 사용하지 않고 3중 DES 방식을 사용한 이유는 2중 DES는 중간 만남 공격에 취약하기 때문이다. 2중 DES는 $E.K_2(E.K_1(M)) = C$ 형태이지만 평문-암호문 쌍 (M, C)를 가지고 있으면 $D.K_2(C) = E.K_1(M)$을 이용하여 2^{112}가 아니라 그것의 반 정도의 비용으로 K_1과 K_2를 찾을 수 있다. 그 방법과 그것의 비용을 제시하고, 같은 방법으로 3개의 키를 이용하는 3중 DES를 공격하는 비용을 제시하라.

제 9 장

암호알고리즘: 해시함수, MAC, 공개키 암호알고리즘, 전자서명

제 9 장 암호알고리즘: 해시함수, MAC, 공개키 암호알고리즘, 전자서명

9.1 해시함수

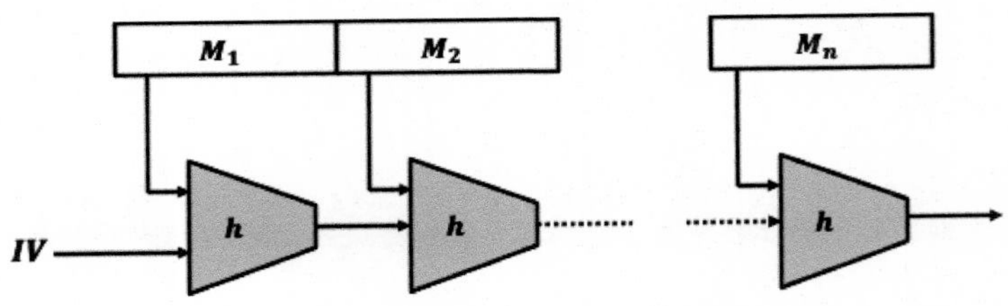

<그림 9.1> Merkle-Damgard 충돌회피 해시함수의 구성

해시함수가 만족해야 할 가장 중요한 특성은 일방향성과 충돌회피성이다. Merkle과 Damgard는 서로 독립적으로 충돌회피 해시함수를 만드는 방법을 소개하였으며[54, 55], 오늘날 많은 해시함수가 이들이 제안한 방법에 기반하고 있다. 이들은 고정된 크기의 작은 입력을 받는 충돌회피 함수 h를 이용하여 그림 9.1과 같이 구성하면 결과 H 함수는 충돌회피 함수가 된다는 것을 증명하였다. 전체 입력은 h 함수 입력의 정확한 배수가 되도록 채우기가 이루어져야 하며, h 함수의 입력 크기로 나누어져 함수 계산이 진행된다. 당연히 충돌회피 특성을 제공하기 위해서는 이처럼 전체 입력을 이용하여 해시값을 계산해야 한다. 해시함수 계산에서 채우기는 비트 채우기 후 정해진 크기의 바이트에 메시지의 실제 길이를 기록한다. 이 기록은 해시함수의 정확성과 안전성에 매우 중요하다.

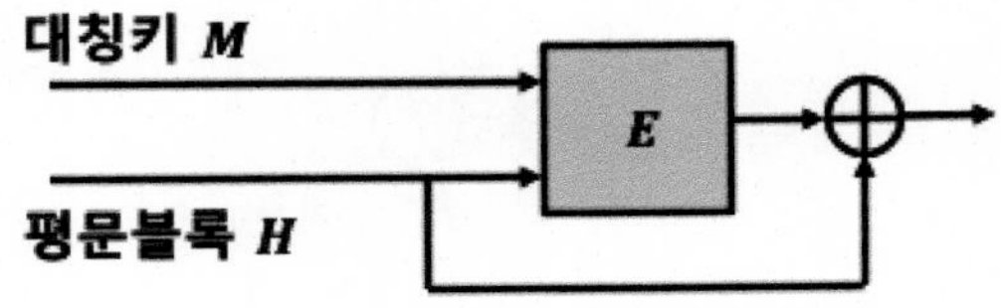

<그림 9.2> Davies와 Meyer의 충돌회피 함수

Merkle과 Damgard 구조에 의하면 일정 크기의 입력을 받는 충돌회피 함수 h를 만들 수 있으면 임의 크기의 메시지를 입력받는 충돌회피 해시함수를 만들 수 있다. Davies와 Meyer는 그림 9.2와 같이 블록 암호화 함수를 이용하면 충돌회피 h 함수를 만들 수 있음을 증명하였다[56]. 이 함수를 수식으로 표현하면 다음과 같다.

$$h(H, M) = E(M, H) \oplus H$$

따라서 전체 해시함수를 $IV = H_0$로 시작하여 $H_i = E.M_i(H_{i-1}) \oplus H_{i-1}$을 반복적으로 계산하는 형태로 구성하면 안전한 충돌회피 해시함수가 된다. 전체 메시지가 블록 암호알고리즘의 키 길이로 나누어져 초기값을 반복적으로 암호화할 때 암호키로 사용하는 형태이다. 실제 다음에 살펴볼 SHA-1과 SHA-2는 모두 이 방식으로 설계된 해시함수이다.

9.1.1 SHA 함수

9.1.1.1 SHA 역사와 특징

SHA(Secure Hash Algorithm)는 NIST에서 표준화한 해시함수이다. 표준번호 FIPS 180인 SHA 함수는 1993년에 처음 발표되었으며, Rivest가 개발한 MD5와 마찬가지로 Merkle-Damgard 구조 기반 해시함수이다. 하지만 처음 발표된 함수는 문제가 있어 이를 보완한 버전을 1995년에 발표하였으며, 이 해시함수를 표준번호 FIPS 180-1인 SHA-1이라 한다[57]. SHA-1 해시 값의 길이는 160bit이다. Wang 등[58]은 2005년에 $O(2^{69})$의 비용으로 충돌을 찾을 수 있음을 보였으며, 2013년에 Stevens[59]은 $O(2^{61})$의 비용으로 충돌을 찾을 수 있음을 보였다. 해시 값의 길이가 160bit이므로 충돌을 찾을 안전성은 $O(2^{80})$이 되어야 하는 것을 고려하였을 때 SHA-1은 더는 안전하게 사용하는 것이 어렵게 되었다. 실제 머지않아 충돌을 찾을 것으로 예측된다. 따라서 최근에는 표준번호 FIPS 180-2인 SHA-2를 주로 사용한다. SHA-2는 해시 값의 길이가 224bit, 256bit, 386bit, 512bit 버전들이 있다. 가장 많이 사용하는 것이 256bit 길이의 SHA-2이다. 현재 비트코인에서도 이 버전의 해시함수를 사용하고 있다.

SHA 계열의 해시함수에 문제점이 계속 발견됨에 따라 새 표준의 필요성이 제기되었으며, 2008년부터 새 표준 선정 작업이 AES와 유사한 방식으로 진행되었다. 2015년에 51개의 후보 중 최종적으로 Guido Bertoni 등[7])이 개발한 **KECCAK**[60]이라는 알고리즘이 채택되었으며, 이를 표준번호 FIPS 202인 SHA-3이라 한다. SHA-3은 SHA-2와 마찬가지로 4개 길이의 해시값 출력을 지원하며, 기존 SHA 계열과는 전혀 다른 방식으로 설계되어 있다. SHA-3가 표준화되었지만, 아직 SHA-2가 더 많이 활용되고 있다. 보통 새 표준을 발표하더라도 기존에 사용한 알고리즘이 심각한 허점이 있는 것이 아니면 그것을 완전히 대체하는 것은 오랜 시간이 보통 소요된다.

9.1.1.2 SHA-1의 내부

SHA-1은 2^{64} 보다 작은 입력을 받아 5개의 연속된 32bit 값인 160bit 해시 값을 출력한다. SHA-1은 내부적으로 512bit(64byte) 단위로 나누어 적용되며, 채우기를 통해 512bit의 배수를 만든다. 이때 비트 채우기(1 이후 모두 0으로 채우는 형태)를 하지만 마지막 64bit에 메시지 크기를 기록한다. 연습문제에 제시되어 있지만 이 채우기는 반드시 필요하며, 안전성 측면에서 매우 중요한 역할을 한다.

나누어진 각 512bit는 80개의 32bit 블록으로 확장되어 매 단계마다 1개가 사용된다. 초기 고정된 5개의 32bit 값을 시작으로 이 값들이 매 단계 조작되어 최종 5개의 32bit 값을 얻으며, 이것을 이용하여 다음 블록을 계산하는 방식이다. 따라서 $H(x)$ 값이 있을 때 x가 512bit의 배수이고 채우기를 하지 않으면 $H(x \parallel y)$는 $H(x)$를 초기값으로 사용하여 $H(y)$를 계산하는 것과 같다.

9.1.1.3 SHA-3의 내부

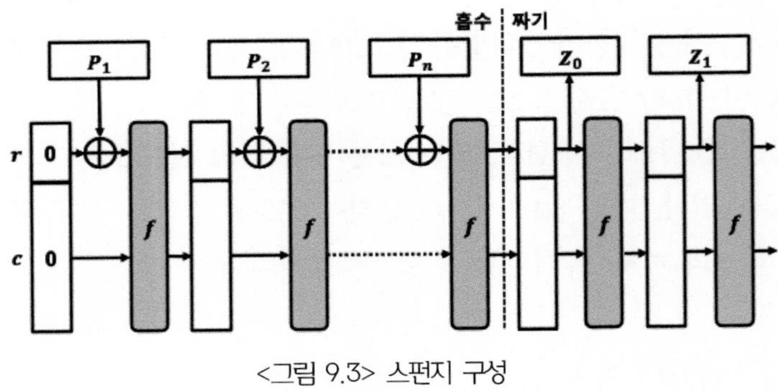

<그림 9.3> 스펀지 구성

7) KECCAK의 개발자 중에는 AES를 개발한 John Daemen도 포함되어 있다.

SHA-3은 그림 9.3처럼 동작하는 **스펀지 구성**(sponge construction)이라는 기법을 사용한다. 이 기법은 입력 데이터를 압축한 다음 필요한 만큼의 출력을 뽑아내는 방식을 사용한다. SHA-3은 224, 256, 384, 512bit 4종류의 출력을 지원한다. SHA-3 256bit는 블록 크기가 1,088bit이며, 1,600bit의 입력을 받아 같은 크기 출력을 주는 내부 함수 f를 사용한다. SHA-3 256bit의 내부 동작 메커니즘은 다음과 같다.

- 단계 1. 입력 M을 채우기하여 $r(=1{,}088)$bit의 정확한 배수가 되도록 한다. 채우기한 결과를 $p_1 \| \cdots \| p_n$이라 하자. 여기서 $|p_i| = r$이다.
- 단계 2. 모든 비트가 0인 1,600bit 길이의 S를 준비한다.
- 단계 3. 각 p_i에 대해 다음을 수행하며, 이 단계를 흡수(absorbing) 단계라 한다.
  - p_i가 1,600bit가 되도록 0으로 채우기하고 이것을 S와 XOR한 값을 f 함수의 입력으로 사용하여 다음 S를 계산한다. 즉, $S = f(S \oplus (p_i \| 0 \cdots 0))$이다.
- 단계 4. 빈 비트열인 Z를 준비한 다음, 다음을 수행하여 필요한 출력값을 생성한다. 이 단계를 짜기(squeezing) 단계라 한다.
  - 단계 3의 S에서 1,088bit를 Z에 추가한다.
  - 필요한 출력값을 얻을 때까지 $S = f(S)$를 계산하며, 각 단계마다 1,088bit를 Z에 추가한다.

SHA-3 256bit는 흡수 단계의 최종 S에서 256bit를 취하면 최종 해시 값을 얻을 수 있다. SHA-3는 10^*1 형태의 채우기를 사용한다. 이전 SHA와 달리 끝에 메시지 길이를 추가하지 않으며, 최소 2bit의 채우기가 필요하다.

9.2 MAC

MAC은 메시지에 대한 무결성 서비스를 암호학적으로 제공하기 위해 사용하는 암호알고리즘이다. MAC은 일반 해시함수와 달리 메시지와 암호키, 두 개의 입력을 사용한다. 따라서 키가 없는 사용자는 MAC 값을 생성할 수 없으며, 확인도 할 수 없다. MAC 함수는 보통 대칭 암호알고리즘이나 해시함수를 사용하여 만든다. 대칭 암호알고리즘을 이용하여 MAC을 만드는 방법에는 CBC-MAC, CMAC(Cipher-based MAC)[61], NMAC(Nested MAC),

PMAC(Parallelizable MAC)[62] 등이 있으며, 해시함수를 이용하는 MAC을 **HMAC**이라 한다.

참고로 해시 후 해시값을 대칭 암호알고리즘으로 암호화하거나 해시값에 전자서명하여 MAC과 같은 효과를 얻을 수 있다. 전자서명을 사용하면 연산 비용이 많이 드는 측면이 있지만, MAC과 달리 누구나 확인할 수 있으며, 부인방지를 제공할 수 있다는 장점도 있다.

9.2.1 대칭 암호알고리즘을 이용한 MAC

MAC과 대칭 암호알고리즘은 모두 메시지와 키를 입력받는다. 하지만 대칭 암호알고리즘으로 메시지를 암호화한 출력의 크기는 입력 크기에 비례한다. 따라서 대칭 암호알고리즘을 이용하여 MAC을 만들기 위해서는 암호화한 결과로부터 일정한 크기의 출력을 계산할 수 있어야 한다. 이를 위해 CBC 모드로 메시지를 암호화하고 마지막 블록을 MAC값으로 사용하는 방법을 고려할 수 있다. CBC 모드로 메시지를 암호화하였을 때 마지막 블록은 모든 평문 블록에 영향을 받으므로 MAC값 역할을 충분히 할 수 있다.

하지만 이 방법은 위조할 수 있으므로 마지막 암호 블록을 직접 MAC값으로 사용할 수는 없다. 위조 문제를 극복하기 위해 메시지 길이가 l일 때 $K_l = E.K(l)$을 계산하여 MAC 키인 K 대신에 K_l을 이용하여 메시지를 CBC 모드로 암호화하면 추가적인 조치 없이 마지막 블록을 MAC값으로 사용할 수 있다.

표준으로 정의된 CBC-MAC은 두 개의 키가 필요하다. 이를 K_1과 K_2라 하자. CBC-MAC은 K_1을 이용하여 메시지를 CBC 모드로 암호화한 다음, 결과 암호문의 마지막 블록을 K_2를 이용하여 다시 암호화하여 만들어진 암호문을 MAC값으로 사용한다. 이처럼 계산하는 MAC을 종종 ECBC-MAC(Encrypt-last-block CBC-MAC)이라 한다. 여기서 IV는 모두 0bit를 사용하며, 채우기는 비트 채우기를 사용한다. MAC에서 필요한 채우기와 대칭 암호에서 필요한 채우기의 요구사항이 다르다. 후자는 복호화 후에 정확하게 제거하는 것이 필요하지만 전자는 이것이 필요 없고, 같은 메시지에 대해 같은 MAC값을 얻기 위해서는 반드시 같은 채우기 방법을 사용해야 한다. IV를 항상 모두 0bit를 사용하는 이유도 같은 이유이다.

MAC도 해시함수와 마찬가지로 충돌회피 특성을 제공해야 한다. MAC값의 출력이 n비트이면 생일 파라독스 때문에 $2^{n/2}$개 MAC값을 계산하면 충돌을 찾을 수 있다. AES를 이용하여 CBC-MAC을 만들면 MAC값의 길이가 128bit이므로 2^{64}개의 MAC값을 계산하면 충돌을 찾을 수 있다. 따라서 충돌을 찾을 확률[8)]을 $1/2^{32}$ 수준으로 유지하고 싶으면 2^{48}개의 MAC값을 계산한 후에는 반드시 키를 바꾸어야 한다.

CMAC은 CBC-MAC의 변형으로 3개의 키(K, K_1, K_2)를 사용하지만 3개를 랜덤하게 생성하지 않고 K_i는 K를 이용하여 생성한다. 따라서 하나의 키만 사용하는 MAC이라는 의미에서 다른 말로 OMAC(One-key MAC)이라 한다. CMAC은 메시지를 CBC 모드로 암호화하는데, 마지막 평문 블록 M_n만 일반 CBC 암호화 달리 다음과 같이 암호화한다.

- M_n이 완전 블록인 경우: $M_n^{'} = M_n \oplus K_1$
- M_n이 완전 블록이 아닌 경우: $M_n^{'} = (M_n \,\|\, 10 \cdots 0) \oplus K_2$

CMAC은 이처럼 채우기를 항상 하지 않으며, 채우기가 필요할 때도 비트 채우기를 한다. CMAC은 이렇게 하여 얻은 마지막 블록을 MAC값으로 활용한다.

NMAC은 두 개의 키를 사용하는데 이 키를 암호알고리즘의 대칭키로 사용하지 않고, 암호화하는 평문으로 사용한다. NMAC은 먼저 메시지를 사용하는 블록 암호알고리즘의 키 길이로 나누어 각 나눈 것을 대칭키로 사용하여 K_1을 연속적으로 다음과 같이 암호화한다.

$$\begin{aligned} C_1 &= E.M_1(K_1) \\ C_2 &= E.M_2(C_1) \\ \vdots \quad & \qquad \vdots \\ C_n &= E.M_n(C_{n-1}) \end{aligned}$$

이렇게 하여 얻은 C_n를 채우기하여 최종 대칭키를 만들고, 이 키를 이용하여 K_2를 암호화하여 최종 MAC 값을 계산한다. 이 과정에서 블록 크기와 대칭키 길이가 같으면 채우기가 필요 없다. NMAC에서 사용하는 두 개의 키 길이는 사용하는 블록 암호알고리즘의 블록 길이와 같아야 한다.

---

8) 생일 파라독스에 의한 충돌을 찾을 확률은 대략 $\frac{q^2}{|X|}$이며, 여기서 q는 생성한 개수이고, $|X|$는 값의 길이이다. 따라서 q가 2^{48}이 되면 충돌을 찾을 확률은 $\frac{1}{2^{32}}$ 정도가 된다.

NMAC은 메시지 블록을 키로 사용하기 때문에 대칭 암호알고리즘에 사용하는 키가 MAC을 계산하는 동안 계속 바뀐다. 따라서 내부적으로 사용하는 라운드키를 매번 새롭게 계산해야 하므로 성능은 CBC-MAC, CMAC이 더 우수하다.

PMAC은 기존 CBC-MAC, NMAC 등은 일련의 순차적인 암호화를 통해 MAC 값을 계산하는 문제점을 극복하고자 개발된 MAC이다. PMAC은 MAC 값을 계산하기 위해 순차적으로 암호화하지 않고 병행으로 암호화할 수 있다. 이것을 식으로 표현하면 다음과 같다.

$$\begin{aligned} C_1 &= E.K(M_1 \oplus g(K_1, 1)) \\ C_2 &= E.K(M_2 \oplus g(K_1, 2)) \\ \vdots & \qquad \vdots \\ C_{n-1} &= E.K(M_{n-1} \oplus g(K_1, n-1)) \end{aligned}$$

마지막 블록이 완전 블록이면 $g(K_1, n)$으로 XOR하여 C_n으로 사용하고, 완전 블록이 아니면 비트 채우기를 하여 그 자체를 C_n으로 사용한다. PMAC은 이렇게 구한 암호문 블록을 모두 XOR한 다음, 이 값을 다시 K를 이용하여 암호화하여 얻은 암호문을 MAC 값으로 사용한다. PMAC은 일부 블록만 변경되면 기존 값을 이용하여 빠르게 새 MAC 값을 계산할 수 있으므로 점진적(incremental)으로 MAC 값을 계산할 수 있다고 한다. PMAC은 다중 프로세서를 활용할 수 있다는 이점은 있지만 같은 키로 암호화하는 메시지 길이도 안전성에 영향을 주기 때문에 CBC-MAC이나 NMAC보다 키를 더 자주 바꾸어야 한다.

MAC 중에 키를 한 번만 사용할 수 있는 MAC이 있으며, 이와 같은 MAC을 일회용 MAC(one-time MAC)이라 한다. 일회용 MAC은 CBC-MAC, CMAC, NMAC, PMAC보다 더 효과적으로 구성할 수 있지만 한 번만 사용할 수 있으므로 실용적으로 사용하는 데 문제가 있다. 하지만 Carter와 Wegman은 일회용 MAC을 이용하여 여러 번 사용할 수 있는 MAC을 구성하는 안전한 방법을 제시하였으며[63], 이 형태의 MAC을 Carter-Wegman MAC이라 한다. Carter-Wegman MAC은 다음과 같이 표현할 수 있다.

$$CW(K_1, K_2, M) = (r, E.K_1(r) \oplus S.K_2(M))$$

여기서 S는 일회용 MAC이다. 8.1.6절에서 살펴본 GCM 모드에서 사용한 MAC이 이 형태의 MAC이다.

9.2.2 HMAC

HMAC은 충돌회피 해시함수를 이용하는 MAC 함수를 말한다. SHA-1과 SHA-2처럼 메시지를 블록으로 나누어 동일 과정을 반복적으로 적용하여 메시지를 압축하는 Merkle과 Damgard 구조의 해시함수를 사용하여 단순하게 MAC 함수를 만들면 안전하지 못할 수 있다. 예를 들어, $H(K \| M)$ 형태로 MAC을 계산하면 이 값을 이용하여 $H(K \| M \| M')$을 계산할 수 있는 심각한 문제가 있어 안전하지 못하다. $H(M \| K)$ 형태로 하는 것도 H의 충돌을 찾은 공격자는 MAC의 충돌을 찾을 수 있어서 이 역시 안전하지 못하다. 따라서 $H(K_1 \| M \| K_2)$나 $H(K_1 \| H(K_2 \| M))$ 형태로 MAC을 계산하는 것이 더 안전한 방법이다.

실제 인터넷 표준[64]에서는 $H(K_1 \| H(K_2 \| M))$ 형태를 사용하고 있다. 이 표준의 구체적인 계산 방법은 아래와 같다.

$$\mathrm{MAC}.K(M) = H(K' \oplus opad \| H(K' \oplus ipad \| M))$$

여기서 K'은 K에 0 채우기를 하여 해시함수의 블록크기와 같아지도록 만든 키 값이다. 또 $opad$와 $ipad$는 서로 다른 상수 비트 문자열이며, 이 둘은 하나의 키로부터 두 개의 다른 키를 만들기 위한 요소로 생각하면 된다. 즉, $K_1 = K0 \cdots 0 \| opad$, $K_2 = K0 \cdots 0 \| ipad$라 하면 $\mathrm{MAC}.K(M) = H(K_1 \| H(K_2 \| M))$이 되며, $H(K_1)$과 $H(K_2)$는 사전 계산하여 사용할 수 있다.

SHA-3는 Merkle과 Damgard 구조가 아니므로 $H(K \| M)$ 형태로 MAC을 계산하여도 문제가 없지만 $H(M \| K)$ 형태는 여전히 안전하지 않다.

9.3 공개키 암호알고리즘

9.3.1 RSA

RSA는 Rivest, Shamir, Adleman이 1977년에 개발한 공개키 암호알고리즘이다[8]. 이 알고리즘은 현재 가장 널리 사용하고 있는 암호알고리즘 중 하나이다. 이 알고리즘은 인수분해 문제의 어려움에 기반을 두고 있다. RSA의 공개키 쌍은 다음과 같은 단계를 이용하여 생성한다.

- 단계 1. 매우 큰 같은 크기의 소수 2개 p와 q를 선택한다.
- 단계 2. $n = pq$를 계산한다.
- 단계 3. $\phi(n) = (p-1)(q-1)$를 계산한다.
- 단계 4. $\gcd(\phi(n), e) = 1$인 $\phi(n)$보다 작은 e를 임의로 선택한다.
- 단계 5. $ed \equiv 1 \pmod{\phi(n)}$인 d를 계산한다.

이 과정에서 얻은 값 중 사용자의 공개키는 (n, e)가 되며, 개인키는 (n, d)가 된다. 단계 1에서 소수는 소수 검사(primality test)를 이용하여 생성한다. 임의의 수를 생성한 후 해당 값이 소수인지 아닌지를 검사하는 방식으로 생성한다. 현재 n은 2,048bit 정도 되어야 안전하므로 p와 q는 1,024bit 정도 되어야 한다. 이를 위해 임의로 1,024bit를 생성하고, 최상위[9]와 최하위 비트를 1로 설정한 다음 소수 검사를 한다. 단계 3에서 $\phi(n)$ 대신에 $\lambda(n) = \text{lcm}(p-1, q-1)$를 이용할 수 있으며, 이 경우 d 값이 작아져 효율성을 높일 수 있다. 또 e로 $65,537 = 2^{16}+1$을 많이 사용한다. 이것은 제곱-곱하기(square-multiply) 방법을 사용하여 암호화하기 때문이다. 제곱 곱하기 방식은 2^{33}을 32번의 곱셈 연산을 이용하여 계산하는 것이 아니라 2×2, $2^2 \times 2^2$, $2^4 \times 2^4$, $2^8 \times 2^8$, $2^{16} \times 2^{16}$, $2^{32} \times 2$와 같이 곱셈을 6번만 하여 계산하는 방식을 말한다. 이처럼 e로 3이나 65,537를 많이 사용하므로 RSA는 보통 공개키로 암호화하는 속도가 상대적으로 개인키로 복호화하는 속도에 비해 빠르다.

RSA에서 암호화와 복호화는 다음과 같다.

9) 전수조사하여 찾을 수 없어야 하는 $n$bit 수이면 항상 최상위 비트를 1로 설정해야 한다. 1로 설정하지 않으면 매우 작은 수를 생성하여 사용할 수 있기 때문이다.

$$C = M^e \bmod n$$
$$M = C^d \bmod n$$

이것이 성립하는 이유는 다음과 같다[10).

$$C^d = (M^e)^d = M^{ed} = M^{k\phi(n)+1} = \left(M^{\phi(n)}\right)^k M \equiv M \pmod{n}$$

물론 M이 n과 서로소가 아니면 이 식이 성립하지 않는다. 하지만 M이 n과 서로소가 아니더라도 M은 p 또는 q와 서로소이므로 M이 n과 서로소가 아니면 이를 이용하여 RSA의 정확성을 증명할 수 있다.

실제 RSA는 안전성 문제 때문에 위와 같이 암호화하지 않는다. 예를 들어, C_1이 M_1의 암호문이고, C_2가 M_2의 암호문이면 C_1C_2는 M_1M_2의 암호문이 된다. 또한 속도를 위해 3과 같은 작은 지수를 e로 사용할 수 있는데, 이 경우에는 평문의 특성에 따라 전수조사를 통해 M을 구할 수 있다. 따라서 표준에서는 **OAEP**(Optimal Asymmetric Encryption Padding)[65]를 사용하여 메시지를 더 랜덤한 값으로 바꾸고 그 길이를 RSA 법과 같은 길이로 확장하도록 하고 있다. OAEP는 메시지를 암호화하기 전에 다음 두 값을 계산한다.

$$s = (M \| 00 \cdots 0) \oplus G(r)$$
$$t = H(s) \oplus r$$

여기서 G와 H는 해시함수이며, r은 사용자가 임의로 선택한 랜덤수이다. 이렇게 하여 얻은 s와 t를 비트 결합하여 RSA 암호화를 한다. 결과적으로 암호화하는 값의 길이를 n의 길이와 유사하게 만드는 것이 목표이다.

r의 길이와 채우기의 길이는 사용하는 시스템에서 결정하여 고정하며, s를 계산하기 위한 $(M \| 00 \cdots 0)$ 부분은 시스템에 따라 차이가 있을 수 있다. G와 H를 모두 SHA-256을 이용한다고 가정하면 $G(r)$의 길이는 SHA-256의 출력 길이인 32byte보다 훨씬 커야 한다. 이를 위해 $G(r) \| G(r+1) \| \cdots$ 형태로 필요한 만큼 확장하여 사용한다.

OAEP를 이용하여 암호화된 메시지를 복호화하면 s와 t를 얻을 수 있고, 다음 식을 이용하여 이 두 개의 값으로부터 M을 계산할 수 있다.

10) $M < n$이고 $\gcd(M, n) = 1$이면 오일러 정리에 의해 $M^{\phi(n)} \equiv 1 \pmod{n}$이 성립한다.

$$\begin{aligned} r &= t \oplus H(s) \\ (M \| 00 \cdots 0) &= s \oplus G(r) \end{aligned}$$

OAEP 대신에 혼합 암호(hybrid encryption)를 이용하는 경우도 많다. 이를 RSA-KEM(Key Encapsulation Mechanism)이라 하며, 랜덤 대칭키를 OAEP를 이용하여 암호화하지 않고, 상대방의 공개키가 (n, e)일 때 랜덤한 $x \in Z_n^*$를 암호화하고, 이 x를 KDF에 입력하여 대칭키를 생성하여 다음과 같이 메시지 M을 암호화한다.

$$x \in_R Z_n^*, cK \| iK = KDF(x),\ c = x^e \bmod n,\ C = \{M\}.cK,\ \mathrm{MAC}.iK(C)$$

9.3.2 ElGamal

ElGamal 공개키 암호알고리즘[9]은 이산대수 문제에 기반한 확률 암호알고리즘이다. ElGamal 공개키 방식은 이산대수 문제에 기반이므로 이산대수 문제가 어려운 군의 생성이 선행되어야 한다. 보통 매우 큰 소수 p를 선택하여 Z_p^*군을 활용하기도 하고, 이 군의 위수가 소수 q인 부분군을 사용하기도 한다. 현재 p는 2,048bit 정도 되어야 하며, q는 224bit 정도 되어야 안전하다고 한다.

ElGamal에서 Z_p^*의 위수가 소수 q인 부분군은 보통 다음과 같이 생성한다.

- 단계 1. 원하는 크기의 소수 q를 선택한다.
- 단계 2. $p = kq + 1$를 계산한 후에 p가 소수인지 판단한다. 아니면 이 과정을 반복한다. 여기서 k는 랜덤한 수로 원하는 크기의 p를 얻기 위해 사용하는 수이다.
- 단계 3. p보다 작은 수 h를 임의로 선택하여 $g = h^k \bmod p$를 계산한다. 이 값이 1[11)]이면 g는 G_q의 생성자이다. 이 값이 1이 아니면 이 과정을 다시 반복한다.

여기서 p, q, g를 군 파라미터라 한다. 사용자의 개인키 $x \in Z_q^*$는 임의로 선택하며, 대응되는 공개키는 $y = g^x \bmod p$가 된다.

이처럼 랜덤하게 군을 생성하면 약한 군을 사용할 확률이 있고, 군을 설정하는 측에서 트랩

11) Z_p^*는 순환군이므로 임의의 $h \in Z_p^*$는 Z_p^* 부분군 중 하나의 생성자이며, 이 군의 부분군 위수는 $p-1 = kq$의 약수이다. 따라서 $h^k \bmod p$가 1이면 h는 1이거나 h와 h^k는 위수가 k의 약수인 부분군의 생성자이다.

도어 목적으로 일부러 약한 군을 사용할 수 있는 문제점도 있다. 이에 RFC 7919[66]와 같은 표준에 제시된 군을 사용하는 것이 더 안전하다. 물론 이전 RFC 5114[67]에 제시된 군 중 나중에 문제가 있는 군으로 밝혀진 경우도 있다. 이 때문에 일반 유한체(finite field) 기반 군을 사용하지 않고 타원곡선을 이용하는 경향이 높아지고 있다.

ElGamal에서 사용자 A의 공개키 $y_A = g^{x_A} \bmod p$를 이용한 메시지 M의 암호화는 다음과 같다.

$$(C_1,\ C_2) = (g^r,\ y_A^r M)$$

여기서 r는 Z_q^*에서 임의로 선택한 랜덤수이며, 메시지 M은 G_q의 원소이어야 한다. 또한 $\bmod p$가 식에서 생략되어 있다. 위 암호문의 복호화는 다음과 같다.

$$M = C_2\left(C_1^{x_A}\right)^{-1} = y_A^r M\left(g^{rx_A}\right)^{-1} = g^{x_A r} g^{-rx_A} M = M$$

일반적인 데이터를 암호화하고 싶으면 다음과 같은 혼합 암호를 사용한다.

$$(C_1,\ C_2,\ tag) = (g^r,\ C = E.K_1(M),\ T = \mathrm{MAC}.K_2(C))$$

여기서 K_1과 K_2는 y_A^r을 KDF에 입력하여 생성한 대칭키이다. 수신자는 $C_1^{x_A}$을 이용하여 K_1과 K_2를 계산한 후에 이를 이용하여 인증 암호화를 복호화한다.

9.3.3 공개키의 길이

컴퓨팅 성능이 계속 발전함에 따라 인수분해와 이산대수 문제를 해결하는 데 걸리는 시간도 점점 감소하고 있다. 이 때문에 RSA에서 사용하는 법 n의 크기와 ElGamal에서 사용하는 이산대수 군의 크기도 계속 늘려야 하는 문제점이 있다. 2020년 미국 표준기구인 NIST에서 권장하는 키 길이는 표 9.1과 같다. 이 표에서 알 수 있듯이 키 길이 문제 때문에 일반 이산대수 대신에 점점 타원곡선 기반 공개키 암호알고리즘이나 전자서명 알고리즘을 사용하는 응용이 많아지고 있다. 이 표에 제시된 RSA, 이산대수, 타원곡선의 안전성은 양자 컴퓨팅이 현실화되면 아무런 의미가 없다.

기간	안전성	대칭암호	RSA 법 n	이산대수		타원곡선	해시함수	MAC
				p	q			
2019~ 2030	112	AES-128	2,048	224	2,048	224	SHA-224	
2019~ 2030 이후	128	AES-128	3,072	256	3,072	256	SHA-256	SHA-1
2019~ 2030 이후	192	AES-192	7,680	384	7,680	384	SHA-384	SHA3-224
2019~ 2030 이후	256	AES-256	15,360	512	15,360	512	SHA-512	SHA3-256 이상

<표 9.1> 권장하는 암호키의 길이

9.4 전자서명

9.4.1 RSA 전자서명

RSA 암호알고리즘은 공개키는 물론 개인키로도 메시지를 암호화할 수 있다. 개인키로 메시지를 암호화하는 것은 오직 개인키를 갖고 있는 사용자만 할 수 있으므로 전자서명 역할을 할 수 있다. 하지만 단순하게 개인키로 암호화하면 위조할 수 있으므로 충돌회피 해시함수를 보통 사용한다. 예를 들어, $M=1$이면 아무 사용자의 전자서명을 만들어 낼 수 있다. 또한 두 개의 서명 σ_1과 σ_2를 곱하여 $\sigma_1\sigma_2$에 대한 전자서명을 만들어 낼 수 있다. 따라서 $H(M)^d \bmod n$ 형태로 계산하여야 안전하다. 하지만 이 경우에도 $H(M)$의 값이 n에 비해 매우 작은 값이므로 안전성을 높이기 위해 암호화할 때 OAEP를 사용한 것처럼 해시값의 길이가 n의 길이와 같도록 확장하여 서명한다. 이것을 FDH(Full Domain Hash)라 한다.

Bellare와 Rogaway는 결정적 RSA 서명을 확률적으로 바꾸는 동시에 서명할 값의 길이를 n의 길이와 같아지도록 하는 **RSA-PSS**(Probabilistic Signature Scheme)[68]을 제안하였다. 이 방식에서 메시지 M에 대한 서명 σ는 다음과 같이 계산된다.

- 단계 1. $r \in_R \{0,1\}^{k_0}$를 임의로 선택한다.
- 단계 2. $w = H(M \| r)$를 계산한다.

- 단계 3. $M' = 0 \| w \| (G_1(w) \oplus r) \| G_2(r)$를 계산한다.
- 단계 4. $\sigma = M'^d \bmod n$을 계산한다.

여기서 k_0과 H 출력값의 길이는 모두 256bit라 하고, n은 2,048bit라 하자. 그러면 G_1도 256bit이고, G_2는 1,535bit가 되어야 한다. 따라서 OAEP에서처럼 G_2는 주어진 입력을 확장해 주어야 한다.

RSA-PSS에서 서명 (M, σ)의 확인은 다음과 같이 진행된다.

- 단계 1. $M' = \sigma^e \bmod n$을 계산한다.
- 단계 2. $M' = b \| w \| \alpha \| \gamma$로 나눈다.
- 단계 3. $r = \alpha \oplus G_1(w)$를 계산한다.
- 단계 4. $b\,?= 0$, $G_2(r)\,?= \gamma$, $H(M \| r)\,?= w$를 확인한다.

9.4.2 DSA 전자서명

이산대수 기반 전자서명 중 가장 간결하고 효율적이며 안전한 기법 중 하나가 **Schnorr 전자서명 기법**이다[69]. 하지만 특허 문제로 이 기법을 표준으로 제정할 수 없었다. 이것은 RSA도 마찬가지이다. 이 때문에 Schnorr 전자서명을 약간 변형한 기법을 표준으로 제정하였으며, 이 표준을 **DSA**라 한다. DSA는 1991년에 전자서명 표준에 사용하기 위해 처음 제안되었고, 1994년에 FIPS 186으로 공식 제정되었다. 그 이후 4번의 수정이 있었다. 가장 마지막 버전이 2013년에 발표된 FIPS 186-4이다[70]. 현재 FIPS 186-5 초안에 의하면 FIPS 186-4 버전의 DSA는 폐기되고 새 전자서명 표준으로 바뀔 예정이며, 새 표준은 Schnorr 전자서명의 특허 만료로 Schnorr 전자서명과 매우 가깝게 바뀔 예정이다.

DSA는 이산대수 문제에 기반하고 있으며, 사용자 공개키 쌍의 생성은 ElGamal 암호알고리즘과 차이가 없다. 순환군 파라미터가 p, q, g이고, 사용자 A의 개인키는 $x_A \in Z_q^*$이며 공개키는 $y_A = g^{x_A} \bmod p$일 때, 메시지 M에 대한 ElGamal 전자서명은 다음과 같이 계산한다.

- 단계 1. $w \in_R Z_q^*$를 임의로 선택한다.
- 단계 2. $W = (g^w \bmod p) \bmod q$를 계산한다.

- 단계 3. $s=(H_q(M)+x_A W)w^{-1} \bmod q$를 계산한다.

결과 서명은 M, W, s이다.

사용자 A의 공개키를 갖고 있는 사용자는 다음 단계를 통해 서명을 확인한다.

- 단계 1. $u_1 = H_q(M)s^{-1} \bmod q$를 계산한다.
- 단계 2. $u_2 = Ws^{-1} \bmod q$를 계산한다.
- 단계 3. $W? \equiv (g^{u_1}y^{u_2} \bmod p) \bmod q$인지 확인한다.

DSA 서명의 정확성은 다음과 같이 확인할 수 있다.

$$\begin{aligned} W=g^w &= g^{u_1}y^{u_2} = g^{H_q(m)s^{-1}}g^{x_A Ws^{-1}} = g^{s^{-1}(H_q(m)+x_A W)} \\ &= g^{(H_q(m)+x_A W)^{-1}w(H_q(m)+x_A W)} = g^w \end{aligned}$$

9.4.3 ECDSA 전자서명

현재는 DSA 전자서명보다 타원곡선 기반 전자서명을 더 많이 사용한다. **ECDSA**는 DSA의 타원곡선 버전으로 2000년에 FIPS 186-2에 처음 포함되었다. 타원곡선을 이용하여 유한순환군을 만들 수 있으므로 기존 이산대수 기반 알고리즘이나 프로토콜을 그대로 타원곡선으로 옮길 수 있다. 수학식으로 보면 g^a가 aP 형태로 바뀔 뿐이다. 여기서 P는 타원곡선 위의 점이며, 타원곡선을 이용한 군은 곱셈군이 아니라 덧셈군이다. 따라서 aP는 P를 a번 거듭 더한 좌표이며(예: $3P=P+P+P$), 군은 닫혀 있으므로 aP는 사용하는 타원곡선 위의 또 다른 점이 된다.

P가 위수가 소수 q인 부분군의 생성자이고, $d_A \in Z_q^*$가 서명자의 서명키이며, $Q_A = d_A P$가 확인키이면 ECDSA 전자서명은 다음과 같이 계산한다.

- 단계 1. $w \in_R Z_q^*$를 임의로 선택한다.
- 단계 2. $(a, b) = wP$를 계산한다. 여기서 a는 점 wP의 x 좌표이다.
- 단계 3. $s=(H_q(M)+d_A a)w^{-1} \bmod q$를 계산한다.

결과 서명은 M, a, s이다.

사용자 A의 공개키를 갖고 있는 사용자는 다음 단계를 통해 서명을 확인한다.

- 단계 1. $(\hat{a}, \hat{b}) = H_q(M)s^{-1}P + as^{-1}Q_A$를 계산한다.
- 단계 2. $a \mathrel{?}\equiv \hat{a} \bmod q$인지 확인한다.

Schnorr 전자서명의 특허가 만료됨에 따라 효율적이며 안전성이 증명된 Schnorr 전자서명을 표준으로 채택하기 위한 노력이 진행되었고, 그것의 결과 중 하나가 **EdDSA**이다 [71]. EdDSA는 타원곡선 기반이며, 기존에 많이 사용한 타원곡선 대신에 Edwards25519라는 곡선을 사용한다. 이 곡선은 기존에 많이 사용하고 있는 Curve25519보다 더 빠르게 연산을 수행할 수 있다,

EdDSA는 대칭키처럼 128bit 랜덤한 값을 개인키 K로 사용한다. 이 키를 SHA-512에 입력하여 두 개의 256비트 키 x와 r를 얻는다. 이 사용자의 공개키는 $Q = xP$가 된다. ECDSA와 마찬가지로 P는 위수가 소수 q인 부분군의 생성자이다. EdDSA에서 메시지 M에 대한 서명은 다음과 같이 계산한다.

- 단계 1. $w = H(r \| M) \bmod q$를 계산한다.
- 단계 2. $W = wP$를 계산한다.
- 단계 3. $c = H(W \| Q \| M) \bmod q$를 계산한다.
- 단계 4. $s = w + cx \bmod q$를 계산한다.

결과 서명은 M, W, s이다.

공개키 Q를 가지고 있는 사용자는 다음 단계를 통해 서명을 확인한다.

- 단계 1. $c = H(W \| Q \| M) \bmod q$를 계산한다.
- 단계 2. $sP \mathrel{?}\equiv W + cQ \pmod q$인지 확인한다.

Schnorr 전자서명에서는 매번 다른 w를 사용해야 한다. 이를 위해 EdDSA는 w를 랜덤하게 선택하지 않고 키 일부와 서명할 메시지를 이용하여 계산한다.

부록 _ Schnorr 전자서명

앞서 설명한 바와 같이 미국 전자서명 표준을 최초 제정할 때 Schnorr 전자서명[69]을 사용하고 싶었지만, 특허 문제로 사용할 수 없었다. Schnorr 전자서명의 특허가 2008년에 만료됨에 따라 미국 표준도 Schnorr 서명에 가깝게 다시 제정되고 있다. 최근에 비트코인도 사용하는 전자서명을 Schnorr 전자서명으로 바꾸었다. Schnorr 전자서명은 14장에서 이산대수 영지식 증명 프로토콜에서 소개하고 있으며, 그림 14.5에 제시된 프로토콜에서 c를 계산할 때 서명할 메시지 M을 포함하면 된다.

가장 간단한 형태로 타원곡선 기반으로 제시하면 다음과 같다. 여기서 $x \in_R Z_q^*$가 서명키이고, $Q = xP$가 확인키이며, P는 위수가 소수 q인 타원곡선 기반 부분군의 생성자이다.

- 단계 1. $w \in_R Z_q^*$를 선택한다.
- 단계 2. $W = wP$를 계산한다.
- 단계 3. $c = H(W \| M) \bmod q$를 계산한다.
- 단계 4. $s = w + cx \bmod q$를 계산한다.

결과 서명은 M, c, s이다.

공개키 Q를 가지고 있는 사용자는 다음 단계를 통해 서명을 확인한다.

- 단계 1. $W = sP - cQ$를 계산한다.
- 단계 2. $c \mathrel{?}\equiv H(W \| M) \pmod q$인지 확인한다.

이 방식 대신에 결과 서명을 M, W, s로 사용할 수 있으며, 확인자는 서명자와 같은 방법으로 c를 계산한 다음 $sP \mathrel{?}\equiv W + cQ \pmod q$를 확인하여 서명을 확인할 수 있다.

Schnorr 전자서명은 다른 유사한 전자서명과 비교하였을 때 계산 비용, 서명 크기 측면에서 모두 효율적이며, 다음과 같이 다중 서명이 가능하다는 이점도 가지고 있다. 2명의 사용자가 같은 메시지 M을 서명하고 싶으면 각자 단계 2까지 진행한 다음 서로 계산한 $W_i = w_iP$를 교환한다. 그다음 $W = W_1 + W_2$를 계산하여 각자 단계 3과 단계 4를 진행한다. 각 서명자는 단계 4에서 계산된 $s_i = w_i + cx_i$를 교환하여 $s = s_1 + s_2$를 계산한다. 결과 서명은 이전과 마찬가지로 M, c, s이다. 이 서명은 두 서명자의 확인키를 결합한 $Q(= Q_1 + Q_2)$를 이용하여 기존과 같은 방법으로 서명을 확인할 수 있다. 따라서 공개키가 처음부터 $Q(= Q_1 + Q_2)$로 주어진 상태이면 확인자 입장에서는 단일 서명과 다중 서명을 구분할 수 없다.

9장 퀴즈

1. $p = 53$, $q = 59$를 선택하여 $n = pq = 3{,}127$과 $\phi(n) = 3{,}016$을 계산하였다. 그다음 $e = 3$을 선택하였고, $d = 2{,}011$을 계산하여 RSA 공개키 쌍을 생성하였다. $m(< n)$에 대한 RSA 전자서명 값을 $m^d \bmod n$을 통해 계산한다고 가정하자. 이 경우 $m_1 = 1{,}000$의 서명 값은 10이고, $m_2 = 3$의 서명 값은 934이다. 그러면 $m_3 = 3{,}000$의 서명 값은?

2. NMAC은 메시지를 키 길이로 나눈 값을 대칭키로 사용하여 MAC 키를 연속적으로 암호화를 한다. NMAC도 이렇게 암호화한 결과를 그대로 사용하면 위조할 수 있다. 마지막에 추가적인 조처 없이 그대로 사용한다고 가정하고, 사용하는 대칭 암호알고리즘의 키 길이와 길이가 같은 메시지 X에 대한 NMAC이 T이고 Y도 X와 길이가 같은 메시지이면 $X \| Y$에 대한 MAC 값은? 단, X는 정확하게 블록 크기의 배수이며 T는 X에 채우기 없이 사용하여 만든 값이라고 가정한다.

① $E.Y(T)$
② 알 수 없음
③ $E.K(Y)$
④ $E.K(X)$

3. CBC 모드로 메시지를 암호화하였을 때 마지막 암호문 블록은 메시지 전체에 영향을 받으므로 MAC 값으로 활용할 수 있는 특성을 충분히 갖추고 있다. 하지만 마지막 암호문 블록을 그대로 사용하면 위조할 수 있으므로 추가 조처가 필요하다. 추가 조처 없이 마지막 암호문 블록을 그대로 사용한다고 가정하자. 모든 비트가 0인 IV를 사용하고, X는 사용하는 대칭 암호알고리즘 블록 크기의 데이터일 때, $\text{MAC}.K(X) = T$이면 $X \| X \oplus T$의 MAC 값은? 참고로 CBC-MAC은 마지막 블록이 완전 블록이면 채우기를 하지 않고 부족하면 비트 채우기를 한다.

① 알 수 없음
② X
③ 모든 비트가 0
④ T

연습문제

1. SHA 계열의 해시함수나 CBC-MAC 등은 대칭 암호알고리즘과 마찬가지로 채우기가 필요하다. 채우기가 필요한 이유와 안전성 측면에서 그것이 중요한 이유(모두 0으로 채우기를 하거나 비트 채우기만 하였을 때 문제점을 제시)를 설명하라. 또 대칭 암호알고리즘의 채우기와 중요한 차이점을 설명하라.

   힌트. SHA 계열은 Merkle과 Damgard 구조 기반이기 때문에 내부적으로 블록 단위의 함수를 활용한다.

2. 대칭 암호알고리즘을 이용하여 메시지를 ECB 모드로 암호화한 다음 모든 암호문 블록을 XOR한 값을 MAC값으로 사용하면 어떤 문제가 있는지 제시하라. 이때 채우기는 표준 채우기를 사용한다고 가정한다.

3. $\text{MAC}.K(M) = H(K \| M)$ 형태로 사용할 경우의 문제점을 설명하라. 여기서 H는 Merkle과 Damgard 구조 해시 함수이다.

4. RSA 암호알고리즘에서 공개키가 (n, e)이고 개인키가 (n, d)일 때, $M < n$인 메시지의 암호화는 $C = M^e \bmod n$을 이용한다. 이 암호문은 $C^d \bmod n$을 통해 복호화한다. 복호화 결과의 정확성은 $\gcd(M, n) = 1$일 때, 다음을 통해 증명할 수 있다.

$$C^d = M^{ed} = M^{k\phi(n)+1} = \left(M^{\phi(n)}\right)^k M \equiv M \pmod n$$

   참고. 오일러 정리. $\gcd(m, n) = 1$이면 $m^{\phi(n)} \equiv 1 \pmod n$이 성립한다.
   $\gcd(M, n) \neq 1$이면 M은 p의 배수이거나 q의 배수이다. 따라서 M은 p와 서로소이거나 q와 서로소이다. $M = ap$이고 q와 서로소라고 가정하면 다음이 성립한다.

$$M\left(M^{\phi(n)}\right)^k = M\left(M^{\phi(q)}\right)^{\phi(p)k}$$

   M은 q와 서로소이므로 $M^{\phi(q)} \equiv 1 \pmod q$이다. 따라서 다음이 성립한다.

$$M\left(M^{\phi(q)}\right)^{\phi(p)k} = ap(1+bq)$$

   $ap(1+bq) \equiv M \pmod n$임을 보이라. 이것이 성립하면 모든 $M < n$에 대해 RSA의 정확성이 증명된다.

5. RSA 암호알고리즘은 암호화 연산의 효율성을 높이기 위해 종종 공개키 e 값으로 3을 선택하여 사용하는 경우가 있다. $e=3$이고 $n>30$일 때, 대응되는 d로 암호화된 값을 임의로 하나 만들어 보아라. $c^e \equiv m \pmod{n}$가 성립하는 m, c 쌍을 제시하라.

6. RSA 공개키가 (n, e)인 사용자에게 1부터 365 사이의 수 m을 암호화하여 전달하고자 한다. 이를 위해 매우 큰 수 x를 선택한 후에 x와 $(m+x)^e \bmod n$를 전달하였다. 이 방식의 문제점을 제시하라.

7. $m(<n)$에 대한 RSA 전자서명 값을 $m^d \bmod n$을 통해 계산한다고 가정하자. 서명자의 서명키가 (n, d)이고, 확인키가 (n, e)일 때, $m=r^e m' \bmod n$을 계산하여 서명자로부터 m에 대한 서명값 $m^d \bmod n$을 확보하였다. 이 서명으로부터 서명자의 또 다른 유효한 서명을 만들 수 있다. 해당 서명을 얻는 방법을 제시하라.

8. RSA 개인키가 $(n=pq, d)$이고, $c=m^e \bmod n$일 때, $d_p=d \bmod p$와 $d_q=d \bmod q$를 계산한 다음, 연립합동식 $m_p \equiv c^{d_p} \pmod{p}$, $m_q \equiv c^{d_q} \pmod{q}$의 해를 중국인 나머지 정리를 이용하여 해결하면 m을 얻을 수 있다. 이 방법을 사용하면 RSA 복호화 성능이 향상된다. 하지만 이 방법은 일반적인 방법과 비교하여 위험 요소가 있다. 이 요소를 설명하라.

제10장

키 확립 프로토콜 대표 사례

제 10 장 키 확립 프로토콜 대표 사례

10.1 키 확립 프로토콜 수행 비용 절감 방안

일반적으로 키 확립 프로토콜을 통해 확립된 비밀키는 한 통신 세션에서 사용하고 버리는 일회용 키이다. 하지만 필요할 때마다 매번 키 확립 프로토콜을 수행하는 것이 효율성 측면에서 환경에 따라 부담이 될 수 있다. 더욱이 자체 강화 방식이 아니라 서버를 활용하면 가용성 측면에서도 문제가 될 수 있다. 이를 극복하는 방안으로 한 번 확립한 비밀키를 여러 번 사용하는 방식과 한 번에 하나의 비밀키를 확립하는 것이 아니라 여러 개를 확립하는 방식이 제안되었다. 전자를 **티켓**(ticket) **방식**이라 하고, 후자를 **다중 벡터 방식**이라 하는데, 두 방식 모두 확립된 비밀키를 장기간 유지해야 하는 단점이 있다. 즉, 추가적인 키 관리 및 저장 공간이 요구된다. 또한 티켓 방식의 경우 같은 비밀키를 여러 번 사용하게 되므로 안전성도 근본적으로 약해진다. 참고로 꼭 대칭키 암호알고리즘을 사용하는 방식에서만 사용할 수 있는 기법은 아니지만 두 기법 모두 보통 대칭키 암호알고리즘만 사용하는 환경을 위해 제안된 기법이다.

10.1.1 티켓 기반 프로토콜

세션마다 비밀키를 새로 확립하는 데 드는 비용을 줄이기 위해 확립된 비밀키를 일정한 기간 사용하는 방식을 티켓 방식이라고 한다. 이 방식에서는 비밀키, 비밀키의 용도, 사용 기간과 같은 정보를 암호화하여 만든 티켓을 사용한다. 여기서 비밀키의 용도는 이 티켓을 사용할 수 있는 사용자를 제한하기 위한 것이며, 티켓의 용도는 티켓을 생성할 때 사용하는 암호키에 의해 결정된다. 티켓 방식 프로토콜에는 티켓을 발급하는 자, 티켓을 발급받는 자, 티켓을 받고 서비스를 제공하는 자, 3종류의 참여자로 구성된다.

보통 티켓 방식에서 티켓은 사용자가 발급받아 유지하며, 서비스를 받고자 할 때 서비스 제공자에게 제시하고 해당 티켓을 사용할 수 있는 사용자임을 증명한다. 이 증명은 티켓 내에 포함된 비밀키를 알고 있다는 것을 통해 이루어진다. 하지만 사용자는 티켓을 보통 복호화할 수 없으므로 티켓을 발급받을 때 티켓뿐만 아니라 티켓에 포함된 비밀키를 받아야 하며, 이 키를 티켓과 함께 안전하게 유지해야 한다. 서비스 제공자는 티켓을 수신하면 티켓의 유효성과 사용자가 제시한 증명을 확인하기 위해 티켓을 복호화할 수 있어야 한다. 따라서 티켓은 보통 티켓 발급자와 서비스 제공자 사이에 공유된 비밀키를 이용하여 암호화한다.

티켓의 전형적인 모습은 다음과 같다. 이 티켓은 사용자 A가 B의 서비스를 사용하기 위해 S로부터 발급받은 티켓이다.

$$\{T_S \,\|\, L \,\|\, K_{AB} \,\|\, A\}.K_{BS}$$

여기서 T_S는 티켓의 시작 시각이고, L은 티켓의 수명이며, 이 두 정보를 통해 티켓의 유효기간이 정의된다. 또 티켓에 포함된 식별자는 이 티켓을 사용할 수 있는 사용자의 식별자이다. 티켓은 타임스탬프를 사용하고 있으므로 보통 시스템 간 시간 동기화가 필요하다. 이와 같은 형태의 티켓을 사용하기 위해서는 티켓을 발급하는 서버는 응용 서버와 대칭키를 공유하고 있어야 한다. TLS에서도 한 번 프로토콜을 수행하였으면 다음 수행을 간소화하기 위해 이와 유사한 형태의 티켓을 활용한다. 이에 대해서는 10.2.1절에서 자세히 살펴본다.

10.1.1.1 Kerberos

커버로스(Kerberos)는 MIT에서 개발한 네트워크 인증시스템이며 ITEF에서 인터넷 표준 RFC4120으로 채택하고 있다[72]. 원격에서 유닉스 서버가 제공하는 telnet, ftp, pop과 같은 네트워크 서비스에 접근할 때 널리 사용한 적도 있지만 현재는 ssh와 같은 다른 방법을 더 많이 사용한다. 이와 같은 네트워크 서비스는 계정명과 패스워드를 통해 사용자를 인증하지만, 이들은 기본적으로 인증 과정에 대한 어떤 보안도 하지 않는다. 따라서 개방된 네트워크로 전달되는 패킷을 분석하여 쉽게 다른 사용자의 패스워드를 알 수 있다. 이 문제를 해결하기 위해 개발된 것이 커버로스이다.

커버로스는 Needham-Schroeder 프로토콜[28]에 기반하고 있으며, 버전 5까지 개발되어 있다. 커버로스는 전형적인 티켓 방식 프로토콜로 참여하는 시스템 간 시간 동기화가 필요하다. 커버로스에는 인증서버(Authentication Server), 티켓승인서버(TGS, Ticket Granting Sever), 응용서버 총 3종류의 서버가 참여한다. 인증서버는 사용자를 인증해주는 서버로서, 각 사용자와 장기간 비밀키를 공유하고 있다. 이 서버는 사용자에게 티켓승인서버와 사용할 수 있는 티켓을 발급하여 주며, 티켓승인서버는 응용서버와 사용할 수 있는 티켓을 발급하여 준다. 따라서 티켓승인서버는 각종 응용서버와 장기간 비밀키를 공유하고 있어야 한다. 응용서버는 각종 서비스를 제공하는 실제 사용자가 접속하고자 하는 서버이며, 사용자가 유효한 티켓을 제시하면 접속을 허용한다.

실제 티켓 승인 서버를 사용하지 않고 인증 서버가 응용 서버와 사용하기 위한 티켓을 발급할 수 있다. 하지만 커버로스에서는 티켓 승인 서버를 추가로 사용하고 있다. 그 이유는 사용자의 장기간 키의 사용을 최소화하기 위한 것이다. 사용자는 인증 서버에 접속하여 티켓요청 티켓을 발급받으면 이 티켓의 유효기간에는 외부적으로는 티켓과 티켓에 포함된 비밀키만 사용한다. 여러 응용 서버에 접속이 필요하더라도 해당 티켓의 유효기간에는 장기간 키의 사용이 필요 없으며, 인증 서버와 상호작용할 필요도 없다. 이처럼 한 번 인증한 이후 일정 기간 인증 없이 계속 여러 서비스를 사용할 수 있게 해주는 것을 SSO(Single-Sign On) 서비스라 한다.

Msg 1. $A \rightarrow S$: A, G, N_A

Msg 2. $S \rightarrow A$: $\{K_{AG} \| G \| N_A\}.K_{AS}, \{T_S \| L \| K_{AG} \| A\}.K_{GS}$

Msg 3. $A \rightarrow G$: $\{T_S \| L \| K_{AG} \| A\}.K_{GS}, \{A \| T_A\}.K_{AG}, B, N_A'$

Msg 4. $G \rightarrow A$: $\{K_{AB} \| B \| N_A'\}.K_{AG}, \{T_G \| L \| K_{AB} \| A\}.K_{BG}$

Msg 5. $A \rightarrow B$: $\{T_G \| L \| K_{AB} \| A\}.K_{BG}, \{A \| T_A'\}.K_{AB}$

Msg 6. $B \rightarrow A$: $\{T_A'\}.K_{AB}$

<그림 10.1> Kerberos V5 프로토콜

커버로스 V5 프로토콜은 그림 10.1과 같다. 여기서 S는 인증 서버이고, G는 티켓 승인 서버이다. 이 프로토콜 서술에서 알 수 있듯이 사용자는 티켓의 내부 내용을 볼 수 없다. 따라서 사용자는 티켓뿐만 아니라 티켓과 함께 받은 암호문을 함께 유지해야 한다. 이 암호문에는 티켓에 포함된 비밀키가 들어 있다. 티켓을 제시할 때는 티켓을 사용할 수 있는 사용자임을 증명하기 위해 티켓에 포함된 비밀키를 이용하여 자신의 식별자와 현재 타임스탬

프를 암호화하여 준다.

10.1.1.2 Kehne 등의 프로토콜

Msg 1. $A \rightarrow B$: A, N_A
Msg 2. $B \rightarrow S$: A, N_A, B, N_B
Msg 3. $S \rightarrow B$: $\{B \| N_A \| K_{AB}\}.K_{AS}, \{A \| N_B \| K_{AB}\}.K_{BS}$
Msg 4. $B \rightarrow A$: $\{B \| N_A \| K_{AB}\}.K_{AS}, \{T_B \| A \| K_{AB}\}.K_{BB}$

Msg 1. $A \rightarrow B$: $N_A, \{T_B \| A \| K_{AB}\}.K_{BB}$
Msg 2. $B \rightarrow A$: $N_B, \{N_A\}.K_{AB}$
Msg 3. $A \rightarrow B$: $\{N_B \| N_A\}.K_{AB}$

<그림 10.2> Kehne 등의 프로토콜

그림 10.2에 제시된 Kehne 등[73]의 프로토콜은 티켓 기반 방식임에도 불구하고 시스템 간의 시간 동기화가 필요하지 않다. 이 프로토콜에서는 인증 서버나 티켓 승인 서버 등이 티켓을 발급하지 않고 응용 서버가 직접 발급한다. 응용 서버가 직접 발급하므로 티켓의 유효기간을 설정하고 확인하는 주체가 같다. 따라서 시스템 간의 시간 동기화가 필요 없으며, 만료 시간만 티켓에 포함하여도 유효기간을 확인하는 데 문제가 없다. 그뿐만 아니라 티켓을 직접 발급하므로 티켓을 암호화하는 키를 다른 주체와 공유할 필요가 없다. 이 때문에 K_{BB}로 표현한 것이다. 또 프로토콜의 흐름을 보면 사용자가 바로 응용 서버에 접속한다. 이 때문에 커버로스와 달리 사용자가 인증 서버나 티켓 승인 서버에 별도 접속할 필요가 없다. 따라서 사용자에게 더욱 투명하게 서비스(기존과 차이 없이) 제공이 가능하다. 물론 사용자는 인증 서버와 장기간 키를 사전에 공유하고 있어야 한다.

10.1.2 다중 벡터 방식

티켓 방식은 한 번 확립된 비밀키를 여러 번 사용하며, 사용자가 티켓을 유지하고, 응용 서버는 매번 티켓을 받아 검증하여야 한다. 반면에 다중 벡터 방식은 키 확립을 할 때 하나의 비밀키를 확립하는 것이 아니라 여러 개의 비밀키를 확립하여 사용하며, 각 비밀키는 한 세션에만 사용하고 버린다. 이 때문에 사용자가 여러 개의 비밀키를 유지해야 하는데, 소형 단말과 같이 메모리가 제한된 환경에서는 이것이 부담될 수 있다. 이 문제 때문에 티켓 방식과 정반대로 응용 서버가 유지하는 형태를 사용할 수 있다.

최근 키 확립 프로토콜 추세를 보면 하나의 키를 확립한 후 이 키로부터 여러 개의 독립적인 키를 생성하여 여러 용도로 사용한다. 실제 이때 생성할 수 있는 키 개수는 제한이 없다. 따라서 다중 벡터 방식을 사용하는 대신에 기존 키 확립 프로토콜을 통해 확립된 단일 세션키를 이용하여 여러 개의 키를 만들어 사용할 수 있다. 참여자는 확립한 단일 세션키를 유지하여 필요할 때마다 정해진 약속에 따라 세션키를 생성하여 사용하거나 여러 개를 미리 생성하여 유지한 후에 정해진 순서에 따라 사용할 수 있다. 하지만 다중 벡터 방식은 이와 같은 방식을 사용하는 것이 아니라 티켓 방식에서 티켓과 같은 것을 여러 개 만들어 사용한다. 다른 점은 이 티켓은 여러 번 사용하는 것이 아니라 한 번만 사용한다.

10.1.2.1 UMTS AKA

UMTS(Universal Mobile Telecommunication System)는 유럽에서 사용하였던 3G 이동통신 표준이며, UMTS는 이동 단말을 인증할 때 AKA(Authentication and Key Agreement) 프로토콜을 사용한다[74]. 여기서 이동 단말은 우리가 사용하는 핸드폰이다.

UMTS에서 각 이동 단말(MS, Mobile Station)은 IMSI(International Mobile Subscriber Identifier)라는 독특한 식별자를 가진다. 프라이버시를 위해 IMSI를 한 번 사용한 이후에는 일정 기간 TMSI(Temporary MSI)를 이용할 수 있다. 하지만 해당 기간에는 TMSI를 변경하지 않고 계속 사용하므로 불연결성을 제공하지 못한다. MS는 특정 홈네트워크(HN, Home Network)에 소속되어 있으며, 해당 네트워크의 HLR(Home Location Register)에 사용자와 기기 정보가 저장되어 있고, AuC(Authentication Center)와는 장기간 대칭키와 카운터를 공유하고 있다. 유럽에서는 국가 간 이동이 자유로우므로 이동 단말이 홈네트워크가 관장하는 지역을 벗어날 수 있다. MS 입장에서 홈네트워크가 아닌 지역을 외부 네트워크(foreign network) 또는 SN(Serving Network)이라 한다.

어떤 MN이 외부 네트워크에 진입하면 해당 네트워크의 사용자와 기기 정보를 유지하는 VLR(Visiting Location Register)은 MN을 인증할 수 있는 정보가 없으므로 MN의 IMSI를 이용하여 MN의 홈네트워크 HLR에게 인증 정보를 요청한다. SN에서 HN에 접속하는 비용을 줄이기 위해 HN의 AuC는 한 번에 m개의 인증 벡터(AV, Authentication Vector)를 SN에게 전달한다. SN은 MS를 인증해야 할 때마다 받은 벡터를 하나씩 정해진 차례대로 사용한다. MS는 공유한 카운터를 이용하여 SN이 전달한 인증 벡터의 최근성을 확인한다. MS가 인증되면 SN은 MS와 CK_i, IK_i를 이용하여 인증 암호화를 통해 메시지를 교환한다.

UMTS AKA 프로토콜은 그림 10.3과 같다. 여기서 C_{HM}은 홈네트워크 AuC에 유지하고 있는 카운터 값이고, C_{MH}는 단말에 유지하고 있는 대응되는 카운터 값이다. VLR은 단말과 AuC 간에 공유하고 있는 K_{MH}를 모르며, 이것을 모르는 상태에서 단말을 인증해야 하므로 AuC가 단말의 응답을 확인할 때 사용하는 값인 $XRES_i$까지 AuC가 만들어 준다. 이 방식에서 벡터 전달을 위해 네트워크 대역폭이 많이 소모되며, SN에 비교적 많은 저장 공간이 요구된다. 하지만 SN는 이동 단말이 아니라 서버이므로 이 공간 요구가 부담되는 것은 아니다.

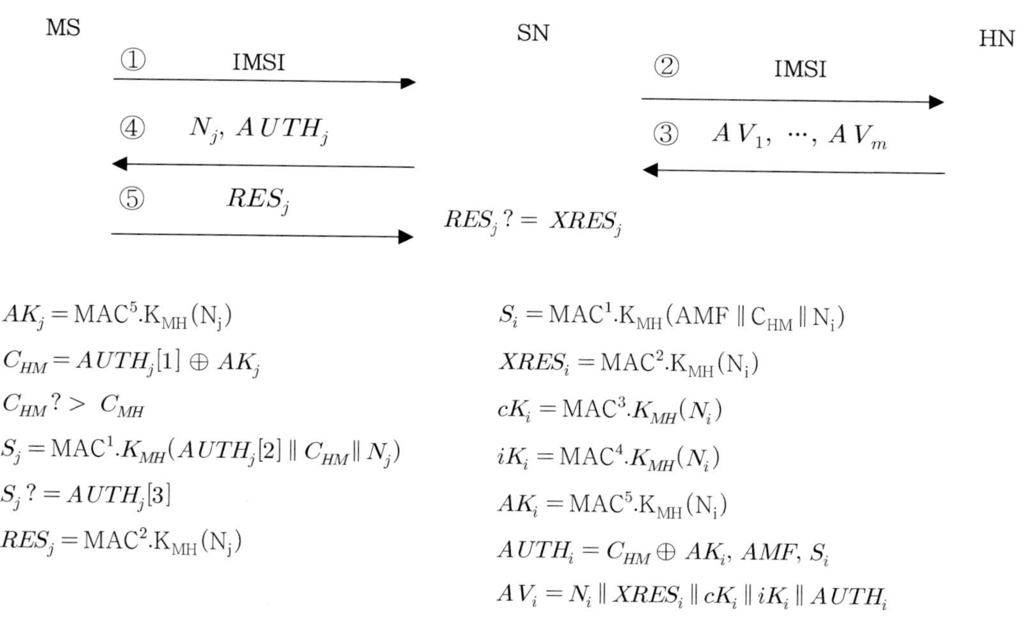

MS
SN
HN
① IMSI
② IMSI
③ $AV_1, \cdots, AV_m$
④ N_j, $AUTH_j$
⑤ RES_j
$RES_j ?= XRES_j$
$AK_j = \mathrm{MAC}^5.\mathrm{K}_{\mathrm{MH}}(\mathrm{N}_j)$
$C_{HM} = AUTH_j[1] \oplus AK_j$
$C_{HM} ?> C_{MH}$
$S_j = \mathrm{MAC}^1.K_{MH}(AUTH_j[2] \| C_{HM} \| N_j)$
$S_j ?= AUTH_j[3]$
$RES_j = \mathrm{MAC}^2.\mathrm{K}_{\mathrm{MH}}(\mathrm{N}_j)$
$S_i = \mathrm{MAC}^1.\mathrm{K}_{\mathrm{MH}}(\mathrm{AMF} \| \mathrm{C}_{\mathrm{HM}} \| \mathrm{N}_i)$
$XRES_i = \mathrm{MAC}^2.\mathrm{K}_{\mathrm{MH}}(\mathrm{N}_i)$
$cK_i = \mathrm{MAC}^3.K_{MH}(N_i)$
$iK_i = \mathrm{MAC}^4.K_{MH}(N_i)$
$AK_i = \mathrm{MAC}^5.\mathrm{K}_{\mathrm{MH}}(\mathrm{N}_i)$
$AUTH_i = C_{HM} \oplus AK_i, AMF, S_i$
$AV_i = N_i \| XRES_i \| cK_i \| iK_i \| AUTH_i$

<그림 10.3> UMTS AKA 프로토콜

10.1.3 티켓 방식과 다중 벡터 방식의 비교

	티켓 방식	다중 벡터 방식
공통점	키 확립 후 일정기간 동안 (일정 회수만큼)은 인증서버와 통신하지 않고 서비스 이용 가능	
발급시점	하나의 티켓만 발급	여러 개의 벡터 발급
통신비용		발급 시점에 대역폭을 많이 소모
저장공간	티켓 하나	여러 개의 벡터
사용방법	유효기간 동안 동일 티켓 사용	한 번에 하나의 벡터만 사용
안전성	하나의 비밀키를 여러 세션 동안 사용	하나의 비밀키는 오직 한 세션에서만 사용
시간 동기화	보통 필요	벡터 사용을 1회로 제한하기 위해 카운터 사용

<표 10.1> 티켓 방식과 다중 벡터 방식의 비교

티켓 방식과 다중 벡터 방식은 표 10.1에 제시된 것처럼 장단점이 있다. 또 실제 현재는 하나의 비밀키를 확립한 후에 KDF를 이용하여 이 키로부터 여러 개의 독립적인 키를 생성하여 사용할 수 있으므로 이와 같은 방법을 사용하지 않고도 비슷한 효과를 얻을 수 있다.

10.2 키 확립 프로토콜 사례

10.2.1 TLS 프로토콜

TLS(Transport Layer Security) 프로토콜[2]은 현재 인터넷에서 가장 널리 사용하고 있는 프로토콜이다. 이 프로토콜은 웹 브라우저로 한때 유명했던 Netscape 사에서 개발한 SSL(Secure Socket Layer) 프로토콜을 인터넷 표준으로 만든 프로토콜로서, 웹 브라우저와 웹 서버 간의 통신을 보호해 주기 위해 개발된 프로토콜이다. 하지만 웹 통신을 보호하는 것에 제한되지 않고, TCP를 사용하는 대부분 프로토콜에서 교환하는 메시지를 보호하기 위해 사용할 수 있다. 이 프로토콜은 인증서 기반 공개키를 활용하는 프로토콜이며, 인증서를 통해 상호 인증이 가능하지만 보통 브라우저가 웹 서버만 인증하는 형태로 많이 사용한다. 이것은 인터넷의 특성으로 웹 서버는 브라우저를 인증할 필요가 없지만, 브라우저는 특정 주소를 서비스하는 웹 서버가 맞는지 인증할 필요가 있다.

TLS는 악수 프로토콜(handshake protocol)과 레코드 프로토콜(record protocol)로 구성된다. 악수 프로토콜을 통해 클라이언트는 서버를 인증하고 서버와 세션키를 확립하며, 레코드 프로토콜은 확립된 세션키를 이용하여 데이터를 서로 암호화하여 교환할 수 있도록 해준다.

TLS는 고정된 암호알고리즘을 사용하지 않고, 클라이언트와 서버가 사용할 알고리즘을 협상할 수 있도록 해준다. TLS 1.2까지 가장 많이 사용한 것은 RSA 기반 TLS이다[75]. 이 방식에서 클라이언트는 랜덤하게 PMS(Pre-Master Secret)를 선택하여 서버의 공개키로 암호화하여 전달하면 이것을 근거로 둘 다 같은 MS(Master Secret)를 생성한다. 이 방식에서 인증은 같은 MS를 생성할 수 있는지 확인함으로써 이루어진다. 이 과정에서 전자서명을 활용할 수 있다.

악수 프로토콜을 통해 총 4개의 암호키가 확립된다. 브라우저와 서버가 각각 2개씩 사용하며, 하나는 암호화용이고, 다른 하나는 MAC용이다. 브라우저와 서버가 다른 키를 사용함으로써 역방향 재전송 공격은 원천적으로 가능하지 않다. TLS 1.2에서는 mac-then-encrypt 방식의 인증 암호화를 사용하였지만, 가장 최신 버전인 TLS 1.3[2]부터는 더 안전한 encrypt-then-mac 형태의 인증 암호화의 사용을 의무화하였다.

TLS 1.3 버전에서는 기존에 가장 많이 사용하던 RSA 기반 TLS의 사용을 중단하고, DH(Diffie-Hellman) 기반의 3가지 버전만 사용한다. 물론 이 과정에서 RSA 기반 전자서명을 사용할 수 있지만 PMS는 항상 DH 키 동의 방식을 통해 확립한다.

6장에서 살펴본 바와 같이 기본 DH 키 동의 프로토콜은 중간자 공격에 취약하다. TLS는 보통 상호 인증하지 않고 서버만 클라이언트에 인증하는 형태를 많이 사용하므로 양방향 서명을 통해 중간자 공격을 방어할 수 없다. 이에 6장에서 소개한 SIGMA 프로토콜을 약간 변형하여 다음과 같이 사용한다. 실제는 제시된 것과 달리 타원곡선군 기반 DH 키 동의 프로토콜을 진행한다.

Msg 1. $A \rightarrow B$: g^a
Msg 2. $B \rightarrow A$: g^b, Sig.$B(g^a \| g^b)$, MAC.$K(\cdots)$
Msg 3. $A \rightarrow B$: MAC.$K(\cdots)$

여기서 K는 g^{ab}를 통해 계산된 키이다.

공격자가 중간자 공격을 시도하더라도 공격자는 서버의 서명을 위조할 수 없으면 g^b을 다른 것으로 교체할 수 없다. 즉, 중간자는 중간에서 클라이언트가 서버로 전달하는 것은 임의로 수정할 수 있지만, 서버가 전달하는 것은 임의로 수정하여 클라이언트에게 중계할 수 없다. 이 때문에 중간자는 클라이언트가 인식 못 하도록 중간자 공격을 할 수 없다.

TLS는 매번 프로토콜 전체를 온전히 실행하지 않고 클라이언트가 이전에 서버에 접속한 적이 있으면 메시지 라운드 수가 줄어든 간결한 버전의 프로토콜을 수행할 수 있도록 해준다. 이것을 세션 재개(session resumption)라 한다. 기본적으로 세션 재개는 이전에 확립된 세션키를 활용한다. TLS 1.2에서 세션 재개는 세션 식별자 또는 세션 티켓을 사용하였지만, TLS 1.3에서는 PSK(Pre-Shared Key)를 사용하는 방식으로 바뀌었다.

세션 식별자 방식에서 클라이언트와 서버는 모두 이전 세션 정보를 유지해야 한다. 이것은 수많은 클라이언트를 처리하는 서버에게는 부담이 될 수 있다. 세션 티켓을 사용하면 서버는 세션을 종료하기 전에 세션 재개에 필요한 티켓을 만들어 클라이언트에 전달하면 클라이언트는 이것을 유지하다 재개하고 싶을 때 서버에 전달한다. 즉, 세션 티켓은 세션 ID 방식을 비상태 기반으로 바꾼 방식이다. TLS 1.3에서 서버는 온전한 TLS 악수 프로토콜을 수행할 때 PSK를 포함하여 세션 재개에 필요한 정보가 암호화되어 있는 티켓을 클라이언트에 전달한다. 이 티켓은 Kehne 등의 프로토콜처럼 서버만 알고 있는 키로 암호화되어 있다. 이 PSK는 MS를 KDF에 입력하여 생성한다. 즉, PSK는 1.2에서 사용한 세션 티켓을 더 간소화한 방식이다.

10.2.2 무선랜 보안

무선 통신은 공기를 매개로 데이터를 전송하므로 유선보다 도청하는 것이 상대적으로 쉽다. 이에 접속 권한이 있는 장치만 사용하도록 하고, 이들 장치와 무선 AP 간에 교환하는 데이터를 보호하기 위해 사용하는 프로토콜이 WEP(Wired Equivalent Privacy)과 WPA(WiFi Protected Access) 프로토콜이다. WEP은 1997년에 표준으로 제정된 프로토콜이지만 심각한 결함이 발견되어 2003년도에 WPA가 임시 해결책으로 도입되었으며, 2004년도에 **WPA2**로 전면 개편되었다[76]. 2018년도에 WPA2를 개선한 WPA3이 발표되었다.

무선 AP와 무선 장치 간의 인증은 크게 두 종류로 구분한다. 하나는 무선 AP가 자체적으로 무선 장치와 상호 인증하는 방법이고, 다른 하나는 네트워크에 별도 인증 서버를 두어 인증 서버가 무선 장치를 인증하는 방법이다. 전자는 주로 집이나 카페와 같은 곳에서 사용하며, 모든 장치가 패스워드에 기반한 같은 키를 사용한다. 이 때문에 이 방식과 후자를 구분하기 위해 PSK(Pre-Shared Key)가 WPA 뒤에 붙는다. 후자는 대학, 기업, 공공 WIFI 등에서 많이 사용하며, 이 방식을 사용하면 각 기기는 다른 키를 사용한다. 후자에서 사용하는 인증 방법이 EAP(Extensible Authentication Protocol)이다. 이 절에서 전자에 대해서만 설명한다.

무선 AP와 무선 장치 간 보안은 다양한 장치를 지원하여야 하며, 속도와 성능 측면에서 우수하여야 한다. 이에 참여자 간 알고리즘 협상은 무거우므로 알고리즘을 고정하고 성능 때문에 대칭 암호알고리즘을 사용한다. 기본적으로 무선 AP에 설정한 패스워드로부터 무선 AP와 모든 접속 장치가 같은 대칭키를 생성하여 세션키를 확립하여 메시지를 암호화하여 교환한다. WEP는 RC4 스트림 암호 방식을 사용하며, 매번 다른 키를 사용하기 위해 24비트 카운터 IV를 40bit 키와 결합하여 사용한다. 또 간단한 CRC checksum을 이용하여 무결성을 제공한다. WEP는 여러 가지 문제점이 있지만 가장 심각한 문제점은 IV를 사용하는 방식이다. 스트림 방식에서는 절대 같은 키 스트림을 두 번 이상 사용하면 안 된다. 하지만 IV가 비교적 짧으므로 충분히 순환될 수 있으며, 심지어 AP를 초기화하면 IV가 다시 0이 된다.

WPA는 임시 해결책으로 도입한 것이므로 여전히 RC4를 사용하였지만, CRC checksum 대신 MAC을 사용하는 등 몇 가지 개선 사항을 도입하여 WEP의 많은 문제점을 해소하였다. WPA2는 RC4 대신 AES를 사용하며, 인증 암호화까지 지원한다. WPA2 프로토콜을 요약하여 기술하면 다음과 같다.

Msg 1. $C \rightarrow AP$: N_C
Msg 2. $AP \rightarrow C$: N_A, MAC.$K_2(N_A)$
Msg 3. $C \rightarrow AP$: MAC.K_2("ready to start")

AP는 메시지 1을 수신하면 자신이 전달할 난스 N_A를 생성한 후에 저장된 패스워드 pwd와 두 개의 난스를 이용하여 4개의 키를 생성한다. 그중 하나가 위에 사용한 K_2이고 K_3과 K_4는 인증 이후 메시지를 교환할 때 인증 암호화에 사용하는 암호화 키와 MAC 키이다. 첫 번째 키는 그룹키로 특수한 용도로 활용한다.

WPA3는 9장에서 설명하는 패스워드 기반 프로토콜을 사용하여 안전하지 못한 패스워드를 설정하여 사용하더라도 키가 노출되지 않도록 하였다. 위에 제시된 WPA2 프로토콜에서 제삼자는 메시지 1과 메시지 2를 확보하면 패스워드를 추측한 다음에 추측한 결과가 맞는지 메시지 2에 포함된 MAC값을 이용하여 확인할 수 있다. WPA3는 SAE(Simultaneous Authentication of Equals)[77] 프로토콜을 사용하여 이 문제를 해결하였다. 하지만 이에 대한 설명은 11장으로 미룬다.

10.2.3 시그널 프로토콜

시그널 프로토콜은 위스퍼시스템이 메신저 보안을 위해 개발한 프로토콜로서 현재는 시그널이라는 메신저 외에 왓츠앱, 페이스북 메신저, 구글의 allo 등 여러 메신저에서 사용하고 있다. 메신저 보안은 다른 응용과 달리 상대방이 현재 온라인 상태가 아닐 수 있으며, 한 번 구축된 대화가 불연속적으로 기간의 제한 없이 이어질 수 있다. 따라서 2자 간 온라인 상태라는 가정하에 수행하는 기존 키 확립 프로토콜을 그대로 메신저 환경에 적용할 수 없으며, 불연속적으로 지속하는 대화를 유지하기 위해 키 관리가 단순할수록 바람직하다. 더욱이 사용자는 국가 기관의 감청 등으로부터도 사생활을 보호받고 싶으며, 자신의 대화 내용이 서버를 포함하여 노출되지 않기를 원한다. 또 하나 차이점은 사용자는 하나의 장치만 이용하는 것이 아니라 여러 장치를 이용하여 서비스를 사용할 수 있다. 보통 다중 장치 문제는 각 장치를 사용하는 사용자를 다른 사용자인 것처럼 처리하는 형태로 해결한다.

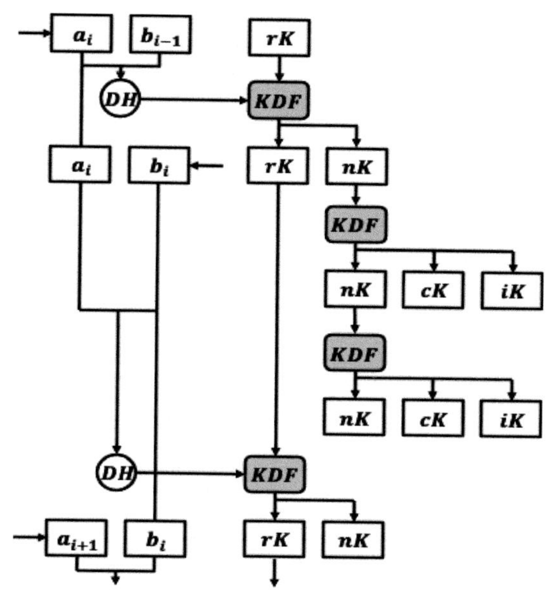

<그림 10.4> 시그널 프로토콜의 이중 톱니바퀴

이 책에서 시그널 프로토콜의 자세한 사항을 모두 설명하는 것은 책 범위를 벗어나기 때문에 핵심적인 부분만 설명하고자 한다. 첫째, 상대방이 오프라인일 수 있으므로 이를 극복하기 위해 각 사용자는 DH 프로토콜 수행에 필요한 값을 미리 서버에 여러 개 등록하도록 하고 있다. 따라서 A가 오프라인인 B와 키를 확립하고 싶으면 서버로부터 등록된 g^b를 받는 방식을 사용하고 있다. 따라서 각 사용자는 서버에 등록한 각 g^a에 대해 (g^a, a) 쌍을 유지하고 있어야 한다.

둘째, 한 번 키를 확립한 다음에는 메시지를 주고받을 때마다 DH 키 확립을 위한 다음 값을 상대방으로부터 받는 방식을 사용하고 있다. 예를 들어, g^{a_0}가 A가 선택한 값이고, g^b가 서버로부터 받은 값이면 $g^{a_0 b}$가 최초 공유 비밀이 되며, B가 A의 메시지에 대해 응답하면 해당 메시지에 g^{b_0}가 포함되어 두 번째 공유 비밀은 $g^{a_0 b_0}$가 되며, 그다음은 $g^{a_1 b_0}$가 된다. 이처럼 톱니바퀴가 돌아가듯이 DH 키 확립이 이루어지므로 이 과정을 "ratchet"이라 한다.

셋째, 메시지마다 다른 비밀키를 사용하기 위해 KDF를 이용하여 현재 세션키로부터 다음 세션키를 계산한다. 예를 들어, A가 B에게 메시지 2개를 연속으로 보내고 그것에 대한 회신을 받았다고 하자. 그러면 A가 보낸 2개의 메시지는 모두 다른 키로 암호화하여 전달한다. 이 과정은 그림 10.4에 기술되어 있으며, 이를 간단하게 설명하면 KDF은 두 개의 키를 출력하는데, 하나는 루트키(rK)이고 다른 하나는 체인키(nK)이다. 이 nK는 또 다른 KDF에 입력되어 다음 nK와 메시지 인증 암호화에 필요한 cK, iK를 생성한다. 이처럼 메시지 암호화키도 매번 바뀌므로 두 개의 톱니바퀴가 돌아간다고 하여 **이중 톱니바퀴**(double ratchet)라 한다[78].

넷째, 키 관리 측면에서 살펴보면 각 사용자는 상대방의 현재 DH 값과 현재 루트 키와 체인키를 유지하고 있어야 하며, 비동기화 방식으로 메시지를 교환하므로 생성된 복호화키 중 아직 사용하지 않은 키들은 유지해야 한다. 그 외에 키들은 사용한 즉시 삭제할 수 있다. 현재 A가 cK, iK를 사용할 차례이면 이 두 키를 포함하여 A는 a_i, rK, nK만 유지하고 있다. 실제는 이 값 외에 장기간 키와 서버에 등록해 놓은 DH 값들을 유지해야 한다.

공격자 입장에서는 특정 메시지의 복호화키를 확보하더라도 다음 키나 이전 키를 생성할 수 없으며, nK를 확보하면 다음 키를 얻을 수 있지만, 사용자가 해당 키를 사용할지는 알 수 없으며 상대방이 메시지를 보낸 순간에 다음 DH 값이 계산되므로 쓸모없는 값이 된다. a_i와 rK를 둘 얻으면 다음 키들을 얻을 수 있지만, 이 역시 A가 새 메시지를 보내는 순간 쓸모없는 값이 된다.

 부록 _ A.1 접촉 추적

코로나19 팬데믹 초기에는 코로나19에 걸린 사람을 빨리 찾아 격리 치료하고, 그 사람과 접촉이 있던 사람들을 자가 격리하여 확산을 방지하는 것이 매우 중요하였다. 우리나라는 감염자와 접촉이 있던 사람을 찾기 위해 정보기술을 이용한 자동 추적 방법을 사용하지 않고, 역학조사자에 의한 확진자 인터뷰를 주로 사용하였다. 이 과정에서 인터뷰의 진실을 파악하기 위해 신용카드 사용 내역, 핸드폰 위치 정보 등을 활용하였다.

코로나19 팬데믹에 대처하기 위해 애플과 구글은 특정 사람과 접촉이 있는 사람을 효과적으로 찾아주는 블루투스를 이용한 접촉 추적 방식을 개발하였다. 팬데믹에 대처하기 위한 기술이므로 사회 안녕에 더 중요한 기능을 할 수 있다면 기존 다른 서비스와 달리 개인 프라이버시 침해를 일정 수준은 양해할 수 있다.

애플과 구글이 개발한 자동 접촉 추적 기술에서 각 사용자는 휴대한 핸드폰 기기에서 주기적(예: 5분마다)으로 랜덤값을 블루투스를 이용하여 주변에 방송한다. 각 사용자의 핸드폰 기기는 다른 사용자가 전송한 랜덤값을 기록한다. 보통 반경 2m 이내에 있는 다른 사용자의 값을 자신의 기기에 기록하는 형태가 된다. 기록된 랜덤값은 14일 동안 기기에 보관한다. 감염된 사용자가 자신이 보냈던 랜덤값을 공개하면 다른 사용자들은 자신의 기기에 보관된 값을 이용하여 자신이 해당 감염자와 밀접 접촉하였는지 확인을 할 수 있다. 실제 밀접 접촉자를 판별하는 방법은 중앙집중 방식과 탈중앙 방식에 따라 차이가 있다.

각 사용자는 랜덤값을 주기적으로 방송하기 위해 다음과 같이 2개의 키를 사용한다.

- 추적키(256bit) K_A: 기기에 유지하며, 절대 밖으로 노출하지 않는다.
- 일별키 $K_{20220510} = F(K_A, 20220510)$: 추적키를 이용하여 매일 일별키를 생성한다.

실제 사용자는 일별키와 방송한 시각 정보를 이용하여 랜덤값 $R = G(K_{20220510}, 09:10)$을 계산하여 방송한다.

중앙집중 방식은 중앙 서버가 감염자와 밀접 접촉한 사용자를 판별하고 자가 격리 대상에게 통보하는 방식이다. 반면에 탈중앙 방식은 각 사용자가 직접 자신이 감염자와 밀접 접촉하였는지 판별한다. 중앙집중 방식에서 각 사용자는 일별키를 중앙 서버에 항상 알려주어야 한다. 감염자를 파악하면 감염자의 핸드폰 기기로부터 감염자가 수신한 랜덤값과 각 사용자의 일별키를 이용하여 밀접 접촉자를 찾는다. 탈중앙 방식에서 중앙 서버는 감염자의 랜덤값을 공개해야 한다. 랜덤값을 직접 공개하면 공개해야 하는 값이 너무 많으므로 실제 공개하는 것은 감염자의 일별키이다. 밀접 접촉한 것으로 의심되는 사용자는 공개된 감염자의 일별키와 자신의 핸드폰 기기에 보관 중인 수신한 랜덤값을 이용하여 자신이 밀접 접촉자인지 스스로 확인한다.

두 방식을 비교하면 탈중앙 방식이 사용자 프라이버시 보호 측면에서 더 좋은 방법이다. 반면에 중앙집중 방식은 밀접 접촉자를 더 정확하게 많이 파악할 수 있다. 일별키를 더 세분화하여 시간별키를 사용하면 사용자의 프라이버시를 더 효과적으로 보호할 수 있다. 예를 들어, 프라이버시에 민감한 시간대에 사용한 시간별키는 공개하지 않아도 되도록 서비스를 운영할 수 있다.

이와 같은 자동 접촉 추적 서비스는 자동으로 밀접 접촉자를 찾아낼 수 있지만 몇 가지 다음과 같은 단점도 있다.

- 모든 사용자가 자발적으로 이 서비스를 사용해야 하며, 탈중앙 방식에서는 각 사용자가 능동적으로 서비스에 참여해야 하는데, 이것의 보장이 어려울 수 있다.
- 허위양성이 많을 수 있다. 랜덤값을 수신하였다고 무조건 밀접 접촉자가 되는 것은 아니다.
- 사용자 핸드폰 기기의 배터리가 많이 소모될 수 있다.
- 사용자 프라이버시를 침해하기 위한 공격 수단으로 활용할 수 있다. 예를 들어, 공격자는 돌아다니면서 랜덤값과 랜덤값을 보낸 자와 현재 위치를 연결할 수 있는 정보를 수집하여 사용자들의 위치 정보를 수집할 수 있다.

10장 퀴즈

1. 메신저를 사용할 때 대화의 프라이버시를 보장하기 위해 종단간 암호화를 할 수 있다. 메신저는 다른 일반적인 통신 프로토콜과 성격이 다른 점이 있다. 이와 관련된 다음 설명 중 **틀린** 것은?

① 대화하고자 하는 상대방이 오프라인 상태일 수 있다.
② 사용자는 보통 하나의 기기만 사용하여 서비스를 이용한다.
③ 통신은 항상 메신저 서버를 경유하는 인라인 방식이다.
④ 대화가 불연속적으로 기간의 제한 없이 계속 진행될 수 있다.

2. TLS는 웹 브라우저와 웹 서버 간에 교환하는 메시지를 암호화하여 통신하기 위해 사용하는 HTTPS가 내부적으로 사용하는 키 확립 프로토콜이다. TLS와 관련된 다음 설명 중 **틀린** 것은?

① 웹 서버의 공개키 인증서를 통해 웹 브라우저는 자신이 기대한 사이트에 올바르게 접속한 것인지 확인한다.
② 프로토콜을 시작할 때 사용할 암호알고리즘을 협상할 수 있다.
③ 최신 버전인 1.3에서는 encrypt-then-mac 방식의 인증 암호화 사용을 의무화하였고, 전방향 안전성이 보장되도록 RSA 버전의 키 확립 프로토콜은 사용하지 못하도록 하였다.
④ 보통 웹 브라우저와 웹 서버가 상호 인증을 한다.

3. UMTS AKA는 다중 벡터 방식을 사용하는 프로토콜이다. 다중 벡터에서는 서비스 제공 서버 또는 클라이언트가 여러 개 벡터를 발급받은 후 한 번에 하나의 벡터만 사용한다. UMTS AKA와 관련된 다음 설명 중 **틀린** 것은?

① 각 벡터를 한 번만 사용하게 하려고 타임스탬프를 활용하고 있다.
② UMTS AKA에서는 클라이언트인 모바일 단말 대신에 서비스를 제공하는 외부 네트워크 서버가 벡터를 유지한다.
③ 외부 네트워크는 최초 모바일 단말이 보내는 IMSI를 통해 그것의 홈 네트워크를 식별한다.
④ 모바일 단말과 그것의 홈네트워크는 대칭키를 공유하고 있으며, 이 대칭키를 통해 상호 인증한다.

4. 매번 키 확립 프로토콜을 수행하는 것이 부담되면 티켓 방식, 다중 벡터 방식을 이용할 수 있다. 두 기법에 대한 다음 비교 설명 중 **틀린** 것은?

① 티켓 방식은 하나의 티켓을 일정 기간 계속 사용하는 반면에 다중 벡터 방식은 발급받은 각 벡터를 한 번만 사용한다.

② 티켓은 하나의 티켓만 유지하면 되지만 다중 벡터 방식은 여러 개의 벡터를 유지하여야 한다.

③ 티켓 방식과 다중 벡터 방식은 모두 하나의 키를 여러 번 사용한다.

④ 티켓 방식과 다중 벡터 방식은 키 확립 프로토콜을 진행한 이후 일정 기간 또는 일정 회수만큼 인증 서버와 통신하지 않고 서비스를 사용할 수 있다.

연습문제

1. 다중 벡터 방식에서는 클라이언트 대신에 서비스를 제공하는 응용 서버가 다중 벡터를 유지하도록 설계할 수 있다. 이와 관련하여 다음 각각에 대해 답하라.

① 서비스를 제공하는 응용 서버가 다중 벡터를 유지하도록 설계하는 이유를 설명하라.

② 티켓 방식에서 티켓은 보통 서비스를 제공하는 서버와 티켓 발급 서버 간에 공유된 키로 암호화되어 있다. 그러면 다중 벡터 방식에서 다중 벡터는 어떤 키로 암호화되어 있어야 하는지 논하라.

③ 티켓 방식은 시간 개념을 이용하여 티켓 사용을 제한한다. 이 경우 티켓을 발급하는 서버와 서비스를 제공하는 응용 서버 간의 시간 동기화가 필요하다. 하지만 유효기간을 사용하는 티켓 방식도 참여자 간의 시간 동기화가 필요하지 않도록 구성할 수 있다. 이 구성에 대해 간단히 설명하라.

④ 다중 벡터 방식은 시간 개념을 사용하지 않는다. 그 이유는 한 세션키를 기존과 같이 한 번만 사용하기 때문이다. 그러면 다중 벡터 방식은 어떻게 한 세션키를 한 번만 사용하도록 제한하는지 간단히 설명하라.

2. TLS에서 Diffie-Hellman을 사용하면 서버의 값만 인증하고, 클라이언트의 값은 인증하지 않는다. 하지만 서명 외에 추가로 확립된 세션키를 이용하여 계산되는 MAC값을 서로 교환한다. 아래와 같이 한 쪽만 인증하는 형태로 프로토콜을 수행하면 중간자 공격과 관련하여 어떤 문제가 있는지 논하라.

Msg 1. $A \rightarrow B$: g^a
Msg 2. $B \rightarrow A$: g^b, $\text{Sig}.B(g^a \| g^b \| A)$

힌트. 중간자가 g^a를 g^c로 바꾸면 어떻게 진행되는지, 또 g^b를 g^c로 바꾸면 어떻게 진행되는지 생각해 보고 답해야 한다.

3. QR 체크인 서비스는 나중에 필요하면 특정한 곳에 방문한 출입자를 파악하기 위해 사용할 수 있는 기술이다. 체크인 서비스를 제공하는 기관과 개인은 대칭키를 공유하고, 특정한 장소를 방문하면 T, MAC.$K_A(T)$ 형태로 출입 기록을 남긴다고 하자. 여기서 T는 방문 시간이고, K_A는 사용자 A와 기관 서버가 공유한 장기간 키이다. 이와 관련하여 다음 각각에 대해 답변하라.

① 제삼자는 이 값을 보아도 누가 출입했는지 알 수 없다. 한 사용자가 여러 곳에 방문하여 기록을 남겼을 경우, 이 값들이 서로 연결되는지 설명하라.
② 서버는 나중에 방문자를 파악해야 할 때 어떻게 파악할 수 있는지 설명하고, 그것의 비용을 제시하라.
③ 서버는 사용자가 남긴 값만 있으면 이 사용자를 파악할 수 있다. 이 문제는 어떻게 극복할 수 있는지 제시하라.

4. 메신저 서비스가 다른 서비스와 구별되는 키 확립 프로토콜에서 고려되어야 하는 특징을 설명하라.

제11장

해시함수의 활용

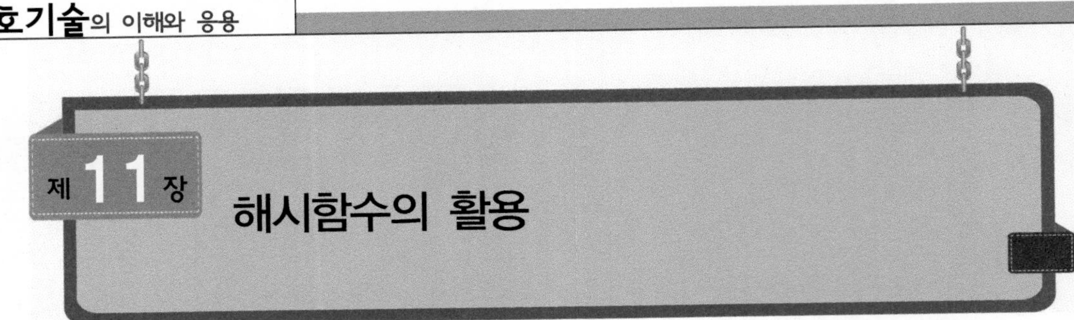

제 11 장 해시함수의 활용

11.1 해시함수

해시함수는 임의 길이의 입력을 받아 그것을 대표할 수 있는 고정된 짧은 길이의 값을 출력하여 주는 결정적 함수이다. 여기서 짧은 길이란 생일 파라독스를 고려한 충돌회피에 안전한 길이를 말한다. 현재는 보통 256bit 이상의 길이를 사용하고 있다. 3장에서 소개한 바와 같이 해시함수는 전자서명, 무결성, 비트 약속 등에 활용하고 있다.

전자서명에서는 효율성과 안전성을 높이기 위해 메시지에 직접 서명하는 대신에 보통 메시지 해시값에 서명한다. RSA 전자서명의 경우 해시값에 서명하면 서명하는 메시지의 크기와 상관없이 서명하는 값의 크기가 고정되어서 효율적이다. 또 작은 값의 메시지에 직접 개인키로 암호화하는 방식은 위조할 수 있지만 해시값을 사용하면 이것을 방어할 수 있다. 이때 안전성을 높이기 위해 서명하는 값의 길이가 RSA 법의 길이와 같아지도록 하는 것이 바람직하다. 이처럼 해시함수의 출력 크기 대신에 특정 크기의 출력을 얻도록 확장하는 것을 전체 영역 해시라 한다. 보통 해시함수는 카운터를 이용하여 필요한 만큼의 길이로 다음과 같이 확장할 수 있다.

$$H(M \| 1) \| H(M \| 2) \| \cdots \| H(M \| k) \| \cdots$$

전자서명에서 활용하는 해시함수는 반드시 충돌회피 해시함수이어야 한다. RSA의 경우 위와 같은 방법보다는 랜덤 요소를 포함하는 RSA-PSS 방식을 사용하며, 이 방식을 사용하면 부가적으로 결정적인 RSA 알고리즘이 확률적 알고리즘으로 바뀌는 효과도 있다. RSA의 경우 공개키로 암호화할 때도 안전성을 높이기 위해 해시함수 등을 이용하여 메시지를 RSA 법과 같아지도록 확장한 후에 암호화한다. RSA-OAEP가 대표적인 방식으로 이 기법 역시 결정적 RSA 방식을 확률적 방식으로 바꾸어 준다.

파일과 그것의 해시값을 보관하여 파일의 무결성 서비스를 제공할 수 있지만 공격자에게 쉽게 공격당할 수 있으므로 암호학적으로 안전한 무결성 서비스를 제공하기 위해서는 해시 함수 대신에 보통 MAC 함수를 사용한다. 무결성 서비스와 관련하여 13장에서 프로토콜을 통해 아웃소싱 데이터의 무결성을 확인하는 방법을 살펴본다. 비트 약속이란 4장에서 살펴본 키 제어 요구사항을 위해 사용한 것처럼 어떤 값을 숨긴 채 제시하지만, 사용자가 나중에 값을 공개할 때 원래 제시한 값 대신에 다른 값을 제시할 수 없게 제시하는 기법을 말한다. 따라서 비트 약속에서 사용하는 해시함수는 일방향성은 물론 충돌회피성도 제공해야 한다. 다음 절부터는 지금까지 살펴본 것들을 제외한 해시함수를 활용한 응용을 자세히 살펴본다.

11.2 패스워드

리눅스와 같은 다중 사용자 운영체제는 물론 각종 웹 서비스에서 사용자를 인증할 때 가장 널리 사용하는 기법이 패스워드 인증 기법이다. 이 기법은 사용자가 입력한 패스워드와 저장된 패스워드를 비교하여 사용자를 인증한다. 패스워드는 장기간 키를 안전하게 유지하기 위해서도 널리 사용하고 있다. 보통 장기간 키는 패스워드로부터 생성한 대칭키로 암호화하여 유지한다. 예를 들어, 공동 인증서에서 개인키를 이와 같은 방식으로 보호하고 있다.

패스워드의 가장 큰 문제는 쉽게 예측이 가능하다는 것이다. 사용자들은 7, 8자의 짧은 패스워드를 기억하는 것조차 어려워하는 것으로 조사되어 있다. 7, 8자의 영문자와 숫자만으로 구성된 패스워드는 컴퓨터를 사용하면 쉽게 전사공격하여 알아낼 수 있다. 따라서 최근 웹 서비스는 특수문자, 숫자, 대소문자를 조합하도록 요구하고 있으며, 길이도 일정 길이 이상이 되도록 요구할 때도 많다. 또한 패스워드 추측 공격을 방어하기 위해 시도할 수 있는 횟수를 보통 제한하고 있다. 그러나 사용자의 패스워드를 알아낼 방법은 다양하며, 경로도 다양하다.

11.2.1 패스워드 해싱

패스워드 해싱은 등록된 패스워드를 보호하기 위한 기술이다. 사용자의 패스워드를 보호하지 않은 상태로 시스템에 유지하면 시스템이 해킹되었을 때 노출될 수 있다. 이와 같은 허점 때문에 패스워드 대신에 패스워드의 해시값을 유지하며, 이를 패스워드 해싱이라 한다. 패스워드 해싱을 사용하면 패스워드 해시값이 저장된 파일이나 데이터베이스가 노출되어도 해시함수의 일방향성 때문에 공격자가 패스워드를 얻어 내는 것이 어렵게 된다. 이 방식에서 사용자가 패스워드를 입력하면 그것을 직접 확인할 수 없고, 그것의 해시값을 계산한 후에 저장된 해시값과 비교하여 확인한다.

패스워드 해싱을 사용하더라도 사용자는 추측하기 쉬운 패스워드를 사용하는 경향이 많으며, 어려운 패스워드를 사용하더라도 **사전 공격**(dictionary attack)과 같은 컴퓨터를 이용한 전수조사 방식을 사용하면 패스워드를 알아낼 확률이 높다. 사전 공격에 대한 취약성을 극복하기 위해 보통 두 가지 추가적인 기법을 사용한다. 하나는 패스워드를 해싱할 때 패스워드만 해시하지 않고 소금(salt)이라고 하는 랜덤값과 함께 해시한다. 다른 하나는 일반 해시함수 대신에 계산 속도가 느린 해시함수를 사용한다.

소금의 효과를 높이기 위해서는 사용자마다 다른 랜덤값을 사용해야 한다. 이 경우 사용자가 입력한 패스워드를 확인하기 위해서는 입력한 패스워드와 소금을 결합하여 해시값을 계산해야 한다. 따라서 서버가 해당 사용자의 소금값을 알기 위해서는 이를 보관할 수밖에 없으며, 보통 해시값과 함께 유지한다. 이 때문에 기대한 것만큼의 사전 공격 비용을 높여 주는 효과를 얻기 어렵다.

그러면 실제 소금의 사용이 사전 공격에 어떤 효과가 있는지 살펴보자. 먼저 소금을 사용하지 않는 시스템에서 패스워드를 보관한 파일을 공격자가 확보하였다고 하자. 공격자는 n개의 단어에 대해 해시값을 계산한 후에 확보한 파일 내부에 있는 해시값과 비교하는 공격을 할 수 있다. 소금을 사용하는 시스템에서 공격자가 m개의 사용자 정보가 있는 파일을 확보하였다고 하자. m개의 사용자 정보가 있으므로 소금값도 m개가 존재할 것이다. 따라서 이전과 같은 공격을 하기 위해서는 단어마다 m개의 해시값이 필요하며, 총 mn개의 해시값이 필요하다. 따라서 공격 비용이 증가하였지만, 계산적으로 어려울 정도로 증가한 것은 아니다. 하지만 소금값의 사용은 사전 공격에 대한 공격 비용을 높이는 효과뿐만 아니라 같은 패스워드를 가진 사용자의 해시값이 다르게 되어 해시값만 보면 두 사용자가 같은 패스워드를 쓰고 있는지 알 수 없게 되는 이점도 있다.

Provos와 Mazieres[79]는 저장된 패스워드의 안전성을 높이기 위해 Bcrypt라는 패스워드 해시함수를 개발하였다. 이 함수는 다른 암호알고리즘과 달리 알고리즘의 수행 속도를 느리게 만들 수 있다. 보통 이와 같은 함수는 반복 횟수를 통해 해시값 계산에 드는 시간을 조절한다. 반복 횟수가 c이면 해시함수를 c번 연속적으로 적용하여 최종값을 계산한다. 수행 속도가 느려지면 그만큼 공격자 입장에서는 사전 공격하는 비용이 증가한다. 하지만 수행 속도를 너무 느리게 하면 정상 서비스 이용까지 불편하게 만들 수 있다.

2013년에 패스워드 해싱의 안전성을 높이기 위해 NIST가 표준을 제정할 때 사용한 방식처럼 공개 대회를 개최하였으며, 대부분의 참가 알고리즘은 이 장 7.4절에서 설명하는 키 유도 함수 형태의 함수가 제출되었다. 이 대회는 2015년에 종료되었으며, 우승자는 룩셈부르크 대학의 Biryukov 등이 제안한 Argon2이다[80].

11.2.2 가장 취약 요소 원리

가장 취약 요소 원리(weakest link principle)란 전체 시스템에서 가장 취약한 부분이 시스템의 안전성을 좌우한다는 것을 말한다. 패스워드 인증에 가장 취약 요소 원리를 적용하여 보자. 공격자는 크게 클라이언트, 네트워크, 서버 3가지 경로를 통해 패스워드 인증시스템을 공격할 수 있다. 예를 들어, 공격자는 클라이언트 단말을 공격하여 키보드 스니핑(sniffing)과 같은 악성 소프트웨어를 불법적으로 설치한 다음 사용자의 패스워드를 알아낼 수 있다. 네트워크의 경우에는 프로토콜의 취약점을 활용하여 공격할 수 있고, 서버에 침입하여 불법적으로 관리자 권한을 얻어 패스워드가 저장된 파일을 확보할 수 있다. 따라서 클라이언트, 네트워크, 서버, 모두 동일 수준의 안전성을 제공하지 못하면 가장 수준이 낮은 것이 공격의 대상이 되며, 전체 시스템의 안전성은 해당 수준에 의해 결정된다.

11.2.3 키 관리와 하드웨어

장기간 키는 보통 패스워드 기반 키로 암호화하여 비휘발성 메모리에 유지한다. 따라서 보관된 파일이나 데이터베이스에서 암호문을 탈취하여 패스워드 추측 공격을 할 수 있다.

이 때문에 장기간 키가 저장된 파일이나 데이터베이스에 대한 접근이 어려워야 한다. 예를 들어, 처음에는 암호화된 공동 인증서의 개인키를 하드디스크에 저장하여 사용하였으며, 저장된 위치를 누구나 쉽게 찾을 수 있었다. 이 때문에 사용자가 자유롭게 이동, 복사, 백업할 수 있는 이점이 있었지만, 공격자에게 쉽게 노출될 수 있어 보안 측면에서는 바람직한 키 관리 방법은 아니었다.

이 문제를 해결하는 방법은 크게 두 가지 방법이 있다. 하나는 **화이트박스 기술**을 이용하는 것이고, 다른 하나는 보안 하드웨어를 이용하는 것이다. 화이트박스 기술은 사용하는 암호키가 고정되어 있을 때 사용할 수 있는 기술이다. 원래 암호화 함수는 키와 메시지를 입력으로 받는데, 사용하는 키가 항상 고정되어 있으면 이 키를 고정적으로 사용하는 함수로 암호화 함수를 바꿀 수 있다. 이렇게 바뀐 함수의 코드를 **난독화**(obfuscation)하면 소프트웨어 실행 파일이나 소프트웨어 실행되는 동안 메모리를 관찰하여도 사용하는 암호키를 얻을 수 없다[81]. 현재 KB국민은행 사설 인증서가 이 기술을 사용하고 있다.

이동 통신사는 각 가입자를 식별하고 과금을 정확하게 하려고 USIM을 사용하고 있으며, 이 USIM에 기기를 인증할 때 사용하는 대칭키를 유지한다. 또 초기 IPTV 셋톱박스나 이전 스카이라이프는 스마트카드에 수신제한시스템에 필요한 키를 저장하였다. USIM이나 스마트카드는 모두 보안 하드웨어의 한 종류이다.

참고로 핸드폰을 이용하여 인터넷 뱅킹을 하는 것이 보편화됨에 따라 공동 인증서를 USB 대신에 핸드폰에 저장하여 사용하는 형태로 바뀌었고, 이것의 안전성을 높이고자 인증서를 핸드폰 USIM에 저장하여 주는 서비스도 등장하였다. 인증서를 USIM에 저장하고 USIM에 PIN 번호를 설정해 놓으면 현재 사용할 수 있는 방법 중 가장 안전하게 개인키의 노출을 막을 수 있다. 더욱이 USIM은 연산 수행 능력이 있어 키를 USIM 밖으로 이동하여 암호화 연산을 수행하지 않고 입력 데이터를 받아 USIM 내에서 연산을 수행한 후에 결과만 돌려줄 수 있다.

USIM과 같은 보안 하드웨어를 이용하는 것을 좀 더 구체적으로 살펴보자. 장기간 암호키를 가장 안전하게 보관하는 방법은 보안 하드웨어를 이용하는 것이다. 보안 하드웨어는 기본적으로 2-factor 인증을 제공한다. 그 사용자의 하드웨어 기기와 그 기기를 구동하기 위한 패스워드가 필요하다. 보안 하드웨어는 자체 암호 모듈을 탑재하고 있어 키를 외부로 내보내지 않고 키를 이용한 모든 연산을 자체적으로 수행할 수 있다. 이와 같은 하드웨어를 HSM(Hardware Security Module)이라 한다.

보안 하드웨어는 조작 불가능한(tamper-proof) 기능을 탑재할 수 있다. 보통 조작을 탐지할 수 있고, 조작된 것이 탐지되면 암호키를 포함하여 메모리에 있는 모든 데이터를 자동 삭제한다. 이 때문에 공격자가 보안 하드웨어를 확보하더라도 그 하드웨어에 저장된 키를 알아내기가 매우 어렵다. 따라서 이와 같은 하드웨어를 사용하면 키의 용도에 따라 별도 백업을 하는 것이 필요하다.

보통 보안 하드웨어를 사용하면 추가 비용이 발생하고 사용 편리성이 저하될 수 있지만 지금은 기존 USB 드라이브와 유사한 형태의 키 관리를 위한 보안 하드웨어가 저렴하게 판매되고 있다. 더욱이 대부분 사용자가 보유하고 있는 핸드폰에는 USIM이라고 하는 간단한 형태의 보안 하드웨어가 포함되어 있어, 이에 대한 활용도가 높아지고 있다.

11.2.4 패스워드 기반 암호프로토콜

랜덤하게 생성한 대칭키는 사용자가 기억하기 어려우므로 패스워드로부터 대칭키를 생성하여 사용하는 경우가 있다. 이처럼 생성하면 키를 비휘발성 메모리에 유지하지 않고 필요할 때 생성하여 사용할 수 있다. 하지만 이와 같은 키는 패스워드 추측 공격에 취약하므로 보통 로컬에서만 사용한다. 예를 들어, 이미 언급한 바와 같이 공동 인증서의 개인키는 사용자 패스워드로부터 유도된 대칭키로 암호화하여 유지한다.

우리가 무선랜을 사용할 때 패스워드를 입력하는 경우가 많다. 무선 장치와 무선 AP는 이 패스워드로부터 대칭키를 생성하여 상호 인증한다. 이 경우에는 패스워드로부터 생성된 대칭키를 로컬에서만 사용하는 것이 아니라 무선 장치와 무선 AP 간의 메시지를 교환할 때 사용하고 있다. 이 때문에 이 프로토콜은 근본적으로 패스워드 추측 공격에 취약하다. 이에 WPA3부터는 이 절에서 소개하는 패스워드 기반 프로토콜을 사용하여 안전하지 못한 패스워드를 선택하더라도 더 강건하게 무선 장치와 무선 AP가 상호인증하고 암호 채널을 구축할 수 있도록 해준다.

패스워드로부터 대칭키를 생성하는 방법은 이 장 7.4절에서 설명하는 키 유도 함수를 이용하며, 이 함수는 내부적으로 해시함수나 MAC을 이용한다. 앞서 언급한 바와 같이 패스워드로부터 유도된 대칭키는 패스워드 추측 공격에 취약할 수 있어 로컬에서만 주로 사용하지만, Bellovin과 Merrit가 제안한 EKE(Encrypted Key Exchange) 프로토콜[82,83]을 사용하면 패스워드를 이용하더라도 패스워드 추측 공격에 강건한 키 확립 프로토콜을 만들 수 있다. 이 프로토콜의 기본적인 원리는 패스워드로부터 생성된 대칭키는 랜덤한 값만 암호화하여 패스워드 추측 공격을 못하게 만드는 것이다. 즉, 명백한 여분 정보는 이와 같은 키로 절대 암호화하면 안 된다. 하지만 랜덤한 값만 암호화한다고 패스워드 추측 공격에 강건한 것은 아니다. 암호화된 랜덤값을 나중에 어떻게 사용하는지에 따라 여전히 패스워드 추측 공격에 취약할 수 있다. 또한 암호화한 랜덤값이 어떤 특징을 가지고 있으면 이 역시 패스워드 추측 공격에 도움을 줄 수 있다.

Msg 1. $A \rightarrow S$: A
Msg 2. $S \rightarrow A$: N_S, $\{K\}.K_\pi$
Msg 1. $A \rightarrow S$: $\{N_S\}.K$

<그림 11.1> 패스워드 기반 키 확립 프로토콜

그림 11.1의 프로토콜은 패스워드 π로부터 생성한 대칭키 K_π를 이용하여 랜덤 대칭키 K를 암호화하고 있다. 따라서 랜덤한 값을 암호화하고 있으므로 패스워드 추측 공격에 강건한 프로토콜이라고 생각할 수 있다. 실제 공격자는 패스워드를 추측하여 메시지 2의 암호문을 복호화하더라도 성공 여부를 확인할 수 없다. 그러나 메시지 3에서 세션키를 이용하여 N_S를 암호화하였으므로 공격자는 메시지 2와 3에 있는 암호문을 함께 이용하면 패스워드 추측 공격을 할 수 있다. 공격자는 추측한 패스워드로 메시지 2를 복호화한 다음 결과값을 이용하여 메시지 3의 암호문을 복호화하고, 얻은 값이 메시지 2에 포함된 난스값과 같은지 비교함으로써 자신의 추측 여부가 맞는지 확인할 수 있다.

그림 11.1의 프로토콜 메시지 2에서 K 대신 랜덤한 RSA 공개키 (n, e)를 암호화하여 전달하면 A는 이 공개키로 N_S를 암호화하여 되돌려주는 형태로 프로토콜을 수정하였다고 하자. 이 경우 메시지 2는 랜덤값을 암호화하고 있으며, 이 값으로부터 대응되는 개인키를 공격자는 생성할 수 없으므로 메시지 3의 암호문을 복호화할 수 없다. 따라서 패스워드 추측 공격에 강건한 프로토콜이라고 생각할 수 있다. 하지만 RSA 공개키에서 사용하는 n과 e는 특수한 성질을 가진 수이다. 특히, n은 홀수이어야 하고, 소인수분해가 어려워야 하

며, 일정한 크기의 수이어야 한다. 따라서 공격자는 메시지 2의 암호문에 대한 패스워드 추측 공격을 하면 자신의 추측이 올바르다는 것은 확신할 수 없지만 어떤 경우에는 확실히 틀렸다는 것을 알 수 있다. 이를 이용하면 여러 패스워드를 후보에서 배제할 수 있다. 공격자는 패스워드 추측 공격을 통해 패스워드의 범위를 축소할 수 있으므로 이 프로토콜은 패스워드 추측 공격에 취약한 프로토콜이 된다. 패스워드를 추측하여 공격을 시도하였을 때 시도한 패스워드가 올바르다고 알 수 있는 경우는 당연히 취약한 프로토콜이지만 틀렸다고 알 수 있으면 후보를 배제할 수 있으므로 이 역시 취약한 프로토콜이 된다. 이 프로토콜을 개선하기 위해 e만 암호화하는 방법을 생각할 수 있는데, 이 경우에 e의 특성을 이용하여 유사한 공격을 할 수 없도록 추가적인 조치가 필요하다.

Bellovin과 Merrit가 제안한 EKE는 Diffie-Hellman 키 동의 프로토콜에서 교환하는 g^a와 g^b를 패스워드 기반 키로 암호화하고 있다. 두 값은 랜덤값이며, 추측한 패스워드로부터 얻은 두 값으로부터 g^{ab}를 계산할 수 없으므로 패스워드 추측 공격이 가능하지 않다. 이 경우에도 사용하는 군에 따라 추측한 패스워드를 이용하여 얻은 값이 해당 군의 요소인지를 확인하여 패스워드를 배제할 수 있으면 여전히 패스워드 추측 공격에 취약한 프로토콜이 된다. 또 지금까지 소개한 패스워드 기반 프로토콜들은 두 사용자가 패스워드를 공유하고 있다고 가정하고 있지만, 패스워드를 사용하는 클라이언트-서버 기반 대부분 서비스에서 서버는 실제 패스워드 대신에 패스워드의 해시값을 가지고 있다. 따라서 이와 같은 환경에서는 제시된 패스워드 기반 프로토콜을 그대로 적용할 수 없다. 참고로 앞서 소개한 무선 장치와 무선 AP는 장치와 AP가 패스워드를 공유하고 있는 형태이다.

EKE는 패스워드를 공유한 클라이언트와 서버가 패스워드 기반 대칭키를 이용하여 상호 인증하고 세션키를 확립하게 해주는 프로토콜이다. 최근에 패스워드를 공유하지 않은 상태에서 패스워드를 이용하여 상호 인증하고 세션키를 확립하게 해주는 프로토콜도 제안되고 있다. 이와 같은 프로토콜을 aPAKE(Asymmetric Password Authenticated Key Exchange)이라 한다.

사용자와 서버가 서로 인증된 공개키 쌍이 있으면 이를 이용하여 상호 인증하고 필요한 세션키를 확립하여 비밀 통신을 할 수 있다. 하지만 사용자가 한 기기만 사용하는 것이 아니라 여러 장치를 이용하여 서비스를 받으면 공개키 쌍을 모든 기기에 복사하여 유지해야 한다. 이 문제를 개선하기 위해 공개키는 서버에 등록하고 개인키는 패스워드로부터 생성하는 방법을 생각해 볼 수 있다. 하지만 이 경우 패스워드 추측 공격이 가능하다. 추측 공격을 어렵게 하려고 소금의 사용을 생각해 볼 수 있지만 그보다는 개인키를 서버에 암호화하여 유지하고 오직 패스워드를 알고 있는 사용자만 그 암호문을 복호화할 수 있도록 하는 방법을 생각해 볼 수 있다. 즉, 필요할 때마다 올바른 패스워드를 제시하면 암호화된 자신의 개인키를 서버로부터 받아 복호화하여 얻는 방법을 사용할 수 있다.

이 방법은 FIDO가 사용하는 방법과 유사한 측면이 있다. FIDO는 공개키는 서버에 등록하고 클라이언트 소프트웨어는 개인키를 유지하는 방법을 사용한다. 반면에 aPAKE는 개인키도 암호화된 상태로 서버에 유지한다. 하지만 패스워드 기반 대칭키로 암호화하여 유지하는 것은 아니며, 사용자는 서버로부터 인증할 때 암호화된 개인키를 받지만, 이 암호문을 복호화하기 위한 키는 서버와 패스워드 기반 프로토콜을 수행하여 얻는다.

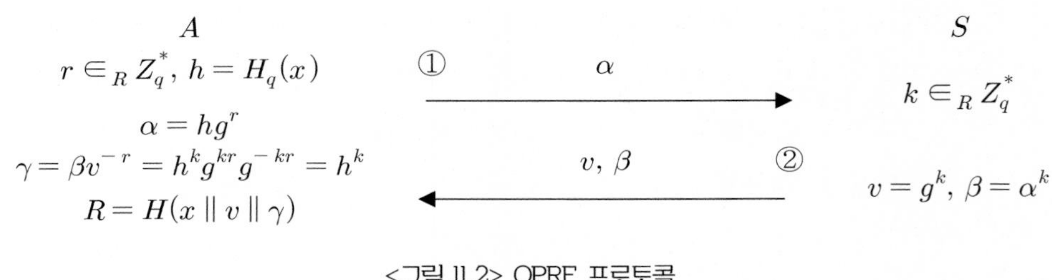

<그림 11.2> OPRF 프로토콜

OPAQUE은 aPAKE 프로토콜 중 하나이며, 현재 인터넷 표준으로 준비되고 있다[84]. OPAQUE은 내부적으로 OPRF(Oblivious Pseudo Random Function)를 이용한다. OPRF는 상호작용 프로토콜이며, 그림 11.2와 같이 진행된다. 여기서 g는 위수가 소수 q인 군의 생성자이다. 최종적으로 사용자는 R을 얻게 되는데, 서버는 사용자의 입력 x를 알 수 없으며, 사용자는 서버의 입력 k를 알 수 없다.

사용자 A의 패스워드가 π_A일 때 OPAQUE 프로토콜에서 사용자 등록 과정은 다음과 같이 진행된다.

- 단계 1. 서버와 사용자 A는 각각 π_A와 k_A를 입력으로 사용하여 OPRF 프로토콜을 진행한다. A는 OPRF 수행 결과로 얻은 $R = H(\pi_A \parallel g^{k_A} \parallel H_q(\pi_A)^{k_A})$를 KDF에 입력하여 인증 암호화 필요한 대칭키를 계산한다. 이 키를 이용하여 eK_A, dK_A, eK_S를 인증 암호화한다. 그 결과를 Env_A라 하자.

- 단계 2. A는 eK_A, Env_A를 서버에 전달하면, 서버는 수신한 값과 eK_S, dK_S, g^{k_A}, k_A를 사용자 A의 등록값으로 저장한다. 사용자마다 다른 서버 공개키 쌍을 사용하지 않으면 이들을 사용자 등록값으로 저장할 필요는 없다.

OPRF의 특성 때문에 사용자 패스워드는 서버를 포함하여 노출되지 않는다.

등록된 사용자는 다음을 진행하여 상호 인증하고 세션키를 확립한다.

- 단계 1. 사용자 A가 접속을 시도하면 서버는 Env_A를 전달한다.
- 단계 2. 서버와 사용자 A는 각각 π_A와 k_A를 입력으로 사용하여 OPRF 프로토콜을 진행한다. 사용자 A는 이를 통해 등록 과정 때 얻은 동일 R을 얻게 되며, 이를 이용하여 단계 1에서 수신한 Env_A를 복호화하여 자신의 공개키 쌍을 얻게 된다.
- 단계 3. 서버와 A는 자신들의 공개키 쌍을 이용하여 키 확립 프로토콜을 진행한다.

Env_A를 복호화하기 위해서는 등록 과정과 동일한 OPRF를 수행해야 하며, 이를 위해서는 등록 과정에 사용한 사용자 패스워드를 알아야 한다.

11.3 일회용 패스워드

OTP(One-Time Password)는 기존 계정명/패스워드 방식보다 안전한 인증 메커니즘을 제공하기 위해 매번 새로운 패스워드를 사용하는 방식을 말한다. 이 기법은 매번 패스워드를 변경하면 패스워드가 노출되어도 안전성에 문제가 없다는 것에 착안한 기법이다. 이 기법을 사용하기 위해서는 사용자와 사용자 패스워드를 확인하는 서버가 매번 같은 패스워드를 생성할 수 있어야 한다. 이를 위해 보통 사용자와 서버 간의 대칭키를 공유하고 있으며, 이 키를 이용하여 패스워드를 생성한다.

클라이언트와 서버가 대칭키를 이용하여 매번 다르지만, 같은 패스워드를 생성하기 위해서는 공유한 대칭키 외에 입력으로 사용할 다른 값이 필요하다. 이를 위해 클라이언트와 서버가 서로 약속한 값을 이용할 수 있고, 한쪽이 생성한 값을 전달받아 사용할 수 있다. 전자는 클라이언트와 서버가 약속이 어긋나지 않게 하는 것이 필요하므로 동기화 방식이라 하고, 후자는 비동기화 방식이라 한다. 보통 동기화 방식에서는 시간 또는 카운터를 이용한다. 꼭 대칭키를 공유하고 이를 이용하여 일회용 패스워드를 사용할 필요는 없다. 이 장 7.6절에서 소개하지만 해시체인과 같은 기술을 사용하여 일회용 패스워드를 생성할 수 있다.

OTP를 가장 먼저 활용한 응용은 인터넷 뱅킹이다. 인터넷 뱅킹은 하드웨어 기반 OTP를 통해 보안 강도를 높이고자 하였다. 인터넷 뱅킹에서 하드웨어 기반 OTP를 사용한 이유는 그 당시 사용자들이 주로 PC를 이용하여 인터넷 뱅킹을 사용하였기 때문이다. 특히, 인터넷에 연결된 어느 컴퓨터에서도 쉽게 인터넷 뱅킹을 사용할 수 있어야 했는데, 소프트웨어 기반 OTP를 사용하면 이것이 가능하지 않았다. 소프트웨어 기반 OTP를 사용하기 위해서는 인터넷 뱅킹을 사용할 컴퓨터마다 추가적인 소프트웨어 설치가 필요하다. 더 큰 문제는 뱅킹 서버와 공유한 대칭키를 해당 소프트웨어가 접근할 수 있도록 해야 하는 문제점이 있다. 이와 달리 하드웨어 기반 OTP는 기기 화면에 등장하는 6자리 숫자만 화면에 입력하면 되므로 다른 컴퓨터를 사용하더라도 OTP 때문에 번거로워지는 것이 전혀 없다.

하드웨어 기반 OTP는 기기 화면에 나타난 숫자만 입력하는 방식이므로 동기화 방식으로 동작할 수밖에 없다. 기기 내부에 서버와 공유한 대칭키를 유지하며, 이 키와 시간이나 카운터를 이용하여 값을 계산한 다음, 이 값으로부터 화면에 나타날 숫자를 만들어 표시하는 방식으로 동작한다. 서버는 각 사용자에게 발급된 기기를 알고 있으며, 각 기기에 저장된 대칭키를 알고 있다. 따라서 서버는 기기와 같은 방법을 통해 숫자를 계산하여 비교함으로써 사용자를 인증한다.

하드웨어 기반 OTP의 요구사항은 다음과 같다.

- R1. [불위조성] 패스워드는 그 기기와 서버 외에는 생성하는 것이 계산적으로 어려워야 한다.
- R2. [독립성] 이전에 사용된 패스워드로부터 현재 사용할 패스워드를 제삼자가 계산하는 것이 계산적으로 어려워야 한다.
- R3. [간결성] 제시된 값은 사용자가 쉽게 읽을 수 있어야 하며, 사용자가 화면에 쉽게 입력할 수 있어야 한다.
- R4. [경제성] 하드웨어적으로 구현이 경제적이어야 한다.

R1은 생성된 패스워드로부터 해당 패스워드를 생성하기 위해 사용된 대칭키를 구하는 것이 계산적으로 어려워야 한다. 보통 기기에 저장되어 있는 대칭키를 MAC키로 사용하여 현재 시각 또는 카운터 값에 대한 MAC값을 계산하여 패스워드를 생성한다. 따라서 MAC값의 안전성 때문에 이 요구사항은 쉽게 충족된다. 더욱이 MAC값 자체를 사용하는 것이 아니라 MAC값으로부터 6자리 숫자를 만들어 패스워드로 사용하므로 R1에서 사용된 패스워드로부터 키 정보가 노출되는 것은 가능하지 않다고 생각해도 된다.

각 패스워드를 매번 독립적으로 생성하면 R2도 충족할 수 있다. 사용자가 해시값 자체를 입력해야 하면 값 자체가 길어 번거로우며, 잘못 입력하는 경우도 많아진다. 따라서 계산된 값으로부터 적당히 짧은 길이의 값을 계산하여 보여주어야 한다. 보통 여섯 자리 정도의 정수로 바꾸어 사용한다. 여섯 자리 정수를 사용하면 경우의 수가 비교적 적어 전사공격이 가능할 수 있다. 하지만 매번 이 값이 바뀌므로 큰 문제가 되지는 않는다. 물론 안전성을 높이기 위해 입력 오류 횟수 제한, 암호 채널 사용 등 추가 보안 조치를 할 필요는 있다. 또 많은 사용자가 OTP를 사용하도록 유도하기 위해서는 무료로 보급하거나 비싸지 않아야 한다.

11.3.1 OTP의 종류

OTP는 크게 클라이언트와 서버 간의 동기화가 필요한 방식과 필요하지 않은 방식으로 구분할 수 있다. 이 절에서는 클라이언트와 서버가 대칭키를 공유하고, 이 대칭키를 이용하여 일회용 패스워드를 생성하는 방식의 OTP만 고려한다. 대칭키를 활용하는 비동기화 방식은 한쪽이 랜덤한 값을 생성하여 다른 쪽에 주어 이 값을 이용하여 패스워드를 생성한다. 이처럼 생성하므로 이 방식을 시도응답 방식이라 하며, 5장에서 살펴본 난스 기법과 차이가 없다. 서버가 N_S를 전달하면 클라이언트는 공유한 대칭키로 이 값을 암호화하거나 공유한 대칭키를 MAC키로 사용하여 서버가 준 난스에 대한 MAC값을 계산하여 회신하는 방식이다. 이 방식에서 서버가 주는 난스값은 매번 반드시 달라야 한다. 서버에 사용자 공개키를 유지하면 MAC 대신에 전자서명을 이용할 수도 있다.

이와 같은 방식을 사용하므로 비동기화 방식은 별도 하드웨어 장치를 이용하여 처리하기가 어렵다. 서버가 전달한 난스값을 이 장치에 전달해야 하는데, 컴퓨터와 장치 간 통신이 가능하지 않으면 사용자가 직접 입력해 주어야 한다. 하지만 이것은 번거로울 뿐만 아니라 기기가 키보드와 같은 입력 수단을 제공해야 하는 문제점도 있다.

또 비동기 방식은 짧은 값을 전달하여 인증하는 것이 아니므로 OTP가 아니라 간단한 인증 프로토콜이라고 하는 것이 더 정확할 수 있다. 물론 이 경우에도 MAC값 전체 대신에 해당 값으로부터 작은 길이의 패스워드를 생성하여 전달할 수 있다. 이것이 오히려 전체 MAC값이나 암호문이 노출되지 않아 더 안전할 수 있다. 물론 전자서명의 경우에는 작은 길이의 패스워드로 바꾸어 전달하면 공개키만 가지고 있는 서버는 이를 확인하기 어렵다.

동기화 방식은 크게 시간 동기화 방식과 사건 동기화 방식으로 다시 구분할 수 있다. 시간 동기화 방식은 클라이언트와 서버 간의 공유된 대칭키와 절대 시간을 이용하여 패스워드를 생성한다. 클라이언트와 서버가 같은 패스워드를 생성하기 위해 특정 시간 간격으로 패스워드를 생성한다. 예를 들어, 1분마다 새로운 패스워드를 생성하는 방식을 사용할 수 있으며, 클라이언트와 서버가 정확하게 시간 동기화가 안 되어 있을 수 있으므로 서버는 현재 시각을 기준으로 지금까지 사용하지 않은 전후 몇 분에 대한 패스워드를 생성하여 확인하는 방식을 사용하고 있다. 또한 정해진 시간 간격 사이에는 동일 패스워드가 다시 인증될 수 있으므로 한 번 사용한 패스워드를 다시 인증에 사용할 수 없도록 중복 검사를 해야 한다.

사건 동기화 방식은 사용자가 요청할 때마다 일회용 패스워드를 생성하는 방식이며, 이를 위해 클라이언트와 서버가 대칭키 외에 카운터를 공유하고 있다. 클라이언트는 다음 카운터 값을 계산한 다음에 이 값을 이용하여 패스워드를 생성하여 전달하는 방식을 사용하고 있다. 사용자가 사용하는 기기의 버튼을 누르면 다음 패스워드를 생성하기 때문에 사용자는 기기의 버튼을 여러 번 눌렀지만, 생성한 값을 서버에 전달하지 않을 수 있다. 이 경우 클라이언트와 서버 간의 카운터 값 차이가 너무 벌어져 인증을 확인하는 데 어려움이 있을 수 있다. 보통 서버는 자신의 카운터 값을 기준으로 정해진 s개를 생성하여 생성된 s개 내에 일치하면 카운터 값을 동기화하고 인증하는 방식을 사용하고 있다.

두 방식을 비교하면 표 11.1과 같다. 시간 동기화는 절대 시간을 이용하므로 동기화 측면에서 편리하지만, 정해진 간격이 끝나지 않으면 다시 인증하기 위해 기다려야 하는 문제점이 있다. 반대로 사건 동기화는 정해진 간격에 따라 자동 생성하는 것이 아니며, 시간 동기화가 필요 없다는 장점이 있지만, 동기화가 어긋나면 이를 다시 동기화하기 번거로울 수 있다. 이에 시간과 사건 동기화 방식을 혼합하여 사용하는 혼합 방식도 제안되었다. 혼합 방식에서는 시간 동기화처럼 정해진 간격마다 절대 시간을 이용하여 자동 동기화되지만, 간격 사이에서는 사건 동기화 방식을 사용한다. 따라서 동기화가 어긋나더라도 일정 시간이 지나면 자동 동기화가 된다.

	시간 동기화	사건 동기화
생성	정해진 시간 간격마다 자동 생성 $f(K, T)$, T: 시간	필요할 때마다 생성 $f(K, C)$, C: 카운터
동기화	절대 시간을 이용함 시스템 간 클럭 동기화 필요	공유 카운터를 사용함 look-ahead 파라미터 s 사용
미래값	확보할 수 없음	계속 생성하여 얻을 수 있음
편리성		클럭 동기화가 필요 없음
문제점	입력 도중에 패스워드가 바뀔 수 있음	각 기기마다 별도 카운터를 유지해야 함
공격가능성	유효기간 내 재사용 가능 한번 인증된 값을 재사용할 수 없어야 함	미래값 확보 가능 패스워드의 유효기간이 별도 없음

<표 11.1> 시간 동기화와 사건 동기화 방식의 비교

11.3.2 HOTP

HOTP(HMAC based OTP)[85]는 인터넷 표준으로 제정된 사건 동기화 방식의 OTP이다. 클라이언트와 서버는 카운터 C와 대칭키 K를 공유하고 있으며, $HS = \text{MAC}.K(C)$를 계산한 다음에 HS로부터 여섯 자리 숫자를 생성하여 일회용 패스워드로 사용한다. SHA-1 기반 HMAC을 사용할 경우 HS의 길이는 20byte가 되며, 이 중 4byte를 선택하여 이를 32bit 정수로 취급한 다음 해당 값을 1,000,000으로 나머지 연산을 취하여 여섯 자리 숫자를 만든다. HOTP는 HS의 마지막 바이트의 하위 4bit 값을 오프셋으로 사용하여 4byte를 선택한다. 예를 들어, 하위 4bit 값이 10이면 11번째 바이트부터 4byte를 선택한다.

11.4 키 유도 함수

해시함수는 **키 유도 함수**(KDF, Key Derivation Function)를 만들 때도 사용한다. KDF는 키 동의 프로토콜처럼 어떤 공유된 비밀로부터 또는 사용자의 패스워드로부터 사용하고자 하는 대칭 암호알고리즘이나 MAC에 안전하고 적합한 키를 만들 때 사용하는 함수이다. 패스워드 기반 KDF는 PBKDF라 하며, 일반 KDF와 달리 패스워드 해싱처럼 소금과 반복 횟수를 사용한다. 여기서 반복 횟수는 수행 속도를 조절하는 용도로 사용하며, 이를 통해 사전 공격에 대한 방어력을 높인다.

KDF를 사용하면 필요한 요구조건을 충족하는 비밀키를 생성할 수 있다. 예를 들어, 대칭 암호알고리즘에 따라 사용하지 말아야 하는 키(weak key)가 있는데, 이들을 배제할 수 있도록 KDF를 설계할 수 있다. 인터넷 표준에서는 HMAC을 이용한 KDF를 표준으로 제정하고 있다[86]. 이 표준을 HKDF라 하며, 두 단계로 구성된다. 첫 번째 단계는 두 번째 단계에서 사용할 MAC키를 생성하는 단계이고, 두 번째 단계는 필요한 만큼의 비트를 얻기 위해 확장하는 단계이다.

첫 번째 단계에서는 임의로 생성한 소금값을 MAC키로 사용하여 비밀키를 생성하기 위한 입력에 대한 MAC값을 계산한다. 예를 들어, Diffie-Hellman 키 동의 과정 후 대칭키의 생성이 필요하면 MAC.salt(g^{ab})를 계산하여 사용한다. 이 값은 두 번째 단계의 MAC키 K로 사용한다. 원격에 있는 두 사용자가 같은 키 값을 얻기 위해서는 두 사용자가 모두 동일한 소금값을 사용해야 한다. 따라서 소금값이 없을 때는 길이가 MAC 출력과 같은 0비트 문자열을 소금값으로 사용한다.

두 번째 단계는 필요한 길이의 키를 얻기 위해 확장하는 단계로 T_1부터 필요한 만큼의 길이를 모두 얻을 때까지 차례로 T_i를 다음과 같이 계산한다.

$$T_i = \text{MAC}.K(T_{i-1} \,\|\, \text{info} \,\|\, i)$$

여기서 T_0는 길이가 MAC 출력과 같은 0비트 문자열이다. SHA-1기반 HMAC을 사용할 경우, 2개의 128bit 대칭키와 2개의 160bit MAC키가 필요하면 T_4까지 계산하여 이들을 사용한다.

인터넷 표준 RFC 2898[87]에는 PBKDF1과 PBKDF2 두 개의 버전의 패스워드 기반 키 유도 함수가 정의되어 있다. PBKDF1은 해시함수를 사용하는 버전으로써 $T_1 = H(\pi \| salt)$, $T_2 = H(T_1)$, ..., $T_c = H(T_{c-1})$를 계산한 다음, 마지막 T_c에서 필요한 만큼의 비트를 대칭키로 사용한다. 여기서 π는 사용자 패스워드이고 c는 반복 횟수이다. PBKDF1은 내부적으로 사용하는 해시함수 출력값의 길이보다 짧은 길이의 대칭키만 생성할 수 있다.

PBKDF2는 MAC 함수를 사용하는 버전으로써 패스워드 π를 MAC키로 사용하여 다음과 같이 반복 횟수 c만큼 U_i를 계산하여 이들을 모두 XOR하여 필요한 수의 T_i를 만든다.

$$\begin{aligned} U_1 &= \mathrm{MAC}.\pi(salt \| i) \\ U_2 &= \mathrm{MAC}.\pi(U_1) \\ &\vdots \\ U_c &= \mathrm{MAC}.\pi(U_{c-1}) \end{aligned}$$

$$T_i = F(\pi, salt, c, i) = U_1 \oplus U_2 \oplus \cdots \oplus U_c$$

응용에서 필요한 키는 생성된 T_i로부터 차례로 추출하여 사용한다.

응용에서 패스워드로부터 항상 같은 키 값을 생성해야 하면 매번 같은 소금값을 사용해야 한다. 패스워드 기반 암호알고리즘 표준이 최초로 제정된 2000년도에는 1,000번 반복하는 것을 권장하였지만 현재 NIST는 가급적 시스템 환경이 허용되는 범위 내에서 최소 10,000번 이상하도록 권장하고 있다.

HKDF는 길이가 고정된 해시함수를 내부적으로 사용하며, 고정된 길이의 해시함수를 이용하여 가변 길이의 출력을 얻기 위해 반복적으로 해시함수를 계산해야 한다. SHA-3는 기존 SHA-2와 달리 스펀지 구조를 이용하므로 출력 길이에 대한 제한이 실제 없다. HKDF처럼 주어진 입력으로부터 필요한 길이의 랜덤 비트 문자열을 주는 함수를 XOF라 하는데, 스펀지 구조를 이용하는 해시함수는 그 자체가 XOF이다. SHA-3를 표준화할 때 NIST는 SHA-3를 이용한 XOF도 표준화하였으며, 이를 SHAKE라 한다. NIST는 SHAKE를 확장한 cSHAKE도 표준화하였으며, cSHAKE는 SHAKE보다 문자열을 하나 더 받아 필요한 크기의 랜덤 비트 문자열을 출력하여 준다. 이 문자열을 통해 같은 입력이더라도 다른 출력을 얻을 수 있다. SHAKE와 cSHAKE는 HKDF 대신 공유 비밀정보로부터 필요한 개수의 랜덤 대칭키를 생성할 때 사용할 수 있다.

11.5 예지력 증명

6장에서 키 동의 프로토콜을 설명할 때 키 제어 요구사항을 위해 해시함수를 사용한 바 있다. 해당 예제에서 사용자는 랜덤하게 선택한 군 원소를 평문으로 전달하지 않고 대신 해시 값을 전달하였다. 따라서 이것을 수신한 사용자는 해시함수의 일방향성 때문에 상대방 사용자가 선택한 군 원소를 알 수 없으며, 해시 값을 전달한 사용자는 해시함수의 충돌회피성 때문에 원래 선택한 군 원소가 아닌 다른 값을 나중에 공개할 수 없다. 이 기술을 비트 약속이라 한다. 이것은 동전 던지기 예제에서도 사용한 기법이다.

비트 약속을 이용하여 예지력 증명을 할 수 있다. 예를 들어, 축구 경기 시작 전에 축구 경기 결과를 알고 있음을 증명하고 싶다고 하자. 이를 위해 자신이 예측한 결과의 해시값 H("KOR3:GER0")을 공개하였다고 하자. 앞서 살펴본 것과 마찬가지로 일방향성과 충돌회피성 때문에 충돌회피 해시함수를 이용하여 안전하게 예지력 증명을 할 수 있다고 생각할 수 있다. 하지만 경우의 수가 제한적이면 가능한 모든 경우에 대해 해시값을 계산하여 어떤 결과를 예측하였는지 사전에 알 수 있다. 한 가지 예로 2014년 월드컵 결승을 트위터에 예측하여 성공한 계정이 있었는데, 실제로는 가능한 모든 경우를 게시한 후에 정답을 제외하고는 삭제하여 성공한 것이었다.

11.6 해시체인

Lamport는 1981년에 **해시체인**(hash chain)이라는 해시함수의 일방향성을 이용한 간단한 인증 방식을 제안하였다[88]. 해시체인은 랜덤한 초깃값을 선택한 후에 그 값에 해시함수를 연속적으로 적용하여 생성한다. 길이가 5인 해시체인은 랜덤한 초기값 s를 선택한 후에 다음 같이 생성한다.

$$c_5 = H(s),\ c_4 = H(c_5),\ c_3 = H(c_4),\ c_2 = H(c_3),\ c_1 = H(c_2),\ c_0 = H(c_1)$$

여기서 c_5부터 c_1까지가 해시체인의 값이며, c_0는 이 체인의 루트(root)라 한다. 해시체인을 사용할 때는 생성한 방향과 거꾸로 사용한다.

패스워드 인증 대신에 해시체인을 이용하여 사용자를 인증하고자 하면 사용자는 해시체인의 모든 값(c_5부터 c_1)을 유지하고, 서버에 c_0를 등록한다. 그다음 c_1부터 차례로 사용한다. 예를 들어, 사용자가 c_1를 전달하면 서버는 이를 해시한 후에 저장된 c_0와 비교하여 일치하면 사용자를 인증한다. 인증이 성공적으로 이루어지면 사용자는 해당 체인값을 버리고, 서버는 저장된 체인값을 수신한 값으로 교체한다. 서버를 포함하여 공격자가 c_i를 확보하더라도 해시함수의 일방향성 때문에 다음에 사용할 c_{i+1}를 계산할 수 없다.

체인값은 한 번만 사용하므로 해시체인은 일회용 패스워드로 활용할 수 있다. 실제 Bellcore[12)]사는 S/KEY라는 해시체인을 이용한 일회용 패스워드를 개발하였으며, 이 인증 방식은 인터넷 표준(RFC 2289)으로도 채택되어 있다[89]. 이 방식은 앞서 살펴본 하드웨어 OTP처럼 체인값으로부터 작은 패스워드를 생성하여 활용할 수는 없다.

해시체인을 사용할 때 루트값의 인증이 매우 중요하다. 위 예에서 c_0를 등록할 때 공격자가 그것 대신에 자신이 만든 루트값을 등록하면 공격자가 해당 사용자로 시스템에 접속할 수 있다. 이 때문에 사용자는 루트값을 서버에 등록할 때 전자서명하여 전달할 수 있다. 서버가 항상 루트값을 이용하여 체인값을 인증하는 것이 아니므로 유지하는 최종 사용된 체인값의 무결성도 보호되어야 한다.

사용자는 해시체인의 모든 값을 유지할 필요는 없다. 길이가 n일 때, 최소한 c_n과 다음에 사용할 체인값의 색인을 유지해야 한다. 하지만 이 경우 매번 많은 수의 해시함수를 실행해야 한다. 매번 실행해야 하는 해시함수의 수는 유지하는 값의 개수를 늘려 줄일 수 있다. 실행해야 하는 해시함수의 수와 유지해야 하는 체인값의 개수는 해시체인의 길이에 영향을 받게 된다. 해시체인은 생성한 후에는 길이가 고정되므로 활용하는 응용에 따라 길이와 유지하는 값의 개수를 적절하게 결정해야 한다. 또한 체인에 있는 모든 값을 다 사용하면 해시체인을 새롭게 생성해야 하며, 루트값의 등록 절차도 다시 이루어져야 한다.

12) Bellcore는 1983년 AT&T 사가 분할될 때 설립된 Bell Communications Research 사의 약칭이다. 1999년에 Telcordia로 기업명이 변경되었으며, 2011년에 Ericsson 사가 인수하여 Ericsson 사 내부로 흡수되었다.

11.7 해시 퍼즐

서비스 거부 공격을 방어하기 위해 접속하는 클라이언트를 인증하는 방법이 있다. 이는 불법적인 접근을 차단하여 서버의 불필요한 자원의 낭비를 막기 위한 것이다. 하지만 인증하는 비용이 많이 들면 오히려 인증 비용 때문에 서비스 거부 공격이 쉬워질 수 있다. 따라서 프로토콜이 진행됨에 따라 점진적으로 인증 비용을 높이는 방법이 있다. 이때 사용할 수 있는 인증 방식 중 하나가 클라이언트 퍼즐이다. 퍼즐의 해결 비용은 정상적인 클라이언트에게는 크지 않지만 서비스 거부 공격을 위해 동시에 여러 클라이언트를 실행해야 하면 부담이 될 정도로 커야 한다. 하지만 오늘날 서비스 거부 공격은 하나의 공격 컴퓨터를 이용하여 공격하는 것이 아니므로 현재는 거의 사용하지 않는다.

클라이언트 퍼즐 중 해시함수를 이용하는 퍼즐을 해시 퍼즐이라 하며[41], 해시값이 주어졌을 때 해시의 입력을 찾아내는 것이다. 하지만 해시값이 주어졌을 때 입력 전체를 찾는 것은 해시함수의 일방향 특성 때문에 퍼즐로 사용할 수 없다. 따라서 입력의 일부 $k$bit를 제외한 나머지 값을 공개하여 공개하지 않은 k비트를 찾는 문제를 클라이언트 퍼즐로 사용한다. 이 퍼즐은 k의 길이를 조절하여 퍼즐의 답을 찾는 데 필요한 시간을 조절할 수 있다.

특정 메시지에 대한 해시값은 한 번의 해시 연산으로 바로 계산할 수 있다. 비트코인에서는 특정 메시지에 대한 해시값을 계산하지만, 그것을 계산할 때 일정한 시간이 소요되도록 만드는 것이 필요하였다. 패스워드 해싱처럼 특정한 횟수를 반복하도록 하여 일정한 시간이 필요하게 만들 수 있지만, 이 경우에는 이 값을 확인하는 데 걸리는 시간도 함께 길어지는 문제가 있다. 비트코인에서는 해시값을 계산하는데 일정 시간이 소요되지만, 확인은 매우 빠르게 하는 것이 필요하였다. 또 비트코인에서는 값을 계산하는 데 필요한 시간이 결정적이 아니라 확률적이어야 하므로 특정한 횟수를 반복하는 방식은 사용할 수 없다.

비트코인에서는 이를 위해 특정 입력과 랜덤값을 결합하여 결과 해시값이 특정수 이하가 되는 랜덤값을 찾는 퍼즐을 사용하였다. 여기서 특정수 이하란 해시값 전체를 매우 큰 정수로 가정하는 것으로써, 해시값의 최상위 k비트가 0이 되는 것을 말한다. 이 퍼즐은 해에 해당하는 랜덤값을 찾는 데 특정 시간이 필요하지만, 확인은 한 번의 해시 연산을 통해 확인할 수 있는 비대칭성 특징을 가지는 퍼즐이다. 해를 찾는 데 특정 시간이 요구되므로 이 퍼즐을 **작업 증명**(POW, Proof Of Work)이라 한다.

이 퍼즐은 실제 비트코인에서 가장 먼저 사용한 것은 아니다. 이 기술은 원래 스팸 메일 방지를 위해 제안된 기술이다[90]. 수신자는 메일에 수신자, 메일 내용을 입력으로 사용하는 유효한 해시 퍼즐의 해결책이 포함되어 있어야 정상 메일로 인식한다. 이 때문에 스팸 메일을 보내고자 하는 공격자는 수신자마다 새 해시 퍼즐을 해결해야 한다. 따라서 사용하는 작업 증명의 비용을 잘 조절하면 정상 사용자는 비용이 부담되지 않지만, 많은 수의 스팸 메일을 전송하고자 하는 공격자는 포기를 유도할 수 있을 정도의 비용이 소요되도록 만들 수 있다.

11.7.1 블록체인

블록체인은 현재 비트코인[13]에서 사용하면서 4차 산업혁명의 핵심 IT 기술 중 하나로 주목받고 있다[18]. 비트코인에서 사용한 블록체인은 블록 단위로 데이터를 기록하고 이전 블록의 해시값을 포함하여 작업 증명하는 형태로 블록의 해시값을 계산한다. 따라서 이전 블록에 있는 내용을 수정하거나 없는 데이터를 추가하기 위해서는 해당 블록부터 지금까지의 모든 블록을 전부 다시 계산해야 한다. 하지만 작업 증명, 해당 응용에서 사용하는 규칙(비트코인의 경우: 가장 긴 길이의 체인 우선이라는 규칙 사용)과 특성(작업 증명에 참여하는 참여자들과 그들의 생태계) 때문에 이것이 가능하지 않다. 따라서 블록체인을 첨삭 전용(append-only) 데이터베이스라고도 한다. 블록체인과 비트코인에 대한 자세한 내용은 15장과 16장에서 설명한다.

13) 블록체인은 비트코인에 처음으로 사용된 기술은 아니다.

11.8 해시 트리

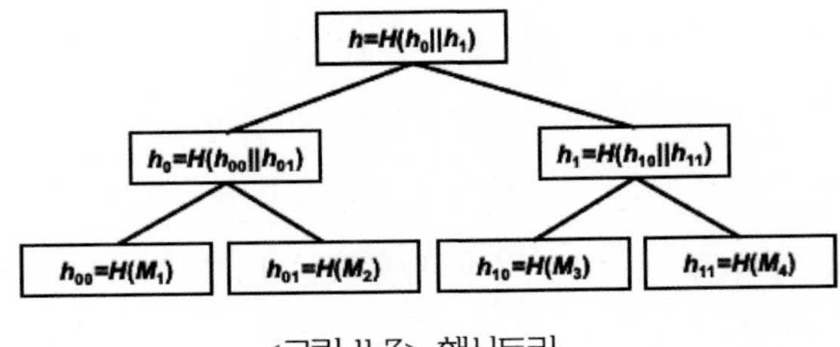

<그림 11.3> 해시트리

문제 해결 방법이 입력에 비례하는 비용이 요구될 때 이 비용을 줄이기 위해 보통 많이 생각하는 방법이 이진 트리를 이용하여 문제를 표현하고 그것의 해결책이 트리 높이에 비례하도록 만드는 것이다. 물론 표현된 이진 트리는 균형 트리이어야 선형 비용을 로그 비용으로 줄일 수 있다.

한 사용자가 n개의 값에 전자서명해야 할 때 각 값에 독립적으로 서명하면 총 n번의 전자서명이 필요하다. 이진 트리를 이용하면 이 비용을 줄일 수 있다. 그림 11.3처럼 단말 노드는 서명해야 하는 각 값의 해시값이 되도록 하고 중간 노드의 값은 두 자식 노드의 값을 결합하여 해시한 값이 되도록 이진 트리를 구성한 다음 사용자는 루트값 하나에만 서명한다. 특정 값의 전자서명을 누구에게 제시해야 할 때는 해당 단말 노드와 그 노드부터 루트까지 루트를 제외한 경로에 있는 노드의 형제 노드 값과 루트에 대한 서명값을 제시하면 된다. 이 트리의 높이는 $\log n$에 비례하므로 제시한 값들의 개수도 $\log n$에 비례한다. 이와 같은 서명 방식을 일괄 서명(batch signature)이라 한다[91].

해시 트리는 최초에 Merkle이 제안하였으며[92], 다양한 응용에서 활용하고 있다. 중앙 집중 그룹키 프로토콜에서는 OFT(One-way Function Tree)라는 이름으로 응용되었고, 비트코인의 블록체인에서는 블록에 포함된 트랜잭션들을 해시 트리로 표현한다. 해시 트리는 다른 말로 머클 트리라 한다.

11.9 해시 기반 서명

보통 공개키 기반 전자서명 기법은 일방향 트랩도어 함수에 의존하며, 이들은 계산적으로 풀기 어려운 수학 문제에 기반하고 있다. 가장 많이 활용하고 있는 인수분해와 이산대수 문제는 양자 컴퓨팅을 이용하면 다차 시간에 해결할 수 있으므로 양자 컴퓨팅이 현실화되면 더는 사용하기가 어렵다. 이에 양자 컴퓨팅 환경에서도 안전한 공개키 암호알고리즘에 관한 연구가 활발하게 진행되고 있다. 전자서명의 경우 하나의 대안으로 고려되고 있는 것이 해시기반 서명이다. 하지만 해시기반 서명은 보통 하나의 개인키로 하나의 메시지만 서명할 수 있는 일회용 전자서명(OTS, One-Time Signature)이다. 이 문제를 극복하고자 해시기반 서명과 해시 트리를 함께 이용하는 방법이 제안되고 있다.

해시기반 서명을 최초로 제안한 것은 Lamport이다[93]. Lamport의 1bit 일회용 서명에서 공개키는 $H(x)$와 $H(y)$이며, 개인키는 x와 y이다. 여기서 x와 y는 매우 큰 정수이다. 이 기법을 이용하여 0을 서명하고 싶으면 x를 공개하고, 1을 서명하고 싶으면 y를 공개한다. 이 기법을 n비트 서명으로 확장하고자 하면 n개의 (x, y) 쌍이 필요하며, 이들의 해시값이 공개키가 된다. SHA-256를 이용하여 메시지를 해시한 후에 서명하면 512개의 정수와 512개의 해시값이 필요하다. 즉, 공개키의 길이가 8KB가 된다.

해시기반 서명에서도 확인키의 인증이 필요하다. 하지만 중앙집중 PKI를 이용하기는 어려울 수 있다. 인증기관이 기존 전자서명을 사용하면 기존처럼 사용할 수 있지만 인증기관도 해시기반 서명을 사용해야 한다면 인증서를 사용하는 것은 간단한 문제가 아니다. 따라서 2장에서 설명한 탈중앙 PKI처럼 각 사용자가 블록체인에 자신의 공개키를 등록하는 방식을 사용해야 할 것으로 보인다.

Winternitz는 $H(x)$와 $H(y)$를 공개하는 대신에 x를 w번 해시한 $H^w(x)$를 공개하는 형태로 Lamport의 서명을 개선하였다[94]. $H^w(x)$를 공개키로 이용하면 0부터 $w-1$까지의 값에 서명할 수 있다. $w=16$이고 $m=9$를 서명하고 싶으면 $H^9(x)$를 공개하면 된다. 검증자는 받은 값을 $w-9$번 해시하여 공개키와 비교하면 된다. 이 서명의 문제점은 공격자가 서명값을 받아 해시하여 m보다 큰 값의 서명을 만들 수 있다. 이것이 가능하지 않도록 추가적인 조치[14)]가 필요하다. 메시지를 SHA-256으로 해시하여 서명한다고 생각하고 $w=256$을 사용하면 공개키는 $H^{256}(x_i)$가 총 32개가 필요하고, $w=16$를 사용하면 총 64개가 필요하다. 전자의 경우 공개키의 길이는 1KB밖에 되지 않는다.

해시기반 서명은 여러 문서로 구성된 해시 트리의 루트에 서명함으로써 하나의 문서가 아니라 여러 개의 문서에 서명할 수 있다. 또 다른 방법은 문서 대신에 일회용 공개키를 단말로 하는 해시 트리를 만들고, 이 트리의 루트를 공개키로 사용하면 일회용 서명 방식을 다중 서명 방식으로 확장할 수 있다. 해시 트리의 사용으로 공개키의 길이는 줄였지만, 여전히 사용자는 많은 수의 개인키를 유지해야 한다. XMSS[95]는 이 문제를 극복하기 위해 개인키를 독립적으로 생성하지 않고, seed와 트리 위치를 이용하여 의사난수 생성기를 통해 결정적으로 계산하는 방식을 사용하고 있다. 이 방법을 사용하면 사용자는 seed만 유지하면 된다.

한 해시 트리에 포함할 수 있는 공개키의 수는 제한적이다. 많은 공개키를 포함할수록 트리의 높이는 증가한다. 이 문제는 하나의 해시 트리로 모든 공개키를 표현하지 않고 작은 높이의 여러 개 해시 트리를 이용할 수 있다. 공개키를 유지하는 여러 개의 작은 높이의 해시 트리들의 루트로 구성된 해시 트리의 루트가 최종 공개키가 된다. 이와 같은 트리를 하이퍼트리(hypertree)라 한다.

XMSS를 사용하더라도 여전히 공개키는 관리해야 하며, 절대 이전에 사용한 키를 다시 사용하지 않아야 한다. 이 관리는 사용자가 직접 해야 한다. 이 문제를 개선한 SPHINCS+ 기법(NIST에서 진행 중인 양자 내성 암호 표준화 작업 3라운드 후보 중 하나)[96]도 있지만 여전히 기존 RSA 서명이나 타원곡선 기반 서명에 비교하면 해시기반 서명이 효과적이지 못하다는 것은 직관적으로 알 수 있다.

14) checksum을 계산하고 이 checksum까지 서명한다.

11장 퀴즈

1. 해시 기반 서명과 관련된 다음 설명 중 **틀린** 것은?

① 기본적으로 일회용 서명이다.
② 해시함수는 해시 값의 길이만 늘이면 양자컴퓨팅이 현실화되어도 안전성에 문제가 없으므로 양자 내성 전자서명의 대안으로 검토되고 있다.
③ Winternitz OTS에서 w가 증가하면 서명과 서명 확인을 위해 필요한 해시 연산의 수와 공개키의 길이(공개키를 나타내기 위해 필요한 해시 값의 수)는 증가한다.
④ Winternitz OTS는 쉽게 존재 위조가 가능하므로 추가적인 checksum을 포함하여 서명해야 한다.

2. 패스워드 기반 암호키는 패스워드 추측 공격이 가능하므로 보통 로컬에서 장기간 키를 보호하기 위해 많이 사용한다. 하지만 EKE처럼 암호프로토콜을 적절하게 설계하면 패스워드 기반 키를 원격에 있는 사용자 간에도 사용할 수 있다. 암호프로토콜에서 패스워드 기반 암호키의 사용과 관련된 다음 설명 중 **틀린** 것은?

① 명백한 여분 정보가 포함된 평문을 암호화하면 안 된다.
② 랜덤한 값만 암호화하더라도 그 값의 특성 때문에 여전히 패스워드 추측 공격에 취약할 수 있다.
③ 암호화된 랜덤 값을 앞으로 어떻게 사용하는지는 패스워드 추측 공격에 영향을 주지 않는다.
④ 패스워드 추측 공격을 하여 공격에 성공하였다는 것은 알 수 없지만 실패하였다는 것을 알 수 있으면 패스워드 추측 공격에 취약한 것이 된다.

3. Lamport의 해시체인과 해시체인을 이용한 일회용 패스워드와 관련된 다음 설명 중 **틀린** 것은?

① 해시함수의 일방향성을 이용하는 기법으로, 시작값을 반복적으로 해시하여 체인의 값을 생성한다.
② 해시체인은 생성한 순서대로 사용한다.
③ 해시체인의 루트를 서버에 등록하고 체인에 있는 값을 차례대로 사용하여 사용자를 인증할 수 있다. 이때 해시체인 루트 등록이 안전하게 이루어져야 하며, 등록된 루트값이나 현재 값을 확인하기 위한 값을 공격자가 교체할 수 없어야 한다.
④ 해시체인의 길이(반복적인 해시하여 생성한 해시 값의 수)에 의해 인증 횟수가 제한된다.

4. 패스워드 해싱과 관련된 다음 설명 중 **틀린** 것은?

① 패스워드 자체 대신 패스워드의 해시 값을 저장하면 패스워드를 보관한 파일이나 데이터베이스에 공격자가 접근하더라도 쉽게 패스워드가 노출되지 않는다.
② 사전공격을 어렵게 하려고 해시 값을 계산할 때 소금이라고 하는 랜덤한 요소를 추가한다.
③ 사전공격을 어렵게 하려고 해시 값을 계산할 때 일반 해시함수 달리 계산 속도를 조절할 수 있는 해시함수를 사용한다.
④ 패스워드의 해시 값을 계산할 때 사용하는 여러 요소 때문에 사전 공격이 힘들어졌으므로 쉬운 패스워드를 선택하여도 된다.

5. 동기화 방식의 OTP와 관련한 다음 설명 중 **틀린** 것은?

① 동기화 방식은 모두 사용자와 서버 간의 대칭키를 공유하고 있으며, 이 키를 이용하여 일회용 패스워드를 생성한다.
② 사건 동기화 방식은 사용자가 서버에 전달하지 않고 많이 생성하게 되면 사용자와 서버 간 카운터 값의 차이가 너무 벌어질 수 있어 동기화하는 것이 어려워질 수 있다.
③ 일회용 패스워드를 생성할 때 사용하는 키를 공격자가 획득하더라도 시간, 사건 기반 모두 미래에 사용할 값을 생성할 수 없다.
④ 시간 동기화 방식은 정해진 매시간 간격마다 자동 생성된다.

연습문제

1. 패스워드 해싱에 이용하더라도 여전히 사전 공격을 취약할 수 있으므로 안전한 패스워드의 선택이 중요하다. 대칭 암호알고리즘에 대해서도 사전 공격이 가능한지 설명하라. 대칭 암호 알고리즘에 대한 사전 공격이란 가능한 모든 키로 특정 평문에 대한 암호문을 모두 구하여 표를 만들어 공격하는 것을 말한다.

2. Bcrypt처럼 패스워드 해시함수 알고리즘의 속도를 느리게 하였을 때 서비스 거부 공격이 쉬워질 수 있다. 그 이유를 설명하라.

3. 패스워드 해싱에서 소금을 사용함으로써 얻어지는 두 가지 효과는 무엇인지 설명하라.

4. 패스워드 해싱할 때 보통 소금을 추가하며, 이 소금값을 해시값과 함께 보관한다. k비트 소금값을 보관하지 않고 서버는 가능한 모든 k비트를 이용하여 해시값을 확인하도록 할 수 있다. 물론 계산 비용 때문에 긴 길이를 사용할 수 없지만 성능에 문제가 안 되는 길이(예: 16bit)를 사용한다면 사전 공격에 도움이 되는지 논하고, 이 방법을 사용하면 발생할 수 있는 다른 문제점은 없는지 논하라.

5. 인터넷 뱅킹 등을 사용할 때 보통 공개키 인증서가 필요하다. 공동 인증서의 경우 2개의 파일에 공개키와 개인키를 나누어 유지한다. 공개키는 인증서 형태로 유지하고, 개인키는 패스워드 기반 암호화하여 유지한다. 패스워드 기반 암호화에서 대칭키는 패스워드와 소금을 이용하여 생성한다. 이 소금은 어디에 보관하는지 설명하라.

6. 패스워드 기반 프로토콜은 패스워드를 이용하여 만든 암호키를 통신 메시지에 직접 사용하는 프로토콜이다. 이 경우 이와 같은 암호키는 랜덤한 값(명백한 여분 정보가 아닌)만 암호화하여야 한다. 하지만 이것만으로는 패스워드 추측 공격에 강건하지 못하다. 랜덤한 값을 암호화하더라도 추가로 문제가 될 수 있는 상황을 몇 가지 설명하라.

7. 10장에서 살펴본 무선랜 보안 프로토콜 중 WPA3은 패스워드 기반 프로토콜을 사용한다. WPA3는 기본적으로 패스워드 기반 대칭키를 무선 장치와 무선 AP 간에 사용하므로 패스워드 기반 프로토콜을 사용하는 것이 필요하다. 그런데 패스워드 기반 프로토콜을 사용한다고 모든 보안 문제가 해결되는 것은 아니다. 무선랜 환경에서 패스워드 기반 프로토콜을 사용하면 어떤 공격을 방어할 수 있고, 어떤 공격은 방어할 수 없는지 설명하라.

8. M_1부터 M_n까지 n개 메시지가 있을 때, 이들을 해시 트리를 표현하여 루트에 서명하는 것, $H(M_1 \| M_2 \| \cdots \| M_n)$에 서명하는 것, $H(H(M_1) \| H(M_2) \| \cdots \| H(M_n))$에 서명하는 것과 비교하라.

9. Winternitz OTS의 공개키를 여러 개 생성하여 이들의 해시값이 단말이 되는 해시 트리를 구성하여 일회용 전자서명을 다중 전자서명으로 확장할 수 있다. 예를 들어, SHA-256을 이용하여 Winternitz OTS를 구현하였고, 이때 $w=16$을 사용하였다고 하자. 또한 8번 서명할 수 있도록 Winternitz OTS 공개키 8개를 생성하여 해시 트리를 구성하였다고 하자. 이 트리 모습을 제시하고 3번째 키를 이용하여 어떤 메시지에 서명하였을 때, 서명값으로 제시해야 하는 것을 나열하라.

제12장

다자간 키 확립 프로토콜

제 12 장 다자간 키 확립 프로토콜

12.1 개요

온라인 실시간 강의나 방송과 같은 응용은 그룹 통신(group communication)이 필요하다. 그룹 통신이란 한 메시지를 다중 수신자에게 전송하는 것을 말한다. 보통 효율적으로 그룹 통신을 하기 위해 **IP 멀티캐스트**(multicast) 기법을 사용한다. IP 멀티캐스트 기법은 가장 적은 네트워크 대역폭을 사용하여 동시에 여러 수신자에게 같은 메시지를 전달하여 주는 통신 기법이다. 멀티캐스트 기법을 사용하지 않고 그룹의 개별 멤버에게 유니캐스트를 하면 공통 통신 경로에 같은 메시지를 중복하여 여러 차례 전달하게 된다.

그룹 통신을 할 때 통신 내용을 보호하고 싶을 수 있다. 비밀 그룹 통신을 하기 위해서는 그룹 멤버들이 하나의 암호키를 공유해야 한다. 그룹키는 없고 그룹 멤버 쌍마다 별도 비밀키를 공유하고 있으면 같은 메시지를 비밀스럽게 전달해야 할 때 멀티캐스트를 활용할 수 없다. 하지만 그룹키를 공유하고 있으면 일반 메시지처럼 그룹키로 메시지를 암호화한 후에 결과 암호문을 멀티캐스트하여 전달할 수 있다. 그룹 멤버 간의 공통 비밀키를 확립하기 위해 사용하는 프로토콜을 다자간 키 확립 프로토콜이라 하며, 다른 말로 그룹키, 회의키 프로토콜이라 한다.

다자간 키 확립 프로토콜에서 그룹의 크기가 매우 클 수 있으므로 확장성이 매우 중요하다. 특히, 그룹의 멤버가 빈번하게 변할 수 있으면 이 변화에 대해 확장성 있게 대처할 수 있어야 한다. 한 멤버가 탈퇴하면 기존에 사용한 그룹키를 변경하여 탈퇴한 멤버는 더는 그룹의 비밀 통신 내용을 볼 수 없게 해야 한다. 하지만 그룹키를 변경하는 비용을 그룹 크기에 비례하지 않고 더 저렴하게 변경하는 것은 쉽지 않다.

다자간 키 확립 프로토콜도 키 확립 프로토콜의 한 종류이므로 키 확립 프로토콜의 요구사항을 모두 충족해야 하지만 현실적으로 충족하는 것이 힘들다. 예를 들어, 2자 간에서는 서로 같은 키를 공유하였는지 키 확인을 하지만 다자간에서는 서로서로 같은 키를 가졌는지 확인하는 것은 비용을 고려하였을 때 현실적이지 못하다. 키 최근성의 경우 2자 간에서는 상대방을 신뢰할 필요가 없는 난스 기법을 사용할 수 있지만, 다자간에는 난스 기법을 사용할 수 없다.

12.1.1 그룹의 동적성

그룹 멤버가 변할 수 있는 환경의 경우 그룹 멤버의 변화에 필요한 보안 조치를 확장성 있게 할 수 있어야 한다. 그룹 멤버의 변화는 새 멤버의 가입과 기존 멤버의 탈퇴 두 가지 경우가 있으며, 응용에 따라 다음 요구사항이 충족되어야 한다.

- **전방향 안전성**(forward secrecy): 그룹을 탈퇴한 멤버를 포함하여 이전 그룹키를 알고 있는 공격자는 새 그룹키를 알 수 없어야 한다.
- **후방향 안전성**(backward secrecy): 그룹에 새롭게 가입한 멤버를 포함하여 현재 그룹키를 알고 있는 공격자는 이전 그룹키를 알 수 없어야 한다.

전방향, 후방향 안전성은 장기간 키의 노출 관련 안전성을 논할 때도 사용한 용어이지만 용어만 같을 뿐 내용이 다른 것이다. 이들 두 가지 요구사항 대신에 다음 요구사항을 사용하는 경우도 있다.

- 키 독립성(key independence): 몇 개의 그룹키를 알고 있는 공격자는 이 키들을 제외한 다른 그룹키는 알 수 없어야 한다.

키 독립성은 전방향, 후방향 안전성을 포함한 개념이다. 응용에 따라 전방향, 후방향이 모두 필요할 수 있고, 전방향 안전성이 후방향보다 상대적으로 더 중요하므로 전방향 안전성만 제공할 수도 있다.

다자간 키 확립 프로토콜에서 전방향, 후방향 안전성을 충족하기 위해 그룹 멤버에 변화가 있을 때마다 그룹키를 바꾸어야 한다. 이때 사용하는 프로토콜을 가입과 탈퇴 프로토콜이라 한다.

12.1.2 다자간 키 확립 프로토콜의 분류

다자간 키 확립 프로토콜은 키 분배 서버를 활용하는 방식에 따라 다음과 같이 분류할 수 있다.

- 중앙집중형(centralized): 단일 서버가 그룹키를 분배하는 방식을 말한다.
- 탈중앙형(decentralized): 전체 그룹이 여러 개의 작은 그룹으로 나누어 관리되는 방식으로 보통 소그룹마다 해당 그룹의 그룹키를 분배하는 별도 서버를 사용한다.
- 분산형(distributed): 그룹키를 분배하는 서버를 전혀 사용하지 않는 방식을 말한다.

분산형의 경우 키 분배 서버를 사용하지 않지만, 그룹 멤버 관리(가입 승인 등)를 위한 서버는 필요할 수 있다.

이 분류는 서버 수를 기준으로 사용하고 있다. 하지만 중앙집중, 탈중앙, 분산의 비교는 간단하지 않다. 최근 탈중앙 암호화폐의 등장으로 탈중앙, 분산 용어가 위 분류처럼 부정확하게 사용하는 경향도 있다. 3가지 개념을 가지고 분류하기보다는 통제 주제에 따라 중앙집중과 탈중앙, 물리적 위치에 따라 중앙집중과 분산으로 나누는 것이 더 직관적이다.

다자간 키 확립 프로토콜은 **상태 기반**(stateful)과 **비상태 기반**(stateless)으로 분류할 수도 있다.

- 상태 기반: 모든 키 갱신 세션에 빠짐없이 참여해야 최신 그룹키를 계산할 수 있는 방식을 말한다.
- 비상태 기반: 현재 진행 중인 키 갱신 메시지와 초기 상태에 대한 정보만 있으면 최신 그룹키를 계산할 수 있는 방식을 말한다.

예를 들어, 실시간 유료 방송에서 각 가입자의 수신 장치는 항상 켜져 있는 것이 아니므로 꺼져 있을 때 교환된 메시지는 받을 수 없다. 따라서 이와 같은 환경에서는 절대적으로 비상태 기반 기법의 사용이 필요하다. 7장에서는 프로토콜 진행과 관련된 상태 정보를 서버가 유지하지 않고 클라이언트가 유지하면 비상태 프로토콜로 분류하였다.

12.1.3 유니캐스트와 멀티캐스트

그룹키 프로토콜의 효율성을 분석할 때, 필요한 유니캐스트의 수와 멀티캐스트 수를 종종 비교한다. 이때 n개의 서로 다른 작은 메시지를 n명에게 유니캐스트하는 대신에 이들을 결합하여 하나의 멀티캐스트로 보낼 수 있으므로 수의 비교는 정확한 비교가 아니라고 생각할 수 있다. 하지만 서로 다른 메시지를 결합하여 멀티캐스트하는 것은 어떤 긍정적 효과도 얻을 수 없다.

서로 다른 메시지이므로 결합을 통해 메시지 크기가 줄지 않으며, 모든 통신 경로에 결합한 크기의 메시지가 지나간다. 이 때문에 오히려 사용하는 대역폭은 늘어난다. 더욱이 수신된 메시지의 상당한 부분은 수신자에게는 불필요한 데이터이다. 따라서 멀티캐스트는 같은 데이터를 다수에게 보낼 때만 의미가 있으며, 이와 같은 상황에서만 사용한다.

12.2 중앙집중형

12.2.1 단순 접근 방법

어떤 문제에 대한 해결책을 찾을 때 가장 단순한 방법부터 생각해 보는 것이 필요하다. 가장 단순한 방법의 문제점을 통해 문제에 대한 더 올바른 이해를 할 수 있다.

처음으로 생각해 볼 해결책은 중앙 서버가 그룹의 각 멤버와 비밀키를 공유하고, 그룹에서 사용할 그룹키를 각 멤버와 공유한 비밀키로 암호화하여 전달하는 방식이다. 이 방식은 그룹의 크기가 n일 때 그룹키를 확립하기 위해 n개의 암호문 생성이 필요하고, n개의 유니캐스트가 필요하다. 그룹에 새 멤버가 가입하거나 기존 멤버가 탈퇴할 때도 전후방향 안전성을 제공하기 위해 같은 방법을 사용한다면 그룹의 크기에 비례한 비용이 필요하다. 따라서 확장성이 있는 방식은 아니다.

위 방법에서 새 멤버 A가 가입할 때는 아주 효과적으로 새 그룹키 K_{new}를 확립하는 방법이 있다. 기존 멤버들은 모두 이전 그룹키 K_{old}를 알고 있으므로 새 멤버에게는 해당 멤버와 중앙 서버가 공유한 비밀키로 새 그룹키를 암호화하여 유니캐스트하고, 나머지 멤버에게는 이전 그룹키로 새 그룹키를 암호화하여 멀티캐스트하면 된다. 따라서 가입의 경우에는 항상 고정된 비용을 이용하여 새 그룹키를 확립할 수 있다. 실제 이보다 더 저렴한 비용으로 그룹키를 확립할 방법은 없다. 문제는 탈퇴의 경우에는 이와 유사한 방법으로 문제를 해결할 수 없다는 것이다.

지금의 설명에서 하나 기억해야 하는 것은 확장성의 초점이 개별 참여자의 비용이 아니라 서버 비용이다. 서버가 생성해야 하는 암호문의 수, 전송해야 하는 메시지의 수나 형태를 확장성 있게 만들고자 하는 것이다. 물론 그룹키 프로토콜을 설계하면서 각 참여자의 비용도 확장성이 있어야 하지만 서버 비용이 확장성이 있으면 자동으로 각 참여자의 비용도 확장성이 있게 된다. 이 절에서 소개한 단순 접근 방법에서 각 참여자는 하나의 암호문만 수신하며, 서버와 공유한 장기간 키와 현재 그룹키만 유지하면 된다.

12.2.2 LKH

단순 접근 방법을 사용하면 가입은 상수 비용으로, 탈퇴는 그룹 수에 비례한 선형 비용으로 처리할 수 있다. 이를 개선하기 위해서는 탈퇴 비용의 개선이 필요하다. 따라서 선형 비용을 로그 비용이나 상수 비용으로 줄이는 방법을 고안해야 하는데, 가입 비용을 상수 비용으로 유지하면서 탈퇴 비용을 줄이는 것이 가능하지 않을 수 있다. 하지만 가입과 탈퇴를 모두 로그 비용에 할 수 있으면 최악의 비용이 줄어드는 것이므로 단순 접근 방법보다는 효과적인 방법이 된다.

기본적으로 선형 시간이 필요한 문제에 대한 확장성 있는 해결책을 찾을 때 가장 흔하게 사용하는 기법은 해당 문제를 이진 트리로 모델링하고 문제를 해결하는 비용이 트리의 높이에 비례하도록 하는 것이다. 이때 트리의 균형이 유지되어야 한다. 트리의 균형이 유지될 수 없으면 필요한 비용이 로그 비용이라 말하기 어렵다.

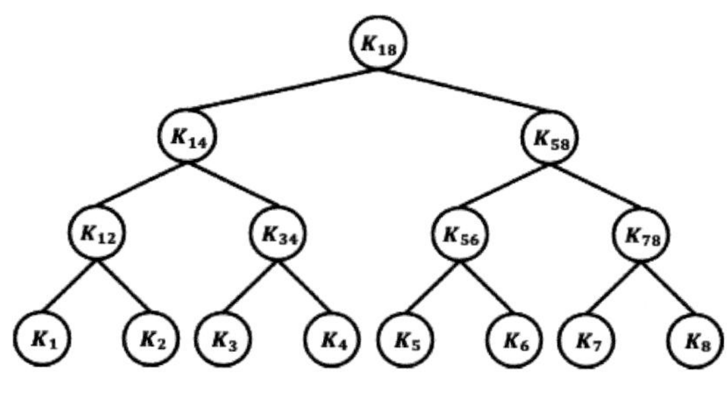

<그림 12.1> LKH 트리

LKH(Logical Key Hierarchy) 기법은 바로 그룹키 문제를 이진 트리를 이용하여 확장성 문제를 해결한 기법이다[97, 98]. 이 기법에서 중앙 서버는 그림 12.1처럼 완전 이진 트리의 단말 노드에 그룹의 멤버들과 공유한 키를 할당하여 트리를 구성한다. 이때 중간 노드에는 독립적인 비밀키를 할당한다. 각 사용자는 자신의 단말부터 루트까지 경로 있는 모든 노드에 할당된 키를 중앙 서버로부터 받는다. 예를 들어, 멤버 U_i가 K_i 노드에 할당되어 있다고 가정하였을 때 U_1은 4개의 대칭키 K_1, K_{12}, K_{14}, K_{18}을 받아야 한다. 여기서 K_1은 사용자와 중앙 서버 간에 공유된 비밀키이므로 나머지 키들은 K_1을 이용하여 암호화하여 U_1에게 분배할 수 있다.

이처럼 트리를 구성하여 키를 배포하면 각 노드는 트리 높이만큼의 키를 유지해야 한다. n개의 노드가 있으면 약 $\log n$개의 키를 유지하므로 키 개수 측면에서도 확장성이 있다. 모든 그룹 멤버가 루트 노드에 할당된 키를 가지고 있으므로 이 키가 그룹키가 된다. 또한 나머지 키도 소그룹 키로 활용할 수 있다. 예를 들어, K_{14}는 U_1부터 U_4에 비밀 메시지를 전송할 때 사용할 수 있다.

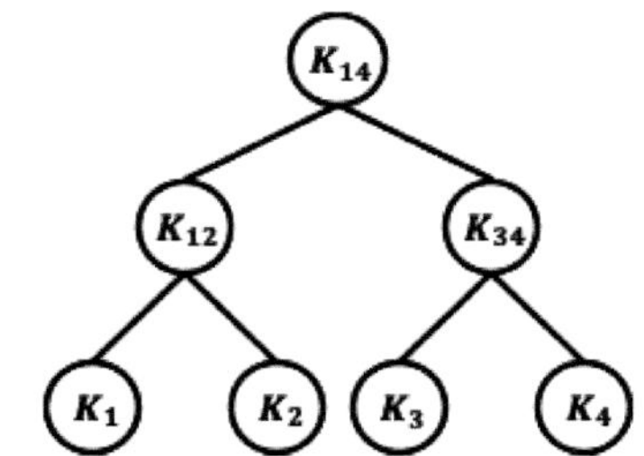

<그림 12.2> LKH/OFT: 가입/탈퇴 전 모습

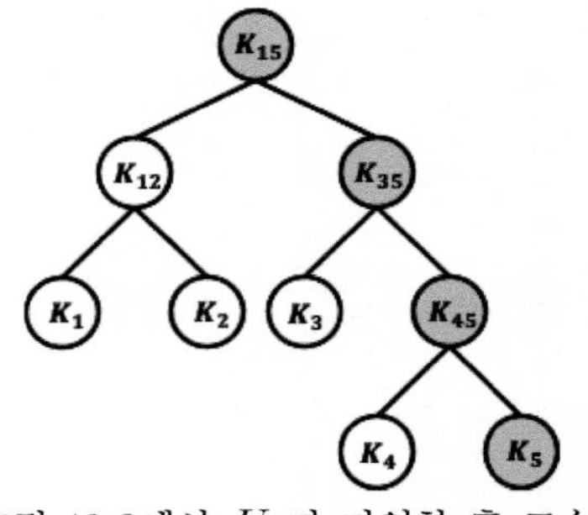

(1) 그림 12.2에서 U_5가 가입한 후 모습

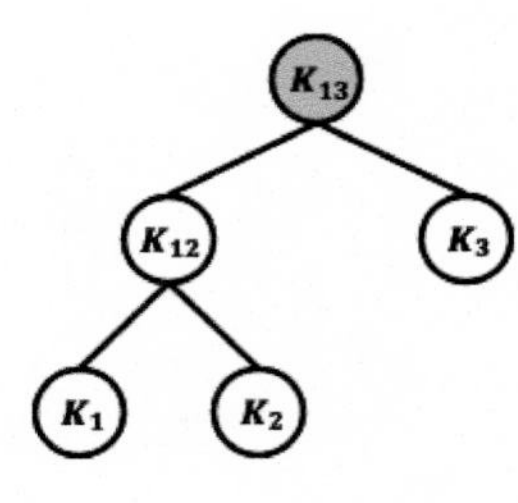

(2) 그림 12.2에서 U_4가 탈퇴한 후 모습

<그림 12.3> LKH: 가입/탈퇴 후 모습

LKH에서 그림 12.2처럼 4명의 멤버가 있을 때 새 멤버의 가입은 그림 12.3.(1)처럼 진행된다. 단말 중 가장 낮은 레벨에 있는 단말의 형제로 가입한다. 기존 단말은 새 노드의 형제 노드가 되고, 원래 단말이 있던 위치는 중간 노드가 된다. 이때 후방향 안전성을 제공하기 위해서는 새 노드부터 루트까지 경로에 있는 기존 중간 노드에 할당된 키를 변경해야 한다. 노드의 키 값을 변경하면 그 노드의 키 값을 유지하는 사용자에게 변경된 값을 알려주어야 한다. 이를 위해 LKH에서는 루트 노드부터 그것을 자식 노드의 키로 암호화한 암호문을 생성하여 멀티캐스트나 유니캐스트로 전달한다. 따라서 계산 비용이나 통신 비용이 모두 트리 높이에 비례한다. 이처럼 기존 키를 이용하여 바뀐 키들을 전달하므로 한 번 키 갱신 과정에 참여하지 못하면 그 이후 키 갱신 과정에 참여하더라도 필요한 키를 얻을 수 없다. 따라서 이 기법은 상태 기반 프로토콜이다.

LKH에서 그림 12.2처럼 4명의 멤버가 있을 때 U_4의 탈퇴는 그림 12.3.(2)처럼 진행된다. 탈퇴한 노드의 형제 노드는 부모 노드를 대체하게 되며, 전방향 안전성을 보장하기 위해 탈퇴한 노드가 알고 있는 노드의 키 값을 변경해야 한다. 가입 프로토콜과 마찬가지로 변경된 키를 자식 노드의 키로 암호화하여 멀티캐스트 또는 유니캐스트 한다. 필요한 비용은 가입과 마찬가지로 트리 높이에 비례한다. 이와 같은 방법으로 탈퇴가 진행되면 이진 트리의 균형은 깨질 수 있다. 하지만 가입은 낮은 레벨부터 진행되므로 평균적으로 가입과 탈퇴 비용을 $O(\log n)$으로 분석할 수 있다.

12.2.3 OFT

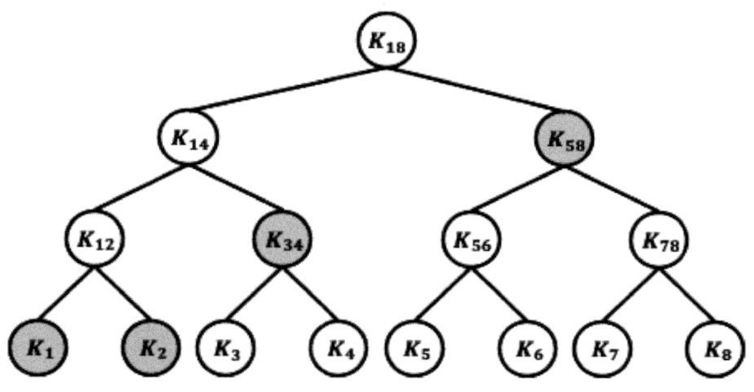

<그림 12.4> OFT 트리

OFT(One-way Function Tree) 기법[99]은 기존 LKH 기법에서 필요한 비용을 반으로 줄인 기법으로써 중간 노드에 키를 독립적으로 할당하지 않고, 자식 노드의 키를 이용하여 계산하는 방식을 사용하고 있다. 예를 들어, K_1과 K_2가 두 형제 단말 노드에 할당된 키일 때 그것의 부모 노드 키는 $f(g(K_1) \| g(K_2))$가 되며, 여기서 f와 g는 일방향 해시함수이다. 11장에서 학습한 머클 트리와 같은 형태이다. LKH에서 사용자는 자신이 할당된 단말 노드부터 루트 노드까지의 키를 유지하는 반면에 OFT에서는 루트를 제외한 해당 노드들의 형제 노드 키의 해시값을 유지한다. 즉, 그림 12.4에서 U_1의 경우 K_1, $g(K_2)$, $g(K_{34})$, $g(K_{58})$을 유지한다. 이처럼 유지하면 LKH처럼 자신의 노드부터 루트 노드까지의 키를 계산할 수 있다. 여기서 핵심은 자신이 유지해야 하는 키 값을 계산하기 위한 절반의 정보를 항상 가지고 있다는 것이다.

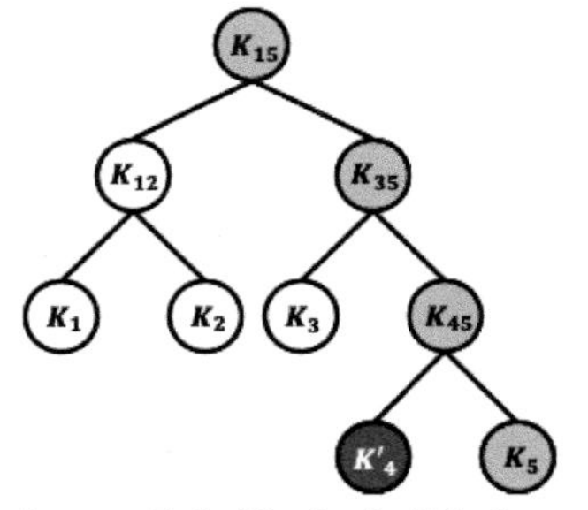

(1) 그림 12.2에서 U_5가 가입한 후 모습

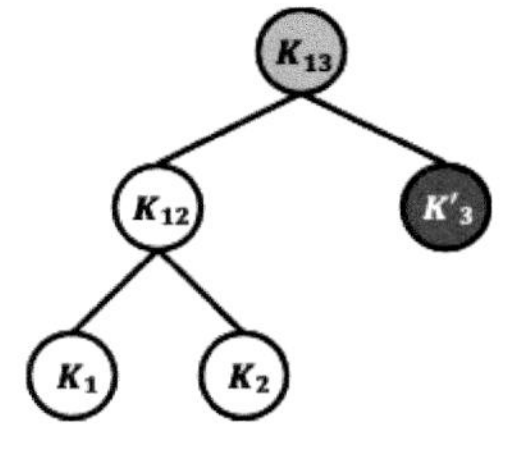

(2) 그림 12.2에서 U_4가 탈퇴한 후 모습

<그림 12.5> OFT: 가입/탈퇴 후 모습

OFT에서 가입 위치는 LKH와 같다. 하지만 필요한 암호문의 수가 반으로 감소한다. 그 이유는 노드의 값을 계산하기 위한 정보 중 반을 항상 노드들이 가지고 있기 때문이다. 또 다른 중요한 차이점은 가입하는 노드의 형제 노드가 되는 사용자와 탈퇴하는 노드의 형제 노드 사용자의 키를 바꾸어야 한다. 바꾸지 않으면 새 사용자가 기존 키를 계산할 수 있거나 탈퇴한 사용자가 변경된 키를 계산할 수 있다.

12.2.4 Naor 등의 기법

Naor 등의 기법[100]은 LKH, OFT처럼 논리적 키 계층 구조를 사용하지만, 루트 노드에 할당된 키가 그룹키가 아니다. 이 기법은 트리에 있는 키(트리에 있는 키가 변하지 않음)를 바꾸지 않고 계속 이용한다. 즉, 멤버의 동적 변화를 고려하지 않는다. 하지만 매번 메시지를 전송할 때 전체 그룹 멤버 중 수신해야 하는 그룹 멤버를 바꿀 수 있다.

중앙 서버의 역할도 기존 LKH, OFT와 다르다. LKH, OFT에서 중앙 서버의 핵심 역할은 사용자의 가입과 탈퇴에 따른 그룹키의 갱신과 분배이다. 이 기법에서 중앙 서버는 사용자로부터 메시지를 받아 멀티캐스팅 해주어야 한다. LKH, OFT에서 그룹 통신은 각 사용자가 직접 보유한 그룹키를 이용하지만, 이 기법에서 사용자가 비밀 그룹 통신을 하고 싶으면 대상 부분 그룹과 메시지를 서버에게 전달하면 서버가 해당 메시지를 사용자 대신 적절한 키로 암호화하여 멀티캐스트한다. 이와 같은 방식으로 동작하므로 이 기법은 비상태 기반 기법이다. Naor 등은 이와 같은 방식의 **완전 부분 트리**(CS, Complete Subtree) 기법과 **부분 트리 차이**(SD, Subtree Difference) 기법, 두 가지 기법을 제안하였다.

12.2.4.1 CS 기법

CS 기법은 LKH와 같은 논리적 키 트리를 만들며, 각 사용자는 LKH처럼 단말 노드부터 루트 노드까지의 키를 유지한다. 그림 12.1에서 사용자 U_1, U_2, U_6를 제외하고 나머지 사용자들에게 비밀 메시지를 전달하고 싶으면 CS 기법은 메시지를 새 그룹키로 암호화하고 새 그룹키를 K_{34}, K_5, K_{78}로 암호화하여 전달한다. 이처럼 CS 기법은 제외되지 않은 사람들로 구성된 가장 큰 부분 트리들을 찾고, 해당 부분 트리의 루트 노드에 할당된 키로 그룹키를 암호화한다. 즉, 수신해야 하는 사용자들을 가장 크게 묶을 수 있는 부분 트리들을 찾고, 그것의 루트 노드에 할당된 키를 이용하여 비밀 통신을 하는 것이 CS 기법이다.

12.2.4.2 SD 기법

CS 기법은 제외하는 사용자들이 어떻게 배치되어 있는지에 따라 사용되는 부분 트리의 개수가 많아질 수 있는 단점이 있다. 이를 극복하기 위해 사용자들이 자신이 할당된 노드부터 루트 노드까지의 키를 유지하는 것이 아니라 그들을 제외한 나머지 키를 모두 알 수 있도록 하는 방법을 생각해 볼 수 있다. 이 경우 U_1만 제외하고 싶을 경우, CS 기법에서는 새 그룹키를 K_2, K_{34}, K_{58}로 암호화하여 전달하지만, 제안한 기법에서는 새 그룹키를 K_1으로만 암호화하여 전달한다. 그러나 한 사용자가 자신의 노드부터 루트 노드까지의 키들을 제외한 모든 키를 유지해야 하면 한 사용자가 유지해야 하는 키의 개수가 너무 많아 확장성 있는 해결책이 되지 못한다. 또한 U_1, U_5를 제외해야 할 때, U_1이 모르는 키는 U_5가 알고 있고, 반대도 마찬가지이므로 이와 같은 방법으로 문제를 해결할 수 없다.

SD 기법은 이 문제를 해결하기 위해 부분집합 개념을 사용한다. SD 기법에서 사용하는 부분집합은 항상 두 개의 집합 G_i와 G_j를 이용하여 정의한다. 이때 $G_j \subset G_i$이다. 이 때문에 이 기법의 이름이 부분집합 차이 기법이다. 여기서 G_i는 해당 노드 아래에 할당된 사용자 집합을 나타낸다. 따라서 G_0는 모든 사용자를 포함하는 집합이다. 이 기법에서 부분집합 $S_{i,j} = G_i - G_j$이다.

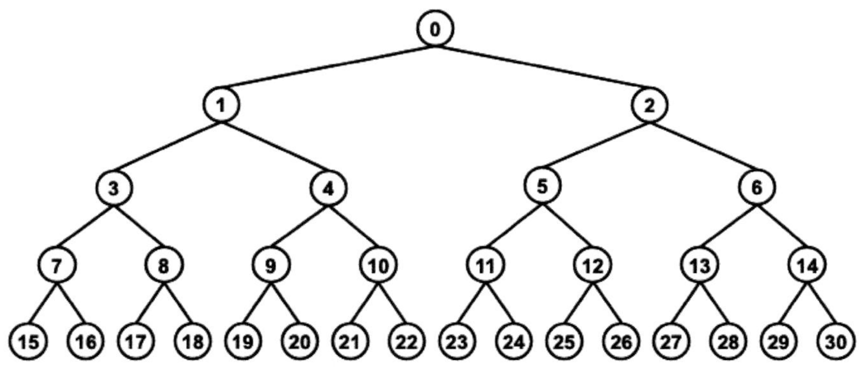

<그림 12.6> SD 기법

이 기법은 부분집합마다 키가 할당되어 있으며, 제외한 사용자들이 포함되지 않도록 서로 독립된 부분집합의 키를 이용하여 랜덤한 새 대칭키를 암호화하고, 새 대칭키로 메시지를 암호화하여 멀티캐스트한다. 예를 들어, 그림 12.6과 같이 16명으로 구성된 트리가 있다

고 하자. 여기서 U_1만 제외하고 싶으면 $S_{0,15}$ 부분집합에 할당된 키로 새 대칭키를 암호화하고 새 대칭키로 메시지를 암호화하여 멀티캐스트하면 U_1을 제외한 나머지 사용자들이 메시지를 얻을 수 있다.

이 방식에서 각 사용자는 자신이 소속된 모든 부분집합의 키를 가지고 있어야 한다. 하지만 이 키들이 독립적이면 유지해야 하는 키가 너무 많아 확장성이 없다. 실제 노드가 유지해야 하는 키는 자신이 할당된 단말부터 루트까지의 노드를 중심으로 이 노드를 제외한 노드의 수만큼의 키가 필요하다. 예를 들어 U_1의 경우 다음과 같은 키들이 필요하다.

- 노드 0: (0, 2), …, (0, 30), (0. 4), …, (0, 22), (0, 8), …, (0, 18), (0, 16)
- 노드 1: (1, 4), …, (1, 22), (1. 8), …, (1, 18), (1, 16)
- 노드 3: (3, 8), …, (3, 18), (3, 16)
- 노드 7: (7, 16)

앞서 언급한 바와 같이 이 키들을 모두 독립적으로 만들어 각 사용자에게 보내는 것은 확장성이 없다. SD 기법은 이 문제를 해결하기 위해 각 부분집합 $S_{i,j}$마다 노드 i에 K_i를 하나 할당한 후에 이 키를 이용하여 모든 $S_{i,j}$를 계산할 수 있도록 만들었다. 두 개의 해시 함수 H_L, H_R를 이용하여 왼쪽과 오른쪽 자식의 값을 계산한다. 예를 들어, $S_0 = K_0$이면 $S_{0,1} = H_L(S_0)$, $S_{0,2} = H_R(S_0)$이 되며, 이것을 이용하여 반복적으로 부분집합의 키를 계산한다. 이 방식을 사용하면 U_1에게는 $S_{0,2}$, $S_{0,4}$, $S_{0,8}$, $S_{0,16}$, $S_{1,4}$, $S_{1,8}$, $S_{1,16}$, $S_{3,8}$, $S_{3,16}$, $S_{7,16}$만 제공해 주면 된다. 각 사용자에게 전달해야 하는 키는 $O((\log n)^2)$개 정도가 된다.

모든 사용자에게 필요한 부분집합의 키를 배포하였으면 필요한 사용자들을 쉽게 제외하고 암호화된 메시지를 멀티캐스트할 수 있다. 특정 사용자들을 제외하고 싶을 때 사용할 부분집합은 그림 12.7에 제시된 점선으로 구성된 트리처럼 제외할 사용자의 노드만 포함하는 트리를 먼저 구해야 한다. 이 트리를 Steiner 트리라 한다. 이 트리에서 최대 체인(maximal chain)을 구하면 필요한 부분집합을 구할 수 있다. Steiner 트리에서 체인이란 트리에 있는 경로로 경로에 있는 마지막 노드를 제외하고 노드의 자식이 하나만 있는 경로를 말한다. 그림 7.12에 제시된 Steiner 트리에서는 (0, 1), (3, 7), (4, 20) 3개의 최대 체인이 있다. 따라서 U_1, U_2, U_6을 제외하고 싶으면 $S_{0,1}$, $S_{3,7}$, $S_{4,20}$의 키로 새 대칭키를 암호화하고 메시지를 새 대칭키로 암호화하여 멀티캐스트한다.

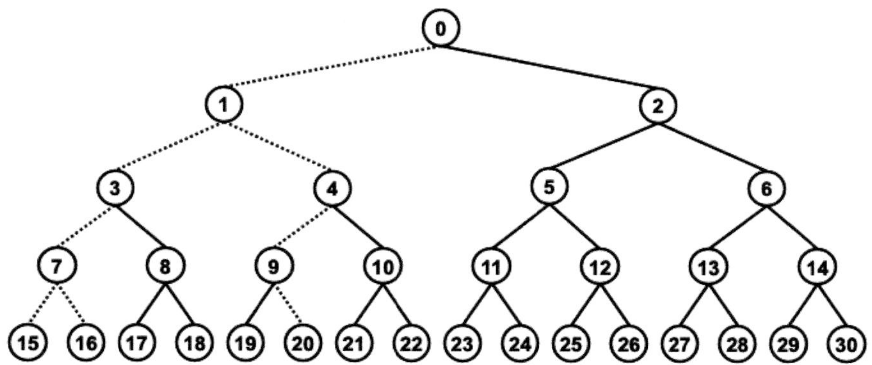

<그림 12.7> SD 기법에서 3명의 사용자를 제외할 경우 만들어지는 Steiner 트리

CS와 SD 기법은 그룹의 멤버가 고정된 상태에서 전송할 때마다 일부 멤버를 제외하는 환경에서는 사용할 수 있는 기법이며, 기존 LKH, OFT처럼 멤버가 빈번하게 탈퇴하고 가입하는 환경에서는 사용하기 어려운 기법이다.

12.3 탈중앙형

그룹키에서 탈중앙형이란 단일 중앙 서버를 사용하지 않고 여러 개의 서버를 사용하는 방식이다. 이처럼 구성하면 하나의 서버가 동작을 중단하여도 나머지 소그룹 동작에 영향을 주지 않는 이점이 있다. 이와 같은 탈중앙형 그룹키의 요구사항은 다음과 같다.

- R1. 지역키 독립성: 부분 그룹의 멤버 변화는 전체에 영향을 주지 않아야 한다.
- R2. 그룹 간 독립성: 한 멤버는 여러 부분 그룹에 동시에 가입할 수 없어야 한다.
- R3. 키와 데이터 간의 관계: 키 관리 경로와 데이터 전달 경로가 독립적이어야 한다. 즉, 부분 그룹의 멤버 변화가 데이터 전달을 방해하거나 지연시키지 않아야 한다.

Mittra는 Iolus라는 탈중앙 방식을 제안하였으며[101], 이 기법에서 전체 그룹은 여러 개의 부분 그룹으로 나누어지며, 각 부분 그룹은 GSA(Group Security Agency)라는 키 서버가 관리한다. 또한 전체 그룹을 총괄하는 GSC(Group Security Control)라는 하나의 서버를 두고 있다. 각 GSA는 GSC를 통해 그룹키를 확립하고, 각 부분 그룹의 멤버들은 GSA를 통해 해당 소그룹의 그룹키를 확립한다. 확립하는 그룹키 방식은 소그룹마다 다른 방식을 사용할 수 있다. 특정 소그룹에 소속된 멤버가 전체 멤버에게 비밀 그룹 통신을 하고 싶으면 다음 과정을 통해 이루어진다.

- 단계 1. 부분 그룹키로 자신이 속한 부분 그룹에 멀티캐스트한다.
- 단계 2. 해당 그룹의 GSA는 이를 받아 복호화한 후에 GSA 간의 그룹키로 암호화하여 다른 GSA에게 멀티캐스트한다.
- 단계 3. 수신한 다른 GSA는 이를 복호화한 후에 자신의 속한 소그룹의 그룹키를 이용하여 소그룹 멤버들에게 멀티캐스트한다.

Iolus에서 가입과 탈퇴는 해당 소그룹에만 영향을 주고 다른 소그룹과는 독립적으로 진행된다. 이때 해당 소그룹에서 사용하는 그룹키 확립 방식에 따라 가입과 탈퇴가 이루어진다.

12.4 분산형

분산형은 그룹키를 분배하기 위한 별도 키 서버를 전혀 사용하지 않는 방식이다. 실제 현장에서 분산형에 대한 요구가 있어 연구된 것이라고 보기는 힘들다. 키 분배를 위한 서버를 사용하지 않더라도 멤버의 가입과 탈퇴를 관리하는 서버가 필요할 수 있으며, 가입과 탈퇴 관련 규칙이나 약속을 자체 강화 방식으로 멤버 간에 자율적으로 이루어지기도 힘들다. 하지만 연구는 필요성이 없더라도 연구 차원에서 살펴볼 수 있는 것이다.

Perrig[102]은 Diffie-Hellman 키 동의 프로토콜을 형제 노드 간에 수행함으로써 분산형 LKH가 가능하다는 것을 보였다. 하지만 가장 높은 레벨부터 루트까지 올라가면서 레벨마다 여러 노드 간에 키 동의 프로토콜을 진행해야 하며, 해당 프로토콜에 참여하지 않은 다른 사용자에게 필요한 키를 전달해 주어야 한다. Kim 등[103]은 Perrig의 제안에 대해 2가지 개선 방안을 제시하였다. 첫째는 논리 키 트리가 완벽 이진 트리이면 멤버의 가입은 기존처럼 단말 노드의 형제 노드로 가입하지 않고 루트 노드의 형제 노드가 되도록 가입하는 개선안을 제안하였다. 이 개선안은 기존 LKH, OFT에도 적용할 수 있는 기법이다. 둘째는 sponsor 노드라는 개념을 도입하여 키 동의 프로토콜을 수행해야 하는 노드를 결정하는 규칙을 제안하였다. Ren 등[104]은 기존 기법들이 중간 노드의 키를 계산할 때 무조건 Diffie-Hellman 키 동의 프로토콜을 수행하고 있는 문제점을 발견하였다. 단말 형제 노드들을 제외하고는 키 동의 프로토콜을 사용하지 않더라도 논리 키 트리를 구축할 수 있으며, 단말 형제 노드들도 서로 다른 프로토콜을 사용하여 키 확립도 가능하다는 것을 보였다.

12.5 기타 프로토콜

Chiou와 Chen은 "secure lock"이라는 중국인 나머지 정리를 이용한 중앙집중 방식의 그룹키 프로토콜을 제안하였다[105]. 중국인 나머지 정리란 연립합동식의 해를 구하는 수학 정리이며, 이 정리를 이용하면 서로 다른 값을 하나의 값으로 바꾸어 전달할 수 있게 해준다. 그룹의 크기가 m이고 각 멤버 U_i와 중앙 서버 간의 K_i를 공유하고 있다고 하자. 그러면 단순 접근 방법에서 설명한 첫 번째 방식을 사용하면 총 m개의 $\{K\}.K_i$ 형태의 암호문이 필요하다. 각 사용자가 전달할 암호문의 크기보다 큰 정수 n_i를 가지고 있고, 서로 다른 n_i가 서로소이면 연립합동식 $x \equiv \{K\}.K_1 \pmod{n_1}$, …, $x \equiv \{K\}.K_m \pmod{n_m}$의 해를 중국인 나머지 정리로 구한 다음 각 사용자에게 같은 x 값을 전달하여 그룹키를 분배할 수 있다. 하지만 x 값은 $n_1 n_2 \cdots n_m$ 법의 한 값이므로 매우 큰 값이며, m개의 암호문을 합친 크기에 비례하므로 중국인 나머지 정리를 이용하는 것이 큰 효과를 발휘하지는 못한다. 이전에 설명한 것처럼 서로 다른 여러 개의 메시지를 결합하여 하나의 멀티캐스트로 보내 얻어지는 긍정적 효과는 하나도 없으며, 이것은 중국인 나머지 정리를 이용하여도 차이가 없다.

Bresson 등은 저전력 이동 노드를 고려한 중앙집중형 그룹키 프로토콜을 제안하였다[106]. 주된 목적은 그룹키를 확립할 때 각 이동 노드의 비용을 줄이는 것이다. 실제 그룹키를 확립할 때 각 이동 노드는 한 번의 해시 연산과 XOR 연산만 필요하다. 하지만 이동 노드의 비용을 줄이기 위해 초기 설정 비용이나 키 서버의 비용은 상대적으로 높다. 더 구체적으로 설명하면 이동 노드 MN_i는 서버와 설정 과정에서 Diffie-Hellman 키 동의 프로토콜을 진행한다. 이를 통해 각 이동 노드와 서버는 비밀정보 α_i를 공유한다. 서버는 이들 비밀정보를 모두 이용하고, 여기에 카운터 값을 포함하여 그룹키 $K = H(c \| \alpha_1 \| \alpha_2 \| \cdots \| \alpha_n)$를 계산한

다. 그다음 $K_i = K \oplus H(c \parallel \alpha_i)$를 계산하여 각 이동 노드에게 전달한다. 각 이동 노드는 $K = K_i \oplus H(c \parallel \alpha_i)$를 계산하여 그룹키를 얻는다.

90년 중후반 모바일 컴퓨팅에 관한 연구가 시작될 무렵에는 기존 프로토콜을 모바일 환경에 적합하도록 수정하는 것에 관한 연구가 많이 진행되었다. 이들 연구에서는 모바일 기기의 에너지를 절약하고 통신 메시지의 크기를 줄이는 대신 서버의 역할을 높이는 방식으로 프로토콜을 수정하였으며, 오프라인에서 사전 계산한 값을 유지하여 활용하는 방법 등도 사용하였다. Bresson 등의 기법은 이와 같은 연구의 결과 중 하나이다.

12.6 다자간 키 확립 프로토콜의 응용

12.6.1 유료 실시간 방송 서비스

유료 실시간 방송 서비스에서는 요금을 지불한 가입자만이 방송을 볼 수 있어야 한다. 이를 위해 **수신제한시스템(CAS**, Conditional Access System)이라는 다자간 키 확립 프로토콜을 사용한다. 이 CAS는 지금도 사용하고 있는 기술이지만 초창기 유료 방송 서비스부터 활용된 기술이다. 즉, 기존 방송 통신 환경이 일방향 통신 채널이라는 제한점을 고려하여 개발된 기술이다. 일방향 통신 채널이란 방송국에서 가입자로는 정보의 전달이 가능하지만, 가입자는 방송국으로 정보를 전달할 수 없는 환경을 말한다. CAS는 통신 채널만 보호하는 기술이며, 암호화된 방송 데이터가 복호화된 이후에는 이를 보호하기 위한 다른 보안 메커니즘이 필요하다. CAS에서 방송 데이터의 암호화와 복호화하는 과정을 스크램블(scramble)과 디스크램블(descramble)이라는 용어를 사용한다.

CAS의 기본적인 원리는 매우 간단하다. 방송 콘텐츠를 스크램블하여 방송하고 합법적인 가입자들만 이를 디스크램블하여 볼 수 있게 하는 것이다. 그런데 CAS에서 고려되는 가입자의 규모는 매우 크다. 또한 가입자들이 수신기를 항상 켜 놓고 있는 것도 아니다. 이와 같은 특성들 때문에 보안 측면보다 완전성과 효율성이 더욱 중요시되어 개발된 기법이다. CAS에서 가입자들은 적절한 키가 포함된 스마트카드를 발급받으며, 이 스마트카드는 방송

수신기인 셋톱박스에 설치되어 사용된다. 최근에는 스마트카드를 사용하지 않고 CAS 소프트웨어 기기 자체에 키를 포함하는 방식을 사용한다.

CAS 기법을 이해하기 위해서는 유료 방송 환경에 대한 이해가 필요하다. 유료 방송 서비스도 가입과 탈퇴가 빈번하게 계속 이루어진다. 하지만 한 가입자의 가입과 탈퇴가 있을 때마다 그룹키를 갱신하는 것은 현실적이지 못하다. 또한 전방향, 후방향 안전성을 고려하였을 때 후방향보다는 전방향이 더 중요한 서비스이다. 전방향이 중요하더라도 탈퇴가 발생한 시점에 즉시 갱신하지 않고 일정 기간 후에 갱신하는 것은 방송이란 특성 때문에 큰 문제가 되지 않을 수 있다. 또 후방향이 중요하지 않다고 생각하면 가입의 경우에는 기존 그룹키를 바꾸지 않고 새로운 가입자에게 기존 키를 주는 방법도 문제가 되지 않을 수 있다. CAS의 동작 원리는 대략 알려져 있지만 각 업체가 실제 사용하는 자세한 내부 메커니즘은 비즈니스 측면에서 공개하지 않고 있다. 상태 기반이면 갱신 메시지를 받지 못한 가입자는 방송을 시청할 수 없게 된다. 따라서 가입자들이 언제 자신의 수신기를 켤지 모르므로 비상태 기반 기법을 사용해야 한다. 참고로 방송의 특성상 방송국은 제공하는 모든 채널의 콘텐츠를 항상 모두 전달하는 방식을 사용하고 있다.

CAS는 마스터 개인키(MPK, Master Private Key), AK(Authorization Key), CW(Control Word), 총 세 종류의 키를 사용한다, 서비스에 가입한 사용자는 새로운 마스터 개인키를 발급받는다. 이 키는 공개키 방식이며, 각 사용자의 스마트카드에 저장되어 배포되거나 셋톱박스에 설치된 소프트웨어에 안전하게 포함되어 있다. 따라서 가입 이후 탈퇴할 때까지 보통 바뀌지 않는다. 각 방송 채널마다 다른 AK을 사용한다. 이 키는 대칭키이며, 갱신주기는 보통 몇 주 이상이다. 실제 방송 콘텐츠는 CW를 이용하여 스크램블/디스크램블된다. 이 키의 갱신주기는 5초에서 20초 사이이며, 키의 길이는 48bit 또는 60bit이다.

CW의 갱신주기를 이렇게 짧게 한 가장 큰 이유는 가입자가 언제 필요할지 모르기 때문이다. 콘텐츠를 전송하는 서버는 각 가입자가 언제 그들의 수신기를 켤지 모른다. 또 수신기를 켜는 순간 수신한 콘텐츠를 보기 위해서는 가입자는 항상 최신의 CW가 필요하다. 따라서 갱신주기가 길더라도 해당 주기 처음에만 보내는 것이 아니라 계속 같은 값을 보내야 하므로 갱신주기를 늘려 비용을 줄일 수 없다. 그러므로 차라리 갱신주기를 짧게 하면 키 길이도 짧게 할 수 있으므로 갱신주기를 짧게 한 것이다.

이 3가지 키를 이용하여 방송 콘텐츠를 어떻게 전달하는지 살펴보자. 각 채널의 콘텐츠는 다른 CW를 이용하여 스크램블된다. 스크램블된 콘텐츠에는 가입자들이 CW를 얻을 수 있도록 AK로 CW를 암호화한 암호문이 포함된다. 이 암호문을 **ECM**(Entitlement Control Message)이라 한다. 처음 수신기를 켜면 MPK만 가지고 있으므로 각 가입자의 공개키로 AK를 암호화한 암호문도 콘텐츠에 포함해야 한다. 이 암호문을 **EMM**(Entitlement Management Message)이라 한다. 해당 채널의 가입자 수가 n이면 n개의 EMM과 한 개의 ECM이 스크램블된 콘텐츠와 항상 함께 전달된다. 따라서 지금까지 살펴본 확장성 개념과는 거리가 먼 방식을 사용하고 있음을 알 수 있다.

이와 같은 방식에서 주기가 어떤 역할을 하는지 살펴보자. AK의 주기는 몇 주 이상으로 기므로 EMM은 자주 변하지 않는다. 따라서 스크램블된 콘텐츠마다 n개의 EMM을 포함하더라도 매번 n개의 암호문을 생성해야 하는 것은 아니다. 반대로 CW의 주기는 매우 짧으므로 ECM은 매우 빈번하게 바뀐다. 하지만 각 스크램블된 콘텐츠에는 하나의 ECM만 포함하므로 서버에 부담되지 않는다. 이와 같이 3개의 키를 사용하는 것이 최소이다. 최소한 2개(사용자별 키, 콘텐츠 암호키)가 필요하지만 2개만 사용하면 짧은 주기마다 n개의 암호문을 생성해야 하므로 서버에게 너무 부담되는 기법이다. 반대로 4개, 5개의 키를 사용하도록 기법을 확장할 수 있다. 키가 많아지면 서비스 제공자의 노력을 감소시킬 수 있지만 전달하는 정보량 측면에서는 감소하는 효과는 없으며, 각 참여자의 비용도 차이가 없다.

예를 들어, 4개의 키를 사용하는 방식을 생각하여 보자. AK와 MPK 사이에 GK를 두어 채널 그룹별 같은 GK를 사용한다고 하자. 이 경우 각 채널 콘텐츠에 AK로 CW를 암호화한 암호문, AK를 GK로 암호화한 암호문, GK를 각 MPK로 암호화한 암호문이 필요하다. 즉, 암호문 수 측면에서는 기존보다 하나가 더 증가한다. 하지만 서비스 제공자 입장에서는 채널 그룹마다 포함해야 하는 EMM이 같아지므로 비용을 절약할 수 있다.

예를 들어, 3계층 키를 사용할 때 3개 채널로 전달되는 암호문은 다음과 같다.

CH1	$\{CW\}.AK_1, \{AK_1\}.MPK_1,\ \{AK_1\}.MPK_2,\ \cdots,\ \{AK_1\}.MPK_n$
CH2	$\{CW\}.AK_2, \{AK_2\}.MPK_1,\ \{AK_2\}.MPK_2,\ \cdots,\ \{AK_2\}.MPK_n$
CH3	$\{CW\}.AK_3, \{AK_3\}.MPK_1,\ \{AK_3\}.MPK_2,\ \cdots,\ \{AK_3\}.MPK_n$

여기서 CW는 모두 같게 표현했지만, CW는 매번 새롭게 임의로 선택되는 값이며, 각 채널

에 포함된 CW는 다르다. 이때 이 3개 채널이 같은 채널 그룹에 소속되어 있다고 가정하고 4계층 키를 사용하면 각 채널로 전달되는 암호문은 다음과 같이 바뀐다.

CH1	$\{CW\}.AK_1, \{AK_1\}.GK, \{GK\}.MPK_1, \{GK\}.MPK_2, \cdots, \{GK\}.MPK_n$
CH2	$\{CW\}.AK_2, \{AK_2\}.GK, \{GK\}.MPK_1, \{GK\}.MPK_2, \cdots, \{GK\}.MPK_n$
CH3	$\{CW\}.AK_3, \{AK_3\}.GK, \{GK\}.MPK_1, \{GK\}.MPK_2, \cdots, \{GK\}.MPK_n$

이 예를 통해 알 수 있듯이 사용자 측면에서 얻어지는 이득은 없지만, 서비스 제공자 측면에서 생성해야 하는 암호문의 수를 줄일 수 있다.

초창기 CAS는 하드웨어 칩으로 구현되어 셋톱박스에 설치되어 사용하였지만, 최근에 펌웨어 형태의 소프트웨어로 구현되어 사용된다. 이를 **DCAS**(Downloadable CAS)라 한다. XCAS(eXchangeable CAS), ICAS(Interchangble CAS)도 유사한 개념이다. 이들은 기존과 달리 키를 스마트카드에 유지하지 않고 소프트웨어 자체에 내장하거나 기기에 별도 유지하는 방법을 사용한다. 이처럼 다운받아 설치하는 소프트웨어 형태로 사용하면 CAS 기법을 동적으로 변경할 수 있는 이점도 있으며, 비용 측면에서 상대적으로 저렴한 방식이다. 보안 측면에서 DCAS는 외부의 물리적 해킹으로부터 보호되어야 하며, 새 버전의 소프트웨어를 안전하게 다운받을 수 있어야 하고, 다운받은 소프트웨어의 무결성을 검증할 수 있어야 한다.

CAS는 일방향 통신 환경을 고려하여 설계된 방식이지만 지금은 양방향 통신을 할 수 있다. 따라서 이를 고려하여 여러 개선이 가능하지만, 환경이 바뀌었음에도 여전히 같은 방식을 사용하고 있다. 예를 들어, IPTV 이후에는 가입자에서 방송국 간의 양방향 통신이 가능하므로 수신기가 부팅될 때 방송국과 프로토콜을 수행하여 필요한 키를 기기마다 개별적으로 보내줄 수 있다. 이와 같은 방식을 사용하면 n개의 EMM을 매번 포함하지 않고 서비스가 가능할 수 있다. 참고로 VOD는 CAS 기술을 사용하지 않고 DRM(Digital Rights Management) 기술을 사용하여 보호하고 있으며, DRM은 CAS와 보안 목적과 방식이 전혀 다르다. DRM은 다운된 디지털 콘텐츠의 시청 제한과 복제 방지가 목적이다.

12.6.2 메신저 보안

메신저는 SMS와 달리 그룹 채팅 기능을 제공하며, 일반 채팅 프로그램과 달리 모든 그룹 멤버가 동시에 온라인 상태가 아니더라도 그룹 채팅이 가능하다. 기본적으로 메신저들은 정부 기관에 의한 감시 활동과 서비스 제공자에 대한 신뢰 문제로 사용자들이 다양한 메신저를 선택할 때 메신저에서 제공하는 보안 서비스가 선택의 중요한 기준이 되었다. 현재는 기본적으로 종단간 암호화 서비스를 제공하여 중앙 서버도 2자 간 주고받은 메시지를 볼 수 없게 되었다. 하지만 그룹 채팅의 경우에는 종단간 암호화 서비스를 제공하는 것이 간단한 문제가 아니다[107].

메신저 보안 프로토콜 중 가장 유명한 시그널의 경우에는 2자 간을 기계적으로 그룹 채팅으로 확장하여 사용하고 있다. 이 때문에 시그널에서 그룹의 한 멤버가 n명이 참여한 그룹에 비밀 메시지를 보내기 위해서는 $n-1$개의 암호문을 생성하여야 한다. 따라서 확장성 있는 기법이라고 보기 어렵다. 물론 CAS 환경과 비교하면 그룹의 크기는 상대적으로 적을 수 있으며, 인라인 통신 방식을 사용한다는 측면도 고려해야 한다.

WhatsApp의 경우 기본적으로 시그널 프로토콜을 사용하지만, 다자간에는 시그널과 달리 사용자는 단일 암호문을 서버에 보내면 서버는 암호화하지 않은 메시지를 그룹에 보내는 방법과 같은 방법을 이용하여 나머지 멤버들에게 전달하여 준다. 이를 위해 각 그룹의 멤버는 처음으로 암호화된 그룹 메시지를 보낼 때 그룹키를 생성한 다음, 이 그룹키를 그룹의 모든 멤버에게 2자 간 시그널 프로토콜을 이용하여 안전하게 전달한다. 또한 원래 시그널 프로토콜과 달리 이중 톱니바퀴 형태로 키를 갱신하지 않고 그룹키만 갱신하는 방식을 사용한다. 따라서 특정 메시지를 암호화하기 위한 키가 노출되면 과거 키들은 노출되지 않지만, 미래 키는 노출되는 문제점이 있다. 즉, 효율성을 위해 안전성을 희생한 경우로 볼 수 있다.

12장 퀴즈

1. LKH와 OFT는 모두 이진 트리 형태의 논리적 키 계층 구조를 사용하는 중앙집중 그룹키 프로토콜이다. 두 기법과 관련된 다음 설명 중 **틀린** 것은?

① LKH와 OFT에서 각 사용자는 모두 자신의 단말부터 루트까지 노드에 해당하는 키를 알아야 하지만 유지하는 값은 서로 다르다.
② LKH는 각 노드에 독립적인 키를 할당하지만, OFT는 머클 트리처럼 두 개의 자식 노드의 값을 이용하여 중간 노드의 값을 계산한다.
③ 전방향, 후방향 안전성을 위해 가입한 사용자가 알게 되는 노드 값이나 탈퇴한 사용자가 알고 있던 값을 바꾸어 그룹 멤버들에게 알려주어야 한다. 사용자 수가 n이면 갱신된 값들을 알려주기 위해 총 $\log n$에 비례한 수의 암호문이 필요하다.
④ 두 방법 모두 가입한 사용자의 형제 노드나 탈퇴한 사용자의 형제 노드에 해당하는 노드의 값을 바꾸지 않아도 된다.

2. LKH와 OFT에서는 원래 사용자를 추가할 때는 단말 노드의 형제 노드가 되도록 추가하였다. 분산 LKH 기법을 제안하면서 논리 키 트리가 완벽 이진 트리이면 루트의 형제 노드가 되도록 트리를 갱신하면 키 갱신에 필요한 암호문의 수를 줄일 수 있다는 것을 보였다. 이와 관련된 다음 설명 중 **틀린** 것은?

① 완벽 이진 트리일 때에만 루트의 형제 노드가 되도록 트리를 갱신해야 한다. 항상 루트의 형제 노드가 되도록 가입하면 트리의 높이가 선형적으로 계속 증가하기 때문에 키 갱신 메시지의 확장성을 보장할 수 없다.
② OFT는 형제 노드의 키 갱신이 필요하므로 이 방법을 적용할 수 없다.
③ LKH는 각 키가 독립적이므로 이 방법을 적용하는 데 문제가 없다.
④ LKH에서 루트의 형제 노드로 가입하면 새 루트 값을 기존 그룹키로 암호화하여 기존 멤버들에게 주고, 새 루트 값을 새 멤버에게 암호화하여 주어 키 갱신을 완료할 수 있다.

3. 수신제한시스템과 관련된 다음 설명 중 **틀린** 것은?

① 가입자마다 접근 제어가 다를 수 있으므로 같은 키로 암호화된 방송된 콘텐츠를 모든 가입자에게 보내기 위해서는 최소한 2계층 키가 필요하다.
② 3계층 키를 사용하면 방송 콘텐츠를 암호화할 때 사용하는 CW의 갱신주기마다 총 $n+1$개의 암호문을 전송해야 한다. 하지만 이 중에 AK로 CW를 암호화한 ECM만 변하고 나머지 n개 암호문은 AK의 갱신주기 동안 변하지 않는다.
③ CW의 갱신주기가 짧은 이유는 어차피 짧은 주기로 계속 CW를 전달해야 하기 때문이다. 각 가입자는 언제 시청을 시작할지 모르기 때문에 계속 CW를 보내주어야 한다.
④ 한 계층을 추가해 여러 채널을 관리하는 키를 하나 더 사용하면 CW 갱신주기마다 총 $n+2$개의 암호문을 전송해야 하지만 방송국 입장에서는 여러 채널에 동일 n개 암호문을 전달할 수 있으므로 계산 비용을 줄일 수 있다. 가입자도 같은 그룹에 속한 채널 간 변경할 때는 CW를 얻기 위한 노력이 감소한다.

연습문제

1. IP multicast에 대해 간단히 설명하라.

2. 다자간 키 확립 프로토콜은 키 확립 프로토콜 중 하나이므로 키 확립 프로토콜의 기본 요구사항(키의 비밀성, 최근성, 용도, 확인)을 만족하여야 한다. 하지만 2자 간과 같이 적은 인원이 참여하는 방식이 아니므로 기존과 유사한 방법으로 요구사항을 충족시키기 어렵다. 키 확인 측면에서 만족시킬 수 있는지를 논하라.

3. 실시간 유로 방송에서 비상태 기반 다자간 키 확립 프로토콜을 사용해야 하는 이유를 설명하라.

4. 현재 논리 트리의 모습이 그림 12.2와 같다고 가정하자. LKH, OFT 방식을 각각 사용하여 사용자 1명이 가입하였다고 하자. 이때, 단말 노드에 가입하는 방식 대신에 루트 노드에 가입하는 방식을 사용한다고 가정하고, 중앙 서버가 분배해야 하는 메시지와 해당 메시지를 유니캐스트로 또는 멀티캐스트로 전달하는지 설명하라.

5. 상태 기반으로 소개된 LKH, OFT 기법과 비상태 기반으로 소개된 Naor 등의 CS, SD 기법은 사용하는 방식이 다르다. 어떤 차이점이 있는지 설명하라.

6. Perrig 등이 제안한 분산형 그룹키 프로토콜은 트리의 단말부터 루트까지 올라가면서 계속 Diffie-Hellman 키 동의 프로토콜을 진행한다. Ren 등은 단말의 조부모 노드부터는 Diffie-Hellman을 할 필요가 없다고 주장하였다. 예를 들어, U_1, U_2가 키 동의 프로토콜을 진행하여 확립한 키가 K_{12}이고, U_3과 U_4가 확립한 키가 K_{34}라 할 때, U_2와 U_4는 이들을 이용하여 K_{14}를 확립해야 한다. 이 과정에서 Diffie-Hellman을 진행하는 것과 OFT 방식을 사용하는 것의 차이를 구체적으로 비교 설명하라.

7. CAS는 3계층 키 구조를 사용한다. 중간층에 해당하는 AK가 채널별 키라고 할 때, 중간층을 사용하지 않으면 어떤 문제가 있는지 설명하라.

8. CAS는 일방향 통신(방송국에서 셋톱박스)만 가능한 환경을 가정하여 만든 프로토콜이다. 현재 IPTV는 양방향 통신이 가능하다. 양방향 통신이 가능하면 CAS를 어떻게 개선할 수 있는지 설명하라.

9. LKH나 OFT를 메신저 그룹 채팅에 적용할 수 있는지 설명하라. 가능하면 어떻게, 문제가 있다면 어떤 문제가 있는지 설명하라.

제13장

고급 암호기술 1부: 비밀공유 기법, 데이터 아웃소싱 보안

제 13 장 고급 암호기술 1부: 비밀공유 기법, 데이터 아웃소싱 보안

13.1 개요

지금까지는 기본 암호알고리즘인 대칭과 비대칭 암호알고리즘, 해시함수, MAC, 전자서명을 살펴보았고, 키 확립 프로토콜을 중심으로 이들의 응용을 살펴보았다. 이 장에서는 전자서명과 암호화를 동시에 해주는 암호기법, 권한을 분산하고 싶을 때 사용할 수 있는 임계기반 비밀 공유 기법, 클라우드 컴퓨팅 환경에서 사용할 수 있는 여러 암호기술을 살펴본다.

13.2 Signcryption

보통 함께 자주 사용하는 독립적인 연산들이 있으면 이를 효과적으로 결합하여 더 효율적으로 하는 방안을 찾아보게 된다. Signcryption은 이와 같은 시도의 대표적인 결과이다. **Signcryption**은 전자서명과 암호화를 동시에 해주는 알고리즘이다. 따라서 어떤 메시지에 대해 signcryption을 하면 그 결과는 특정 수신자만 복호화할 수 있고, 이 수신자만 전자서명을 확인할 수 있다. 이 때문에 기존 전자서명과 달리 누구나 서명을 확인할 수 없다.

A가 B에게 메시지 M을 signcrypt할 경우 다음 요구사항을 충족해야 한다.

- R1. B만 메시지를 복호화할 수 있어야 한다.
- R2. B는 A의 서명을 확인할 수 있어야 한다.
- R3. 전체 비용은 각각을 별도로 하였을 때보다 줄어야 한다.

세 번째 요구사항은 연산 비용과 결과값의 크기 측면에서 각각 따로 하였을 때보다 효율적이어야 한다는 것을 의미한다.

전자서명과 암호화를 각각 따로 하는 방법은 보통 다음과 같이 진행한다.

- 단계 1. 메시지 M에 대해 전자서명을 수행하여 서명값 $\mathrm{Sig}.A(M)$을 얻는다.
- 단계 2. 메시지 M과 $\mathrm{Sig}.A(M)$을 랜덤 대칭키 K로 암호화한다. 이때 서명값은 결과 암호문 $\{M \| \mathrm{Sig}.A(M)\}.K$에서 제외할 수 있다.
- 단계 3. K를 상대방 공개키로 암호화한 $\{K\}.eK_B$와 $\{M \| \mathrm{Sig}.A(M)\}.K$을 전달한다.

암호문에 포함된 전자서명을 이용하여 메시지의 무결성을 확인할 수 있으므로 단계 2에서 인증 암호화를 할 필요는 없다.

ElGamal 전자서명의 변형 중 다음과 같은 서명 알고리즘이 있다. 이 알고리즘은 Z_p^*의 부분군 $G_q = \langle g \rangle$를 이용한다. A의 서명키가 $x_A \in Z_q^*$이고 공개키가 $y_A = g^{x_A} \bmod p$일 때, 메시지 M에 대한 서명은 다음과 같이 계산한다.

- 단계 1. $w \in_R Z_q^*$를 선택한 다음에 $r = H_q(g^w \bmod p \| M)$을 계산한다.
- 단계 2. $s = w(r + x_A)^{-1} \bmod q$를 계산한다. 결과 서명은 M, r, s이다.

이 서명에 대한 확인은 다음과 같이 진행한다.

- 단계 1. $W = (y_A g^r)^s \bmod p$를 계산한다.
- 단계 2. $H_q(W \| M) ? = r$인지 확인한다.

이 전자서명을 이용한 signcryption은 다음과 같다[108].

- 단계 1. $w \in_R Z_q^*$를 선택한 다음에 $(cK, iK) = \mathrm{KDF}(y_B^w \bmod p)$를 계산한다.
- 단계 2. $C = E.cK(M)$과 $r = \mathrm{MAC}.iK(C)$를 계산한다. 여기서 MAC값의 범위는 Z_q^*이다.
- 단계 3. $s = w(r + x_A)^{-1} \bmod q$를 계산한다. 결과 signcryption은 C, r, s이다.

Unsigncryption은 다음과 같이 진행한다.

- 단계 1. $(cK, iK) = \mathrm{KDF}\left(\left(y_A g^r\right)^{sx_B} \bmod p\right)$를 계산한다.
- 단계 2. $\mathrm{MAC}.iK(C)\,? = r$인지 확인한 후에 $M = D.cK(C)$을 복호화한다.

알고리즘 서술에서 알 수 있듯이 별도 세션키를 생성하지 않고 서명 과정에서 생성해야 하는 값으로부터 대칭키를 유도하고 있다. 이를 통해 연산 비용을 줄이고 있다.

서명과 암호화를 별도로 진행하는 것과 signcryption을 하는 것을 비교하여 보자. 서명과 암호화를 별도로 진행하면 ElGamal 전자서명에 제시된 것과 같이 서명은 r, s가 필요하고, 암호화는 메시지 M을 대칭키로 암호화한 암호문과 대칭키를 상대방 공개키로 암호화한 것이 필요하다. 이 경우, ElGamal 혼합 암호화 기법을 사용하고, signcryption과 마찬가지로 인증 암호화한다고 가정하자. 그러면 g^γ, $C = E.K_1(M)$, $T = \mathrm{MAC}K_2(C)$가 필요하다. 여기서 $K_1 \| K_2 = \mathrm{KDF}(y_B^\gamma)$이다. 따라서 signcryption과 비교하면 별도 진행하는 것이 결과값 측면에서 g^γ와 T가 더 필요하다. 계산 비용은 별도 진행하는 경우 서명을 생성할 때 $r = H_q(g^w \bmod p \,\|\, M)$ 계산에 필요한 g^w 계산과 ElGamal 혼합 암호화에서 필요한 g^γ 계산이 추가로 더 필요하다.

13.3 비밀공유 기법

특정 권한을 특정 사용자가 홀로 가지고 있으면 해당 권한을 남용하기 쉽다. 이 문제는 보통 권한을 여러 사용자에게 나누고, 권한을 가지고 있는 여러 사용자가 동의 또는 협조할 때만 해당 권한을 행사할 수 있도록 장치를 만들어 극복한다. 그런데 n명에게 권한을 분산하였을 때 n명 모두의 협조가 필요하면 권한을 꼭 행사해야 할 때도 행사를 못 할 수 있다. 따라서 이와 같은 가용성 문제 때문에 보통 n보다 적은 수 t를 정해 그 이상의 사용자들이 협조하면 권한을 행사할 수 있도록 한다. 이를 (t, n) 임계 방식이라 한다. 여기서 t는 보안 변수로써 이 값이 클수록 안전성이 높아진다.

암호기술에서 권한은 그 권한을 행사하기 위한 암호키의 보유 여부에 의해 결정된다. 예를 들어, 인증기관의 인증서 발급 권한은 발급할 때 사용하는 서명키에 있다. 따라서 특정 암호키를 n명에게 나누고 이 중 t명 이상이 협조하면 암호키를 복원할 수 있도록 하여 권한을 분산한다. 실제 암호키를 복원하는 것이 아니라 복원하지 않고 사용할 수 있도록 해야 한다. 이 때문에 본질적으로 대칭키는 권한 분산을 위해 공유하기 어렵다. 이와 같은 기법을 암호기술에서는 비밀공유 기법이라 한다. 이때 각 사용자가 유지하는 값을 그 사용자의 **몫**(share, shadow)이라 한다.

비밀 공유 기법은 공유할 값을 나누고 몫을 각 사용자에게 전달하는 신뢰 서버를 사용하는 경우와 서버를 전혀 사용하지 않고 참여하는 사용자 간의 값을 안전하게 나누는 경우로 분류할 수 있다. 전자의 경우 신뢰 서버는 해당 비밀(암호키)을 알고 있어 비밀 공유 기법의 원래 목적과 상충하는 측면이 있다. 또한 전자의 경우 각 사용자는 서버로부터 받은 몫이 유효한 몫인지 확인할 수 있어야 한다. 몫의 유효성을 확인할 수 있다면 이를 검증가능 비밀 공유(verifiable secret sharing) 기법이라 한다. 후자는 분산 비밀 공유 기법이라 한다.

13.3.1 간단한 비밀공유 기법

대칭키 K를 n명에게 공유하기 위해 신뢰 서버가 대칭키와 같은 길이의 랜덤한 S_i를 $n-1$개 임의로 생성한 후 $S_n = K \oplus S_1 \oplus S_2 \oplus \cdots \oplus S_{n-1}$을 계산하여 각 사용자 i에게 해당 사용자의 몫으로 S_i를 나누어 주었다고 하자. 이 경우 n명의 사용자가 K를 복원하고 싶으면 사용자의 모든 몫을 XOR하면 된다. 따라서 이 방식은 (n, n) 방식이 된다. 이 방식의 문제점은 다음과 같다.

- 문제점 1. 사용자의 몫을 생성해 줄 중앙 서버가 필요하다.
- 문제점 2. 모두 협력해야 복원할 수 있다.
- 문제점 3. 하나의 조각이 분실되면 복원할 수 없다.
- 문제점 4. 한 번 복원하면 비밀키가 노출된다.

문제점 2와 3은 (n, n) 방식이므로 발생하는 문제점이며, 대칭키를 공유하면 문제점 4는 근본적으로 해결할 수 없다. 실제 대칭키를 비밀공유하면 이것을 복원하지 않고 이 키를 이용하여 암호화하거나 복호화하기 어렵다.

13.3.2 Shamir의 비밀공유 기법

Shamir는 $t-1$차 다항식을 이용하여 (t, n) 임계 기반 기법을 만들 수 있음을 보였다

[109]. 예를 들어, $t=2$일 때 대칭키 K를 공유하고 싶으면 K가 상수항이 되는 임의의 1차 다항식 $f(x)=ax+K$를 만든 후 각 사용자 i에게 $f(i)$ 값을 몫으로 나누어 주면 된다. k차 다항식의 기본 특성 때문에 다항식의 $k+1$개의 해를 알면 이 다항식의 계수들을 결정할 수 있으며, 상수항 값도 계산할 수 있다. 따라서 만들고 싶은 (t, n) 임계 기반 기법에 맞게 $t-1$차 다항식을 선택하면 원하는 수의 n명과 비밀을 공유할 수 있다.

이 기법은 다음과 같이 중앙 서버를 사용하지 않고 분산 방식으로 비밀을 공유할 수도 있다. 각 사용자가 같은 차수의 다항식 $f_i(x)=a_ix+K_i$를 만든 후 각 사용자 i는 다른 사용자 j에게 $f_i(j)$ 값을 전달한다. 각 사용자는 받은 모든 값을 더하여 자신의 최종 몫으로 사용한다. 실제 이들이 최종적으로 사용하는 다항식은 각 사용자가 선택한 다항식의 합인 $f(x)=\sum a_ix+\sum K_i$가 되며, 비밀은 $K=\sum K_i$가 된다. 수학의 라그랑주 보간법(Lagrange interpolation)을 이용하면 t개의 점이 주어졌을 때 이를 지나는 독특한 $t-1$차 다항식을 쉽게 구할 수 있으며, 해당 다항식의 상수항을 구할 수 있다.

Shamir의 비밀공유 기법을 공개키로 확장하여 보자. 중앙 서버를 통해 개인키를 공유하는 것부터 살펴보자. Z_p^*의 부분군 $G_q=\langle g\rangle$에서 (t, n) 임계기반 ElGamal 암호화를 할 수 있도록 서버는 다음과 같은 $t-1$차 다항식을 생성한다.

$$f(x)=a_{t-1}x^{t-1}+\ \cdots\ +a_1x+s,\ \ \forall a_i \in_R Z_q^*$$

여기서 시스템의 공개키는 $y=g^s$가 된다.

서버는 각 참여자에게 $s_i=f(i)$를 몫으로 전달하고, $y_i=g^{s_i}$와 $c_{t-1}=g^{a_{t-1}}, \ldots, c_1=g^{a_1}$을 공개한다. 이산대수 문제 때문에 이들이 공개되어도 다항식의 계수와 상수항은 노출되지 않는다. 각 사용자는 $g^{s_i}?=y\prod_{j=1}^{t-1}c_j^{i^j}$를 이용하여 자신의 몫을 확인할 수 있다. 또한 라그랑주 보간법에 따라 다음이 성립한다.

$$b_j=\prod_{1\le k\le t,\, k\ne j}\frac{k}{k-j},\ \ s=\sum_{j=1}^{t}s_jb_j$$

이를 나중에 복호화할 때 활용하게 된다.

시스템의 공개키 y를 이용하면 누구나 g^r, $C = E.cK(M)$, $MAC.iK(C)$을 계산하여 ElGamal 방식으로 암호화할 수 있다. 여기서 $cK \| iK = KDF(y^r)$이다. t명이 모이면 이 암호문을 다음과 같이 복호화할 수 있다.

- 단계 1. 각 참여자는 $w_i = (g^r)^{s_i}$를 계산하여 공개한다.
- 단계 2. 각 참여자는 $\prod w_i^{b_i} = \prod g^{rs_i b_i} = g^{r\sum s_i b_i} = g^{rs} = y^r$를 계산할 수 있으며, 이를 이용하여 cK과 iK를 계산하여 메시지를 복호화할 수 있다.

여기서 알 수 있듯이 특정 암호문을 복호화하더라도 s가 노출되지 않는다. 따라서 대칭키를 공유하였을 때와 달리 개인키를 이처럼 공유하면 공개키를 계속 사용할 수 있다.

13.4 데이터 아웃소싱

데이터 아웃소싱(data outsourcing)이란 데이터를 내부 서버에 유지하는 것이 아니라 외부 서버에 위탁하여 관리하는 것을 말한다. 데이터 관리 비용을 줄이기 위해 데이터를 아웃소싱하는 기업이 증가하고 있으며, 클라우드 컴퓨팅의 확산으로 이와 같은 현상이 더욱 가속화되고 있다.

하지만 이와 같은 아웃소싱은 중요한 데이터 또는 사적 데이터를 자신이 통제할 수 없는 외부에 유지해야 하므로 정보의 노출, 정보의 조작, 정보의 손실 등의 문제가 발생할 수 있다. 이와 같은 문제점 중 정보의 노출 문제를 극복하기 위해 데이터를 암호화하여 유지할 수 있다. 하지만 데이터를 암호화하면 검색과 같은 내용 기반 서비스를 이용하기 힘들 수 있다. 정보의 조작이나 손실 문제는 무결성 검증 서비스를 통해 해결할 수 있으나, 아웃소싱하는 데이터의 규모와 외부 서버의 신뢰 문제를 고려하였을 때 효과적인 검증 방법을 만드는 것이 쉽지 않다.

데이터 아웃소싱의 기본적인 요구사항들은 다음과 같다.

- R1. 비밀성, 프라이버시 보장
- R2. 접근 제어 보장

- R3. 효율적인 검색

비밀성과 프라이버시 보장은 제삼자에게만 해당하는 것은 아니며, 아웃소싱 서버나 업체에 데이터를 노출하지 않고 서비스를 받을 수 있기를 원한다. 여기서 접근 제어는 데이터의 공유와 관련되어 있으며, 공유할 때 읽기, 쓰기 권한을 제어할 수 있어야 한다.

13.4.1 아웃소싱 데이터의 보호

아웃소싱 데이터는 소유자가 직접 관리할 수 있는 공간에 데이터를 유지하는 것이 아니므로 데이터의 비밀성을 위해 데이터를 암호화하여 유지할 필요가 있다. 제삼자는 물론 서비스 업체도 데이터를 볼 수 없어야 하지만, 서비스 업체도 볼 수 없으면 여러 가지 유용한 내용 기반 서비스를 받기 어려워진다. 아웃소싱 데이터의 비밀성을 제공하기 위한 두 가지 간단한 해결책을 살펴보자.

첫째, 저장 서버가 모든 권한을 가지고 있도록 하는 방법을 생각해 볼 수 있다. 사용자가 데이터를 업로드하면 서버가 이를 암호화하여 저장하고, 암호키를 서버가 관리한다. 해당 파일을 사용자가 요청하면 암호화된 데이터를 복호화하여 안전한 채널로 전달해 주거나 암호화된 데이터와 이를 복호화하기 위한 키를 전달할 수 있다. 이 방법에서 서버는 데이터의 내용을 볼 수 있으므로 궁극에 원하는 형태의 서비스가 아니다.

둘째, 사용자가 데이터를 업로드할 때 암호화하여 업로드하고, 이와 관련된 키 관리를 사용자가 직접 하는 방법을 생각해 볼 수 있다. 이때 가장 효과적인 방법은 데이터마다 랜덤 대칭키를 생성하여 암호화하고 그것을 사용자의 공개키로 암호화하여 파일과 함께 저장하는 것이다. 이 경우 사용자는 자신의 공개키 쌍만 유지하면 되며, 어느 장치에서나 해당 공개키를 사용할 수 있도록 하면 여러 장치에서 서버에 접근하여 사용할 수 있다. 이 방법은 서버에 대해 전혀 신뢰할 필요가 없지만, 다중 사용자 환경에서 공유와 같은 기능을 서버에 위탁하기 어렵다는 문제점이 있다.

두 번째 방법의 경우 데이터마다 공개키로 암호화된 대칭키를 함께 저장해야 한다. 보통 사용하는 공간에 비례하여 비용을 내야 하므로 이것이 부담될 수 있다. 이 경우 모든 데이터를 동일 대칭키로 암호화하고, 해당 대칭키를 패스워드 기반이나 공개키로 암호화하여 사용자가 유지하는 방법도 생각해 볼 수 있다. 이렇게 하면 공간 사용을 최소화할 수 있지만, 안전성이나 공유와 같은 기타 기능을 제공하는 것이 더 어렵게 된다. 그 이유는 특정 키가 노출되면 그 키로 암호화된 모든 데이터도 노출되기 때문이다.

13.4.2 아웃소싱 데이터의 무결성

사용자는 아웃소싱 데이터를 자신이 필요할 때 조작되지 않은 상태로 접근할 수 있기를 원한다. 이를 위해 해당 데이터의 무결성을 검증할 수 있어야 한다[110, 111]. 이와 같은 서비스를 **회수 증명**(POR, Proof-Of-Retrievability)이라 한다. 하지만 이 서비스는 해당 데이터를 다운받지 않은 상태에서 확인할 수 있어야 하며, 사용자는 해당 데이터를 로컬에 가지고 있지 않다고 가정해야 한다. 더욱이 이 서비스가 어려운 점은 무결성 서비스와 관련하여 저장 서버를 신뢰할 수 없다는 것이다. 데이터가 변조되었어도 이에 대한 책임을 지지 않기 위해 저장 서버는 그것을 인정하지 않을 수 있다.

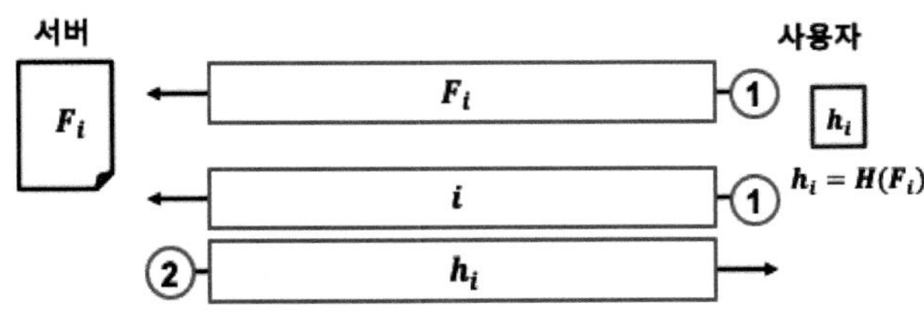

<그림 13.1> 해시함수 기반 무결성 검증 기법

무결성을 검증하기 위해 가장 많이 사용하는 것이 해시함수이다. 해시함수를 이용한 그림 13.1과 같은 간단한 해결책을 생각하여 보자. 사용자는 파일을 업로드하기 전에 그것의 해시값을 계산하여 로컬에 유지한다. 서버는 사용자가 특정 파일에 대한 무결성 검증 서비스를 요청하면 해당 파일의 해시값을 계산하여 사용자에게 전달하여 준다. 이 방식은 크게 두 가지 문제점이 있다. 첫째, 서버는 요청마다 파일에 대한 해시값을 계산하여 전달하여야 하는데, 파일의 크기가 크면 이 비용이 부담될 수 있다. 둘째, 서버는 항상 해시값을 보관한 다음에 매번 새롭게 계산하지 않고 보관된 해시값을 전달하여 파일이 조작되었지만 속일 수 있다. 물론 사용자도 자신이 업로드한 파일마다 해시값을 유지해야 하는 번거로움이 있지만, 무결성을 확인하기 위한 어떤 값도 유지하지 않고 무결성 서비스를 받을 수는 없다.

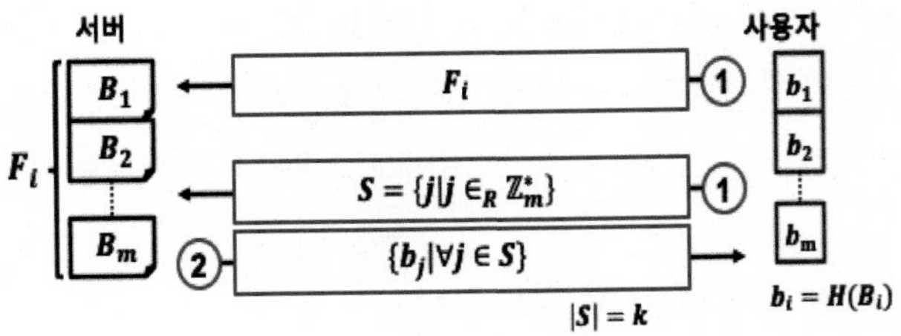

<그림 13.2> 해시함수 기반 무결성 검증 기법: 블록 단위 기법

파일의 크기에 따른 해시함수 계산 비용 문제는 파일이 보통 특정 블록 크기 단위로 나누어 관리되기 때문에 블록 단위의 해시값을 사용하여 개선할 수 있다. 예를 들어, 그림 13.2와 같이 사용자가 특정 파일에 대한 무결성을 검증하기 위해 임의의 블록들에 대한 해시값을 요구하고 이를 받아 확인하는 방법을 생각해 볼 수 있다. 하지만 이 방법은 사용자가 특정 파일마다 블록 개수만큼의 해시값을 유지해야 하므로 사용자 측면에서 부담될 수 있다. 서버는 모든 블록의 해시값을 유지하여 속일 수 있지만, 저장 공간이 낭비되므로 이를 통해 얻을 수 있는 이득이 없다.

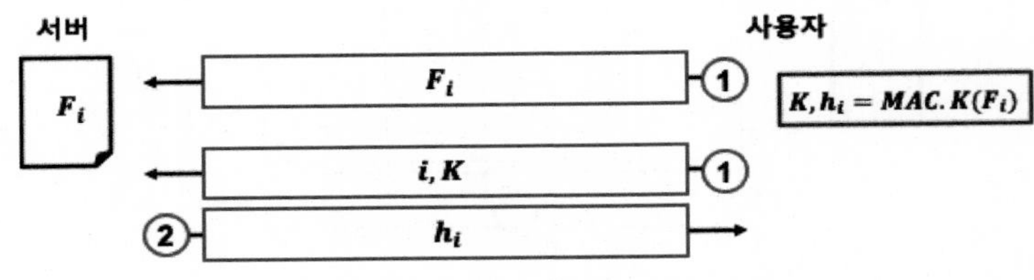

<그림 13.3> MAC 기반 무결성 검증 기법

제시된 해시함수를 이용한 해결책을 분석해 보면 효과적인 안전한 해결책이 되기 위해서는 사용자에게 전달하는 값을 서버가 매번 새롭게 계산해야 하며, 사용자나 서버나 파일을 검증하기 위해 유지해야 하는 것이 많지 않아야 한다. 서버가 매번 새롭게 계산하게 하려고 해시함수 대신에 MAC을 이용하는 것을 생각해 볼 수 있다. MAC은 해시함수와 달리 키가 필요하다. 이 특징을 활용하기 위해 MAC값을 계산할 때 그림 13.3과 같이 사용할 키를 매번 사용자가 전달하는 방법을 생각해 볼 수 있다. 하지만 이 방법을 사용하기 위해서는 사용자가 파일을 서버에 저장하기 전에 여러 개의 대칭키를 생성하고, 각 대칭키를 이용하여 MAC값을 계산하여 보관해야 한다. 또 보관한 값을 다 사용하면 원 파일을 다운받아 다시 MAC값을 계산해야 한다.

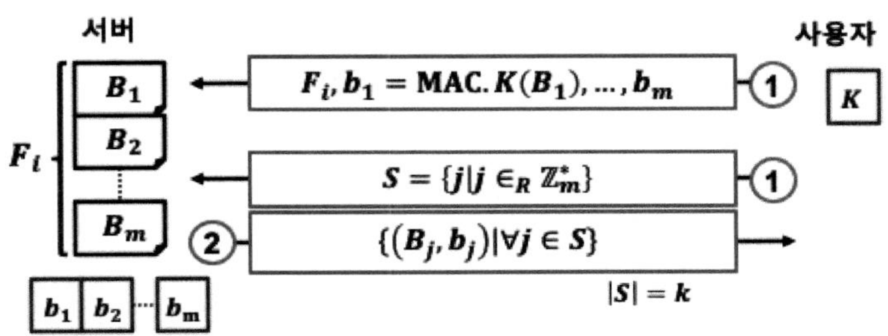

<그림 13.4> MAC 기반 무결성 검증 기법: 블록 단위 기법

또 다른 방법으로 해시함수를 사용할 때 제시한 방법처럼 전체 파일 대신에 특정 블록 크기 단위로 파일을 나누어 각 블록에 대한 MAC값을 계산하는 방법을 생각해 볼 수 있다. 이때 키를 주어 서버가 MAC을 계산하도록 하면 사용자가 블록마다 여러 개의 MAC값을 유지해야 하므로 유지해야 하는 값이 너무 많아 사용할 수 있는 해결책이 될 수 없다. 따라서 확인을 요청할 때 키를 전달하는 것이 아니라 그림 13.4와 같이 모든 블록의 MAC값을 계산하여 서버에 주어 유지하도록 하고, 검증할 때 유지된 MAC값과 블록 자체를 서버가 전달하도록 하는 방법을 생각해 볼 수 있다. 이 방법의 핵심 생각은 서버는 MAC키가 없어 블록이 조작되었을 경우 현재 상태에 맞는 MAC값을 계산할 수 없다는 것이다. 이 방법은 서버가 속일 수는 없지만 무결성 검증을 위해 교환해야 하는 값의 크기가 너무 크다는 문제점이 있다. 또 파일마다 여러 개의 MAC값을 유지해야 하므로 사용자가 사용하는 저장 공간이 늘어나는 문제점도 있다.

이처럼 해시함수나 MAC을 단순하게 사용하여 효과적인 해결책을 만들 수 없다는 것을 알 수 있다. Filho와 Barreto는 RSA를 활용하는 기법을 제안하였다[111]. 처음 소개한 MAC 기반 해결책은 사용자가 n개의 키와 MAC값을 유지하고, 무결성 검증을 요청할 때 서버에 키를 전달해야 하는 문제점이 있었는데, 이 기법은 이 문제를 해결해 주는 기법이다. 서버가 매번 새롭게 MAC값을 계산하여 전달하지만, 사용자는 여러 개의 MAC값을 유지할 필요가 없다. 사용자는 $n = pq$를 계산한 후, F가 저장할 파일이면 $k = F \bmod \phi(n)$을 계산하여 유지한다. 사용자는 무결성 검증을 확인하고 싶으면 임의의 $g \in_R Z_n^*$을 선택하여 g와 n을 전달한다. 이때 서버에 n을 등록해 둔 상태이면 g만 전달할 수 있다. 서버는 $s = g^F \bmod n$을 계산하여 사용자에게 전달한다. 사용자는 s와 g^k를 비교한다. $s = g^F = g^{a\phi(n)+k} \equiv g^k \pmod{n}$이므로 두 값이 일치하면 파일이 조작되지 않았다는 것을 확신할 수 있다. 서버가 사용자가 확인할 때 사용하는 k를 계산할 수 있으면 이를 보관한 다음 매번 새롭게 계산하지 않고 사용자를 속일 수 있지만 서버는 n을 인수분해 할 수 없어 $\phi(n)$

을 알 수 없으므로 이것이 가능하지 않다. 따라서 서버는 사용자가 매번 새로운 g를 전달하므로 요청마다 새롭게 계산할 수밖에 없다. 사용자가 유지해야 하는 값도 효과적이고 서버도 매번 새롭게 계산해야 하므로 원하는 모든 조건이 충족되는 기법이다. 참고로 F가 F_1부터 F_m까지 정해진 크기의 블록으로 나누어진다고 하면 실제 k를 계산할 때 사용하는 $F=\sum_{i=1}^{m} F_i$이고, $s_i = g^{F_i} \bmod n$일 때 $s=\prod_{i=1}^{m} s_i$가 된다.

변형된 ElGamal 암호는 부분 **동형 암호**(partially homomorphic encryption)이다. 동형 암호란 암호화된 데이터에 대해 복호화하지 않고 연산을 적용할 수 있는 암호이다. 변형된 ElGamal 암호는 $E(M_1)E(M_2) = E(M_1 + M_2)$가 성립한다. 자세한 것은 이 장 부록에서 설명하고 있다. 변형된 ElGamal 암호는 이 연산만 복호화하지 않고 할 수 있으므로 부분 동형 암호이다. Ateniese 등은 이 특성을 이용하는 기법을 제시하였다[112]. 이 기법은 블록 단위 MAC 값을 서버에 유지하고, 서버가 사용자가 요청한 랜덤 c개 블록에 대해 블록 데이터와 MAC 값을 보내주는 방법을 동형 암호를 이용하여 매번 하나의 값만 보내도록 개선한 기법이다.

이 방식에서 서버는 사용자로부터 n개 블록에 대한 MAC값을 받아 유지해야 한다. 여기서 사용하는 MAC값은 RSA 개인키를 이용하여 메시지 블록을 암호화한 값이다. 사용자는 c개의 랜덤 블록에 대한 무결성 검증을 요청한다. 이때 랜덤한 값 $g_s = g^s$를 함께 전달한다. 서버는 동형 암호를 이용하여 저장된 해당 블록의 MAC값을 결합하고, 도전값 g_s와 해당 블록 데이터를 이용하여 또 다른 값을 계산하여 사용자에게 전달한다. 사용자는 자신의 공개키와 s를 이용하여 전달받은 값을 검증한다. 서버는 사용자가 매번 새로운 g_s 값을 전달하며, 선택하는 블록 위치도 매번 달라지므로 매번 새롭게 계산할 수밖에 없다. 서버는 블록마다 MAC값을 유지해야 하지만, 증명 과정에서 교환하는 값의 크기는 동형 암호로 인하여 사용하는 블록 개수와 무관하다. Filho와 Barreto와 마찬가지로 사용자가 유지해야 하는 공간 복잡도는 파일과 무관하게 $O(1)$이다.

13.4.3 프록시 재암호화

프록시 재암호화(proxy re-encryption)은 한 사용자의 개인키로 복호화할 수 있는 암호문을 다른 사용자의 개인키로 복호화할 수 있도록 변환하여 주는 것을 말한다[114]. 이 변환을 수행하는 프록시는 암호화된 데이터의 내용을 볼 수 없어야 한다. 각 사용자와 대칭키를 공유하고 있는 서버가 한 사용자와 공유한 키로 암호화된 암호문을 복호화한 다음 다른 사용자와 공유한 키로 암호화하는 것은 서버가 데이터의 내용을 볼 수 있으므로 프록시 재암호화가 아니다. 더욱이 프록시 재암호화의 경우 사용자가 권한을 줄 경우에만 재암호화를 할 수 있는데, 이 시나리오에서는 특정 사용자가 권한을 주지 않아도 할 수 있다. 즉, B의 공개키로 암호화된 데이터가 있을 때, B가 재암호화 키 RK_{BA}를 프록시에게 주면, 프록시는 이를 이용하여 이 암호문을 A의 공개키로 암호화된 암호문으로 바꾸어 줄 수 있다.

프록시 재암호화는 같은 데이터를 n명에게 비밀로 전달하고 싶을 때 사용할 수 있다. 같은 데이터를 다수에게 비밀로 전달해야 할 때 사용할 수 있는 가장 직관적인 방법은 12장에서 살펴본 그룹키 프로토콜이다. 보통 그룹키 프로토콜은 초기 설정 비용이 많이 들지만 한 번 확립된 이후에는 확장성 있게 사용자들의 가입과 탈퇴를 처리할 수 있다. 따라서 그룹 멤버가 빈번하게 바뀔 수 있는 환경에서 전방향, 후방향 안전성을 제공해야 하면 이 방법이 가장 효과적인 방법일 수 있다.

프록시 재암호화 기법을 이 용도로 사용할 수 있다. 전송자가 자신의 공개키로 메시지를 암호화하여 프록시에게 전달하면 프록시는 이 암호문을 n번 재암호화하여 각 사용자에게 전달할 수 있다. 따라서 전송자의 부담은 거의 없는 방식이 된다. 물론 전송자는 n개의 재암호화키를 프록시에게 주어야 하는 문제는 있지만 매번 재암호화키를 주어야 하는 것은 아니므로 지속해서 사용하면 이 비용은 초기 설정 비용으로 생각할 수 있다. 반면에 프록시 측면에서는 n에 비례하는 계산 비용과 통신 비용이 소요되는 문제가 있다.

프록시 재암호화에서 사용자는 프록시를 무조건 신뢰하지 않는다. 프록시는 정직하게 행동하지만, 항상 궁금해하는 존재로 암호화된 데이터의 내용을 보고 싶어 한다고 가정한다. 이와 같은 모델을 "curious-but-honest model"이라 한다. 프록시를 사용하는 환경에서 프록시가 협조하지 않으면 서비스가 정상적으로 동작할 수 없으므로 프로토콜 수행에 대해서는 신뢰를 할 수 있어야 한다. 따라서 프록시 재암호화의 기본적인 요구사항은 다음과 같다.

- R1. 프록시는 재암호화 과정에서 평문을 얻을 수 없어야 한다.
- R2. 프록시 권한 제한: 프록시는 권한이 부여된 재암호화만 할 수 있어야 한다.

- R3. 공모 안전성(collusion-safety): 사용자 간 공모 또는 사용자와 프록시 간의 공모를 통해 불법적인 복호화가 가능하지 않아야 한다.

프록시 재암호화에서 특정 공개키로 암호화되어 있는 암호문을 다른 사용자가 복호화할 수 있도록 재암호화를 하기 위해서는 재암호화키가 필요하다. 이 키는 대응되는 개인키를 갖고 있는 사용자만 만들 수 있다. 따라서 프록시는 사용자로부터 필요한 재암호화키를 받지 못하면 재암호화를 할 수 없다.

프록시 재암호화는 위 3개의 요구사항 외에 다음과 같은 추가 요구사항을 가지고 있다 [114].

- R4. 단방향(unidirectional): A에서 B로 재암호화 권한이 있어도 자동으로 B에서 A로의 재암호화 권한이 위임되지 않아야 한다.
- R5. 비추이성(non-transitive): 프록시는 스스로 재암호화 권한을 위임받을 수 없어야 한다.
- R6. 비전이성(non-transferable): 프록시는 사용자들과 공모하여도 위임받지 않은 권한을 위임받을 수 없어야 한다.
- R7. 비상호작용(non-interactive): 재암호화키는 제3의 신뢰 서버를 포함하여 다른 참여자와 상호작용 없이 홀로 생성할 수 있어야 한다.

R5의 경우 프록시가 A에서 B로의 재암호화키와 B에서 C로의 재암호화키를 가지고 있더라도 이를 이용하여 A에서 C로의 재암호화키를 만들거나 A의 공개키로 암호화된 암호문을 C가 복호화할 수 있도록 재암호화를 할 수 없어야 한다. R6은 R3 요구사항을 구체화한 것으로 프록시가 A에서 B로의 재암호화키를 가지고 있고 B와 공모하여 B의 개인키를 확보할 수 있어도 A에서 C로의 재암호화키를 만들거나 A의 공개키로 암호화된 암호문을 C가 복호화할 수 있도록 재암호화를 할 수 없어야 한다.

R3, R5, R6를 충족하기 위해 보통 두 단계 암호화 수준을 제공한다. 재암호화가 가능하지 않은 암호알고리즘과 재암호화가 가능한 암호알고리즘을 각각 L1과 L2라 할 때, L2 알고리즘을 이용하여 암호화된 암호문을 재암호화하면 L1 수준의 암호문이 되도록 설계한다. 이처럼 설계하면 한번 재암호화된 암호문은 다시 재암호화할 수 없다. 어떤 프록시 재암호화는 일정 기간이 지나면 재암호화가 가능하지 않도록 제한할 수 있는 것도 있다.

프록시 재암호화를 데이터 아웃소싱에서 어떻게 활용할 수 있을까? 앞서 데이터를 업로드할 때 데이터를 랜덤 대칭키로 암호화하고, 대칭키를 공개키로 암호화하여 함께 보관할 수 있다고 하였다. 이 상태에서 어떤 데이터를 다른 사용자와 공유하고 싶으면 재암호화키를 발급하면 된다. 저장 서버는 발급된 재암호화키로 암호화된 랜덤 대칭키를 재암호화하여 해당 사용자에게 주면 해당 사용자는 암호화된 데이터를 복호화할 수 있게 된다. 하지만 프록시 재암호화는 세밀한 수준의 접근 제어를 제공하지 못하므로 특정 사용자에게 공유하고 싶지 않은 데이터도 저장 서버가 재암호화하여 줄 수 있는 문제점이 있다.

프록시가 RK_{AB}를 가지고 있으면 A의 공개키로 암호화된 모든 암호문을 재암호화할 수 있다. 이 문제는 두 단계 암호화를 통해 어느 정도 극복할 수는 있다. 공유할 목적이 아닌 데이터들은 L1 알고리즘으로 암호화하고, 공유 목적이 있는 데이터들은 L2 알고리즘으로 암호화하는 것이다. 하지만 이 경우에도 L2로 암호화된 데이터가 여러 개 있으면 이 모든 데이터는 재암호화가 가능하다.

13.4.4 속성기반 암호화

프록시 재암호화의 단점은 세밀한 접근 제어를 제공할 수 없다는 것이다. 이 단점은 **속성기반 암호화**(ABE, Attribute-Based Encryption)를 통해 해결할 수 있다. 속성기반 암호화는 복호화키 또는 암호화된 데이터에 할당된 속성 또는 접근 정책을 바탕으로 암호화된 데이터에 대한 접근을 제어하여 주는 기술이다. 이 기술은 신원기반 암호시스템을 기반하고 있다. 신원기반에서는 사용자의 신원을 이용하여 공개키를 생성하는데, 속성기반에서는 신원 정보 대신에 속성을 이용하여 공개키를 생성하는 방식이다.

신원기반 암호시스템에서 확장된 개념이므로 사용자에게 키를 발급하여 주는 서버를 사용한다. 따라서 이 서버는 신원기반 암호시스템과 마찬가지로 막강한 권한을 가지게 된다. 물론 신원기반 암호시스템과 마찬가지로 임계기반 비밀공유 기법을 사용하여 이 문제는 어느 정도 효과적으로 해결할 수 있다. 속성기반은 추가로 공모 문제도 해결해야 한다. 두 사용자가 각각은 접근할 수 없는 것이면 공모하더라도 접근을 할 수 없어야 한다. 이 기법의 또 다른 문제는 철회 문제이다. 사용자로부터 또는 암호화된 문서로부터 속성을 철회할 수 있어야 하는데, 이것이 쉽지 않다는 것이다. 이것은 신원기반 암호시스템에서 키 갱신을 효과적으로 할 수 없는 것과 연관되어 있다.

속성기반 암호기법이 기존 기법들과 가장 차별화되는 점은 개념적으로는 하나의 공개키에 여러 개의 개인키를 연결하여 사용할 수 있다는 것이다. 당연하지만 어떤 데이터가 속성기반을 이용하여 암호화되어 있으면 그 속성이나 접근 정책을 만족하는 다수가 복호화할 수 있다. 따라서 속성기반 암호화는 그룹키 대신에 다자간 통신에 활용할 수 있다. 컴퓨터공학부 학생만 볼 수 있도록 암호화한 하나의 암호문을 멀티캐스트하면 그 조건을 충족하는 모든 사용자는 그 문서를 수신하여 복호화할 수 있다. 더욱이 속성기반 암호시스템은 복호화하는 조건을 기존 프록시 기법과 달리 매우 세밀하고 풍부하게 표현할 수 있는 장점이 있다.

클라우드 환경에서는 클라우드 서비스 제공자와 독립적으로 데이터를 암호화하는 주제가 접근 제어 정책을 스스로 암호화할 때 결정할 수 있다. 공개키 개념이므로 누구나 필요한 접근 정책에 따라 문서를 암호화할 수 있지만 그것을 복호화할 수 있는 사용자는 제한된다. 따라서 속성기반으로 암호화된 데이터는 그 조건을 충족하는 사용자만 복호화할 수 있으므로 암호화된 데이터의 공유 문제를 효과적으로 해결할 수 있다.

속성기반 암호화의 요구사항은 다음과 같다.

- R1. 데이터 기밀성(data confidentiality): 권한이 없는 사용자는 데이터를 얻을 수 없어야 한다.
- R2. 공모에 대한 저항성(collusion resistance): 여러 사용자가 공모하더라도 각 개인이 얻을 수 있는 데이터만 얻을 수 있어야 한다.
- R3. 전방향 안전성(forward secrecy): 특정 속성이 철회된 사용자는 속성이 철회된 이후에는 해당 속성이 필요로 하는 데이터를 얻을 수 없어야 한다.

R3와 관련하여 후방향 안전성도 고려되는 경우가 있다. 이전에는 접근할 수 없었지만, 지금은 접근할 수 있게 된 데이터는 여전히 얻을 수 없어야 한다는 것을 말한다. 즉, 데이터가 암호화된 시점에 따라 접근 여부가 달라져야 한다는 것이다. 하지만 이 요구사항은 그룹키 프로토콜과 달리 속성기반에서는 중요하게 고려되는 요구사항은 아니다.

초기 속성기반 암호화 기법은 임계기반 접근 정책만 제공하였다. 즉, 가지고 있는 속성의 수를 이용하여 접근 가능 여부를 판단하였다. 하지만 후에 트리 기반 접근 구조 및 다양한 논리 연산을 사용할 수 있도록 개선되었다. 특히, 일부 연구에서는 논리부정까지 사용할 수 있도록 개선됨에 따라 접근 정책을 매우 풍부하게 표현할 수 있게 되었다. 실제 특정 속성 A가 있으면 NOT A라는 속성을 만들어 논리부정을 제공할 수 있다. 하지만 이와 같은 방식으로 논리부정을 사용하기에는 속성의 개수가 너무 많아지는 문제점이 있다. 따라서 이 방법을 사용하지 않고 논리부정을 제공할 수 있어야 효과적인 방식이 된다.

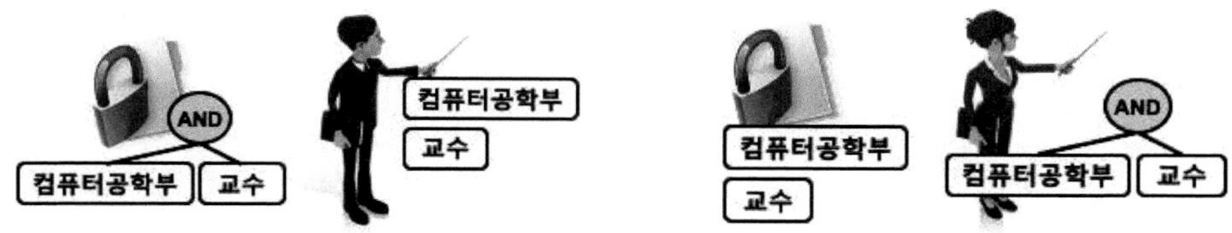

(1) 암호문 정책 속성기반 암호화 (2) 키 정책 속성기반 암호화

<그림 13.5> 속성기반 암호화 종류

속성기반 암호화는 크게 그림 13.5와 같이 **암호문 정책 속성기반 암호화**(CP-ABE, Ciphertext-Policy ABE)[115]와 **키 정책 속성기반 암호화**(KP-ABE, Key-Policy ABE)[116]로 분류할 수 있다. 두 방식은 속성과 접근 정책을 서로 상반된 것에 연관한다. CP-ABE는 암호문과 접근 구조(정책)를 연관하고, 사용자 개인키와 속성을 연관한다. 따라서 CP-ABE는 문서를 암호화할 때 접근 정책을 결정할 수 있다. 예를 들어, "컴퓨터공학부", "교수" 2개의 속성과 연관된 개인키를 홍길동이라는 사용자에 발급해 줄 수 있으며, 문서는 컴퓨터공학부 교수 또는 컴퓨터공학부 조교만 볼 수 있도록 암호화할 수 있다. 논리적으로 이 문서에 대한 접근 정책을 표현하면 {(“컴퓨터공학부” and “교수”) or (“컴퓨터공학부” and “조교”)}가 된다.

KP-ABE는 CP-ABE와 정반대로 접근 정책은 사용자 개인키와 연관하고, 암호문과 속성을 연관한다. 예를 들어, {"성춘향"" or ("컴퓨터공학부" and "입학")} 접근 정책과 연관된 개인키를 성춘향 사용자에게 발급해 줄 수 있다. 이때 문서가 “컴퓨터공학부”, “입학” 속성들로 암호화되어 있다면 성춘향은 이 문서를 복호화할 수 있다. KP-ABE는 문서를 암호화할 때 할당된 속성 간의 관계를 나타내지 못하는 단점이 있다. 위 예에서 {"홍길동" or "컴퓨터공학부"} 접근 정책과 연관된 개인키를 발급받은 홍길동은 "컴퓨터공학부" 속성으로 암호화된 모든 문서를 복호화할 수 있다. 이때 문서에 할당된 다른 속성은 복호화하는 데 아무런 영향을 주지 못한다.

당연하지만 접근 정책 구조가 복잡할수록 암호문의 크기는 그것에 비례하여 커진다. 이 때문에 CP-ABE에서 암호문은 접근 정책을 나타내는 트리가 복잡할수록 그 암호문의 크기가 커진다. 반면에 KP-ABE에서 암호문의 크기는 할당된 속성에 비례한다.

속성기반 암호화에는 두 종류 철회가 존재한다. 하나는 속성 철회이고, 다른 하나는 사용자 철회이다. 속성 철회는 암호화된 문서에 연관된 특정 속성을 철회하는 것을 말하며, 사용자 철회는 다시 사용자에게 연관된 특정 속성을 철회하는 것과 사용자가 시스템을 사용할 수 없도록 하는 것으로 나누어질 수 있다. 암호문에 연관된 정책이나 속성을 바꿀 필요가 있으면 기존 암호문에 어떤 연산을 적용하여 바꾸는 것보다 새롭게 암호화하는 것이 더 효과적이다. 따라서 이 부분을 어떤 연산을 통해 제공할 필요는 없다.

반면에 사용자의 경우에는 그 사용자의 권한을 변경할 수 있어야 한다. CP-ABE는 사용자 개인키와 속성을 연관하므로 할당된 속성을 철회하거나 추가할 수 있어야 한다. 속성의 추가는 관련 개인키를 추가로 발급하면 되지만 기존에 발급된 키를 사용할 수 없도록 만드는 것은 간단한 문제가 아니다. 실제 그 키로 복호화할 수 있는 모든 문서의 변경이 필요하기 때문이다. KP-ABE는 사용자 개인키와 접근 정책을 연관하므로 이 정책을 바꾸는 것은 새로 발급하면 쉽게 해결될 수 있다고 생각할 수 있지만, 기존에 가지고 있는 개인키를 사용할 수 없도록 하여야 하므로 이 또한 간단한 문제가 아니다.

13.4.5 검색가능 암호화

외부 서버에 비밀성 또는 프라이버시 때문에 데이터를 암호화하여 유지할 수 있다. 이때 접근 제어를 세밀하고 풍부하게 제공하는 문제의 해결도 필요하지만, 데이터의 양이 많으면 필요한 데이터를 효과적으로 찾는 문제의 해결도 필요하다.

필요한 데이터를 찾는 방법은 크게 브라우징과 검색으로 구분할 수 있다. 브라우징은 데이터를 폴더 기반으로 정리하여 유지하고 사용자는 폴더를 변경하면서 필요한 폴더로 이동하여 데이터를 찾는 방법을 말한다. 따라서 브라우징은 사용자가 대략 데이터가 어느 폴더에 있는지 알고 있어야 한다. 반면에 검색은 데이터가 어디에 있는지 모르는 상태에서 찾는 것을 말한다. 따라서 다중 사용자 환경에서 브라우징을 이용하여 필요한 데이터를 찾는 것은 한계가 있다. 또 데이터의 내용을 숨기고 싶으면 파일 이름도 원래 이름을 사용할 수 없다.

데이터가 암호화되어 있으면 다양한 검색 기술을 직접 적용할 수 없다. 물론 색인 작업을 하는 검색 서버가 복호화키를 알고 있으면 기존 검색 기술을 그대로 적용할 수 있지만, 이 경우 검색 서버를 신뢰하여야 한다. **검색가능 암호화**(searchable encryption)[117]는 암호화된 데이터의 비밀성과 프라이버시를 보호한 상태(검색 서버를 포함하여)에서 효과적으로 검색할 수 있도록 해주는 기술이다. 이와 같은 환경에서 검색 서버는 프록시 재암호화와 마찬가지로 데이터 내용에 대해서는 궁금해하지만, 다른 모든 서비스에 대해서는 신뢰 있게 해동한다고 가정한다.

<그림 13.6> 키워드 기반 검색가능 암호화

지금까지 제안된 대부분의 검색가능 암호시스템은 그림 13.6처럼 동작하는 키워드 기반 검색만 지원하였다. 보통 데이터 생성자가 데이터를 검색할 때 사용할 키워드를 암호화하여 암호화된 데이터와 함께 저장한다. 질의자는 질의 키워드를 암호화하여 검색 서버에게 전달하면 검색 서버는 질의 키워드의 내용을 모르는 상태에서 암호화된 키워드와 비교하여 검색한다. 질의자가 검색 서버에 전달하는 암호화된 질의 키워드를 다른 말로 질의 트랩도어라 한다.

질의 트랩도어와 키워드 암호문과의 비교는 보통 순차 검색을 통해 이루어진다. 키워드 암호문을 색인하는 것을 생각할 수 있지만 질의 트랩도어를 이용하여 이 색인을 검색할 수 없으므로 가능한 방법이 아니다. 대신에 문서와 키워드 암호문을 연결하여 유지하는 것이 아니라 키워드 암호문마다 그것과 연관된 문서를 유지하면 검색이 문서 수에 비례하는 것이 아니라 키워드 수에 비례하게 된다. 또 검색할 키워드를 암호화하여 질의 트랩도어를 만들기 때문에 질의에 사용된 키워드와 저장된 키워드가 조금만 달라도 검색이 안 된다. 여러 개의 질의 트랩도어를 전달하여 다중 키워드 검색을 할 수 있지만 각 질의 트랩도어를 이용하여 검색한 후에 각 결과를 종합하는 수준밖에는 제공할 수 없다. 이와 같은 키워드 기반 검색의 한계를 극복하기 위한 여러 기법[117]이 제안되고 있지만 여기서는 초기 키워드 기반 검색만 살펴본다,

초기 키워드 기반 검색 기법 중 대칭키 기반도 있고, 공개키 기반도 있다. 대칭키 기반의 경우에는 키워드 암호문과 질의 트랩도어를 비교해서 키워드 일치 여부를 판단하므로 키워드 암호문을 생성할 때 사용하는 키와 질의 트랩도어를 생성할 때 사용하는 키가 같은 대칭키이다. 공개키 기반의 경우에는 공개키로 키워드 암호문을 생성하고, 개인키를 이용하여 질의 트랩도어를 생성한다. 보통 이들 기법에서 키워드 암호문은 확률적 암호화를 하지만 질의 트랩도어는 결정적 암호화를 한다. 이 경우 동일 키워드에 대한 질의 트랩도어가 변하지 않는다. 검색 서버는 보통 전달받은 질의 트랩도어를 별도 검증하지 않고, 받은 질의 트랩도어의 유효 여부와 상관없이 검색을 진행한다. 따라서 유효하지 않은 질의 트랩도어는 문서와 연관되어 있지 않은 키워드를 이용하여 검색하는 것과 차이가 없다. 검색 서버는 보통 질의 트랩도어가 아니라 다른 방법으로 사용자를 인증한다. 또 문서를 암호화하는 키와 검색가능 암호시스템에 사용하는 키는 연관될 필요는 없다.

검색가능 암호시스템은 전자우편과 데이터 아웃소싱에 활용할 수 있다. 전자우편의 경우 전자우편을 암호화하고 이를 검색하기 위한 키워드를 암호화하여 서버에 전달할 수 있으며, 사용자는 서버에 질의 트랩도어를 전달하여 원하는 메일을 검색할 수 있다. 데이터 아웃소싱에서는 저장 서버에 대한 신뢰를 줄이기 위해 데이터를 암호화하여 유지할 수 있으며, 이 데이터에 대한 검색을 위해 사용할 수 있다.

검색가능 암호시스템의 요구사항은 다음과 같다.

- R1. 검색 서버는 암호화된 문서의 내용을 알 수 없어야 한다.
- R2. 검색 서버는 암호화된 키워드의 내용을 알 수 없어야 한다.
- R3. 검색 서버는 사용자가 전달한 질의 트랩도어의 내용을 알 수 없어야 한다,
- R4. 유효한 질의 트랩도어는 오직 권한을 가지고 있는 사용자만 생성할 수 있어야 한다.

R4는 질의 트랩도어를 생성할 때 사용하는 키를 통해 제공한다.

검색가능 암호시스템은 저장하는 주체와 검색하는 주체에 따라 다음과 같이 분류할 수

있다.

- SWSR(Single-Writer-Single-Reader) 모델. 특정 사용자만 홀로 데이터를 저장할 수 있고, 검색할 수 있는 모델
- SWMR(Single-Writer-Multi-Reader) 모델. 특정 사용자만 홀로 데이터를 저장할 수 있지만 검색은 다수가 할 수 있는 모델
- MWSR(Multi-Writer-Single-Reader) 모델. 여러 사용자가 데이터를 저장할 수 있지만, 오직 한 사용자만 검색할 수 있는 모델
- MWMR(Multi-Writer-Multi-Reader) 모델. 여러 사용자가 데이터를 저장할 수 있고, 여러 사용자가 검색할 수 있는 모델

기본적으로 대칭키 방식은 SWSR 모델만 제공할 수 있다. 이 대칭키를 그룹키로 공유하면 다중 사용자 모델로 확장할 수 있지만 SWMR이나 MWSR을 제공하기는 어렵다. 공개키 방식은 기본적으로 MWSR 모델을 제공한다. 당연하지만 MWMR이 가능하도록 시스템을 설계하기가 가장 어렵다. 특히, 다중 사용자가 참여하는 경우 사용자의 가입과 탈퇴에 대한 처리까지 필요하다. 하지만 그룹 관리는 저장 서버와 분리하여 운영할 수 있으며, 이렇게 운영하는 것이 보안 측면에서 바람직하다. 보통 기업의 경우에는 데이터를 아웃소싱하더라도 외부 서버에 대한 의존도를 줄이기 위해 그룹 관리는 자체적으로 하는 것이 필요하다.

사용하는 암호기술이 안전하다고 가정하면 검색가능 암호시스템을 통해 정보를 어디까지 숨길 수 있는지 생각하여 보자. 첫째, 검색 서버는 암호화된 문서의 내용을 알 수 없다. 둘째, 저장된 키워드 암호문에 대한 키워드 추측 공격이 가능하지 않으면 특정 문서와 연관된 키워드를 알 수 없다. 셋째, 키워드 암호문은 보통 확률적 암호화 기법을 사용하므로 키워드 암호문의 비교를 통해서는 문서 간의 연관 관계를 알 수 없지만, 이 부분은 질의를 통해 어차피 노출된다. 예를 들어, 사용자의 특정 질의에 대해 특정 문서들이 해당 질의에 충족되었다면 이 문서들은 특정 키워드를 공유한 문서인 것은 서버에게 바로 노출된다.

넷째, 질의 트랩도어에 대한 키워드 추측 공격이 가능하지 않으면 질의 트랩도어에 포함된 키워드를 알 수 없다. 다섯째, 특정 질의 트랩도어와 연관된 문서의 수는 노출될 수밖에 없다. 여섯째, 특정 키워드에 대한 질의 트랩도어가 변하지 않으면 사용자의 질의 패턴이 노출된다.

실제 지금까지 제안된 여러 기법에서 동일 키워드에 대한 질의 트랩도어 값은 변하지 않는다. 따라서 질의의 불연결성을 제공하지 못하는 문제점이 있다. 질의 트랩도어를 서버에 전달할 때 안전한 채널로 전달할 수 있지만, 검색 서버에게는 여전히 노출될 수밖에 없다. 또한 암호화된 키워드와 암호화된 문서를 서로 바인딩할 수 없다. 질의자가 질의 트랩도어를 구성할 때 문서를 사용할 수 없으며, 특정 키워드는 여러 문서와 연관될 수 있으므로 바인딩하는 것 자체가 가능하지 않다. 이 때문에 색인 데이터베이스가 보호되지 않으면 여러 가지 방해 공격이 가능하다.

부록 _ 동형 암호

동형 암호는 암호화된 데이터를 복호화하지 않고 데이터에 필요한 계산을 수행할 수 있는 암호 방식을 말한다. 따라서 동형 암호화된 데이터에 어떤 연산을 적용한 후에 복호화하면 평문에 연산이 적용된 상태로 복호화된다. 동형 암호는 이 장에서 살펴본 데이터 아웃소싱에서 중요한 역할을 할 수 있다. 기밀 또는 프라이버시를 위해 외부에 암호화하여 유지한 데이터를 복호화하지 않고 필요한 연산을 수행할 수 있으므로 데이터가 불필요하게 노출되는 것을 방지할 수 있다.

동형 암호는 크게 다음과 같이 분류한다.

- 부분(partially) 동형 암호: 한 가지 연산만 제공하는 경우
- 완전(full) 동형 암호: 적용할 수 있는 연산에 제한이 없는 경우

부분과 완전 사이에 위치하는 동형 암호(somewhat, leveled fully)도 존재한다. 두 가지 연산만 제공하는 동형 암호도 있고, 임의 연산을 적용할 수 있지만 적용할 수 있는 횟수가 사전에 제한된 동형 암호도 존재한다. 동형 암호는 암호문을 조작하면 평문에 영향을 주는 형태이므로 본질적으로 NM 특성을 만족하지 못한다.

완전 동형 암호의 가능성은 Gentry가 양자 내성 암호기술로 고려하고 있는 격자 기반 암호기술을 사용하여 보였다[118]. 지금은 2017년에 천정희 등[119]이 제안한 방식이 가장 효과적인 완전 동형 암호로 인정되고 있으며, 라이브러리로 개발되어 프라이버시 보장 기계 학습에 활용되고 있다. 동형 암호는 이처럼 공개키 기술과 관련되어 있다. 하지만 평문에 직접 연산을 적용할 때 드는 비용과 비교하면 아직 성능이 우수하다고 말하기 어렵다.

채우기를 사용하지 않는 RSA, ElGamal 암호는 부분 동형 암호를 제공한다. ElGamal 암호를 통해 동형 암호를 간단히 살펴보자. 다음과 같이 m_1, m_2를 암호화한 두 ElGamal 암호문이 있을 때,

$$E_1 = (g_1^r,\ y_1^r m_1),\ E_2 = (g_2^r,\ y_2^r m_2)$$

이 두 암호문을 곱하면 다음을 얻게 된다.

$$E_1 E_2 = (g^{r_1+r_2},\ y^{r_1+r_2} m_1 m_2)$$

따라서 기본 ElGamal에서 암호문 두 개를 곱한 후 복호화하면 두 평문을 곱한 결과를 얻게 된다.

평문이 g^a, g^b일 때 두 암호문을 곱하면 다음을 얻게 된다.

$$E_1 E_2 = (g^{r_1+r_2},\ y^{r_1+r_2} g^{a+b})$$

따라서 암호문 두 개를 곱하면 평문의 지수가 덧셈이 되는 형태를 얻을 수 있다.

13장 퀴즈

1. 그룹 통신을 위해 여러 가지 암호기술을 사용할 수 있다. 그룹 크기가 n일 때 한 사용자가 동일 메시지를 그룹 멤버에게 보내고 싶다고 가정하고, 각 방법의 사용과 관련된 다음 설명 중 **틀린** 것은?

① 프록시 재암호화 기법을 사용하면 전송자는 자신의 공개키로 한 번만 암호화하면 된다. 대신에 프록시는 해당 사용자로부터 $n-1$개의 재암호화키를 받아 암호문을 $n-1$번 재암호화하고, 재암호화된 암호문을 각 사용자에게 유니캐스트로 전달해야 한다.
② LKH, OFT와 같은 기법을 이용하여 그룹 멤버 간의 그룹키를 확립한 다음, 그룹키로 메시지를 암호화한 암호문을 멀티캐스트하여 그룹 통신을 할 수 있다.
③ 모든 그룹 멤버에게 같은 속성이 포함된 개인키를 발급하고, 공통 속성으로 복호화할 수 있도록 메시지를 암호화한 속성기반 암호문을 멀티캐스트하여 그룹 통신을 할 수 있다.
④ $(2, n)$ 임계기반 비밀공유 기법을 사용하여 개인키를 그룹 멤버들과 공유한 다음, 대응되는 공개키로 암호화한 암호문을 멀티캐스트하여 그룹 통신을 할 수 있다.

2. 3명이 중앙 서버를 사용하지 않고 (2, 3) 임계기반 비밀공유를 하기 위해 각 사용자는 다음과 같은 다항식을 만들었다.

$$f_1(x) = 3x + 2,\ f_2(x) = 2x + 4,\ f_3(x) = 4x + 1$$

사용자 2가 사용자 1과 사용자 3으로부터 받는 값은 무엇이며, 사용자 2의 최종 몫은 다음 중 어느 것인가?

① 8, 9, 25
② 5, 5, 16
③ 11, 13, 34
④ 8, 8, 25

3. 키워드 기반 검색가능 암호시스템에 대한 다음 설명 중 **틀린** 것은?

① 각 문서와 연관된 키워드 암호문과 질의 트랩도어를 비교하여 검색 키워드와 연관된 문서를 찾는다.

② 키워드 암호문을 확률적 암호화하는 이유는 두 문서와 연관된 키워드 암호문 목록을 비교하더라도 서로 연관된 문서인지 알 수 없도록 하는 것인데, 이 정보는 어차피 검색 결과를 통해 노출된다. 이 때문에 확률적 암호화 대신에 결정적 암호화를 하고 해당 키워드와 연관된 문서 목록을 유지하는 것이 더 효과적이다.

③ SWSR, SWMR, MWSR, MWMR 모델과 무관하게 검색가능 암호화에 사용하는 키는 검색 서버와 별도로 관리해야 한다.

④ 질의 트랩도어를 확률적 암호알고리즘을 이용하여 생성하면 질의 패턴을 검색 서버로부터 숨길 수 있다.

4. 아웃소싱 데이터에 대한 무결성 검증 서비스와 관련된 다음 설명 중 **틀린** 것은?

① 사용자는 데이터마다 무결성 검증을 위한 값을 유지하고 있어야 서비스할 수 있으며, 데이터를 로컬에 유지하고 있지 않다고 가정한다.

② 이 서비스에서 서버를 신뢰할 수 없으므로 서버는 매번 사용자가 확인할 검증 코드를 새롭게 계산하여 전달하도록 하는 것이 효과적이다.

③ 서버가 검증 코드를 효과적으로 계산할 수 있도록 전체 데이터가 아니라 데이터 일부만 이용하여 계산하도록 하는 것이 필요하다.

④ 데이터가 암호화되어 있으면 무결성 검증 서비스를 제공하기 어렵다.

5. 임계기반 비밀공유 기법과 관련된 다음 설명 중 **틀린** 것은?

① 대칭키는 사용할 때 완전한 형태가 필요하므로 여러 번 사용할 수 없어 임계기반 비밀공유하여 활용하기 어렵다.

② (t, n) 임계기반 비밀공유를 하고 싶으면 t차 다항식이 필요하다.

③ 중앙 서버가 몫을 계산하여 나누어 주지 않고 분산 방식으로 비밀을 공유하고 싶으면 각 참여자는 스스로 정해진 차수의 다항식을 랜덤하게 만들어 다른 참여자에게 해당 다항식의 값을 하나 주면 된다. 참여자는 이들 값을 모아 최종 공유할 비밀값의 몫을 계산할 수 있다.

④ (n, n)은 가용성 때문에 $(1, n)$은 권한 분산이 아니므로 보통 사용하지 않는다.

연습문제

1. 전자서명 측면에서 일반 서명과 signcryption의 차이를 설명하라.

2. 비용을 절감하기 위해 데이터를 직접 통제할 수 없는 외부 서버에 유지하는 경우가 많아지고 있다. 이를 데이터 아웃소싱이라 한다. 데이터를 아웃소싱할 때 외부 서버에 대한 신뢰가 매우 중요하다. 하지만 외부 서버를 완전히 신뢰하기 힘들며, 외부 업체가 충분히 신뢰할 수 있는 업체라 하여도 그 서버에 접근 권한을 가지고 있는 모든 직원을 신뢰하기는 어렵다. 따라서 데이터를 아웃소싱하였을 때 데이터를 암호화하여 유지하고 싶은 욕구가 많다. 이를 위해 3.1에서 제시한 다음 두 가지 방법을 사용한다고 가정하자.

- 방법 1. 데이터마다 새로운 대칭키를 생성하고, 이 키를 공개키로 암호화하여 암호화된 데이터와 함께 유지하는 방법
- 방법 2. 하나의 대칭키로 모든 데이터를 암호화하고, 해당 대칭키를 로컬에 사용자가 안전하게 유지하는 방법

이와 관련하여 다음 각각에 대해 답변하라.

① 방법 1과 방법 2 둘 다 AES-CTR 모드로 데이터를 암호화한다고 가정하자. 그러면 암호화하지 않았을 때와 암호화하였을 때 공간 사용의 차이가 있는지 설명하라, 단, 키 유지를 위한 비용은 여기서 고려하지 않는다.

② 안전성 측면에서 방법 2는 어떤 문제가 있는지 설명하라.

③ 방법 1을 사용하였을 때 프록시 암호기법을 이용하여 공유 문제를 해결하고 싶다. 데이터를 저장한 주체가 A이고, 특정 데이터를 B와 공유하고 싶으면 어떻게 해야 하는지 간단히 설명하라. 또 이 경우 문제점은 무엇인지 설명하라.

3. 데이터 아웃소싱과 관련하여 원격에 있는 데이터가 변경되지 않았다는 것을 확인하고 싶다. 하지만 이때 파일 자체를 다운받아 확인하는 것이 번거로울 수 있다. 이 경우에도 서버는 변경된 사실을 숨기고 싶을 수 있다. 이를 위해 사용자가 해당 파일의 해시값을 유지하는 방법을 생각해 볼 수 있다. 다음 각각에 대해 간단히 답하라.

① 서버는 원래 이 기법에서 매번 요청이 있을 때마다 새롭게 해시값을 계산하여 주어야 한다. 하지만 변경된 사실을 숨기고 싶으면 서버는 어떻게 하면 숨길 수 있는지 설명하라.

② 위 문제를 극복하기 위해 해시값 대신에 MAC값을 사용하고자 한다. 즉, 요청할 때마다 사용자는 새 대칭키를 주어 계산하도록 한다. 이것의 문제점을 설명하라.

4. 그림 13.2와 13.4에 제시된 기법, Ateniese 등 기법은 파일이 n개 블록으로 구성되어 있을 때, 이 중에 c개 블록의 무결성만 확인하는 형태이다. 95% 이상의 확신을 가지기 위해 확인해야 하는 c의 수는 확률을 이용하여 계산할 수 있다. n개 블록 중 m개가 조작되었을 경우 랜덤하게 선택한 c개 중에 조작된 블록이 포함될 확률을 제시하라.

5. 프록시 재암호화 기법에서 사용하는 두 단계 암호화 수준을 설명하라. 특히, 비추이성을 위해 왜 두 단계 암호화가 필요한지 설명하라.

6. 비밀공유 기법에서 (t, n) 임계기반 기법을 만들 때 다항식의 역할을 설명하라.

제14장

고급 암호기술 2부: 고급 전자서명 기술, 프라이버시 보호 기술

제 14 장 고급 암호기술 2부: 고급 전자서명 기술, 프라이버시 보호 기술

14.1 영지식 증명

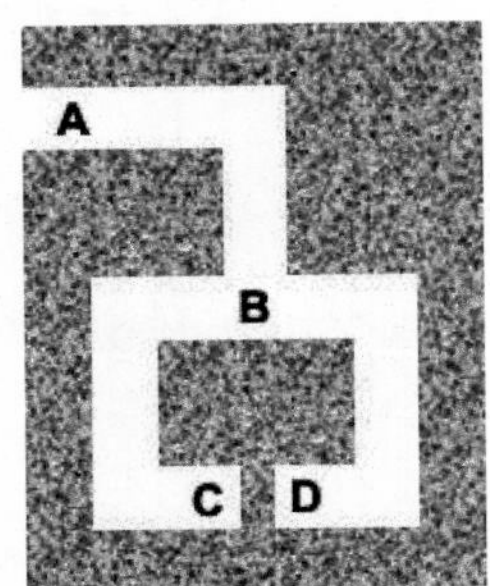

<그림 14.1> 동굴의 비밀문

영지식(zero-knowledge) **증명**은 알고 있는 것을 알려주지 않고, 알고 있음을 증명하여 주는 기법이다. 영지식 증명을 통해 참여자는 상대방이 해당 사실을 알고 있다는 것을 알게 되므로 영지식이라는 용어는 오해의 소지가 있다. 영지식 증명의 또 다른 특징은 증명에 참여하더라도 증명자가 해당 사실을 알고 있다는 것을 다른 사용자에게 증명할 수 없다. 암호기술에서는 특정 공개키에 대응되는 개인키를 노출하지 않고 알고 있음을 증명할 수 있다. 이와 같은 증명은 영지식 증명에 해당한다.

영지식 증명을 설명할 때 가장 많이 사용하는 예가 동굴의 비밀문이다[120]. 그림 14.1과 같은 구조의 동굴이 있다고 하자. 이 동굴의 가장 안쪽은 벽으로 막혀 있어 들어갔던 방향으로 다시 되돌아 나와야 한다. 하지만 Alice는 가장 안쪽 벽에 숨겨져 있는 비밀문을 여는 비밀주문을 알고 있다. Alice는 이 사실을 Bob에게 증명하고 싶지만, 비밀주문을 알려주고 싶지는 않다. 이를 위해 다음과 같은 과정을 n번 반복하여 증명한다.

- 단계 1. Alice와 Bob은 모두 A 위치에서 시작한다.
- 단계 2. Alice는 혼자 C나 D 위치로 이동한다. Bob은 동굴의 구조 특성 때문에 Alice가 어느 쪽으로 이동하였는지 알 수 없다.
- 단계 3. Bob은 일정 시간 이후 B 위치로 이동한다.
- 단계 4. Bob은 왼쪽 또는 오른쪽 중 한쪽으로 나오라고 요청한다.
- 단계 5. Alice가 Bob이 요구한 방향으로 나오면 이 라운드는 성공한 라운드가 된다.

Alice가 실제 비밀주문을 알고 있다면 단계 3에서 들어간 방향과 상관없이 항상 성공할 수 있다.

이 증명의 특징을 살펴보자. 단계 3에서 Alice가 들어간 방향과 Bob이 나오라고 요청한 방향이 같으면 비밀주문을 모르더라도 이 라운드는 성공할 수 있다. 즉, 비밀주문을 모르더라도 한 라운드에서 성공할 수 있는 확률은 50%가 된다. 비밀주문을 모르는 상태에서 총 10번의 라운드를 수행하여 모든 라운드에서 성공할 확률은 $1/2^{10}$이다. 따라서 10번을 연속 성공하였다면 Bob은 Alice가 비밀주문을 알고 있다고 확신(99.9%)할 수 있다. 이 증명의 또 다른 특징은 Bob이 10번의 과정을 녹화하여 다른 사람에게 보여주더라도 다른 사람은 Alice가 비밀주문을 알고 있다고 확신할 수 없다. 그 이유는 Alice와 Bob이 사전에 약속하고 녹화할 수 있기 때문이다. 참고로 영지식으로 증명하지 않아도 되면 더 간단하고 효율적으로 비밀주문을 알고 있다고 증명할 수 있다.

영지식 증명의 요구사항은 다음과 같다.

- R1. 완전성(completeness): 증명하고자 하는 명제가 참이고 증명자와 확인자가 정직하면 증명은 통과해야 한다.
- R2. 건전성(soundness): 증명하고자 하는 명제가 거짓이면 부정한 증명자는 확인자를 속일 수 없어야 한다.
- R1. 영지식(zero knowledge): 증명하고자 하는 명제가 참이면 확인자가 얻게 되는 것은 그것이 참이라는 것 외에는 없어야 한다.

앞서 제시한 동굴 예처럼 증명자와 확인자 간에 상호작용을 통해 이루어지는 영지식 증명은 비전이성(non-transferability)을 만족한다. 비전이성이란 증명에 참여한 확인자가 다른 사람에게 증명자가 알고 있음을 증명할 수 없다는 것을 말한다.

14.1.1 이산대수 영지식 증명

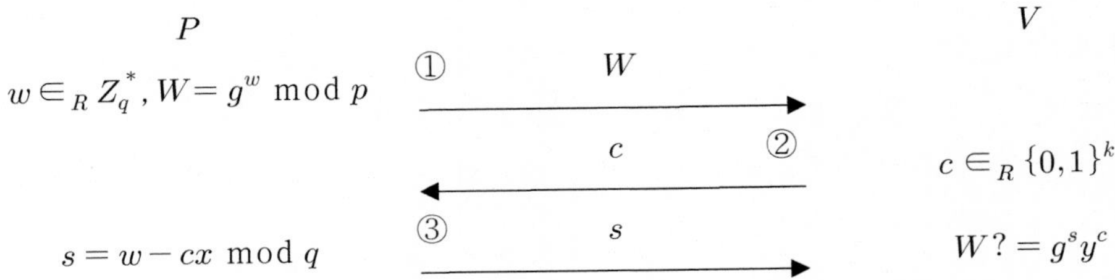

<그림 14.2> 상호작용 방식의 이산대수 영지식 증명 프로토콜

이산대수 기반 공개키 방식의 경우 이산대수 문제가 계산적으로 어려운 순환군의 생성자 g를 선택하고, 그 군의 위수 범위 내에 있는 임의의 수 x를 개인키, $y = g^x$를 공개키로 사용한다. 이때 개인키의 소유자는 y에 대응되는 개인키를 알고 있다고 그림 14.2와 같은 프로토콜을 이용하여 개인키를 보여주지 않고 증명할 수 있다[69]. 그림 14.2의 프로토콜은 이산대수 문제가 계산적으로 어려운 Z_p^*의 위수가 소수 q인 부분군 $G_q = \langle g \rangle$을 사용한다고 가정하자. 이 프로토콜의 완전성은 다음과 같이 확인할 수 있다.

$$W = g^w ? = g^s y^c = g^{w-cx} g^{xc} = g^w$$

영지식 증명에 참여한 확인자는 증명자가 해당 이산대수를 알고 있다고 다른 사용자에게 재차 증명할 수 없다. 이것은 그림 14.2에 제시된 프로토콜의 트랜스크립트와 구분할 수 없는 트랜스크립트를 그림 14.3과 같이 만들어 제시할 수 있기 때문이다.

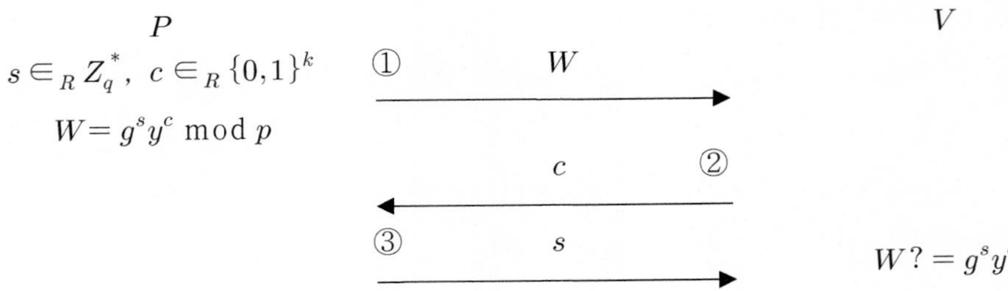

<그림 14.3> 상호작용 방식의 이산대수 영지식 증명 프로토콜에 대한 가짜 트랜스크립트

이 증명은 증명자가 c를 예측할 수 있으면 그림 14.4에 제시된 방법을 통해 기저 g에 대한 y의 이산대수를 모르더라도 증명할 수 있다. 따라서 c가 k 비트이면 c를 예측할 수 있는 확률이 $1/2^k$이며, 이 프로토콜의 안전성은 이 값에 의존한다.

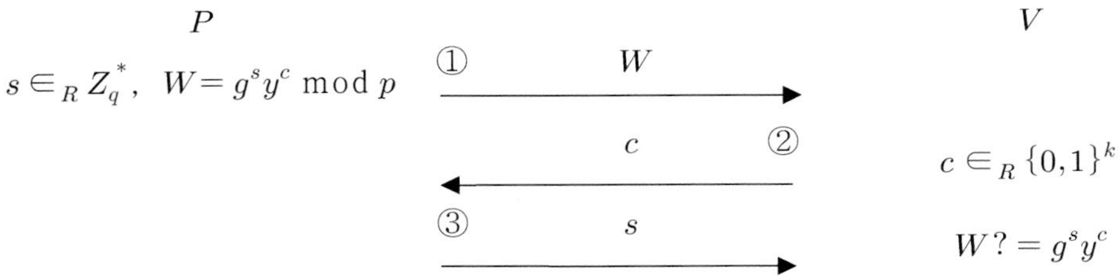

<그림 14.4> c의 예측을 통한 상호작용 방식의 이산대수 영지식 증명 프로토콜

이 증명에서 증명자는 항상 다른 w를 선택하여 프로토콜을 진행해야 한다. 같은 w를 두 번 사용하면 공격자는 두 개의 트랜스크립트를 이용하여 y의 이산대수 x를 다음 두 식을 이용하여 계산할 수 있다.

$$s = w - cx,\ s' = w - c'x$$

P　　　　　　　　　　　　　　　　V

$w \in_R Z_q^*, W = g^w \bmod p$

$c = H_k(g \| y \| W)$

$s = w - cx \bmod q$　　① $c,\ s$ →　　$c ?= H_k(g \| y \| g^s y^c)$

<그림 14.5> 비상호작용 방식의 이산대수 영지식 증명

일반적인 영지식 증명은 증명자와 확인자 간에 상호작용하는 프로토콜이다. 하지만 대부분의 영지식 증명은 일방향 해시함수를 이용하여 그림 14.5와 같이 상호작용 없이 증명자가 홀로 증명하는 방식으로 바꿀 수 있다. 이산대수를 모르는 사용자가 $c = H_k(g \| y \| g^s y^c)$를 만족하는 c를 찾을 수 있으면 가짜 영지식 증명을 만들 수 있다. 이를 위해 임의의 c를 선택한 후 반복적으로 c를 바꾸어 가면서 $H_k(g \| y \| g^s y^c)$를 계산하여 이 값이 c가 되는 것을 찾아야 한다. 이것을 찾을 수 있는 확률은 상호작용 버전과 마찬가지로 c의 길이에 의해 결정되므로 두 버전의 안전성은 같다. 이 증명에서 c를 계산할 때 메시지 m을 포함하면 전자서명으로 활용할 수 있다.

비상호작용 영지식 증명은 보통 누구나 확인할 수 있으므로 상호작용 버전이 가지고 있던 비전이성 특성이 사라진다. 하지만 비상호작용 영지식 증명을 만들 때 특정 확인자만 확인할 수 있도록 증명을 구성할 수 있다. 지정된 확인자만 알고 있는 정보가 없으면 증명을 확인할 수 없으므로 이 경우에는 비상호작용 버전도 여전히 비전이성이 제공된다.

영지식 증명은 어떤 값이 지닌 특성을 그 특성을 보여주지 않고 증명하기 위한 암호기술로 많이 사용한다. 예를 들어 $A=g^a$, $B=h^a$가 있을 때, 증명자는 a를 제시하지 않고 $\log_g A$와 $\log_h B$가 같음을 영지식으로 증명할 수 있다. 영지식 증명은 최근에는 프라이버시를 강화하기 위한 기술로도 많이 활용하고 있다. 예를 들어, 영지식 증명을 이용하면 실제 나이를 제시하지 않고 성인임을 증명할 수 있고, 고가의 부동산 거래에서도 민감한 사적 데이터를 제시하지 않고 충분한 재산을 가지고 있음을 증명할 수 있다.

14.1.2 영지식 증명 관련 최신 기술 동향

비트코인 등장 이후 학술 논문에서만 머물던 많은 암호기술이 지금은 실제 대중이 사용하는 서비스에 활용되고 있다. 이와 같은 기술 중 대표적인 것이 바로 영지식 증명이다. 특히, 암호화폐에서 사용자의 프라이버시를 더욱 강화하기 위한 목적으로 영지식 증명 기술을 사용하고 있다. 초기 영지식 증명은 증명할 수 있는 것이 제한적이었고, 증명하고자 하는 것에 따라 증명하는 방법이 달라졌다. 하지만 기술이 발달하여 현재는 더 이상 제한적이지 않으며, 범용적으로 사용할 수 있는 기술로 진화하였다.

현재 암호화폐에서 활용되고 있는 영지식 증명은 **zk-SNARK**(zero-knowledge Succint Non-interactive ARgument of Knowledge)[121]와 **zk-STARK**(zero-knowledge Succint Transparent ARgument of Knowledge)[122]이다. 여기서 succint라는 것은 증명이 간결하다는 것이다. 증명이 간결하므로 매우 빠르게 검증할 수 있다. 그런데 zk-SNARK는 증명자의 능력을 제한하고 있다. 즉, 증명자가 무한한 컴퓨팅 자원과 시간이 있으면 증명을 위조할 수 있다. zk-SNARK는 특정 수학적 기반의 영지식 증명이므로 일반 내용을 영지식으로 증명할 때 바로 사용할 수 없다. 이 때문에 프론트엔드, 백엔드 개념으로 확장되었다. zk- SNARK에서 프론트엔드는 컴파일러 역할을 하며, 각 응용에서 증명하고자 하는 것을 zk-SNARK를 구현한 백엔드가 처리할 수 있도록 번역하여 준다.

14.2 은닉채널

합법적인 메시지에 송신자와 수신자만이 알 수 있는 내용을 포함하여 교환할 수 있으면 송신자와 수신자 사이에 은닉 채널(subliminal channel)이 있다고 말한다. Simmons는 합법적인 전자서명 메시지에 은닉 채널을 포함할 수 있다는 것을 발견하였다[123]. 정보보호 측면에서는 서명에 은닉채널을 포함할 수 없도록 만들어야 한다.

14.3 특수 서명 프로토콜

14.3.1 부인불가 서명

보통의 전자서명은 서명의 확인키를 갖고 있으면 누구든지 서명을 확인할 수 있다. 이와 달리 **부인불가 서명**(undeniable signature)은 서명자의 협조가 없으면 서명을 확인할 수 없다[124]. 이 기능을 이용하면 서명을 확인할 수 있는 사용자를 제한할 수 있다. 하지만 확인해야 하는 확인자 입장에서는 서명자의 도움이 없으면 확인할 수 없으므로 서명자가 서명하였음에도 부인할 수 있다. 따라서 부인불가 서명은 이름에 나타나 있듯이 서명자는 확인자와 프로토콜을 진행하여 서명의 유효성을 확인해 줄 수 있을 뿐만 아니라 본인이 서명한 것이 아니라면 부인을 할 수 있다. 부인한다는 것은 주어진 서명값이 메시지 m에 대한 자신의 서명이 아니라는 것을 증명할 수 있다는 것이다.

부인불가 서명은 서명 알고리즘, 서명 확인 프로토콜, 부인 프로토콜 3가지로 구성되어 있다. 부인불가에서 서명 확인 프로토콜은 다음과 같은 요구사항을 가지고 있다.

- R1. 확인자는 주어진 서명이 특정 메시지에 대한 서명자의 유효한 서명임을 확인할 수 있다.
- R2. 프로토콜에 참여한 확인자도 다른 사람에게 주어진 서명이 특정 메시지에 대한 서명자의 유효한 서명임을 확인해 줄 수 없다.

부인 프로토콜도 유사한 요구사항을 가지고 있다. 즉, 해당 서명이 특정 메시지 m에 대한 본인의 서명이 아니면 이를 확인자에게 확인시켜 줄 수 있다. 하지만 확인자는 이를 다른 사람에게 재차 확인해 줄 수는 없다.

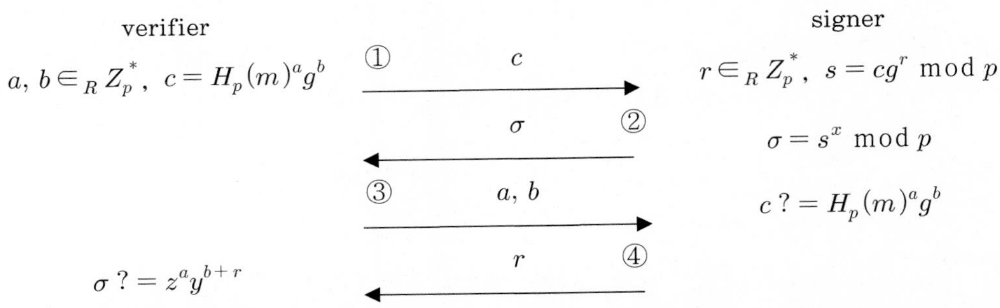

<그림 14.6> Chaum의 부인불가 서명의 서명 확인 프로토콜

Chaum의 부인불가 서명에서 서명자의 서명키는 $x \in Z_p^*$이며, 공개키 $y = g^x \bmod p$이다. 메시지 m에 대한 서명값은 $z = H_p(m)^x \bmod p$이다. 확인 프로토콜은 그림 14.6과 같이 진행된다. 여기서 다음이 성립하므로 이 프로토콜은 정확하다.

$$\sigma = s^x = (cg^r)^x = (H_p(m)^a g^v)^x g^{rx} = (H_p(m)^x)^a (g^x)^{b+r} = z^a y^{b+r}$$

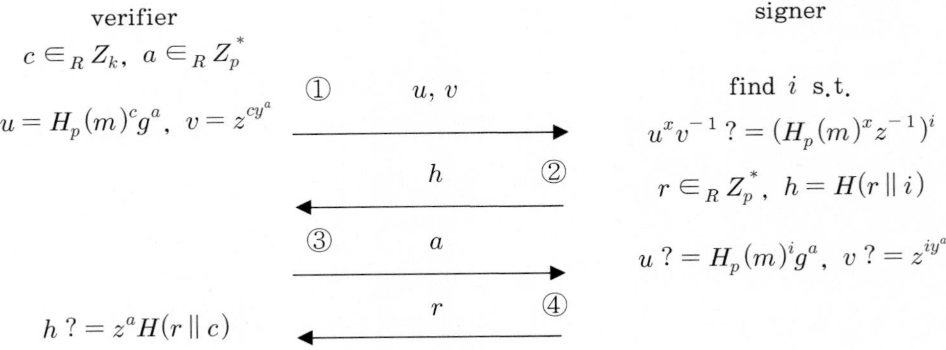

<그림 14.7> Chaum의 부인불가 서명의 서명 부인 프로토콜

Chaum의 부인불가 서명의 서명 부인 프로토콜은 그림 14.7과 같다. 여기서 $z \neq H_p(m)^x$임을 서명자는 증명하고 있다. 다음이 성립하므로

$$u^x v^{-1} = (H_p(m)^c g^a)^x (z^c g^{xa})^{-1} = (H_p(m)^x)^c (z^{-1})^c = (H_p(m)^x z^{-1})^c$$

$z = H_p(m)^x$ 이면 $u^x v^{-1} = 1$ 이므로 i를 찾을 수 없다. 거꾸로 $z \neq H_p(m)^x$ 이면 추측하는 방법 외에는 찾을 방법이 없다. 이 프로토콜에서 k를 1,023으로 결정하였고, 이 프로토콜을 10번 수행한다면 z가 유효한 자신의 서명임에도 우연히 i를 찾아 모두 성공할 확률은 매우 낮다.

Boyar 등은 부인불가 서명을 일반 서명으로 전환할 수 있는 전환 가능 부인불가 서명(convertible undeniable signature)을 제안하였다[125]. 서명자가 특정한 값을 공개하면 부인불가 서명이 일반 서명으로 전환되며, 누구든지 서명자의 협조 없이 서명의 유효성을 확인할 수 있다.

14.3.2 지정된 확인자 서명

지정된 확인자 서명(designated confirmer signature)[126]은 부인불가 서명과 일반 서명의 절충안이다. 부인불가 서명은 서명자의 협조가 없으면 서명을 확인할 수 없는 반면에 일반 서명은 누구나 확인키를 이용하여 확인할 수 있다. 지정된 확인자 서명에서 확인자는 부인불가 서명과 마찬가지로 서명자의 협조가 있으면 서명의 유효성을 확인할 수 있으며, 서명자가 지정한 사용자의 협조가 있어도 서명의 유효성을 확인할 수 있다.

14.3.3 프록시 서명

프록시 서명(proxy signature)은 서명자가 자신의 서명키를 지정된 프록시에게 주지 않고, 자신을 대신하여 서명할 수 있도록 해주는 기법이다[127]. 프록시 서명의 요구사항은 다음과 같다.

- R1. 구별가능성: 프록시 서명과 일반 서명을 구분할 수 있어야 한다.
- R2. 위조불가능성: 원 서명자와 지정된 프록시 서명자만 유효한 프록시 서명을 생성할 수 있어야 한다.
- R3. 프록시 서명자는 프록시 서명이 아닌 실제 서명은 할 수 없어야 한다.
- R4. 확인가능성: 확인자는 프록시 서명으로부터 원 서명자의 서명된 메시지에 대한 동의를 확인할 수 있어야 한다.
- R5. 식별가능성: 원래 서명자는 프록시 서명을 통해 프록시 서명자를 확인할 수 있어야 한다.

- R6. 부인불가능성: 프록시 서명자는 자신이 서명한 프록시 서명을 부인할 수 없어야 한다.

요구사항 2에 따라 원 서명자는 프록시 서명을 할 수 있으면 책임을 프록시 서명자에게 전가할 수 있는 문제점이 있다. 특히, 이 요구사항은 요구사항 6과 충돌되는 측면이 있다. 요구사항 5는 다수의 프록시가 존재할 수 있다는 것을 의미한다.

14.3.4 일괄 서명

일괄 서명(batch signature)은 한 서명자가 동시에 여러 개의 다른 메시지를 효율적으로 서명할 수 있도록 해준다[91]. n개의 서로 다른 메시지에 대해 각각 개별 서명하는 것보다 저렴한 비용으로 n개의 메시지에 대한 서명을 생성할 수 있도록 해준다. Pavloski와 Boyd [128]는 머클 해시트리를 이용한 일괄 서명 기법을 제안하였으며, 이 기법은 문서의 개수와 상관없이 항상 한 번의 서명만 진행한다. 해시 트리에 포함된 특정 문서에 대한 서명을 제시하고 싶으면 루트에 대한 서명, 문서가 포함된 단말 노드부터 루트 노드까지 가는 경로에 있는 형제 노드의 값을 제시해야 한다. 총 $\log n$개 정보를 루트에 대한 서명값과 함께 제시해야 하므로 확장성이 있는 기법이다.

14.3.5 다중 서명

다중 서명(multi-signature)은 n명의 서로 다른 서명자가 같은 메시지에 대해 서명하지만, 그 결과가 n개의 서명이 아니라 하나의 서명을 얻게 되는 서명 기법을 말한다. 따라서 n개의 서명 대신에 하나의 서명을 확인하여 n명이 서명한 사실을 확인할 수 있다. 다음은 Boldyreva가 제안한 겹선형 사상을 이용한 다중 서명 기법이다[129]. 이 기법은 위수가 소수 q인 타원곡선군 $G_1 = \langle P \rangle$와 곱셈군 $G_2 = \langle g \rangle$를 사용하며, 두 군의 위수는 같다. $H: \{0, 1\}^* \rightarrow G_1$는 충돌회피 해시함수이며, $\hat{e}: G_1 \times G_2 \rightarrow G_2$는 겹선형 사상이다.

- 각 사용자 i의 개인키, 공개키: $x_i \in_R Z_q^*$, $Y_i = x_i P$
- 다중 서명 공개키: $Y = \sum_i Y_i = \left(\sum_i x_i\right) P$
- 메시지 m에 대한 각 사용자의 서명: $S_i = x_i H(m)$

- 다중 서명: $S = \sum_i S_i = \left(\sum_i x_i\right) H(m)$
- 다중 서명에 대한 확인: $\hat{e}(P, S) ? = \hat{e}(Y, H(m))$

참고로 P는 위수가 소수 q인 타원곡선군의 생성자이고, $x \in_R Z_q^*$가 주어졌을 때 xP는 P를 x번 더한 값이다. $Q = xP$일 때, 곱셈군에서 이산대수 문제와 마찬가지로 군 정보, Q, P가 주어지더라도 x를 찾는 것은 계산적으로 어렵다. 이를 타원곡선 기반 이산대수 문제라 한다. 겹선형 사상 $\hat{e}$은 타원 곡선 군의 원소 두 개를 받아 곱셈군 원소로 매핑하여 주는 함수이며, $\hat{e}(aP, bQ) = \hat{e}(P, Q)^{ab}$가 성립한다. 겹선형 사상은 원래 이산대수 문제를 사용하는 암호기술을 공격하기 위한 도구로 사용되었지만, 지금은 암호기술을 구현하는 기초 기술로 더 널리 사용하고 있다. 실제 Joux가 제한한 3자 간 자체 강화 방식의 키 동의 프로토콜도 겹선형 사상을 이용하고 있다.

14.3.6 결합 서명

결합 서명(multi-signature)은 n명의 서로 다른 서명자가 n개의 서로 다른 메시지에 대해 서명하지만, 그 결과가 n개의 서명이 아니라 하나의 서명을 얻게 되는 서명 기법을 말한다. 따라서 n개의 서명 대신에 하나의 서명을 확인하여 n개의 서로 다른 메시지에 대한 n명의 서명을 확인할 수 있다. 다음은 Boneh 등의 겹선형 사상을 이용한 결합 서명 기법이다[130]. 이 기법에서 G_1, G_2, H, $\hat{e}$는 이전 절에서 제시한 Boldyreva의 다중 서명에서 사용한 것과 같다.

- 각 사용자 i의 개인키, 공개키: $x_i \in_R Z_q^*$, $Y_i = x_i P$
- 결합 서명 공개키: $Y = \sum_i Y_i = \left(\sum_i x_i\right) P$
- 메시지 m_i에 대한 각 사용자의 서명: $S_i = x_i H(m_i)$
- 결합 서명: $S = \sum_i S_i = \sum_i x_i H(m_i)$
- 결합 서명에 대한 확인: $\hat{e}(P, S) ? = \prod_i^n \hat{e}(Y_{i,} H(m_i))$

14.3.7 일괄 확인

일괄 서명은 서명자의 서명 계산 비용을 줄이기 위한 수단이다. 다중 서명과 결합 서명은 서명 크기를 줄여주는 효과도 있지만 확인하는 비용을 줄여주는 측면도 있다. 따라서 다중 서명과 결합 서명은 일괄 확인 기능을 가지고 있는 서명 기법이다. 일괄 확인은 개별 서명을 별도 확인하지 않고, 결합한 다음에 한 번에 확인할 수 있다. 보통 여러 개의 서명을 확인해야 하는 확인자는 확인 비용을 줄이기 위해 이들을 개별 확인하지 않고 결합한 후에 확인할 수 있다.

응용에 따라 차이가 있을 수 있지만 일괄 확인하였을 때 결과가 실패이면 어떤 서명 또는 서명들 때문에 실패하였는지 알아야 할 수 있다. 이와 같은 응용에서는 이 측면 때문에 일괄 확인을 통해 얻고자 한 효과를 얻지 못할 수 있으며, 공격자는 일부로 유효하지 않은 서명을 포함해 방해 공격을 할 수 있다. 이 때문에 보통 개별 확인한 서명을 결합하여 결합 서명을 만들며, 최초 개별 확인한 사용자를 제외한 다른 사용자들은 매우 효과적으로 증명을 확인할 수 있도록 해주는 용도로 많이 사용한다. 블록체인을 이용한 암호화폐에서도 일괄 확인을 이용하여 블록에 포함된 모든 서명을 개별 확인하는 것이 아니라 이들 서명을 결합한 하나의 서명만 확인하여 한 블록에 있는 모든 서명의 유효성을 효율적으로 확인하는 데 활용하고 있다.

14.4 전자서명과 프라이버시

전자서명은 인증을 목적으로 하므로 본질적으로 서명한 주체를 명확하게 알 수 있어야 한다. 하지만 때에 따라 적법한 사용자가 서명한 것이지만 어떤 특정 사용자가 서명한 것인지 모르게 하고 싶을 수가 있다. 이때 사용하는 기술이 익명 인증 기술이다.

14.4.1 익명ID와 익명 인증서

전자서명은 공개키 기반 기술이며, 공개키 방식은 크게 인증서 기반 방식과 신원 기반 방식으로 나누어질 수 있다. 인증서 기반의 경우 인증서 주체 정보에 사용자의 실명을 보통 사용한다. 하지만 사용자의 실명 대신에 다양한 정보와 공개키를 바인딩하여 활용할 수 있다. 예를 들어, 청소년들이 특정 사이트를 사용하기 위해서는 부모 동의가 필요할 때가 있다. 자녀들이 부모 동의 없이 쉽게 해당 사이트를 사용할 수 없도록 가족 관계를 증명하는 인증서를 부모에게 발급할 수 있다, 자녀가 부모 동의가 필요한 사이트에 ID를 발급받고 싶을 때 이 인증서를 활용할 수 있다. 예를 들어, 해당 사이트는 청소년의 부모에게 이메일이나 SMS를 보낼 수 있으며, 부모는 링크를 따라 가족 관계를 증명하는 인증서를 보내고, 대응되는 개인키로 ID 발급에 동의하는 서명을 할 수 있다.

프라이버시를 위해 인증기관이 실명 대신에 익명으로 인증서를 발급할 수 있다. 신원 기반 방식의 경우에는 사용자의 신원 정보 대신에 익명 정보를 이용하여 개인키를 발급하여 줄 수 있다. 이 방식은 항상 같은 익명이나 같은 인증서를 사용하면 불연결성을 제공하지 못한다는 문제점을 가지고 있다. 따라서 강한 프라이버시를 제공하기 위해서는 다수의 익명 인증서나 다수의 개인키를 발급받아야 하는 불편함이 있다. 사용자 입장에서는 다수의 인증서나 다수의 개인키를 관리 및 유지하여야 하며, 주기적으로 재발급을 받아야 하므로 사용하는 것이 불편할 수 있다. 이와 같은 기법에서 조건부 익명성은 발급하는 기관이 실제 신원과 익명 쌍을 유지하여 제공할 수 있다. 하지만 이 경우에도 해당 기관이 익명을 철회할 수 있는 권한을 남용할 수 없게 하는 조치가 필요하다.

14.4.2 그룹 서명

그룹 서명(group signature)은 그룹 관리자와 그룹 멤버가 참여하며, 다음과 같이 진행한다[131]. 그룹 관리자는 각 그룹 멤버에게 그룹 개인키를 발급한다. 각 사용자가 받게 되는 키는 다르다. 각 그룹 멤버는 자신이 받은 그룹 개인키를 이용하여 그룹 서명을 할 수 있다. 그룹 공개키를 이용하면 누구나 그룹 서명을 확인할 수 있으나 어떤 멤버가 서명하였는지 알 수 없다.

그룹 서명의 요구사항은 다음과 같다.

- R1. 그룹의 멤버만 서명할 수 있다.
- R2. 확인자는 그룹의 멤버 중 한 명이 서명하였다는 것을 확인할 수 있지만 누가 실제로 서명하였는지는 알 수 없다.

- R3. 두 개의 그룹 서명이 주어졌을 때 같은 멤버가 서명한 것인지 알 수 없다.
- R4. 그룹 멤버들이 공모하여도 다른 특정 그룹 멤버가 서명한 것으로 옭아맬 수 없다.
- R5. 분쟁이 발생하면 실제 서명자를 밝힐 수 있다.

그룹 서명은 요구사항 3에 의해 불연결성을 제공하므로 강한 프라이버시를 제공하는 기법이다. 또 요구사항 5 때문에 그룹 서명은 기본적으로 조건부 익명성을 제공하는 기법이다.

그룹 개념이므로 그룹 멤버의 변경을 적절히 처리할 수 있어야 한다. 특히, 그룹 멤버가 탈퇴하면 그 멤버는 더 이상 그룹 서명을 할 수 없어야 한다. 보통 철회된 멤버를 제외한 다른 모든 멤버들에게 값을 전달해 주며, 이들은 이 값을 이용하여 자신의 그룹 개인키를 갱신한다. 이처럼 철회는 확장성이 부족하여 응용에 따라 효과적인 철회 방법이 될 수 없다. CRL을 사용하는 경우도 있지만, 이 경우에도 CRL에 있는 철회된 사용자 수에 비례한 노력(공개키 연산)이 필요하다. 그룹 서명은 기존 일반 서명보다 상대적으로 계산 비용이 많이 들거나 서명값의 크기가 크다는 문제도 있다.

14.4.3 링 서명

링 서명(ring signature)[132]에서 각 사용자는 서명하기 전에 여러 개의 공개키를 이용하여 링을 만든다. 실제 서명은 자신의 개인키를 이용하지만, 확인자는 형성된 링에 포함된 멤버 중 누가 서명하였는지 알 수 없다. 그룹 서명과 유사하지만, 링은 보통 사용자가 매번 직접 만들 수 있으므로 사용자마다 또는 매 순간 사용하는 링이 다르다. 반면에 그룹 서명에서 그룹에 소속된 그룹 멤버는 보통 빈번하게 변하지 않으며, 그룹이 대표하는 것 자체는 변하지 않는다.

링의 크기는 그룹의 크기보다 보통 작은 단위이며, 링은 항상 새롭게 형성할 수 있으므로 링 서명을 전달할 때 링 정보를 함께 전달하여야 한다. 따라서 서명의 크기가 링의 크기에 비례한다고 할 수 있으며, 이것이 큰 단점이 될 수 있다. 특정 사용자가 만든 링 서명은 항상 해당 사용자의 공개키가 링에 포함되므로 서로 중첩된 것이 없는 링을 이용한 두 개의 서명은 서로 다른 사용자의 서명일 수밖에 없다. 따라서 완벽하게 불연결성을 제공하는 기법은 아니다. 링 서명도 익명성 보장이 필요할 때 사용할 수 있는 서명 기법이며, 철회가능 링 서명도 있다[133]. 현재 모네로 암호화폐에서 링 서명을 활용하고 있다.

14.4.4 은닉 서명

보통 서명자는 서명하는 내용을 확인하고 서명해야 한다. 하지만 **은닉 서명**(blind signature)에서 서명자는 자신이 서명하는 내용을 모른 채 서명한다. 은닉 서명은 주로 전자화폐, 전자선거 등에서 사용자의 익명성을 제공하기 위해 사용된다. 특이한 점은 서명자의 익명성을 제공하는 것이 아니라 서명받은 사용자의 익명성에 초점을 두고 있다. 은닉 서명을 발급받은 사용자가 나중에 이 서명을 제시하면 서명자는 이것을 언제 누구에게 발급해 준 것인지 알 수 없다.

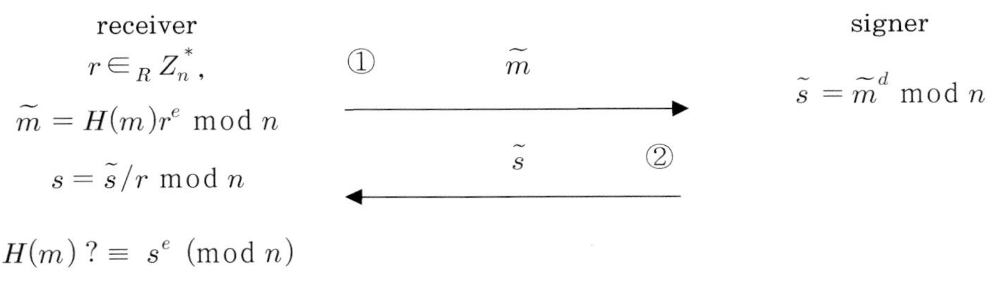

<그림 14.8> RSA 은닉 서명

RSA 기반 은닉 서명은 그림 14.8과 같다[134]. 메시지 m에 대한 서명을 받기 위해 메시지 m을 전달하는 대신에 랜덤 요소 r을 선택하여 메시지에 r^e을 곱하여 서명자에게 전달한다. 여기서 e는 서명자의 공개키의 일부이다. 서명자는 서명하는 메시지의 내용을 모르는 상태에서 서명하게 되며, 수신자는 받은 서명에서 r를 제거하면 메시지 m에 대한 서명자의 유효한 서명을 얻게 된다.

은닉 서명은 서명자가 서명하는 내용을 볼 수 없으므로 매우 위험할 수 있다. 이런 위험을 줄이기 위해 cut-and-choose라는 기법을 사용할 수 있다. Cut-and-choose는 서양에서 두 명의 사용자가 케이크를 나눌 때 사용하는 방법으로써 케이크를 자르는 사람과 선택하는 사람이 다를 경우 자르는 사람은 손해를 보지 않기 위해 정확하게 반으로 자르게 된다는 논리를 담고 있다. 은닉 서명에 다음과 같이 이 기법을 적용할 수 있다. 은닉 서명을 받고 싶은 사용자는 10개의 메시지를 만들고, 이 메시지를 모두 은닉하여 서명자에게 전달한다. 서명자는 이 중 하나를 제외하고 나머지 메시지의 은닉 요소를 요구한다. 수신자가 이를 전달하면 서명자는 10개 중 9개는 개방하여 올바르게 구성되어 있는지 확인한 후 문제가 없으면 개방하지 않은 값에 전자서명하여 은닉 서명 프로토콜을 진행한다. 따라서 수신자가 서명자를 속일 수 있는 확률은 10%가 된다. Cut-and-choose를 사용하면 수신자의 부정을 막을 수 있지만 교환되는 값들이 너무 많아질 수 있어 효율적이지 못하다. 현재는 cut-and-choose 기법을 사용하지 않아도 수신자가 부정할 수 없는 은닉 서명[135]도 개발되어 있다.

14.5 익명 통신

익명 통신(anonymous communication)은 트래픽 분석을 하더라도 교환되는 메시지의 소스 노드와 목적 노드를 식별할 수 없도록 메시지를 교환하는 통신 방식을 말한다. 일반 통신에서 노드는 IP 주소, MAC 주소처럼 노드를 특정할 수 있는 식별자를 사용하여 경로를 찾고 메시지를 목적 노드까지 전달한다. 하지만 익명 통신에서는 이 정보를 사용하더라도 이 정보를 바탕으로 소스 노드와 목적 노드를 식별할 수 없어야 한다. 이를 위해 소스 노드에서 목적 노드로 메시지를 바로 전달하지 않고, 메시지의 내용뿐만 아니라 헤더 정보까지 암호화한 다음 여러 중간 노드를 거쳐 전달한다.

익명 통신이 제공되기 위해서는 노드의 관찰을 통해 소스 노드나 목적 노드를 식별할 수 없어야 한다. 일반적으로 메시지는 그것의 내용, 크기, 송수신 시점에 의해 식별할 수 있다. 메시지 내용과 헤더를 암호화하면 내용을 이용하여 식별할 수 없지만 기존 방법으로 메시지 전달이 어려워진다. 채우기를 통해 항상 일정한 크기의 메시지를 전송하면 크기를 이용하여 식별할 수 없다. 소스 노드의 익명성을 위해 수신된 메시지가 이전 노드에서 시작한 것인지 중계한 것인지 구분할 수 없어야 한다. 목적 노드의 익명성은 중계의 중단이나 응답 메시지를 보내는 행위 때문에 노출될 수 있다. 이와 같은 노출을 막기 위해 불필요한 메시지의 송신이나 지연 중계가 필요할 수 있다. 이 모든 것은 사용하는 서비스와 네트워크 환경에 영향을 받는다. 사용하는 서비스와 환경에 따라 고려해야 하는 것이 다를 수 있고, 불가피하게 노출될 수밖에 없는 정보도 있다.

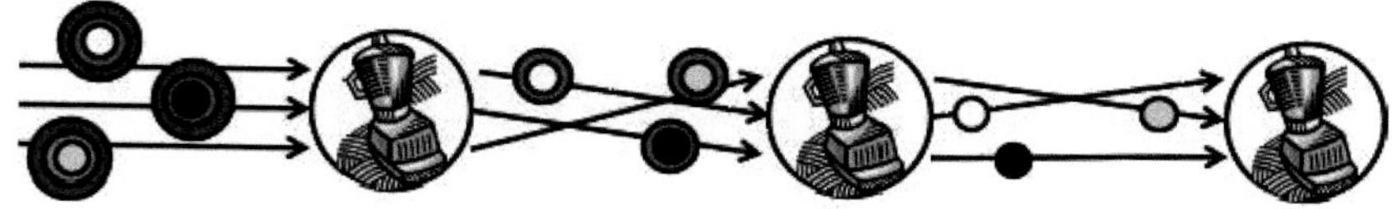

<그림 14.9> 믹스넷

현재 익명 통신에서 가장 널리 사용하는 기술은 믹스넷(mixnet)[136]과 양파 라우팅(onion routing)[137]이다. 둘 다 여러 겹으로 암호화한다는 측면에서 유사하다. 믹스넷은 그림 14.9와 같이 여러 개의 믹스로 구성되어 있으며, 각 믹스는 수신된 여러 겹으로 암호화된 데이터의 가장 바깥층을 제거하여 전송한다. 믹스가 수신한 메시지와 전송하는 메시지는 한 겹의 암호화를 제거하였으므로 메시지 자체로는 연결할 수 없지만, 시간을 이용하여 연결할 수 있다. 이 때문에 믹스는 일정 기간 수신된 메시지를 버퍼에 유지하고 충분한 수의 메시지를 확보하면 이들을 섞어 다시 중계한다. 이 때문에 믹스를 사용하면 통신 지연이 불가피하게 발생할 수밖에 없다. 믹스넷을 사용하기 위해 전송자는 중간 노드들이 복호화하여 다음 중간 노드에 전달할 수 있도록 여러 겹으로 메시지를 암호화하여야 한다. 시간뿐만 아니라 메시지 크기로 연결할 수 없도록 모든 사용자는 미리 약속된 크기의 메시지만 주고받아야 한다.

양파 라우팅은 소스 노드와 목적 노드가 메시지의 비밀성을 보장한 상태로 익명 통신을 할 수 있도록 해주며, 원하면 목적 노드로부터 메시지의 소스 노드를 숨길 수 있다. 소스 노드가 전달한 메시지는 지정된 중간 노드를 거쳐 목적 노드에 도달하게 되는데, 중간 노드들이 서로 협조하지 않으면 중간 노드를 포함하여 제삼자에게 통신의 비밀성과 익명성을 제공해 준다. 소스 노드는 사용할 중계 노드의 개수(≥ 3)와 순서를 결정하고 이 순서에 맞게 양파를 만들어 전달한다. 이 과정을 소스 노드가 하지 않고 프록시 노드가 대신할 수 있다. 이처럼 양파 라우팅을 이용하면 제삼자는 소스 노드가 프록시 노드와 통신하는 것으로 보이며, 목적 노드는 마지막 중계 노드와 통신하는 것으로 보이게 된다. 이때 마지막 중계 노드를 꼬리 노드라 하며, 이와 같은 방법으로 통신하므로 꼬리 노드 기반 기법이라 한다.

양파 라우팅에서 양파는 이전 믹스넷 설명과 마찬가지로 여러 겹으로 암호화되어 있다. 실제 소스 노드에서 목적 노드로 메시지를 전달할 때는 소스 노드가 여러 겹으로 암호화하여 전달하며, 각 중간 노드는 수신한 암호문의 가장 바깥층을 제거하여 중계한다. 반대로 목적 노드에서 소스 노드로 메시지를 전달할 때는 중간 노드들이 계속 받은 것을 암호화하여 중계하며, 소스 노드는 수신한 양파의 모든 겹을 제거하여 메시지를 얻게 된다.

중간 노드들이 양파를 중계하기 위해서는 수신한 양파를 전달할 다음 노드를 알아야 한다. 이 정보가 트래픽 분석에 도움이 될 수 있으므로 각 중간 노드는 노드 간의 암호 채널을 구축하여 양파를 교환한다. 실제 양파는 암호화된 데이터이므로 헤더 정보만 노드 간의 암호 채널로 암호화한다. 헤더 정보뿐만 아니라 메시지 크기에 의한 노출을 막기 위해 항상 정해진 크기의 셀 단위로 메시지를 교환하며, 양파가 전달되는 과정에서 양파 크기의 변화에 의한 노출을 막기 위해 각 중간 노드는 랜덤 채우기를 통해 항상 같은 크기의 메시지를 다음 중계 노드로 전달한다. 또 전송 시점에 의한 노출을 줄이기 중계 노드가 믹스넷 역할(지연 통신, 가짜 트랙픽 발생)을 수행할 수 있다.

실제 양파 라우팅에서 메시지의 교환은 크게 양파 경로 설정, 데이터 교환 두 단계로 나누어진다. 양파 경로 설정은 메시지 중계에 사용할 중계 노드의 개수와 순서를 결정한 다음, 이 순서에 맞게 키 확립을 위한 양파를 구성하여 전달한다. 예를 들어 X, Y, Z 노드를 중간 노드로 사용하기로 소스 노드가 결정하였다면 소스 노드는 다음과 같은 순서로 양파를 구성한다.

$$\begin{aligned} O_Z &= \{\_ \parallel K_Z \parallel \_\}.eK_Z \\ O_Y &= \{Z \parallel K_Z \parallel O_Z\}.eK_Y \\ O_X &= \{Y \parallel K_X \parallel O_Y\}.eK_X \end{aligned}$$

소스 노드가 O_X를 X에 전달하면 X는 자신의 개인키로 메시지를 복호화하여 K_X를 얻을 수 있고, O_Y를 Y에게 전달한다. 이것이 꼬리 노드까지 반복된다. 꼬리 노드는 양파의 특성 때문에 자신이 꼬리 노드임을 알 수 있다.

양파를 통해 확립된 키는 실제 데이터를 암호화할 때 사용한다. 이 예에서는 K_X로부터 4개의 키를 만들어 방향마다 2개의 키를 사용하여 인증 암호화한다고 가정한다. 소스 노드가 메시지 M을 목적 노드에 전달하기 위해 다음과 같이 암호문을 생성하여 O_X를 X에 전달한다.

$$\begin{aligned} O_Z &= [D,\ C_Z = \{M\}.cK_{FZ},\ \text{MAC}.iK_{FZ}(C_Z)] \\ O_Y &= [Z,\ C_Y = \{O_Z\}.cK_{FY},\ \text{MAC}.iK_{FY}(C_Y)] \\ O_X &= [Y,\ C_X = \{O_Y\}.cK_{FX},\ \text{MAC}.iK_{FX}(C_X)] \end{aligned}$$

예를 들어, M은 한 블록 크기, MAC값은 두 블록 크기, 필요한 헤더는 한 블록 크기, 암호화는 CTR 모드를 사용한다고 가정하면 O_Z는 총 5블록 크기가 된다. 같은 방법으로 계산하면 O_Y는 9블록, O_X는 13블록이 필요하다. 이 경우 X가 O_Y를 전달할 때 4블록을 추가로 보내 O_X와 크기를 일치시켜 보내게 되며, Y는 O_X를 전달할 때 8블록을 추가로 붙여 전달한다.

반대 방향의 메시지는 다음과 같이 중계되면서 암호화되며, 이때도 총 13블록이 되도록 랜덤 블록을 뒤에 추가하여 전달한다.

$$
\begin{aligned}
Z \rightarrow Y &: O_Z = [\_,\ C_Z = \{M\}.cK_{BZ},\ \mathrm{MAC}.iK_{BZ}(C_Z)] \\
Y \rightarrow X &: O_Y = [Z,\ C_Y = \{O_Z\}.cK_{BY},\ \mathrm{MAC}.iK_{BY}(C_Y)] \\
X \rightarrow S &: O_X = [Y,\ C_X = \{O_Y\}.cK_{BX},\ \mathrm{MAC}.iK_{BX}(C_X)]
\end{aligned}
$$

14장 퀴즈

1. 익명 통신할 때 사용할 수 있는 믹스넷, 양파 라우팅 관련된 다음 설명 중 **틀린** 것은?

① 둘 다 소스 노드가 메시지를 전송한 것과 목적 노드가 수신한 것은 노출되지만 서로 연결되지 않는다.
② 둘 다 소스 노드가 중간 노드를 결정하고 여러 겹으로 암호화해야 한다.
③ 중간 노드들이 모두 협력하여도 메시지의 송수신 노드를 알 수 없다.
④ 믹스넷에서 믹스 역할을 하는 노드는 메시지를 수신하면 즉시 중계하지 않고 버퍼에 정해진 수의 메시지가 도착할 때까지 기다린 후에 수신된 순서와 무관한 임의의 순서로 메시지를 중계한다.

2. 네트워크를 관찰하면 얻을 수 있는 정보가 많으므로 완벽한 익명 통신을 제공하기 어렵다. 기본적으로 통신 메시지를 서로 구분할 수 없어야 익명 통신을 제공할 수 있다. 통신 메시지를 식별할 수 없게 하려고 기본적으로 사용해야 하는 기법과 관련된 다음 설명 중 **잘못된** 것은?

① 메시지 내용을 통해 식별할 수 없도록 메시지는 기본적으로 암호화해야 한다.
② 메시지 크기를 통해 식별할 수 없도록 채우기를 이용하여 모든 참여자가 항상 같은 크기의 메시지를 교환해야 한다.
③ 헤더 정보에 있는 소스 노드와 목적 노드의 정보 없이는 통신 자체가 가능하지 않으므로 두 정보의 노출은 불가피하다.
④ 송수신 시점에 의해 식별할 수 없도록 불필요한 메시지의 송신이나 지연 중계가 필요하다.

3. 링 서명과 관련된 다음 설명 중 **틀린** 것은?

① 링 서명에는 그룹 개념이 없어 탈퇴 개념이 없다.
② 링 서명에서 링은 매번 다르게 만들어 사용할 수 있지만 서명자 자신은 항상 링에 포함된다.
③ 링 서명은 두 서명이 있을 때 같은 서명자가 서명한 것임을 알 수 없으며, 두 서명의 링 정보를 통해 노출되는 정보도 없으므로 강한 프라이버시를 제공하는 기법이다.
④ 링 서명은 링을 매번 새롭게 형성할 수 있으므로 링 정보를 항상 서명과 함께 전달해야 한다. 따라서 서명의 크기가 링 크기에 비례한다.

4. 영지식 증명은 원래 증명자와 확인자 간에 프로토콜을 수행하여 진행한다. 하지만 대부분의 영지식 증명은 상호작용 없이 증명자가 홀로 증명을 수행하는 비상호작용 버전으로 바꿀 수 있다. 다음에 제시된 영지식 증명 요구사항 중 상호작용 버전과 비상호작용 버전 간의 가장 큰 차이가 있는 것은?

① 완전성(completeness): 증명하고자 하는 명제가 참이고, 증명자와 확인자가 정직하면 증명은 통과해야 한다.

② 건전성(soundness): 증명하고자 하는 명제가 거짓이면 부정한 증명자가 확인자를 속일 수 없어야 한다.

③ 비전이성(non-trasferability): 증명을 확인한 확인자는 증명을 다른 확인자에게 제시하여 명제가 참이라는 것을 증명할 수 없어야 한다.

④ 영지식(zero knowledge): 증명하고자 하는 명제가 참이면 확인자가 얻게 되는 것은 명제가 참이라는 것 외에는 없어야 한다.

연습문제

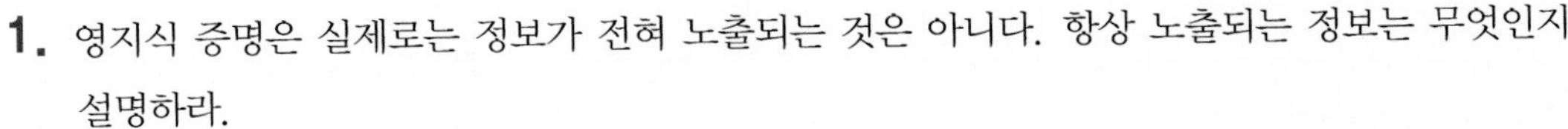

1. 영지식 증명은 실제로는 정보가 전혀 노출되는 것은 아니다. 항상 노출되는 정보는 무엇인지 설명하라.

2. 14.1절에서 영지식 증명을 설명하기 위해 동굴의 비밀문 예를 이용하였다. 이 예에서 증명자와 확인자는 설명된 과정을 여러 차례 반복해야 한다. 이보다 더 효과적인 증명 방법을 제시하라. 제시된 증명은 영지식 증명일 필요는 없다.

3. 14.1.1절에 제시된 이산대수를 증명하는 영지식 프로토콜을 다음과 같이 바꾸었다.

P		V
$w \in_R Z_q^*$, $W = g^w \bmod p$		
$s = w + x \bmod q$	① W, s →	$Wy ? = g^s$

이 프로토콜의 문제점을 설명하라.

4. (n, e), (n, d)가 RSA 공개키 쌍일 때, 영지식으로 (n, d)를 알고 있음을 증명하기 위해 확인자가 전달한 $x \in_R Z_n^*$에 대해 $x^d \bmod n$를 계산하여 응답하였다. 이 증명의 안전성과 비전이성을 분석하라.

5. 여러 서명을 각각 확인하지 않고 결합하여 한번 확인해 주는 기법이 있다. 이 기법의 근본적인 문제점을 설명하라.

6. 익명 인증서나 익명 ID를 이용할 수 있다. 이 경우 하나의 익명 인증서 또는 익명 ID를 사용할 경우의 문제점을 설명하라.

7. 익명성을 논할 때 그룹 개념이 꼭 필요하다. 익명성에서 필요한 그룹이란 무엇이며, 그룹의 크기가 어떤 의미가 있는지 설명하라.

제15장

블록체인과 암호화폐

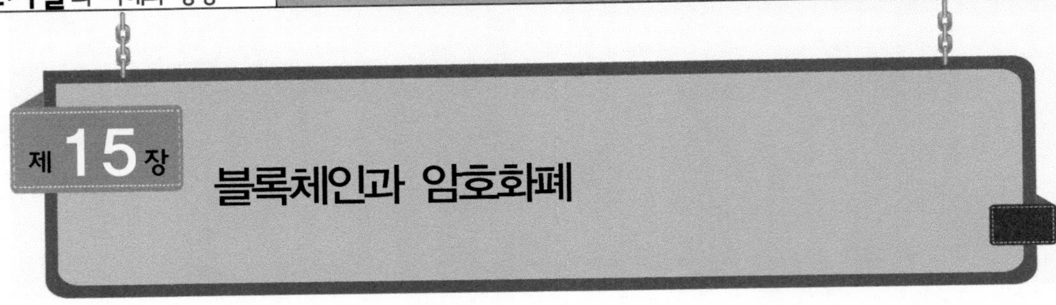

제 15 장 블록체인과 암호화폐

15.1 암호화폐

우리는 현재 **명목화폐**(fiat money)[15) 외에 신용카드 등을 포함하여 다양한 지불 수단을 사용하고 있다. 현재 대부분의 웹 서비스는 자체 포인트 형태의 사이버 머니를 충전하도록 한 다음, 이를 이용하여 유료 서비스를 사용하도록 하고 있다. 하지만 신용카드를 포함하여 이와 같은 지불 수단은 우리가 실제 사용하는 명목화폐의 특징을 가지고 있지 못하여 불편한 점도 있다. 명목화폐의 주요 특징은 다음과 같다.

- 위조의 어려움
- 휴대 가능
- 익명성 보장
- 양도 가능
- 분할 가능
- 자체 강화 지불
- 범용 지불

명목화폐가 가지는 이와 같은 특징을 **암호화폐**[16)가 가지게 하기는 매우 어려운 일이다. 4장에서 암호프로토콜을 이해 당사자만 참여하는 자체 강화, 이해 당사자 외에 제삼자가 참여하면 그것의 참여 방식에 따라 온라인, 오프라인 프로토콜로 분류하였다. 명목화폐는 누구의 개입 없이 이해 당사자 간의 양도, 지불할 수 있으므로 자체 강화 방식이다. 신용카드는 지불할 때마다 상점이 별도 서버에 접속하여 거래 가능 여부를 확인해야 하므로 온라

15) 명목화폐는 화폐가 가지는 실질적 가치와는 관계없이 표시된 화폐 단위로 통용되는 화폐를 말한다. 명목화폐는 기존 실물화폐(commodity money)가 가지는 분할성, 동질성, 내구성, 휴대성 등의 취약점을 극복하기 위해 등장한 화폐이다.

16) 전자화폐(electronic cash)는 디지털화된 모든 종류의 화폐를 말하며, 암호화폐(cryptocurrency)는 암호기술을 사용하는 암호화폐를 말한다. 더 구체적으로 화폐의 안전성이 암호기술을 통해 보장되는 화폐를 말한다. 다른 자료는 각 용어에 대한 정의를 다르게 할 수 있다.

인 지불 방식이다. 반면에 초기 암호화폐는 오프라인 방식을 실현하는 것조차 쉽지 않았다. 심지어 비트코인 포함 그 이후 암호화폐도 자체 강화 방식은 아니다.

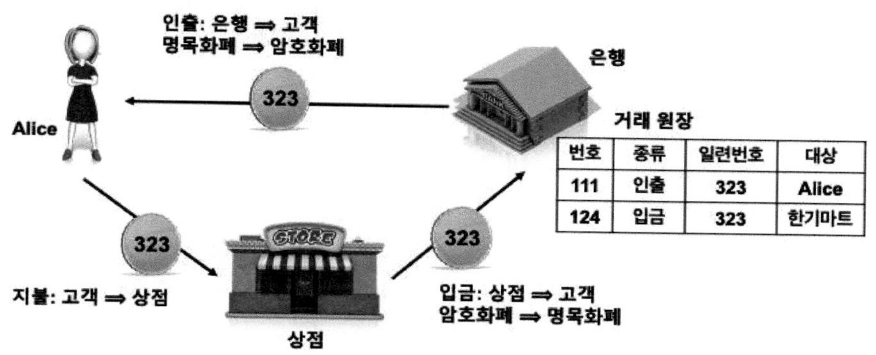

번호	종류	일련번호	대상
111	인출	323	Alice
124	입금	323	한기마트

<그림 15.1> 초기 온라인 암호화폐 동작 방식

초기 암호화폐는 그림 15.1처럼 사용자는 발행기관으로부터 디지털 값인 암호화폐를 발급받아 자신의 기기에 유지해야 하고, 지불할 때 이를 상점에 전달해야 한다. 온라인 방식에서는 **이중 사용**(double spending) 문제를 해결하기 위해 상점은 거래를 승인하기 전에 받은 암호화폐를 발행기관에 전달하여 이전에 사용된 화폐인지 확인해야 한다. 이 과정에서 상점은 암호화폐에 해당하는 명목화폐를 자신의 계좌에 입금받게 된다. 이 형태의 암호화폐는 위조를 방지하기 위해 보통 발행기관이 일련번호를 전자서명하여 발행하며, 전자서명에 사용된 서명키에 의해 이 화폐의 액면가가 결정된다.

비트코인이라는 암호화폐가 나오기 전까지는 기본적으로 암호화폐는 이처럼 중앙은행 또는 중앙은행이 허가한 기관만 발행할 수 있어야 한다고 생각하였다. 화폐는 그것이 실제 유통되지 않으면 아무런 의미가 없으며, 정부의 허가 없이 어떤 종류의 화폐를 유통한다는 것은 상식적으로 생각하기 어려운 측면이 있다. 또 암호화폐도 명목화폐처럼 디지털화된 어떤 값이 지불자에서 수취인으로 전달해야 한다고 생각하는 경향이 많다. 하지만 사이버 머니만 보더라도 이것이 필요 없다는 것을 쉽게 인식할 수 있다. 사이버 머니는 대부분 서버 데이터베이스의 각 사용자 계정 정보 중 하나로 유지되며, 이 카운터 값의 감소를 통해 소비되므로 어떤 값들이 지불자와 수취인 사이에 직접 오고 가는 것은 아니다. 경제학자 Kocherlakota는 원장에 거래 내역을 모두 기록하는 것만으로 화폐의 역할을 할 수 있다는 것을 주장하였다[138].

대부분의 기존 오프라인 암호화폐는 분할이 가능하지 않으며 양도를 할 수 없다. 이 때문에 고객은 명목화폐를 주고 암호화폐를 발급받게 되며, 암호화폐를 이용하여 지불하면 상점은 이것을 다시 은행에 입금하여 명목화폐로 바꾸는 방식이 주로 제안되었다. 여기서 알 수 있는 것은 앞서 설명한 개념과 달리 이와 같은 암호화폐는 지불자가 특정 값을 유지하고 있어야 하며, 이 값을 지불 과정에서 상대방에게 전달해야 한다. 또 이와 같은 암호화폐는 고객과 상점을 명확하게 구분하고 있으며, 고객 간 암호화폐의 교환을 고려하지 않고 있다. 즉, 한 고객으로부터 암호화폐를 받아 다시 그 화폐를 사용할 수 있는 양도 기능을 제공하는 암호화폐를 비트코인 이전에는 성공적으로 만들지 못하였다. 이 때문에 거스름을 제공하기도 어렵다.

화폐가 디지털화되면 명목화폐가 가지고 있지 않은 특징들을 가지게 되며, 이 때문에 발생하는 문제를 해결하기도 어렵다. 디지털화된 암호화폐의 가장 핵심적인 보안 문제는 이중 사용 문제이다. 온라인 방식의 암호화폐는 화폐 발급자가 지불이 승인되기 전에 이중 사용 여부를 검사할 수 있으므로 이중 사용을 방지하기가 수월하다. 반면에 오프라인 방식에서는 이 화폐가 이전에 사용된 것인지 상점이 확인할 방법이 없다. 따라서 상점이 암호화폐를 입금할 때 이중 사용 여부를 확인할 수밖에 없다. 이 때문에 양도할 수 없는 기존 오프라인 암호화폐에서는 암호화폐를 인출한 소유주만 화폐를 이용할 수 있도록 제한하였고, 이중 사용이 발생하면 소유주에게 책임을 묻는 방식을 사용하였다. 비트코인 이전 암호화폐들은 DigiCash처럼 유통을 시도한 예도 있지만 대부분은 연구 논문으로만 발표되고 현실 세계에서 실제 유통되지 못하였다.

15.1.1 익명 인증 기술을 이용한 간단한 암호화폐

RSA 은닉 서명을 이용한 간단한 온라인 암호화폐를 살펴보자[134]. 보통 암호화폐는 분할하거나 양도할 수 없어서 상점이 거스름을 만들어 주기가 어렵다. 이 때문에 지불할 때 정확한 금액을 맞추어 지불해야 한다. 우리가 살펴보고자 하는 암호화폐는 이와 같은 방식을 사용한다. 따라서 충분한 금액의 암호화폐가 있더라도 지불 금액을 정확하게 맞출 수 없으면 지불할 수 없다. 이 암호화폐에서 은행이 발행기관 역할을 한다고 가정한다.

이 암호화폐는 은행이 전자서명하여 발급하기 때문에 위조가 어렵다. 또한 발급할 때 사용한 서명키에 의해 발급된 화폐의 액면가가 결정된다. 따라서 은행은 발행하는 액면가의 종류만큼 서로 다른 공개키 쌍을 생성하여 사용하며, 이들 공개키와 대응되는 액면가를 공표한다. 고객은 특정 액면가의 화폐를 발급받고 싶으면 은행과 인출 프로토콜을 수행하여야 한다. 이때 익명성을 위해 RSA 은닉 서명을 수행하며, 은닉된 메시지는 화폐의 일련번호가 된다. 고객이 부정할 수 없도록 cut-and-choose 기법을 사용하여 인출한다고 가정한다. 은행은 암호화폐에 해당하는 금액을 해당 고객의 계좌에서 인출한다. 인출 과정이 완료되면 고객은 특정 일련번호에 대해 은행이 서명한 서명값을 가지게 되며, 이 값이 암호화폐가 된다.

지불 과정에서 고객은 지불 금액에 맞게 자신이 가지고 있는 서명값들을 전달해야 한다. 암호화폐가 다른 사용자에게 노출되지 않도록 안전하게 상점에게 전달되어야 한다. 상점은 먼저 받은 암호화폐를 은행에 전달하여 이중 사용 여부를 확인해야 한다. 은행의 승인이 있으면 거래가 완료되며, 발행기관은 해당 금액만큼을 상점 계좌에 입금한다. 이 암호화폐는 은닉 서명을 통해 위조불가능성과 무조건적인 익명성을 제공한다. 하지만 이 화폐를 개선하여 오프라인 지불이 가능하도록 또는 양도할 수 있게 하는 것은 간단하지 않다. 이 측면에서 비트코인의 기술을 살펴볼 필요가 있다. 비트코인은 신뢰할 수 있는 발행기관을 사용하지 않으면서 명목화폐가 가지는 대부분의 특성을 가지는 암호화폐이다.

15.2 비트코인

비트코인[14]은 실제 유통되고 있는 암호기술을 이용하는 가상화폐(virtual currency)[17] 이다. 비트코인은 다음과 같은 특징을 가지고 있다.

- 자체 강화 방식
- 오프라인 방식
- 양도 가능
- 분할 및 통합 가능
- 익명 지불 가능
- 첨삭만 가능한 분산 원장(distributed ledger) 기반

17) 법정화폐의 반대 개념으로 발권력의 독점과 법률상 강제 통용력이 주어져 있지 않은 제도권에서 인정하지 않는 화폐를 말한다.

비트코인은 암호화폐를 발행하는 신뢰 기관을 사용하지 않는다는 측면에서 자체 강화 방식이다. 이것이 가장 획기적인 변화이다. 중앙집중 신뢰 기관에 대한 의존 없이 화폐를 발행하고 사용자 간의 직접 거래가 가능하다. 비트코인에서 지불은 다른 사람의 도움 없이 이루어질 수 있지만 실제로는 지불 내용을 전체 비트코인 네트워크에 전달해야 하며, 거래가 즉시 확정되지 않고 일정 시간이 지나야 확정되는 방식을 사용하고 있다. 따라서 정확하게 오프라인 방식이라고 말하기 힘든 측면도 있다. 비트코인은 양도할 수 있으며, 여러 비트코인을 결합하여 하나의 비트코인을 만들 수 있고, 거꾸로 하나의 비트코인을 여러 비트코인으로 나눌 수 있다. 이 과정도 한 소유자가 다른 소유자에게 지불하듯이 가지고 있는 코인을 다시 자기 자신에게 지불하여 코인들을 결합하거나 분리한다[18].

비트코인의 소유자를 특정하기 어렵기 때문에 익명 지불이 가능하다고 하며, 비트코인을 이용한 전 세계의 모든 지불은 분산 원장에 기록되어 수정할 수 없게 되어야 거래가 확정되는 방식이다. 이것이 비트코인의 핵심이다. 비트코인 이전 연구에서는 어떤 별도 디지털 값이 금전적 가치를 가지게 되는 형태이었으며, 방식이 온라인이든 오프라인이든 상관없이 기존 금융 모델(은행과 같은 신뢰 기관에 의한 화폐의 발행)을 가정하고 있다. 하지만 비트코인은 특정 신뢰 기관을 전혀 사용하지 않으며, 별도 값이 금전적 가치를 가지기보다는 공개 원장에 거래가 기록되어 금전적 효력을 가지게 되는 방식이다.

15.2.1 한기코인

비트코인을 이해하기 위한 가상의 암호화폐 한기코인을 만들어 보자. 한기코인의 규칙은 다음과 같다.

- 규칙 1. 총장(S)만 코인을 만들 수 있다.
- 규칙 2. 코인의 소유자는 다른 사람에게 코인을 양도할 수 있다.
- 규칙 3. 모든 거래는 전체 공개된다.

모든 참여자는 공개키 쌍을 가지고 있으며, 거래를 진행하기 위해서는 상대방의 공개키를 확보해야 한다. 익명성 때문에 인증서를 사용하지는 않는다. 하지만 총장만 코인을 만들 수 있으므로 총장은 인증서를 사용한다고 가정한다. 일반 사용자는 인증서를 사용하지 않지만, 한 사용자가 다른 사용자에게 코인을 양도하기 위해서는 해당 사용자의 공개키를 정

18) 보유한 비트코인을 결합하거나 나눌 때도 트랜잭션을 생성하여 블록체인에 기록되어야 하므로 수수료가 발생한다.

확하게 알아야 한다. 이 측면에서 보면 한기코인에서 프라이버시는 거래 당사자 간의 프라이버시를 제공하는 것이 아니라 제삼자에게 지불자의 프라이버시만 보장된다고 볼 수 있다. 실세계에서 고객이 특정 상점에 들어가 현금으로 물건을 살 때와 유사한 측면이 있다.

한기코인에서 거래는 그림 15.2와 같이 헤더, 입력, 출력, 서명 4가지 요소로 구성된다. 이 거래를 코인이라고 하는 것은 오해의 소지가 크다. 실제 이것은 이전 절에서 살펴본 익명 서명을 이용한 암호화폐와 차이가 크다. 이전 절에서는 전자서명된 값 자체가 통용되는 화폐이지만 그림 15.2에 제시된 것은 통용되는 화폐라고 보기 어렵고 거래 명세에 해당한다. 즉, 은행이 은행 자신에게 100원을 지급한 거래 명세이다. 오해의 소지가 있지만 앞으로 거래 명세의 각 출력을 코인이라 하고, 한기코인을 설명한다.

T_1	$H(\text{header} \parallel \text{in} \parallel \text{out})$
헤더(header)	종류: 생성, in의 개수: 1, out의 개수: 1, 이 외에 필요한 정보
입력(in)	이전거래: 없음
출력(out)	금액: 100원, 수취인: $H(eK_S)$
서명	$\text{Sig}.dK_s(T_1)$

<그림 15.2> 한기코인: 생성

한기코인을 이용한 모든 거래 명세는 누구든지 볼 수 있도록 공개하며, 공개한 정보는 수정할 수 없다고 가정하자. 그림 15.2에 제시된 내용에 의하면 S는 이 거래를 통해 자산이 100원 증가한다. 이 금액을 A에게 양도하고 싶으면 그림 15.3과 같은 거래를 만들어 공개하고 해당 정보를 A에게 전달한다. 실제 이 정보를 A에게 직접 전달할 필요는 없다. 거래 정보는 공개되는 것이므로 공개된 정보를 통해 A가 양도받았다는 사실을 알게 할 수 있다. 거래 명세에 의해 보유하게 된 코인을 다른 사람에게 양도하기 위해서는 해당 거래 명세 출력 정보에 있는 수취인의 공개키에 대응되는 개인키가 있어야만 가능하다. T_1의 유일 출력에 있는 100원의 소유자는 S이므로 S만 이 금액을 사용할 수 있다. 이처럼 소유주의 전자서명이 없으면 지불할 수 없도록 하여 공개된 코인을 사용할 수 있는 사용자를 제한하고 있다.

T_1	H(header||in||out)
헤더	종류: 지불, in의 개수: 1, out의 개수: 1, …
입력	이전거래: T_1: 0
출력	금액: 100원, 수취인: $H(eK_A)$
서명	Sig.$dK_s(T_2)$

<그림 15.3> 한기코인: 지불 S에서 A

A도 같은 방법으로 다른 사용자에게 자신이 받은 코인을 양도할 수 있다. 수신한 코인은 이전 거래를 찾아가면서 각 거래 내역의 유효성을 검증해야 한다. 지불의 역사가 오래되면 연결된 지불이 매우 많을 수 있다. 따라서 연결을 따라 너무 오래된 것까지 다시 검증할 필요가 없어야 한다. 공개된 것은 모두 유효하고 수정할 수 없다면 바로 전 지불이 공개되어 있는지만 확인하면 된다. 여기서 중요한 것은 공개되는 것은 모두 유효해야 한다는 것이다. 이것을 보장하는 방법이 필요하다. 이중 사용 방지도 현재 지불과 같은 입력의 거래가 있는지 검색해 보면 된다. 따라서 이와 같은 검색을 효과적으로 하는 방법[19]도 필요하다.

T_3	H(header||in||out)
헤더	종류: 지불, in의 개수: 1, out의 개수: 2, …
입력	이전거래: T_2: 0
출력	금액: 70원, 수취인: $H(eK_B)$
	금액: 30원, 수취인: $H(eK_A)$
서명	Sig.$dK_A(T_3)$

<그림 15.4> 한기코인: 지불 A에서 B

분할과 통합도 유사한 방법으로 제공할 수 있다. 예를 들어, 그림 15.3의 100원 가격의 코인을 70원, 30원으로 분할하고 싶으면 그림 15.4처럼 거래를 만들어서 등록하면 된다. 이 거래에 따라 A는 자신이 소유한 100원 코인을 70원, 30원으로 분할하여 70원은 B에게 양도하고 30원은 다시 자신이 가지게 된다. 여기서 기존 명목화폐와 중요한 차이점 하나를 발견할 수 있다. 이와 같은 전자화폐에서 각 소유자가 소유한 총금액은 소유자가 아직 지불에 사용하지 않은 거래 출력(**UTXO**, Unspent Transaction Output)의 합이 되며, 명목화폐처럼 거래들은 서로 섞이지 않는다. 즉, 사용자의 코인은 실제 사용자 지갑 또는 장치에 존재하는 것이 아니라 공개되는 여러 거래 명세에 흩어져 존재한다. 따라서 소유주의 UTXO가 어느 블록, 어느 트랜잭션에 있는지 관리하는 것이 지갑의 핵심 역할이다.

19) 보통 UTXO 데이터베이스를 별도 구축하여 사용한다.

한기코인의 안전한 유통을 위해서는 한기코인을 위조할 수 없어야 하며, 유효한 거래만 공개되어야 하고, 공개된 거래는 수정할 수 없어야 한다. 현재 한기코인은 총장만 발행할 수 있으므로 총장을 신뢰할 수 있고 총장 개인키의 비밀성이 유지되면 총장만 화폐를 발행할 수 있다. 총장이 거래가 공개되기 전에 거래의 유효성을 확인하고 전자서명하여 공개하도록 하면 나머지 두 가지 요구사항도 제공할 수 있다. 예를 들어, A가 같은 코인을 이용하여 두 개의 거래를 만들어 동시에 공개하는 것을 시도할 수 있다. 또는 이전 사용된 거래를 삭제하여 이중 사용을 시도할 수 있다. 하지만 모든 거래는 총장의 승인이 필요하므로 이와 같은 시도는 가능하지 않다. 따라서 신뢰할 수 있는 기관을 가정하면 한기코인과 같은 형태의 안전한 암호화폐를 만드는 것은 어렵지 않다. 다만, 이와 같은 형태이면 이 암호화폐는 중앙 집중식 온라인 암호화폐가 된다.

비트코인은 이와 같은 신뢰 기관을 사용하지 않고 이 문제들을 해결하였다. 이를 위해 비트코인은 **분산 합의**(distributed consensus) 기술을 이용하고 있다. 분산 합의란 분산된 다수의 개체가 같은 값(원장의 일관성)을 가지도록 하는 프로토콜을 말한다. 이때 개체들은 서로 신뢰하지 않으며, 일부 개체들은 동작하지 않을 수 있다. 이와 같은 조건에서도 분산 합의는 다수가 같은 결론을 도출할 수 있도록 해준다. 서로 일치하지 않는 거래 내역이 분산된 각 개체에 도착하는 순서가 다르더라도(도착 자체를 하지 않을 수 있음) 일관성을 유지할 수 있어야 하므로 분산 합의는 쉬운 문제가 아니다. 비트코인의 참여 노드들은 고정 ID를 사용하지 않으므로 이것이 더욱더 어렵다. 하지만 비트코인은 매력적인 장려책(incentive)과 즉시 결론을 내려도 되지 않게 하여 이 문제를 해결하였다. 제4차 산업 혁명의 중요한 보안 기술이라고 하는 블록체인이 바로 이것을 가능하게 해주는 기술이다.

블록체인은 불가역성을 제공하는 분산 원장을 말하며, 불가역성과 모든 노드가 같은 데이터를 유지하기 위해 내부적으로 분산 합의 기술을 사용하고 있다. 앞으로 설명할 비트코인이 사용하는 분산 합의 기술을 다른 말로 **나카모토 합의**라 하며, 합의 기술에는 그 기술에서 합의가 보장되기 위해 사용하는 규칙과 규칙이 준수되도록 하는 보상 체계나 규칙을 준수하지 않을 경우의 불이익 체계도 포함된다.

15.2.2 비트코인의 세부 동작원리

비트코인은 사토시 나카모토(Satoshi Nakamoto)라는 익명의 사람 또는 그룹이 2008년에 처음 소개하였으며[14], 2009년부터 유통되어 실제 사용하고 있는 암호화폐이다. 사이퍼펑크(cypherpunk) 움직임의 일환으로 보는 사람들도 있고, 당시 전 세계적인 금융 위기에 대한 해결책으로 고안된 것이라고 주장하는 사람들도 있다. 비트코인의 통화는 BTC, XBT 등의 용어를 사용하며, 가장 작은 단위의 BTC를 1satoshi[20]라 한다. 1BTC의 최근 5년간 거래 가격은 표 15.1과 같다.

년도	2020. 5. 11	2021. 5. 14	2022. 5. 6	2023. 5. 19	2024. 5. 3
달러	8,760	50,438	36,398	26,841	59,044
원	10,678,000	61,906,000	47,101,000	36,240,000	83,222,000

<표 15.1> 최근 5년간 1BTC 거래 가격

최근 비트코인 반감기(halving) 때문에 비트코인 가격이 가파르게 상승하였다. 2024년 5월 3일 기준으로 지금까지 생성된 비트코인의 수는 19,693,268개이다. 비트코인은 기존 비트코인을 가지고 있는 사람으로부터 양도를 받을 수 있고, 공식 거래소에서 살 수 있다. 이처럼 비트코인은 변동성이 매우 높으므로 암호화폐의 원래 목적인 유통보다는 오래전 금처럼 투기를 위한 소유의 목적으로 지금은 주로 활용되고 있다.

비트코인의 일반 참여자는 비트코인 지갑을 만들어야 하며, 이 지갑을 만들기 위해서는 공개키 쌍이 필요하다. 하지만 인증서 기반은 아니다. 참여자는 하나의 지갑이 아니라 여러 개의 지갑을 사용할 수 있다. 동일 공개키만 계속 사용하면 불연결성을 제공할 수 없으므로 비트코인은 강한 프라이버시를 제공하는 화폐가 아니다. 지갑에 연결된 공개키는 지갑의 주소(비트코인의 주소) 역할을 한다. 특정 다른 참여자에게 비트코인을 양도하고 싶으면 한기코인처럼 해당 참여자의 공개키(지갑의 주소)를 알아야 한다. 따라서 거래할 때 지불자는 자신이 생각하는 상대방의 올바른 주소를 사용해야 하며, 이 책임은 지불자에게 있다. 이렇게 양도된 코인은 해당 참여자의 개인키가 있어야 사용할 수 있다. 한 지갑에 하나의 공개키 쌍을 연결하여 사용하지 않고, 임계기반으로 여러 개의 공개키를 연결하여 사용할 수도 있다.

20) 1satoshi는 0.00000001BTC이므로 2024년 5월 시세(8천만원)를 고려하면 약 0.8원이다.

이 방식은 지갑에 연결된 개인키를 분실하면 지갑과 연결된 모든 코인을 더는 사용할 수 없게 되는 문제점이 있다. 따라서 개인키의 안전한 백업이 매우 중요하다. 현재 비트코인 지갑은 비트코인 노드 운영을 위한 소프트웨어와 달리 다양한 업체가 다양한 형태로 만들어 제공하고 있다. 인터넷에 연결되어 있는 지갑을 핫지갑이라 하고, 연결되어 있지 않은 지갑을 콜드지갑이라 한다. 인터넷에 계속 연결되어 있으면 해킹 위험에 노출될 수 있다.

비트코인의 기본적 생각은 앞서 설명한 한기코인과 같다. 각 참여자는 전자서명하여 지불 의사를 표현하고, 이 거래 명세는 네트워크에 있는 모든 참여자에게 전달된다. 이처럼 비트코인을 이용한 모든 지불은 공개된다. 각 참여자는 자신이 받은 거래의 서명값과 같은 기본적인 유효성을 확인하며, 유효하지 않은 것은 중계하지 않는 것이 원칙이다. 모든 거래는 전체 참여자에게 전파되지만, 그 즉시 거래가 확정되는 방식이 아니다. 비트코인의 참여자 중 일부는 아직 분산 원장에 포함되지 않은 거래를 모아 블록이라는 것을 만들고, 이를 전체 참여자에게 전달한다. 이 블록이 서로 연결되어 분산 원장을 형성하며, 거래가 포함된 블록 뒤로 일정 블록이 연결되면 거래가 확정된다.

비트코인은 P2P 네트워크를 사용한다. P2P 네트워크에서 한 사용자가 전체 네트워크에 있는 모든 사용자에게 메시지를 전파할 때 가장 널리 사용하는 프로토콜은 **가십**(gossip) 프로토콜이다. 이 프로토콜에서 한 참여자가 전체 네트워크에 메시지를 보내고 싶으면 일정한 횟수만큼 주기적으로 $k(\geq 2)$명의 다른 참여자를 랜덤하게 선택하여 메시지를 전송한다. 이 메시지를 수신한 노드들은 같은 과정을 반복하여 전체 네트워크로 메시지를 전파한다. 한 주기에 선택하는 수신자의 수가 1명이어도 n 주기가 지나면 총 2^n명에게 도달한다.

비트코인에서 각 사용자는 완전 노드(full node)를 운영할 수 있고, 부분 노드(lightweight, partial node)를 운영할 수 있다. 완전 노드는 최초 블록(**genesis block**)부터 지금까지의 모든 블록에 포함된 트랜잭션 정보를 유지해야 하며, 수신된 모든 거래의 유효성을 확인할 의무가 있다. 이 때문에 비트코인의 블록체인을 다른 말로 분산 원장이라 한다. 반면에 부분 노드만 운영하면 본인의 거래를 위해 필요한 최소의 정보만 유지하면 된다. 하지만 P2P라는 원리 측면에서 보았을 때 모든 참여자가 대칭적 역할을 하는 것이 공정하다고 볼 수 있다. 또 완전 노드들이 모두 블록을 생성하지 않는다. 블록을 생성하는 참여자를 채굴자라 하며, 채굴자는 완전 노드를 운영해야 한다.

완전 노드가 비트코인의 P2P 네트워크의 실질적 노드이며, 충분한 수의 완전 노드가 동작하고 있어야 비트코인이 정상적으로 동작한다. 비트코인 참여자들이 완전 노드를 운영할 동인은 어디에 있는가? 첫째, 채굴자, 거래소 등은 완전 노드를 운영할 수밖에 없다. 둘째, 다른 완전 노드에 의존하지 않고 안전하게 비트코인을 거래하고자 하면 완전 노드를 운영해야 한다. 더욱이 완전 노드를 운영하는 것이 프라이버시 측면에서도 효과적이다. 셋째, 완전 노드를 운영하면 비트코인 운영 관련 투표권을 얻게 된다.

비트코인은 한기코인처럼 기본 거래 단위가 있으며 이를 트랜잭션이라 한다. 한 트랜잭션은 입력, 출력으로 구성되며, 다중 입력과 다중 출력이 가능하며, 입력마다 별도 서명이 트랜잭션에 포함되어야 한다. 심지어 같은 지갑 소유의 두 개의 UTXO를 이용하여 입력을 구성하더라도 두 개의 서명이 필요하다. 하나의 서명을 이용할 수 있지만, 이 경우 서명 내용이 사용하는 UTXO 수에 따라 달라지는 문제점이 있다. 비트코인 거래에서 입력 금액의 합은 출력 금액의 합보다 같거나 커야 한다. 같지 않으면 그 차액은 수수료가 되며, 거래를 확정한 채굴자의 몫이 된다. 비트코인은 지불자의 코인이 바로 수취인에게 전달되는 형태이므로 push 지불 방식에 해당한다. 반면에 신용카드처럼 중재자가 지불자의 계정에서 금액을 인출하여 수취인에게 전달하는 형태의 지불 방식을 pull 지불 방식이라 한다.

15.2.2.1 탈중앙 암호화폐, 실제 가능한 것인가?

거래 정보를 공개하는 방법으로 탈중앙 암호화폐를 실현하기 위해서는 화폐 발행 문제, 거래 위조 문제, 이중 사용 문제 등을 해결해야 한다. 특히, 화폐 발행은 탈중앙 기법을 통해 발행해야 하며, 지불은 신뢰 기관 없이 승인할 수 있어야 탈중앙 암호화폐라 할 수 있다.

한기코인과 마찬가지로 특정 비트코인을 사용하기 위해서는 그 비트코인을 유지하고 있는 지갑의 개인키가 필요하므로 다른 사용자의 개인키를 확보하지 못하면 거래를 위조할 수 없다. 거래의 유효성이 확인된 거래만 공개하고, 공개한 거래는 수정할 수 없어야 이중 사용이 가능하지 않다. 이것을 보장하기 위해 사토시 나카모토가 사용한 기술이 블록체인이다[139]. 블록체인은 그것이 필요한 기능을 제공하기 위해 분산 합의 기술을 사용하며, 분산 합의 기술에는 해당 응용에서 필요한 규칙과 그 규칙의 준수를 위한 보상책 또는 규칙을 어길 때 발생하는 불이익이 포함된다. 블록체인은 사토시 나카모토가 최초로 제안한 기술은 아니지만, 분산 암호화폐를 실현한 것은 사토시 나카모토가 처음이다.

15.2.2.2 블록체인을 이용한 조작불가능성

공개된 트랜잭션에 대한 조작(수정, 삭제)이 가능하지 않아야(tamper-proof) 이중 사용을 방지할 수 있다. 앞서 설명한 바와 같이 각 사용자는 전자서명하여 트랜잭션을 생성하며, 생성된 트랜잭션은 분산 원장에 기록된다. 이것이 어떻게 기록되는지는 나중에 다루고, 여기서는 공개된 원장의 **불가역성**(immutability)을 보장하는 기술을 살펴보자. 원장에 기록된 트랜잭션은 기본적으로 전자서명되어 있으므로 지불자를 제외한 다른 사용자들은 이 트랜잭션을 수정할 수 없다. 따라서 비트코인에서 요구하는 것은 서명자를 포함하여 누구도 원장에 공개된 트랜잭션을 수정, 삭제할 수 없어야 한다. 또 기존에 공개된 트랜잭션 사이에 새 트랜잭션을 추가할 수 없어야 한다. 즉, 원장에는 새 트랜잭션을 맨 뒤에 추가만 할 수 있어야 한다. 더욱이 비트코인은 신뢰하는 기관을 이용하지 않으므로 이것을 보장하는 것이 간단한 문제가 아니다.

비트코인 블록체인에서 사용한 기술을 이해하기 위해 먼저 무결성을 보장하는 기법들을 간단히 살펴볼 필요가 있다. 보통 무결성을 보장하기 위해 많이 사용하는 암호기술은 해시함수, MAC, 전자서명이다. 해시함수는 누구나 쉽게 데이터를 바꾸고 그것의 해시값을 바꾸어 무결성을 보장하고자 하는 데이터를 조작할 수 있다. MAC은 MAC키를 가지고 있지 않으면 수정할 수 없으므로 MAC을 사용하는 것을 고려해 볼 수 있으나 키가 없으면 확인도 할 수 없으므로 공개된 자료의 무결성을 보장하기 위해 사용할 수 있는 기술은 아니다.

전자서명은 MAC과 달리 서명키를 소유한 사용자만 생성할 수 있고, 이 키가 없으면 데이터를 바꾸는 것이 가능하지 않다. 더욱이 공개키만 공개하면 누구나 데이터의 무결성을 확인할 수 있다. 중앙집중 신뢰 기관을 사용한다고 생각하고, 이 기관은 일정한 수의 유효한 트랜잭션들을 모아 전자서명하여 공개한다고 하자. 이 경우에는 이 신뢰 기관을 제외하고는 누구도 공개된 자료를 수정 및 삭제하기가 어렵다. 하지만 이와 같은 방식은 탈중앙 암호화폐에 맞는 기술[21)]은 아니다. 더욱이 이 신뢰 기관은 막강한 권한을 가지게 된다. 특히, 이 기관은 기존에 포함된 트랜잭션을 삭제할 수 있고, 일부 트랜잭션을 포함하는 것을 거부할 수 있으며, 새로운 것을 이전 공개한 자료에 포함할 수 있다. 물론 이와 같은 문제 때문에 실제 신뢰할 수 있는 기관이 이 역할을 해야 하지만 비트코인은 이와 같은 기관을 사용하지 않고 블록체인이라는 기술을 사용하여 탈중앙 방식으로 원장의 불가역성을 제공

21) 단일 참여자가 서명하지 않고 여러 참여자가 함께 서명하는 방식이면 탈중앙 암호화폐의 실현이 가능하다. 이때 서명에 참여자가 정직하게 행동하게 하는 보상 체계나 불이익 체계가 필요하다.

하고 있다.

비트코인에서는 해시함수 기반 암호 퍼즐을 사용하여 원장의 불가역성을 보장하고 있다. 암호 퍼즐은 해결하기 어렵지만, 답을 확인하기는 매우 쉽다는 비대칭적 특성이 있으며, 해결하는 방법은 모든 경우를 다 해보는 방법(brute-force)밖에 없다. 비트코인에서 각 트랜잭션은 지불자의 서명키로 전자서명하여 공개되며, 전자서명된 트랜잭션들을 모아 블록을 만들고, 이 블록의 해시값을 계산하여 공개한다. 즉, 비트코인은 라운드라는 개념을 사용한다. 특정 기간에 이루어진 모든 전자서명된 트랜잭션들을 블록이라는 문서로 통합하여 공개한다.

해시함수만 사용하면 앞서 언급한 것처럼 누구나 블록에 있는 트랜잭션의 내용을 수정하거나 삭제한 후에 해시값을 생성하여 블록을 수정할 수 있다고 생각할 수 있다. 하지만 개별 거래는 전자서명되어 있어서 블록체인 기술과 상관없이 지불자의 개인키가 없으면 수정할 수 없다. 반면 삭제나 추가는 블록에 대한 단순 해시값만 공개한다면 누구나 쉽게 할 수 있다. 이 때문에 블록체인에서는 해시값을 계산할 때 블록값만 포함하여 해시하지 않고 랜덤값을 포함하여 해시하여야 하며, 이 해시값이 유효한 해시값이 되기 위해서는 해시값의 첫 몇 개의 비트 값들이 모두 0이 되어야 한다[22]. 이를 위해 이 값을 얻을 때까지 블록에 포함될 거래 내용을 고정한 상태에서 랜덤값을 바꾸어 가면서 계속 시도하게 된다. 이 때문에 이를 암호 퍼즐이라 한다.

0이 되어야 하는 비트값의 개수를 조절하여 이 해시값을 계산하는 데 필요한 시간을 조절할 수 있다. 현재 2,016블록마다(약 2주마다) 난이도를 조절하고 있다. 예를 들어, 첫 비트만 0이 되어야 하면 보통 2번의 해시값 계산만으로 찾을 수 있고, 첫 n개의 비트가 모두 0이 되어야 하면 보통 2^n번의 해시값을 계산하면 찾을 수 있다. 암호 퍼즐을 해결하는 데 필요한 시간이 10분 정도 소요되도록 현재 비트코인에서는 첫 76bit가 0이 되어야 한다. 다음은 2024년 5월 25일에 확정된 845,000번째 블록의 해시값이다.

0000000000000000000036b5786fb914287c643a5320de156ff69163229eafa9

이처럼 특정한 노력을 해야 값을 얻을 수 있으므로 이를 **작업 증명**(PoW, Proof-of-Work)이라 한다. 작업 증명은 Adam Back이 스팸 메일을 제한하기 위해 처음 사용하였으

22) 실제는 해시값을 정수로 생각하고 시스템에서 정한 특정수 이하의 값이 나오면 유효한 해시값이 된다.

며[90], 용어는 Jakobsson과 Juels가 처음 사용하였다[140].

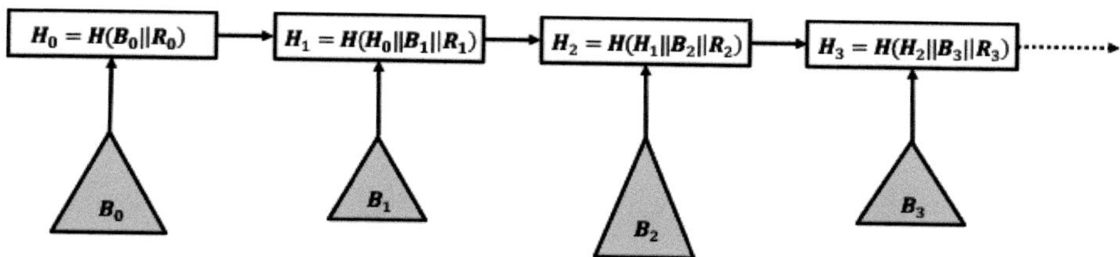

<그림 15.5> 비트코인 블록체인

비트코인에서 특정 라운드에서 해결해야 하는 암호 퍼즐을 성공적으로 계산한 사용자는 새 비트코인을 얻을 수 있다. 이 때문에 이 퍼즐을 해결하는 것을 **채굴**(mining)이라 한다. 그러면 누구나 채굴기를 구매하여 10분 정도를 투자하면 블록값을 수정할 수 있다. 하지만 블록을 독립적으로 계산하지 않고 이전 블록의 해시값을 포함하여 계산한다. 따라서 그림 15.5와 같이 최초 블록부터 지금의 블록까지 순차적으로 연결된 형태가 되며, 이 때문에 이것을 블록체인이라 한다.

체인 형태로 엮여 있으므로 중간 블록에 있는 값을 수정하면 그 이후 모든 블록을 다시 계산해야 한다. 또한 비트코인의 특성 때문에 블록의 생성은 중단 없이 계속 생성된다. 따라서 특정 블록을 수정하고 그 이후 모든 블록을 수정하고자 하더라도 현재 블록보다 더 긴 길이의 체인을 만드는 것은 가능하지 않다. 이 때문에 블록체인은 불가역적이고 첨삭만 가능(append-only)하다고 하는 것이다.

참고로 블록에 포함될 모든 거래를 연속적으로 결합하여 해시하는 것은 아니고 모든 거래를 머클 트리로 구성하여 이 트리의 루트값만 블록의 해시값을 계산할 때 사용한다. 즉, 기본적으로 블록값은 이전 블록값, 거래를 구성한 머클 트리의 루트값, 암호 퍼즐의 답에 해당하는 랜덤값 3가지 값을 이용하여 계산한다. 또 머클 트리를 구성할 때 채굴자는 비트코인에서 정한 금액의 새 코인과 블록에 포함한 거래에 있는 수수료를 자신에게 지불하는 거래(coinbase transaction)를 포함한다. 이를 통해 비트코인에서 새 화폐들이 발행된다. 이와 같은 보상을 받기 위해 채굴자는 정직하게 행동한다.

비트코인 안전성에 중요한 요소 중 하나는 유효한 트랜잭션만 블록에 저장해야 한다는 것이다. 채굴에 성공한 채굴자는 그 사실을 전체 네트워크에 알린다. 완전 노드를 포함한 다른 채굴자는 채굴자가 전송한 블록의 내용을 확인하여 블록이 유효한 경우에만 해당 블록을 다음 블록으로 인정한다. 다음 블록으로 인정되어야 보상을 받을 수 있으므로 유효하지 않은 트랜잭션을 포함하여 블록을 만들 이유가 없다.

블록체인과 관련하여 한 가지 더 고려해야 하는 점은 암호 퍼즐은 확률적 알고리즘[23)]이다. 따라서 우연히 두 명의 채굴자가 거의 동시에 채굴에 성공할 수 있다. 이처럼 체인이 2개 이상의 갈래로 나누어지면 일시적 **포크**(fork)가 발생하였다고 한다. 하지만 이것이 계속해서 발생하는 것은 확률적으로 매우 어렵다. 암호 퍼즐에 해결하는 데 걸리는 시간을 10분으로 조정한 이유도 이와 관련되어 있다. 난이도가 낮을수록 우연히 동시에 해결할 확률은 높아진다.

비트코인에서는 일시적 포크 문제를 해결하기 위해 **가장 긴 체인 우선 규칙**을 사용하고 있다. 채굴자가 암호 퍼즐을 해결하였어도 해결한 블록이 현재 가장 긴 체인에 포함되지 않으면 해당 채굴자는 어떤 보상도 받을 수 없다. 따라서 채굴자는 보상받기 위해 이 규칙에 따라 현재 가장 긴 체인에 있는 마지막 블록을 이용하여 다음 블록을 만들게 된다. 이와 같은 이유로 비트코인의 작업 증명 프로토콜은 일시적으로 합의가 깨질 수 있으나 가장 긴 체인 우선 규칙에 의해 다시 하나의 블록체인으로 쉽게 합의한다.

가장 긴 체인 우선 규칙에 따라 자신의 거래가 포함된 블록의 깊이가 6 이상이 되면 안전하게 확정되었다고 간주하며, 채굴된 새 코인의 경우에는 깊이가 10 이상이 되어야 사용할 수 있도록 하고 있다. 비트코인에서는 전파속도를 고려하여 블록 크기를 1MB로 제한하고 있다. 따라서 한 블록에 최대 포함할 수 있는 트랜잭션 수가 제한된다. 그러므로 현재 거래량이 많으면 자신의 거래가 이번 라운드에 포함되지 않을 수 있고, 거래를 블록에 포함할지는 채굴자가 결정하는 것이므로 언제 포함될지 특정하기 어렵다. 긴 기간 동안 포함되지 않으면 노드들은 이 거래를 삭제하며, 코인의 소유자는 거래를 다시 생성하여 해당 코인을 다시 사용할 수 있다.

더 큰 비용을 투자하여 채굴 장비를 구축하여 채굴하면 채굴에 성공할 확률이 높아지며, 실제로 채굴에 사용되는 전 세계 컴퓨팅 파워의 51% 이상을 특정 채굴자가 제어할 수 있다

23) 채굴자가 난스를 모두 0부터 차례로 검사하는 것은 아니며, 앞에 요구하는 수의 0이 나오는 난스가 하나만 존재하는 것이 아니다. 또 채굴자마다 코인베이스 트랜잭션을 포함하여 블록에 포함하는 트랜잭션이 다르므로 모두 동시에 같은 문제를 해결하는 것도 아니다.

면 이 채굴자는 블록체인을 마음대로 조작할 수 있다. 하지만 아직 비트코인에서는 이와 같은 문제가 발생하지 않고 있으며, 이 때문에 현 블록체인 채굴 생태계가 건전하다고 말한다. 물론 현재는 소위 말하는 큰 손들이 전체 채굴 파워의 많은 부분을 점유하고 있다. 비트코인 외에 다른 암호화폐는 **51% 공격**이 실제 발생한 사례가 있다[141, 142]. 모나코인의 경우 57% 해시 파워를 획득한 채굴자가 블록의 암호 퍼즐을 해결하고도 공개하지 않고 계속 채굴하다가 어느 시점에 이것을 공개하여 이중 사용하는 공격(block withholding attack, selfish mining attack)이 있었다.

15.2.2.3 채굴

누가 채굴하나? 비트코인에서는 누구든지 원하면 채굴할 수 있다. 또 아무도 채굴하지 않으면 비트코인은 더는 동작하지 않는다. 그러면 왜 사람들은 채굴자가 될까? 이것은 보상이 있기 때문이다. 따라서 채굴자가 채굴 시스템을 구축하는 데 든 비용과 이 시스템을 운영하는 데 드는 비용의 합보다 이 보상이 커야 한다. 채굴 시스템을 운영하는 비용에는 전기세, 시설 운영비, 인건비 등이 포함된다. 특히, 많은 계산량 때문에 장비 냉각에 큰 비용이 소요되므로 추운 지방에 채굴 시설을 구축하거나 전기세가 저렴한 국가에 채굴 시설을 구축하는 경우가 많다. 비트코인에서 채굴자가 채굴에 성공하면 수수료[24)]와 새 비트코인을 받을 수 있다. 현재 채굴 생태계의 건전성을 보았을 때, 지금까지는 충분한 보상이 이루어졌다고 할 수 있으며, 이와 같은 이유로 비트코인 가격이 현재의 수준을 유지(채굴자들이 기대하는 수준이 되어야 함)하고 있다고 볼 수 있다.

사토시 나카모토는 비트코인의 수가 무한정 계속 증가하면 그 가치를 유지하기 어렵다고 판단하여 일정 시점이 되면 새 비트코인을 생성하지 않도록 하였으며, 이를 위해 일정 주기(약 4년)마다 암호 퍼즐을 해결하였을 때 새롭게 발행하는 코인의 수를 반으로 줄이고 있다. 최초 50BTC에서 4번 반감되어, 현재는 3.125BTC(반감 시점은 2024년 4월 20일임)를 보상으로 주고 있다. 현재 시세를 고려하여 1BTC가 약 8,000만원이라고 가정하면 10분에 누군가 약 이억오천만원 정도의 수입을 얻게 되는 것이다. 총발행될 비트코인의 수는 21,000,000개이며, 2024년 5월 기준으로 이미 전체 발행될 코인 수의 약 93.78% 이상이 발행된 상태이다. 2032년이 되면 발행될 비트코인의 99%가 발행되게 되며, 2140년이 되면 발행이 완전히 종료될 것으로 예측된다. 2032년 이후가 되면 블록마다 발행되는 코인의 수

24) 현재 적정 수준의 트랜잭션 수수료는 트랜잭션 크기에 비례하며, 1byte 당 31satoshi(2024. 5. 2. 기준)이다. 이론적으로 한 블록이 1MB이면 수수료는 최대 0.31BTC가 될 수 있다.

가 1BTC 이하가 될 것이며, 이 경우에는 채굴자의 보상 수익이 채굴자의 기대에 못 미칠 수 있다[25]. 더욱이 수수료는 강제화되어 있지 않으므로 어떤 현상이 나타날지는 예측하기가 어렵다. 그런데도 사토시 나카모토의 천재성을 부인하기는 어렵다. 사토시는 비트코인이 만약 성공한다면 어떤 과정으로 성공할 것인지를 확실히 예측하고 비트코인을 설계하였다고 볼 수 있다.

사토시 나카모토는 원래 사람들이 자신의 개인 컴퓨팅 파워를 이용하여 채굴할 것으로 생각하였다. 실제 초창기에는 사토시와 그의 몇 친구들만 그들의 가용 컴퓨터를 이용하여 비트코인을 채굴하였다. 하지만 비트코인에 대한 가치가 점점 높아짐에 따라 채굴자도 점점 늘어났다. 그리고 이들은 더욱 효과적으로 채굴할 수 있는 방법을 찾게 되었다. 이때 등장한 것이 GPU 채굴 방법이다. 이 방법도 FPGA(Field-Programmable Gate Arrays)를 이용한 채굴 방법이 등장하면서 뒤로 밀렸으며, 지금은 ASIC(Application Specific Integrated Circuit)을 이용하는 방법이 가장 많이 사용되고 있다. ASIC 관련 하드웨어 업체들 입장에서 보면 생각하지 못한 매우 큰 새로운 시장이 등장한 것이 된다. 또 초기에는 한 집단이 자체 시설(이를 채굴 농장(mining farm))을 만들어 채굴하였지만, 지금은 여러 집단이 **채굴 풀**(mining pool)을 형성하여 함께 채굴하고, 채굴에 성공하면 보상을 나누어 가지는 방식을 사용하고 있다. 또 채굴할 수 있는 장비를 구축하고 이를 대여하여 주는 채굴 클라우드 서비스도 등장하였다.

비트코인에서 사용하는 작업 증명 방식은 블록체인 안전성에 매우 중요한 요소이지만 전기 소비로 인한 환경 파괴가 심각하다는 지적에 따라 최근에는 작업 증명 외에 다른 방법을 찾고 있으며, 이 중 하나가 **지분 증명**(PoS, Proof-of-Share) 방식이다. 이에 대해서는 16장에서 자세히 설명한다. 비트코인에서 사용하는 작업 증명의 또 다른 문제는 확정 속도이다.

15.2.2.4 하드 포크, 소프트 포크

비트코인은 P2P 시스템이므로 모든 노드가 같은 버전의 소프트웨어를 사용하도록 강제화하기가 쉽지 않다. 따라서 노드들이 다른 버전의 소프트웨어를 사용하여도 시스템은 문제없이 동작해야 한다. 비트코인에서 소프트웨어 업그레이드는 다른 소프트웨어처럼 소프

25) 지금도 이미 채굴 보상이 투자 대비 작다고 한다. 하지만 채굴을 중단하면 비트코인의 가치하락으로 더 큰 손해를 볼 수 있어, 채굴을 쉽게 중단하기도 어렵다.

트웨어 결함을 해소하기 위한 이유도 있지만, 규칙을 바꾸기 위해 소프트웨어를 업그레이드해야 하는 경우가 더 많다. 특히, 트랜잭션 검증 규칙, 블록 구성 규칙 등의 일관성은 반드시 유지되어야 한다.

규칙 변경 측면에서 이 문제를 살펴보자. 규칙 변경은 크게 다음 2가지로 나누어 볼 수 있다.

- 경우 1. 과거와 호환되지 않는 규칙의 도입
- 경우 2. 과거와 호환되는 규칙의 도입

경우 1을 **하드 포크**라 하고, 경우 2를 **소프트 포크**라 하며, 둘 다 블록체인이 두 갈래로 나누어질 수 있으며, 각 갈래가 계속 유지될 수 있는 문제점이 있다. 이 2가지 경우 어떤 문제가 발생하는지 살펴보기 위해 두 개의 노드 A와 B 입장에서 살펴보자. 여기서 A는 이전 규칙을 사용하는 노드이고, B는 새 규칙을 사용하는 노드라 하고, 블록 구성에 관한 규칙이 변경되었다고 하자.

먼저 경우 1을 생각하여 보자. 간단하게 블록 크기를 1MB에서 2MB로 높였다고 하자. A는 B가 생성한 새 블록을 인정할 수 없다. 이때 A와 같은 입장의 노드들과 B와 같은 입장의 노드들이 계속 독자적으로 블록들을 만들었다고 하면 블록체인이 2가지 갈래로 나누어지게 된다. 이 갈래를 다시 하나로 합치기는 쉽지 않다. A와 같은 입장의 노드들이 새 규칙을 인정하고 포크된 이후 그들의 갈래를 통해 발생한 모든 이익을 포기해야 한다. B와 같은 입장의 노드들은 새 규칙이 필요하다고 생각하는 집단이므로 이들이 A 갈래로 합치기도 쉽지 않다. 이 때문에 두 갈래가 계속 유지되는 현상을 하드 포크라 한다. 실제 두 갈래가 계속 유지되지 않아도 과거와 호환되지 않는 규칙을 도입하면 하드 포크하였다고 한다.

경우 2는 경우 1과 반대로 블록 크기를 축소하는 것을 예로 생각해 볼 수 있다. A와 같은 입장의 노드들은 자신들이 생성한 블록은 물론 B가 생성한 블록들도 인정할 수 있다. 반면에 B와 같은 입장의 노드들은 A가 생성한 블록들을 인정할 수 없다. 즉, 소프트웨어를 업그레이드하지 않은 노드들도 규칙 변경이 적용된 블록을 인정할 수 있다. 이와 같은 이유로 두 갈래가 유지되는 것을 소프트 포크라 한다. 하지만 소프트 포크는 하드 포크와 비교하여 A와 같은 입장의 노드들이 B 쪽으로 합쳐지는 것이 상대적으로 쉬울 수 있다. 물론 이와 같은 통일이 일어나기 위해서는 B와 같은 입장의 노드들이 다수이어야 한다.

이처럼 블록체인은 그것의 기술과 상관없이 언제든 불가역성이 보장되지 않을 수 있다. 다수의 참여자가 동의하면 하지 못할 것은 아무것도 없다.

15.2.3 비트코인의 개선

비트코인도 최초 사토시 나카모토가 제안한 형식 그대로 지금까지 유지되는 것은 아니다. 조금씩 기술적 발전을 하고 있다.

15.2.3.1 세그윗

세그윗(segwit)은 비트코인의 블록 크기 제한 문제를 극복하기 위해 도입된 기술이다. 비트코인은 전파속도를 고려하여 블록의 크기를 1MB로 제한하였다. 이 블록을 구성하는 데이터는 트랜잭션이며, 트랜잭션의 내용 중 가장 많은 부피를 차지하는 것이 서명값이다. 세그윗은 트랜잭션의 내부 내용 중 서명값을 블록에서 분리하여 별도 유지한다. 이렇게 하면 1MB의 블록 크기에 더 많은 트랜잭션을 포함할 수 있다. 서명값은 별도 머클 트리로 구성하여 코인베이스 트랜잭션에 포함하는 방법을 사용하고 있다. 세그윗은 2015년에 처음 제안되었고, 소프트 포크를 통해 2017년 8월에 도입되었다. 이 이후 블록 크기를 2MB로 확장하는 Segwit2x를 2017년 11월에 하드 포크로 도입하기로 하였다가 여러 반대로 도입을 포기하였다.

15.2.3.2 2계층 기술

비트코인에서 사용하는 블록체인 자체를 수정하지 않고 블록체인의 성능을 개선하는 방법도 있다. 이와 같은 기술을 **2계층**(layer 2) **블록체인 기술**이라 한다. 현재 다양한 2계층 기술이 개발되고 있다. 이 절에서는 이와 같은 기술 중 **지불 채널**(payment channel)에 대해 살펴본다. 지불 채널은 두 사용자 간에 연속된 거래가 진행되면 모든 거래 내용을 블록체인에 꼭 저장할 필요가 없다는 점을 이용하는 기술이다. 예를 들어, A가 B에게 0.01BTC를 다섯 번 지불한 경우 A가 B에게 0.05BTC를 지불한 트랜잭션 하나만 기록하면 된다. 채널을 사용하여 거래하면 수수료를 절약할 수 있으며, 트랜잭션 처리 속도를 향상할 수 있다. 특히, 비트코인은 수수료 때문에 보통의 수수료보다 적은 금액을 거래하는 것이 힘들다. 하지만 지불 채널을 이용하면 소액 지불이 가능하다. 지불 채널을 이해하기 위해서는 비트코인 관련 지금까지 설명하지 않은 몇 가지 내용을 먼저 이해해야 한다.

첫째, 비트코인 지갑은 다중 서명 지갑을 지원한다. 보통 비트코인 지갑은 하나의 공개키 쌍과 연결되어 있지만 다중 서명 지갑은 여러 개의 공개키를 임계기반 형태로 지갑과 연결하여 사용할 수 있다. 2-2 다중 서명 지갑을 만들어 서로 다른 두 개의 개인키를 이용하여 트랜잭션에 서명해야 지갑이 보유한 비트코인을 양도할 수 있도록 만들 수 있다. 또 2-3 다중 서명 지갑을 만들고, 3개의 개인키 중 하나는 백업키로 설정할 수 있다. 이 경우 3개의 키 중 어떤 2개의 조합만 있으면 지갑의 비트코인을 사용할 수 있다.

	절대	상대
트랜잭션 수준	nLockTime	nSequence
UTXO 수준	CLTV(Check LockTime Verifty)	CSV(Check Sequence Verify)

<표 15.2> 비트코인 잠금의 종류

둘째, 비트코인은 시간 잠금 기능이 있다. 일정 시간이 지나야 트랜잭션 또는 트랜잭션의 출력을 사용할 수 있도록 제한할 수 있다. 여기서 시간은 실제 시간일 수 있고, 블록 높이일 수 있다. 또 절대적, 상대적 개념이 모두 가능하다. 예를 들어, T_1, T_2 두 개의 트랜잭션이 있고, T_2 트랜잭션은 T_1 트랜잭션의 출력을 사용하는 트랜잭션이라 하자. T_2 트랜잭션 입력의 nSequence 값을 10으로 설정하면 T_2 트랜잭션은 T_1 트랜잭션이 등록된 이후 10개 블록이 지나야 블록체인에 등록할 수 있다. 잠금이 된 트랜잭션은 잠금이 해제되기 전에 같은 입력을 이용한 트랜잭션이 등록되면 잠겨있던 트랜잭션은 잠김이 해제되어도 이중 사용으로 사용할 수 없게 된다.

비트코인에는 현재 표 15.2처럼 총 4종류의 시간 잠금 기능이 있다. nLockTime과 nSequence는 트랜잭션 수준에 해당하며, 트랜잭션의 블록 등록을 지연해 주는 역할을 한다. 따라서 이와 같은 잠금이 설정된 트랜잭션은 잠금이 해제될 때까지 채굴 블록에 포함할 수 없다. CLTV와 CSV는 UTXO 수준이며, 특정 UTXO의 사용을 지연해 주는 역할을 한다. 즉, 이 UTXO를 사용하는 트랜잭션의 채굴을 지연하여 준다.

셋째, 해시 시간 잠금(HTLC, Hash TIme Locked Contracts) 기능도 있다. 이 잠금은 트랜잭션에 포함된 해시값의 입력을 함께 제시해야 트랜잭션을 블록에 저장할 수 있다. 이 잠금은 만료 시간이 있어 만료 시간 전에 해시값의 입력을 제시해야 하며, 그 후에는 이 트랜잭션은 무조건 무효가 되어 입력의 원 소유자는 그것을 다른 지불에 사용할 수 있다. 참고로 잠금 기능은 기술적으로 보장되는 것이 아니라 규칙에 의해 제공되는 것이고, 규칙은 보상 체계 때문에 준수되는 것이다.

지불 채널은 다중 서명 지갑과 시간 잠금을 이용하는 2자 간 오프 체인 지불 방법이다. 오프 체인이란 2자 간 비트코인 트랜잭션을 교환하여 거래를 진행하지만, 이 트랜잭션들을 블록체인에 등록하지 않는다. 채널을 개설할 때와 종료할 때 두 번만 블록체인에 저장하고, 그사이에 진행된 거래는 블록체인에 등록하지 않는다. 채널의 개설은 2-2 다중 서명 지갑을 만드는 것이고, 이 지갑에 두 사용자 모두 또는 두 사용자 중 한 명만 비트코인을 예치하게 된다. 채널이 개설되면 이 지갑에 있는 비트코인은 두 사용자가 모두 동의해야 사용할 수 있다. 따라서 개설할 때 여러 가지 추가 조치가 없으면 예치된 돈을 부당하게 잃어버릴 수 있다. 예를 들어, A와 B가 0.5BTC를 각각 예치하여 채널을 개설하고자 하면, 이 채널에서 초기 예치금 0.5BTC를 회수할 수 있도록 해주는 트랜잭션에 서명하여 서로 교환한 후에 채널 개설을 완료해야 한다. 이 트랜잭션을 보통 페널티 트랜잭션이라 하며, 페널티 트랜잭션은 시간 잠금이 되어 있어, 서로 불법적 회수를 시도할 수 없다. 정상적으로 채널을 닫으면 페널티 트랜잭션은 이중 사용이 되므로 사용할 수 없게 된다.

페널티 트랜잭션의 시간 잠금은 nLockTime을 이용할 수 있고, CLTV를 이용할 수 있다. nLockTime은 페널티 트랜잭션 자체를 잠금하는 것이고, CLTV는 페널티 트랜잭션 자체가 아니라 페널티 트랜잭션의 출력을 잠금하는 것이다. 둘 다 가능하지만 nLockTime은 트랜잭션 가단성(malleability) 공격에 취약할 수 있어 CLTV를 이용하는 것을 더 선호한다. 트랜잭션 가단성 공격이란 내용이 같은 해시값이 다른 두 개의 트랜잭션을 만들어 공격하는 것을 말한다.

채널 개설이 완료되면 A와 B는 유효한 블록체인 트랜잭션을 만들어 서로 교환한다. 예를 들어, A가 0.01BTC를 여러 차례 B에게 지불하는 지불 채널을 생각하여 보자. 채널을 개설할 때, A는 0.1BTC를 2-2 다중 지갑에 예치한다. B는 이 지갑에서 0.1BTC를 A에게 지급하는 페널티 트랜잭션을 만들어 A에게 전달한다. 이 트랜잭션은 B만 서명한 상태이므로 A가 추가로 서명해야 유효한 트랜잭션이 된다. 이 페널티 트랜잭션은 시간 잠금이 되어 있어 A가 아무 때나 사용할 수 없다. A는 0.01BTC를 B에게 지불할 때마다 새 트랜잭션을 만들어 B에게 전달한다. 따라서 B는 출력이 (A: 0.09, B: 0.01), (A: 0.08, B: 0.02) 등과 같은 여러 개의 트랜잭션을 받는다. B는 최종적으로 받은 트랜잭션 외에 다른 트랜잭션으로 이 지불 채널을 닫는 것은 손해이다. 또 B는 이 채널을 정해진 시간 이내에 닫지 않으면 손해이므로 항상 최종적으로 받은 트랜잭션에 서명하여 이 채널을 닫는다. A는 B의 서명을 만들 수 없으므로 좀 더 유리한 상태에서 채널을 닫을 수 없으며, 페널티 트랜잭션의 시간 잠금이 해제되기 전에 B가 채널을 닫으면 이중 사용이 되므로 A는 페널티 트랜잭션을 사용할 수 없다. 이처럼 누구도 부당한 이득을 얻을 수 없도록 채널을 열고 사용할 수 있다.

사용자 A가 여러 사용자와 소액 거래를 하고 싶을 때, 사용자마다 지불 채널을 만드는 것은 번거로울 수 있다. A와 B가 지불 채널을 개설하고 있고, B와 C가 지불 채널을 개설하고 있으면 A는 C와 지불 채널을 개설하지 않고 B를 이용하여 C에게 지불할 수 있다. 이것을 지불 채널 네트워크(PCN, Payment Channel Network)라 한다. 대표적인 지불 채널 네트워크가 라이트닝 네트워크이다. 이 네트워크는 A가 특정 사용자에게 비트코인 거래를 하고 싶을 때, 지불 채널들을 이용하여 지불 채널 네트워크를 구축해 준다. 지불 채널 네트워크에서 가장 큰 문제는 중간 사용자가 중계를 멈추고 채널을 닫아 부당한 이득을 취하고자 할 수 있다. 이 문제는 HTLC를 이용하여 해결한다. A는 최종 수신자로부터 해시값을 받아 트랜잭션에 포함하여 지불 채널 네트워크를 이용하게 된다. 중간 노드들은 해시 잠금 때문에 포함된 해시값의 입력이 없으면 받은 비트코인을 얻을 수 없게 된다. 최종 수신자는 입력값을 알기 때문에 입력값을 공개하여 트랜잭션을 마무리하면 중간에 있는 노드들도 차례로 마무리할 수 있게 된다.

15.2.3.3 탭루트

탭루트(taproot)는 2021년 11월에 소프트 포크를 통해 도입된 비트코인 개선이다. 탭루트의 도입으로 기존 ECDSA 대신에 타원곡선 기반 Schnorr 전자서명을 이용할 수 있게 되었다. Schnorr 전자서명을 사용하면 서명 크기가 기존보다 축소되며, Schnorr 전자서명의 다중 서명 기능을 활용할 수 있다. 다중 서명은 같은 메시지에 대한 여러 개의 서명을 하나의 서명으로 결합할 수 있다. 다중 서명 기능은 지불 채널에서 널리 사용하는 다중 서명 지갑을 사용할 때 한 트랜잭션에 여러 개의 서명을 포함하는 대신에 결합한 하나의 다중 서명을 포함할 수 있어, 블록 크기를 줄이는 데 추가적인 효과가 있다. 또 제시된 공개키가 다중 서명 공개키인지 구분할 수 없으므로 프라이버시를 향상하는 데도 도움이 된다.

탭루트는 전자서명 알고리즘만 바꾸지 않고 MAST(Merkelized Alternative Script Trees)와 Tapscript도 도입하였다. MAST는 여러 스크립트를 머클 트리로 결합한 트리이다. Tapscript로 작성된 다양한 스크립트를 결합하여 MAST를 만든 후, 이 트리의 루트값을 UTXO에 연결할 수 있다. MAST가 연결된 UTXO는 MAST가 포함하고 있는 여러 스크립트 중 한 스크립트를 만족하면 사용할 수 있다. 이때 Schnorr의 다중 서명 기능을 활용하고 있으며, UTXO를 사용할 때 머클 트리의 특성 때문에 지불에 사용된 스크립트 외에 MAST에 포함된 나머지 스크립트는 공개할 필요가 없다. 이를 통해 비트코인에서도 복잡한 트랜잭션을 처리할 수 있게 되었으며, 향후 다양한 확장이 가능할 것으로 기대하고 있다.

15.2.4 비트코인 블록체인의 특성

비트코인 블록체인의 특성은 다음과 같다.

- 특징 1. 지속해서 끊임없이 계속 생성해야 한다.
  비트코인은 10분마다 하나의 블록을 생성한다. 누구나 블록 생성에 참여할 수 있으며, 블록의 생성은 영원히 끊임없이 계속되어야 한다. 사토시 나카모토가 고안한 보상 체계 때문에 아직은 문제없이 계속 생성되고 있다.
- 특징 2. 기록된 것은 변경할 수 없으며, 첨삭만 가능하다.
  전자서명 기술 때문에 입력 소유자 외에는 기존 트랜잭션 내용을 수정할 수 없지만, 트랜잭션의 삭제나 추가는 블록에 포함되는 머클 트리를 재구성하여 누구나 시도할 수 있다. 특정 블록을 수정하기 위해 암호 퍼즐을 성공적으로 계산하여도 해당 블록 이후 모든 블록의 암호 퍼즐을 새롭게 계산하여야 하며, 가장 긴 체인 우선 규칙 때문에 계속 생성되고 있는 기존 체인보다 더 긴 체인을 만드는 것은 가능하지 않다.
- 특징 3. 분산 저장되어 있다.
  완전 노드를 운영하는 모든 참여자는 최초 블록부터 최신 블록까지 모든 블록의 정보를 유지하고 있다. 보통 같은 데이터가 여러 곳에 분산 저장되어 있으면 분산 저장된 모든 데이터를 다 바꿀 수 없으므로 이 자체가 수정을 어렵게 하는 요소이다.
- 특징 4. 누구나 접근할 수 있다. 이 때문에 비트코인을 공개형 블록체인이라 한다.
- 특징 5. 블록에 기록을 포함하는 권한은 블록을 생성하는 주체가 결정한다.
  채굴자는 더 많은 이득을 얻기 위해 지금까지 블록에 포함되어 있지 않은 트랜잭션 중 수수료가 높은 트랜잭션으로 블록을 구성하며, 더 많은 트랜잭션을 포함해야 더 많은 수수료를 받을 수 있다. 하지만 블록에 포함할 트랜잭션의 선택은 채굴자가 임의로 결정할 수 있으며, 더욱더 빠르게 암호 퍼즐을 해결하기 위해 트랜잭션을 하나도 포함하지 않을 수 있다. 하지만 규칙에 따라 비트코인이 잘 동작해야 그것의 가치가 유지 또는 상승하므로 채굴자가 비트코인 가치에 나쁜 영향을 줄 수 있는 행동을 할 동인이 없다.

- 특징 6. 체인 순서에 의해 각 블록이 생성된 시점에 대한 상대적 시간을 알 수 있다.
  특징 5에서 설명한 바와 같이 블록에 특정 트랜잭션의 포함 여부는 채굴자가 결정한다. 따라서 블록에 포함된 순서가 실제 거래가 이루어진 순서라고 단정할 수는 없다.
- 특징 7. 오픈 소스로 운영된다. (신뢰성이 높음)
  비트코인처럼 안전성과 신뢰가 중요하면 소프트웨어 소스 자체를 공개하여 소프트웨어가 정해진 규칙에 따라 정확하게 동작하고 트랩도어와 같은 문제가 있는 요소가 없다는 것을 누구나 확인할 수 있도록 하는 것이 필요하다. 오픈 소스이므로 이것을 활용하여 알트코인을 개발하기도 쉽다.

참고로 블록체인의 변경불가능성 특징은 블록체인을 어떤 응용에 활용하는지에 따라 단점이 될 수도 있다. 한번 기록된 정보는 영구히 삭제할 수 없으므로 오류가 포함되더라도 이를 수정, 삭제할 수 없고, 프라이버시, 잊힐 권리(right to be forgotten)라는 측면에서도 위험한 요소가 될 수 있다. 또 UTXO 방식을 사용하고 있으므로 비트코인의 블록체인 데이터는 계속 쌓이기만 하는 구조이다. 일반적인 데이터와 달리 aging 기능이 없다.

15.2.5 비트코인의 안전성

새 비트코인은 채굴을 통해서만 생성할 수 있다. 따라서 항상 특정 참여자가 채굴에 성공할 수 있다면 혼자 부를 독식할 수 있는 문제점이 있다. 하지만 확률적이며 일정 시간이 소요되도록 하는 채굴 방식과 비트코인 생태계의 건전성 때문에 이와 같은 문제는 발생하기 어렵다. 또한 채굴이 아닌 방법으로 비트코인을 만들어 분산 원장에 포함할 수는 없다. 물론 앞서 설명한 바와 같이 지금은 상위 4~5개 채굴 풀이 전체의 50% 이상의 해시 파워를 가지고 있어, 실제 생태계가 건전하다고 말하기 어려운 측면이 있다.

기존 거래 명세를 수정하거나 이중 사용하여 부당한 이득을 취하고자 할 수 있다. 거래 명세를 수정하기 위해서는 해당 거래 명세가 공개된 블록을 새롭게 채굴한 다음 그 이후 모든 블록도 다시 채굴해야 한다. 하지만 가장 긴 체인을 우선하는 비트코인의 규칙 때문에 오래된 거래 명세를 수정하기는 계산적으로 거의 불가능하다. 참고로 블록들은 10분마다 계속 채굴되고 있다. 매우 강력한 채굴자가 등장하면 기존 공개된 거래 명세를 무시하고 생태계를 교란할 수 있지만 앞서 언급한 바와 같이 현재의 생태계 상황을 고려하였을 때 아직은 현실성이 없다. 참고로 새 트랜잭션을 수신한 완전 노드에서 이중 사용 여부에 대한 검사는 블록체인 자체를 검색하는 것이 아니다. 완전 노드는 별도 UTXO 집합 데이터베이스를 유지하며, 이를 이용하여 이중 사용 여부를 검사한다.

다른 사용자의 코인을 가로채어 사용하는 문제의 경우에는 그 코인을 사용하기 위한 개인키가 필요하다. 비트코인은 타원곡선 기반 전자서명 알고리즘을 사용하고 있으므로 서명의 위조나 암호해독을 통한 타인의 개인키 확보는 이 알고리즘에 의존한다. 거래소에 대한 보고된 대부분의 해킹 사례는 비트코인 자체의 보안 문제보다는 운영 사이트와 서버가 가지고 있는 취약점을 이용하는 공격들이다. 실제로 일부 거래소의 경우에는 고객의 개인키까지 보유하고 있어, 거래소 해킹을 통해 비트코인이 탈취된 사례가 있다.

15.2.6 비트코인의 문제점

비트코인은 애초에는 화폐 기능을 하기 위해 고안된 것이다. 하지만 비트코인은 가격 변동이 크고, 거래가 확정되는데 걸리는 시간이 기므로 실제 화폐 기능을 하기 어렵다. 현재는 화폐보다는 투자 자산 기능만 하고 있다. 또 암호화폐는 익명 거래가 가능하여, 불법 거래에 많이 사용되었기 때문에 부정적으로 보는 시각이 있고, 현재 사용하고 있는 다양한 지불 방식에 대해 큰 불편함을 느끼지 못하고 있어 암호화폐가 가까운 미래에 실제 화폐 역할을 할지는 미지수이다. 물론 16장에서 설명하는 CBDC가 가까운 미래에 통용될 가능성은 충분히 있다.

암호화폐가 대중에 관심을 받게 되고, 그것을 투자 대상으로 여김에 따라 암호화폐를 기존 상품과 유사하게 쉽게 거래하기 위해 코인 거래소가 등장하였다. 코인 거래소는 일종의 중재자이다. 이 측면에서 P2P 탈중앙 암호화폐의 원래 취지에 맞는 참여자는 아니다. 기존 은행 서비스와 달리 개인의 부주의로 보유 암호화폐를 모두 잃을 수 있으므로 개인은 자신의 모든 거래에 대해 전적으로 책임지기보다는 코인 거래소라는 중재자를 활용하는 것이 더 안전하고 편리하다고 생각할 수 있다.

채굴은 비트코인에서 매우 중요한 핵심 요소이다. 또 이 채굴은 중단 없이 계속되어야 비트코인이 정상 동작할 수 있다. 비트코인의 채굴이 독점되면 부가 집중되는 문제도 있지만 51% 공격 등 안전성에도 위협이 된다. 현재는 ASIC을 이용한 채굴로 채굴 수익이 소위 큰 손들에게 집중되고 있다. 현재 상위 4곳의 채굴 풀이 차지하는 비율은 50%를 초과하고 있다. 물론 이 풀에 속한 각 개인이 차지하는 비중은 걱정될 수준은 아니다. 하지만 채굴의 중앙 집중화 역시 애초 P2P 탈중앙 암호화폐의 취지에도 맞지 않으며, ASIC을 이용한 채굴 경쟁은 많은 양의 전기 소비로 환경에도 매우 나쁜 영향을 주게 된다.

비트코인이 사용하는 작업 증명은 이와 같은 문제를 근본적으로 해결하기 어렵다. 따라서 작업 증명 대신에 지분 증명 등 다른 분산 합의 기술을 사용하여 블록체인을 구현하는 방법들도 제안되고 있다. 이에 대해서는 16장에서 자세히 살펴본다.

비트코인이 화폐의 역할을 못 하고 있지만 투자의 대상이 되고 있어 비트코인의 거래는 계속 발생하고 있다. 비트코인의 기능적 측면에서 가장 큰 문제점은 확장성이다. 현재 비트코인은 10분만 마다 새 블록이 생성되며, 이 블록의 크기는 1MB로 제한되어 있다. 트랜잭션의 크기가 가변적이지만 블록마다 약 3,000건 정도의 거래만 수용할 수 있으며, 이 거래가 확정되는데 여섯 블록이 지나야 하므로 거래 확정 속도가 느리다는 단점도 가지고 있다.

한 블록에 포함할 수 있는 거래량과 이로 인한 속도 문제는 보통 신용카드 거래량과 비교된다. Visa는 하루에 약 1억5천 개의 트랜잭션을 처리하고 있다. 즉, 1초에 약 1,700개를 처리하고 있다. 더욱이 실제 처리할 수 있는 속도는 1초에 약 24,000개의 트랜잭션이다. 반면에 비트코인은 1초에 7개의 트랜잭션만 처리할 수 있다. 비트코인의 확장 속도와 처리량 향상을 위해 세그윗, 지불 채널, 샤딩(sharding) 등 여러 방안이 도입되거나 검토되고 있다. 역설적이지만 비트코인에서 트랜잭션을 모아 블록 단위로 해시 퍼즐을 해결하는 이유는 처리량을 높이기 위한 수단이다. 작업 증명을 하는 횟수를 줄이기 위해서는 한번 작업 증명을 할 때 더 많은 트랜잭션을 처리할수록 유리하다.

비트코인의 처리 속도를 증가하기 위해 퍼즐의 난이도를 줄이는 것을 고려해 볼 수 있다. 퍼즐의 난이도가 줄면 일시적 포크가 발생할 확률이 높아진다. 일시적 포크가 자주 발생하면 전체 네트워크의 일관성 상태가 불안정해지며, 확정에 필요한 깊이가 더 깊어질 수 있다. 또 악의적 채굴자에 의한 공격이 성공할 가능성이 커지며, 채굴자의 채굴 동인에도 나쁜 영향을 줄 수 있다.

비트코인의 확장 문제에 대한 의견 때문에 비트코인이 두 개로 갈라진 예도 있다. 비트코인에서 처음으로 하드 포크된 암호화폐는 비트코인 캐시(www.bitcoincash.org)이다. 이처럼 특정 암호화폐 커뮤니티 내에 의견 충돌이 발생하면 기술적인 특성과 상관없이 암호화폐가 두 개로 갈라질 수 있다. 실제 비트코인에서 하드 포크된 암호화폐는 비트코인 캐시 외에 비트코인 골드(www.bitcoingold.org), 비트코인 SV(bitcoinsv.io)가 있다.

비트코인 캐시는 비트코인에서 직접 파생된 새로운 암호화폐이지만 비트코인의 성공으로 비트코인과 유사한 수많은 종류의 암호화폐가 개발되었다. 이들을 모두 통틀어 알트 코인(ALTernative coin)이라 한다. 중요 알트코인에 대해서는 16장에서 다룬다. 이 측면에서 비트코인의 역사성과 의미가 인정되고 있다는 것을 방증하는 용어로도 해석될 수 있다.

비트코인에서 사용하는 블록체인은 데이터가 쌓이기만 하는 특성이 있으며, 오래된 데이터를 삭제할 수 없다. 즉, 데이터 aging 기능이 없다. 2024년 6월 7일 기준으로 블록체인의 크기는 577.4GB이다. 따라서 완전 노드를 새롭게 시작하는 데 긴 시간이 걸리며, 공간 부족으로 완전 노드의 운영을 포기하는 노드도 늘어날 수 있다. 이것은 비트코인 네트워크 안전성에 나쁜 영향을 줄 수 있다. 더욱이 확장성 문제를 해결하기 위해 블록 크기를 증가하거나 퍼즐 난이도를 줄이면 쌓이는 데이터의 크기도 함께 증가한다. 비트코인은 UTXO 기반이므로 이 문제를 해결하기가 더욱 어렵다.

비트코인은 원래 타원곡선 기반 ECDSA 전자서명을 사용하였고, 지금은 타원곡선 기반 Schnorr 전자서명을 이용하고 있다. 하지만 양자 컴퓨팅이 현실화되면 이들 서명 기법을 더 이상 사용할 수 없다. 따라서 그 전에 하드 포크 형태로 양자 내성 전자서명 기법을 사용하도록 진화하지 않으면 심각한 문제가 발생할 수 있다.

15장 퀴즈

1. 비트코인의 블록체인은 해시 퍼즐을 이용한 작업 증명을 이용한다. 다음 중 비트코인에서 사용하는 해시 퍼즐의 특징이 **아닌** 것은?

   ① 해결하는 데 걸리는 시간을 조절할 수 있다.
   ② 해결하는 과정에 확률적 요소가 포함되므로 우연히 동시에 해결할 수 있다.
   ③ 해결하는 데 걸리는 시간은 길 수 있지만 확인은 매우 빠르게 할 수 있는 비대칭적 특징을 가지고 있다.
   ④ 해결하는 데 걸리는 시간은 사용하는 장비의 성능에 영향을 받지 않는다.

2. 다음 중 비트코인 거래의 특징이 **아닌** 것은?

   ① 금전 이동에 해당하는 트랜잭션이 블록체인에 기록되어 지불이 이루어지는 형태이다.
   ② 비트코인 트랜잭션은 다중 입력, 다중 출력을 지원하며, 입력의 합과 출력의 합이 같아야 한다.
   ③ 한 지갑이 보유한 총액은 블록체인에 기록된 해당 지갑이 대상이 되는 출력 중 아직 지불에 사용하지 않은 출력의 합이다.
   ④ 이미 지불에 사용한 금액을 이중 사용할 수 없도록 새 트랜잭션이 제출되면 그것의 입력이 이미 사용된 적이 있는지 검사해야 한다.

3. 비트코인 채굴과 관련된 다음 설명 중 **틀린** 것은?

   ① 채굴에 성공하면 일정한 수의 새 비트코인과 블록에 포함한 트랜잭션의 수수료를 보상으로 받는다.
   ② 장비 싸움(더 좋은, 더 많은 장비를 가지고 있을수록 채굴에 성공할 확률이 높음)이지만 확률적 요소가 포함되어 있다.
   ③ 아무도 채굴하지 않아 블록체인에 블록이 추가되는 것이 멈추더라도 기존 데이터의 불가역성은 보장된다.
   ④ 채굴하기 위한 투자 대비 수익이 기대에 미치지 못하더라도 채굴을 멈추면 비트코인 생태계에 영향을 줄 수 있고, 그 영향으로 비트코인 가격이 하락할 수 있으므로 보유한 비트코인의 가치를 유지하기 위해서는 계속 채굴할 수밖에 없는 특성도 있다.

4. 비트코인은 블록체인을 사용하여 비트코인이 제공해야 하는 여러 가지 요구사항을 충족하고 있다. 다음 중 블록체인을 통해 충족하는 요구사항이 **아닌** 것은?

① 유효한 트랜잭션만 블록에 포함하고, 포함된 트랜잭션의 수정과 삭제가 가능하지 않도록 하여 이중 사용을 방지한다.
② 블록이 확정될 때마다 일정한 수의 화폐를 발행하여 화폐의 발행을 통제한다.
③ 다른 사람이 보유한 비트코인을 사용할 수 없도록 해준다.
④ 비트코인 노드(완전 노드)들이 모두 같은 데이터를 유지하도록 해준다.

5. 명목화폐와 비트코인을 비교한 다음 설명 중 **틀린** 것은?

① 둘 다 금전적 가치가 지불자에서 수취인으로 바로 이동하기 때문에 push 방식의 지불이다.
② 둘 다 지불이 이루어지는 순간 금전적 가치의 이동이 확정된다.
③ 명목화폐는 화폐가 수취인에게 전달되지만, 비트코인은 지불 의사가 수취인뿐만 아니라 전 세계의 모든 비트코인 노드로 전달되어야 한다.
④ 명목화폐는 발행기관이 중앙 집중적으로 발행하지만, 비트코인은 참여 노드들이 규칙에 따라 주기적으로 자발적으로 발행한다.

연습문제

1. 비트코인 이전 암호화폐에서 온라인, 오프라인 방식의 차이를 설명하고, 각 방식에서 이중 사용을 어떻게 처리하는지 설명하라.

2. 은닉 서명을 이용한 온라인 암호화폐에서는 해당 암호화폐를 발급받은 고객뿐만 아니라 누구든지 암호화폐에 해당하는 서명값을 가지고 있으면 사용할 수 있다. 은닉 서명을 받을 때 단순한 일련번호 대신에 랜덤 공개키를 이용한다고 하자. 즉, dK_D가 특정 액면가에 대한 서명키이고, eK가 랜덤 공개키라 할 때 암호화폐가 $\text{Sig}.dK_D(H(eK))$ 형태가 된다. 이 경우 해당 화폐를 사용하기 위해서는 일련번호 역할을 하는 eK에 대응되는 개인키가 필요하도록 지불 프로토콜을 설계할 수 있다. 이것의 장점을 기존 방식과 비교하여 설명하라.

3. 은닉 서명을 이용한 온라인 암호화폐에서 단순한 일련번호 대신에 해시체인의 루트값을 이용한다고 하자. 이와 관련하여 다음에 대해 각각 답변하라.

   ① 이 기법을 사용하면 같은 액면가의 암호화폐를 n개 인출하는 대신에 길이가 n인 해시체인의 루트 값을 포함한 암호화폐를 하나만 인출받으면 된다. 이 방식에서 이중 사용은 어떻게 방지할 수 있는지 설명하라.
   ② 이 기법의 암호화폐는 프라이버시 측면에서 어떤 문제가 있는지 설명하라.
   ③ 고객이 길이가 n인 해시체인을 인출한다고 요청하고, 실제는 더 긴 길이의 체인 루트값을 포함하여 암호화폐를 발행받을 수 있다. 이 문제를 어떻게 해결할 수 있는지 설명하라.

4. 3장에서 소개한 중재 방식의 전자서명에서 서명이 유효하기 위해서는 서명자뿐만 아니라 중재자의 서명까지 필요하다. 이와 관련하여 블록체인 기술을 어떻게 사용할 수 있는지 설명하라.

5. 블록체인에서 하드 포크와 소프트 포크의 차이를 설명하라.

6. 블록체인은 기술적으로 불가역성을 보장하지만 어떤 기술을 사용하더라도 실제는 블록체인을 수정할 수 있다. 그 방법을 설명하시오.

7. 비트코인에서 특정 공격자가 거래 내역을 수정하고자 한다. 특정 트랜잭션의 내용을 수정하기 위해서는 다음 세 가지를 할 수 있어야 한다. 첫째, 트랜잭션 내용 자체를 수정해야 한다. 둘째, 수정된 트랜잭션을 포함하는 새 블록을 채굴해야 한다. 셋째, 채굴된 블록이 유효 블록체인에 포함해야 한다. 각 세 가지에 대해 어려운 정도를 간단히 설명하라.

8. 작업 증명을 이용하는 블록체인에서 채굴에 참여하는 전체 해시 파워의 51%를 특정 사용자가 확보하면 51% 공격을 시도할 수 있다고 한다. 이 사용자가 실제 할 수 있는 공격이 무엇인지 설명하라.

9. 두 명의 채굴자는 같은 장비, 같은 방법을 사용하여 같은 시각에 블록 채굴을 시작하더라도 해를 발견하는 데 걸리는 시간은 같을 수 없다. 그 이유를 설명하시오.

10. 비트코인은 약 10분마다 새 블록을 생성하며, 블록 채굴은 확률적 프로세스이므로 일시적 포크가 발생할 수 있다. 이 때문에 거래를 확정하는 속도가 느리다. 블록을 생성하는 주기를 단축하면 어떤 문제가 발생하는지 설명하라.

11. 비트코인의 블록체인은 aging 기능이 없어, 데이터가 계속 쌓이기만 한다. 더욱이 확장성을 위해 블록체인의 크기를 늘리면 블록체인 크기의 증가 속도는 더 빨라진다. 이것의 문제점을 설명하라.

12. 비트코인은 탈중앙 암호화폐를 목표로 하였지만 비트코인 참여자 중 실제 진정한 탈중앙으로 보기 어려운 참여자가 있다. 이 측면과 관련된 비트코인의 참여자를 제시하고 설명하라.

13. 비트코인은 UTXO 기반이며, 비트코인 지갑은 지갑 소유자의 UTXO를 관리해야 한다. UTXO 기반을 사용하므로 나타나는 문제점을 설명하라.

제16장

블록체인 2.0

제 16 장 블록체인 2.0

16.1 블록체인 2.0

비트코인이 등장한 이후, 수많은 암호화폐가 새롭게 등장하였다. 또 블록체인을 암호화폐를 구현하기 위한 기술로 한정하지 않고 여러 응용에서 블록체인을 분산 첨삭 전용 데이터베이스로 활용하고자 하는 움직임도 일어나고 있다. 지금은 인터넷과 웹이 우리 삶에 가지고 온 변화 이상으로 새로운 혁명을 일으킬 기술로 블록체인 기술을 바라보고 있다. 이 장에서는 비트코인 이후 등장한 알트코인과 이들 코인에서 사용하는 기술을 살펴본다. 또한 블록체인 기술의 발전과 미래를 생각해 본다.

16.1.1 비트코인 이후 블록체인의 발전

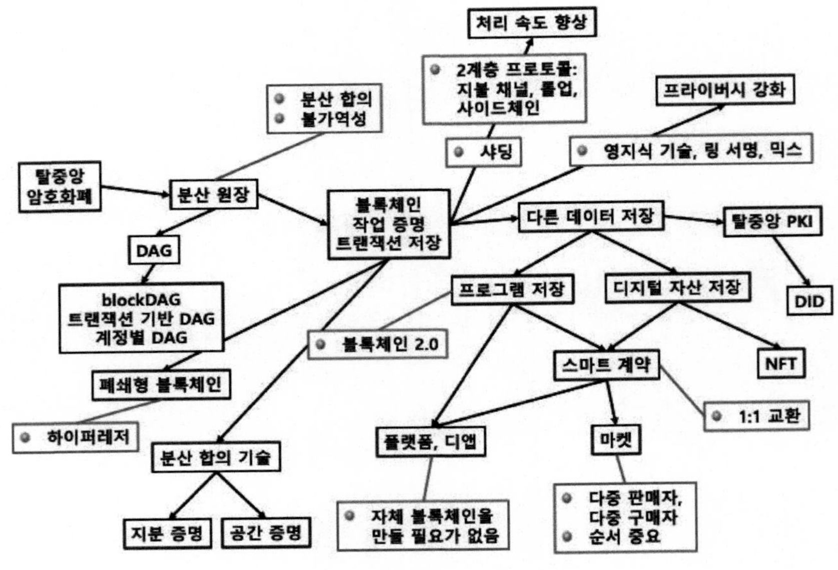

<그림 16.1> 블록체인 기술 맵

사토시 나카모토에 의해 블록체인이 분산 암호화폐를 구현하기 위해 사용된 이후 블록체인 기술과 암호화폐는 그림 16.1에 제시된 것처럼 여러 측면에서 개선되고 발전하고 있다. 이 발전 내용을 우선 이 절에서 간단하게 살펴보고 일부 내용에 대해서는 이 장에서 상세히 설명한다. 비트코인은 블록체인에 트랜잭션만 저장한다. 이 블록체인은 작업 증명 분산 합의 기술을 이용하여 참여하는 노드의 체인에 유지하는 데이터의 일관성과 불가역성을 보장해 준다. 저장된 데이터의 불가역성은 여러 가지 응용에서 활용할 수 있다. 이에 블록체인에 트랜잭션 외에 다른 데이터의 저장을 고려하게 되었다. 예를 들어, Namecoin(www.namecoin.org)은 블록체인을 통해 탈중앙화된 DNS 서비스를 제공하고 있다. 이처럼 블록체인에는 트랜잭션만 저장할 수 있는 것은 아니다.

불가역성이 필요하거나 데이터가 자동으로 중복 저장될 필요성이 있으면 블록체인에 저장할 수 있다. 특히, 블록체인은 탈중앙 PKI를 실현하는 기술로도 활용하고 있다. 개인정보의 주권을 개인이 직접 통제할 수 있도록 해주는 DID(Decentralized ID)도 블록체인을 이용하는 탈중앙 PKI의 한 응용이다.

다른 데이터의 저장 가능성은 프로그램의 저장 가능성으로 발전하였다. 특히, 블록체인에 암호화폐와 디지털 자산이 공존하면 블록체인에 저장된 프로그램을 통해 이들을 공정(fair)하게 교환할 수 있다. 이것을 할 수 있게 해주는 프로그램을 **스마트 계약**(smart contract)이라 한다. 프로그래밍 언어로 작성되는 스마트 계약은 조건이 충족되면 자동 실행된다. 스마트 계약은 두 사용자 간 거래에 사용하는 기술이지만, 프로그램을 블록체인에 등록하고 이를 실행할 수 있다면 할 수 있는 일은 이것으로 제한되지 않고 무궁무진하다. 스마트 계약을 기본 도구로 블록체인을 활용하는 새로운 형태의 탈중앙화된 앱들이 만들 수 있으며, 블록체인이 이와 같은 응용을 제공하고 운영하는 플랫폼 역할을 할 수 있다.

블록체인에 디지털 자산의 저장은 디지털 자산 자체를 블록체인에 저장하는 것이 아니라 그것의 메타 데이터를 저장하는 형태이다. 이와 같은 메타 데이터의 저장은 새로운 개념의 NFT(Non-Fungible Token)라는 토큰의 등장을 가져왔다. NFT는 블록체인을 통해 디지털 자산의 소유권을 발행하고, 소유권 변동 내역 관리할 수 있게 해준다.

스마트 계약을 이용한 쌍방 간 거래를 확장하면 인터넷 쇼핑몰과 같은 마켓의 구현도 가능해진다. 즉, 다중 판매자와 다중 구매자가 있는 마켓의 구현이 가능할 수 있다. 그러나 마켓의 구현을 위해서는 순서가 중요할 수 있다. 하지만 비트코인의 경우 블록체인에 저장되는 데이터의 순서는 보장해 주지 않는다.

비트코인의 모든 거래 내역은 누구나 볼 수 있으며, 누구나 참여할 수 있고, 누구나 채굴자 역할을 할 수 있다. 하지만 기업이 내부적으로 사용하는 응용에서 블록체인이 필요하면 비트코인처럼 공개형 블록체인을 사용할 필요는 없다. 이에 폐쇄형 블록체인들도 개발되어 사용되고 있으며, 이를 다른 말로 하이퍼레저(hyperledger)라 한다.

비트코인에서 사용한 블록체인은 블록을 선형으로 연결한다. 블록을 선형으로 연결하지 않고 주기가 없는 방향 그래프(DAG, Directed Acyclic Graph)가 되도록 연결하는 방법도 있다[143]. 이 방법을 blockDAG라 한다. 비트코인은 블록 단위로 거래를 확정하지만, 블록 단위로 확정하지 않고 개별 거래 단위로 연결하고 확정하는 방법도 있다. 이렇게 개별 거래를 연결하면 이 역시 DAG를 형성하게 된다. 모든 거래를 하나의 방향 그래프로 나타낼 수 있고[144], 계정별로 분리하여 유지할 수도 있다[145].

비트코인에서 사용한 블록체인은 비용이 고가인 작업 증명을 사용하고 있다. 따라서 작업 증명 대신에 비용이 저렴하면서 분산 합의와 불가역성을 제공할 수 있는 기술에 관한 연구도 활발하게 이루어지고 있다. 비트코인의 또 다른 문제는 확장성과 처리 속도이다. 이와 같은 문제를 극복하기 위한 다양한 기술도 비트코인 이후 계속 연구되고 제안되고 있다. 또 비트코인은 공개 원장을 사용하기 때문에 일부 정보의 노출은 불가피하다. 따라서 다양한 기술을 사용하여 거래의 익명성을 높이고자 하는 시도도 있다.

16.2 이더리움

비탈릭 부타린(Vitalik Buterin)은 블록체인에 프로그래밍 코드를 기록하고 이것을 각 컴퓨터에서 실행할 수 있도록 하여 디앱(DApp, Decentralized Application)이라고 하는 탈중앙화 앱을 만들고 서비스하는 플랫폼을 생각해 냈다[146]. 부타린은 이 아이디어를 비트코인 자체에 실현하고자 하였지만, 이 실현이 어렵다는 것을 인식하고 여러 개발자와 함께 2015년 **이더리움**(ethereum)이라는 새로운 암호화폐를 개발하여 공개하였다. 많은 사람은 이더리움의 이 생각을 블록체인 2.0이라고 하였다. 이더리움은 **이더**(Ether, ETH)라는 단위의 암호화폐를 사용하며, 비트코인과 달리 이더는 사용자가 디앱을 사용할 때 서비스 대금을 지불하는 목적으로만 사용된다. 이 때문에 최초 상장 과정에서 7,200만 개의 ETH가 배포되었다. 초기 이더리움은 15초마다 암호 퍼즐을 해결할 수 있도록 고안된 작업 증명 방식을 이용하여 매 블록을 생성할 때마다 신규 ETH를 발급하였다. 이 발급은 지금도 중단되지 않고 계속 발급하고 있다. 이것은 일반 유통을 목적으로 하지 않았기 때문이다. 물론 이더도 비트코인과 같이 현재 암호화폐 거래소에서 명목화폐로 환전할 수 있다[26]. 이더의 가치는 이더리움 블록체인을 사용하는 디앱이 많아지고 대중화되면 상승할 것으로 예측된다. 현재 이더리움은 이더리움 2.0으로 전환이 거의 완료된 상태이다. 이제는 더 이상 작업 증명을 사용하지 않고, 가스퍼(Gasper)라는 지분 증명 방식을 사용하고 있다.

기존 다른 암호화폐와 이더리움의 가장 큰 차별점은 튜링 완전한(Turing complete) Solidity와 같은 객체지향 프로그래밍 언어를 이용하여 이더리움 블록체인을 사용하는 다양한 디앱을 개발할 수 있다는 것이다. 프로그램 소스가 블록체인에 등록되면 소스에 악의적인 코드를 추가하는 것이 가능하지 않으므로 이더리움을 이용한 디앱의 신뢰성은 매우 높다고 할 수 있다. 이더리움 블록체인에 등록된 코드는 각 참여자의 컴퓨터에서 실행할 수 있다. 이때 자바와 유사한 개념인 EVM(Ethereum Virtual Machine)을 사용하며, EVM이 설치된 모든 환경에서 실행할 수 있다.

이더리움 이전에는 새로운 암호화폐를 만들거나 암호화폐를 이용하는 응용을 만들고자 하면 자체적으로 새로운 블록체인을 만들어야 했다. 하지만 작업 증명 방식을 사용하고자 하면 건전한 채굴 생태계가 형성될 때까지 긴 시간이 걸릴 수 있으며, 끝내 건전한 채굴 생태계가 형성되지 않을 수 있다. 하지만 이제 사람들은 이더리움을 이용하여 블록체인을 사용하는 서비스를 쉽게 개발하고 운영할 수 있다.

16.2.1 UTXO 기반 vs. 계정 기반

이더리움은 비트코인과 달리 **계정 기반**을 사용한다. 비트코인에서 특정 주소의 자산은 그 주소가 대상인 사용하지 않은 트랜잭션 출력의 총합이다. 예를 들어, 지갑의 주소가 A

26) 2020년 5월, 2021년 5월, 2022년 5월, 2023년 5월, 2024년 5월 기준으로 1ETH는 국내 거래소에서 244,700원, 4,627,000원, 3,502,000원, 2,424,000원, 4,390,000원에 거래되었다.

일 때, 이 지갑이 보유한 총액은 트랜잭션의 출력 중 대상이 A인 것 중 아직 사용하지 않은 금액의 총합이 된다. 반면에 계정 기반은 각 계정이 보유한 금액을 별도 유지한다. 계정 기반은 우리가 현재 사용하고 있는 금융 모델과 같아서 UTXO 기반보다 더 직관적이다. 두 방식의 차이점은 표 16.1과 같다.

UTXO 기반	계정 기반
● 모든 입력은 유효해야 하며, 아직 지불에 사용하지 않은 기존 트랜잭션의 출력이어야 함 ● 모든 입력 소유자의 유효한 서명이 있어야 함 ● 입력의 총액이 출력의 총액보다 커야 함	● 트랜잭션의 전송 계정이 충분한 금액이 있으면 유효한 지불이 됨

<표 16.1> UTXO 기반 지불과 계정 기반 지불 비교

이 특성 때문에 UTXO 기반은 다음과 같은 장점이 있다.

- 높은 수준의 프라이버시를 제공할 수 있다. 특히, 한 사용자는 거래마다 다른 주소를 사용하여 프라이버시의 수준을 높일 수 있다.
- 한 사용자의 여러 거래를 병행으로 처리할 수 있다. 즉, 개별 거래는 독립적으로 검증할 수 있다.

반면에 계정 기반은 다음과 같은 장점이 있다.

- 거래는 하나의 입력과 하나의 출력으로 구성되므로 단순하다.
- 잔액만 유지하므로 유지해야 하는 정보의 양도 적다.
- 계정이 존재하므로 프로그래밍하기 쉽다.

하지만 계정 기반은 계정이 유효한 상태를 유지해야 하므로 한 계정의 여러 거래를 병행으로 처리할 수 없다. 이 때문에 이더리움은 거래에 카운터를 포함하여 한 계정의 거래를 순차적으로 처리한다. 이더리움도 한 사용자가 여러 계정을 유지할 수 있지만 보통 한 계정만 사용하도록 유도하므로 프라이버시 측면에서는 UTXO 기반이 더 우수하다는 것이 일반적인 견해이다. 계정 기반은 일시적 포크가 발생하면 취소해야 하는 블록에 있는 모든 트랜잭션을 취소해야 하는 등 해야 할 일이 많다. 반면에 UTXO 기반은 유지하고 있는 블록만 교체하면 된다. 물론 UTXO 기반에서도 별도 유지하는 UTXO 집합 데이터베이스의 갱신은 필요하지만, 계정 기반과 비교하였을 때 상대적으로 훨씬 효율적으로 일시적 포크를 처리할 수 있다.

16.2.2 트랜잭션 처리 비용

비트코인에서 수수료는 입력과 출력의 차이에 의해 결정된다. 이더리움은 계정 기반이기 때문에 이 방식을 사용하기 어렵다. 이 때문에 이더리움에서는 가스 비용이라는 개념을 사용한다. 이것은 우리가 자동차를 사용하기 위해 주유하는 개념과 유사하다. 주유하는 양이 같더라도 당일 시세에 따라 사용하는 주유소에 따라 주유액은 달라질 수 있다. 차를 운행하면 주유비가 소요되는 것처럼 트랜잭션을 처리하고 싶은 사용자는 처리 비용을 지불해야 한다. 특히, 이더리움에서 트랜잭션의 처리는 프로그램의 실행 비용이며, 실행해야 하는 프로그램의 크기와 복잡성은 일정하지 않으므로 그 차이에 따라 비용도 달라져야 한다. 이더리움에서 이 비용을 가스로 표현한다. 사용자는 **가스 상한**(gas limit)과 **가스비**(gas price)를 제시한다. 가스 상한과 가스비를 이용하여 수수료를 계산하면 ETH의 가격이 변하더라도 수수료는 일정 수준으로 유지할 수 있는 이점이 있다. 가스 비용은 Gwei(0.1^9 ETH)라는 단위를 이용하여 제시한다.

이더리움은 3종류의 트랜잭션을 사용한다. 이 중 가장 단순한 트랜잭션이 일반 거래 트랜잭션으로 한 계정에서 다른 계정으로 ETH를 이체하는 트랜잭션이다. 나머지 2종류는 스마트 계약과 관련되어 있다. 하나는 스마트 계약을 등록하는 트랜잭션이고, 다른 하나는 등록된 스마트 계약을 실행하는 트랜잭션이다. 이더리움에서 트랜잭션은 코드이며, EVM에서 실행된다. 코드의 기본 연산(사칙연산, 대입 등)에 대한 비용은 정해져 있다. 이를 바탕으로 EVM에서 특정 코드를 실행하였을 때 소요된 가스를 계산할 수 있다. 소요된 가스가 가스 상한을 초과하면 실행은 취소되므로 충분한 가스 상한을 제시해야 한다. 더욱이 실행이 취소되어도 수수료는 여전히 지급된다. 사용자는 자신의 트랜잭션을 구성하는 코드를 보면 어느 정도 가스가 필요할지는 예측할 수 있다. 이 예측을 바탕으로 트랜잭션을 제출할 때 가스 상한을 제시해야 한다. 실제 지불하는 수수료는 트랜잭션이 실행되었을 때 소요된 실제 가스에 제시한 가스비를 곱한 금액이 된다.

초기 이더리움은 작업 증명을 이용하여 분산 합의를 하였다. 다음 블록의 채굴은 크게 트랜잭션을 선별하고 실행하는 단계와 작업 증명 단계로 나누어진다. 채굴자는 먼저 내부 풀에 유지된 아직 블록에 포함되지 못한 트랜잭션 목록에서 블록에 포함할 트랜잭션을 선별한다. 선별하는 기준은 각 채굴자가 자율적으로 결정할 수 있다. 블록에 포함된 트랜잭션의 수수료는 채굴자의 몫이므로 더 많은 이윤을 확보하기 위해 높은 가스비를 제시한 트랜잭션을 선호한다. 더 많은 트랜잭션을 블록에 포함하는 것이 수수료 총액 측면에서 유리하므로 가스 상한이 작으면서 가스비가 높은 것을 보통 선호한다. 하지만 트랜잭션 수수료는 실제 소요된 가스에 의해 결정되므로 제시된 가스비만을 이용하여 수수료를 결정하기 어렵다. 또 복잡한 알고리즘을 통해 선별하는 것보다 작업 증명을 빨리 시작하는 것이 유리할 수 있으므로 보통은 단순한 전략을 사용하였다. 일반적인 전략은 가스비 기준으로 정렬하여 블록의 가스 상한을 초과하지 않을 때까지 트랜잭션의 실제 소요될 가스를 예측하여 포함할 트랜잭션을 결정하였다.

최근에는 단순 전략 대신에 최대 보상을 받기 위한 전략을 찾는 노력이 있었으며, 그 결과로 MEV(Maximal Extractable Value) 검색자라는 새로운 참여자가 출현하게 되었다. 여기서 MEV는 새 블록을 구성하였을 때 받을 수 있는 최대 보상을 말한다. MEV 검색자의 출현으로 채굴자는 직접 트랜잭션을 선택하지 않고, MEV 검색자가 제시한 트랜잭션 집합 중 하나를 선택하여 작업 증명을 하고, 성공하면 블록을 제안한 검색자와 보상을 공유하는 형태로 바뀌었다.

트랜잭션을 실제 실행하기 전에 트랜잭션의 유효성(트랜잭션 서명값, 계정이 수수료를 지급할 충분한 금액 보유 여부 등)부터 검사해야 한다. 비트코인은 전송 속도를 고려하여 블록 크기를 제한하고 있지만 이더리움은 블록 크기를 이용하여 제한하지 않고 한 블록에 포함할 수 있는 총 가스만 제한하고 있다. 가스비가 많다는 것은 실행해야 할 것이 많다는 것을 의미하여, 느린 노드는 이 많은 것을 정해진 시간 내에 실행하지 못할 수 있다. 이것은 동기화 문제가 될 수 있으므로 이처럼 블록 가스비 총액을 제한하고 있다.

16.2.3 이더리움 1.0의 동작 흐름

이더리움의 일반 참여자는 트랜잭션을 생성하여 전체 네트워크에 방송하여 신규 트랜잭션의 실행을 요구할 수 있다. 이더리움의 노드는 수신한 트랜잭션의 유효성(트랜잭션의 서명값, 수수료를 지급할 충분한 금액 보유 여부 등)을 검사하고 mempool에 수신된 유효한 새 트랜잭션을 저장한다. 블록 빌더는 mempool를 관찰하면서 지속해서 새 블록을 채굴자에게 제안한다. 채굴자는 이렇게 제안된 블록을 이용하여 작업 증명을 수행할 수 있고, 본인이 직접 선택한 트랜잭션을 이용하여 블록을 구성한 후에 작업 증명을 수행할 수 있다. 채굴자는 선택된 모든 트랜잭션을 실제 실행하여 소요된 가스를 파악하여 수수료를 계산하여 코인베이스 트랜잭션을 만든 후에 작업 증명을 수행한다. 작업 증명에 성공한 채굴자는 새 블록을 전체 네트워크에 방송한다. 이더리움 노드가 새 블록을 수신하면 블록을 검증한 후에 블록에 있는 트랜잭션을 실행하여 자신이 유지하는 상태를 갱신한다. 이 과정에서 수수료를 계산하여 채굴자 계정에 수수료를 반영한다. 블록에 모든 트랜잭션의 실행이 끝나면 성공적 수행을 알리기 위해 새 상태를 방송한다.

16.2.4 이더리움 작업 증명

이더리움 1.0은 비트코인과 마찬가지로 작업 증명을 이용하여 분산 합의를 하고 있다. 하지만 비트코인과 달리 ASIC을 이용한 채굴이 경제성을 가질 수 없도록 많은 메모리를 요구하는 Ethash라는 알고리즘을 사용하고 있다. 따라서 이더리움에서 대부분의 채굴은 GPU를 이용하고 있다. 또 다른 점은 유효한 블록이지만 긴 체인 우선 원칙에 따라 거부된 블록에 대해서도 보상한다. 이더리움에서는 이와 같은 블록을 삼촌 블록(uncle/ommer block)이라 한다. 삼촌 블록은 현재 블록을 기준으로 그것의 부모 노드의 형제 블록을 말한다. 이더리움은 블록 생성 주기가 짧아서 더 빈번하게 일시적 포크가 발생할 수 있다. 이 때문에 이더리움은 삼촌 블록에 대해서도 원래보다는 적은 금액이지만 보상하여 채굴 동인을 높이고 있다. 그뿐만 아니라 채굴이 중앙 집중화되는 것을 완화할 수 있으며, 현재 채굴 생태계의 상태를 보여주는 지표로 활용하고 있다. 이더리움 1.0에서는 깊이가 12이상이 되어야 확정된 것으로 간주한다.

이더리움은 계정 기반이므로 작업 증명할 때 블록에 포함된 트랜잭션의 머클 트리 루트만 포함하지 않고, 계정 정보를 유지하는 트리의 루트도 포함한다. 계정 정보를 유지하는 트리는 일반 머클 트리가 아니라 merkle-patricia 트리이다. Merkle-patricia 트리는 머클 트리와 접두사 (prefix) 트리를 결합한 트리이며, 이전 블록에서 다음 블록을 생성할 때 트리를 모두 새롭게 구성하지 않고 변경되지 않는 부분은 그대로 사용할 수 있다. 새 블록을 전파할 때 이 트리를 함께 전파하지 않는다. 각 노드는 트리를 유지하고 있으므로 수신한 블록에 있는 트랜잭션을 이용하여 자체적으로 트리를 갱신하고, 갱신한 트리의 루트 값이 블록에 포함된 루트 값과 같은지 검사한다.

16.2.5 스마트 계약

이더리움에서는 프로그래밍 언어로 작성되는 **스마트 계약**(smart contract)이라는 것을 블록체인에 등록할 수 있다. 스마트 계약은 1996년에 Nick Szabo가 처음 소개한 개념이며 [147], 이더리움에서 스마트 계약은 중재자 없이 가치가 있는 것을 교환할 수 있도록 해주는 컴퓨터 코드이다. Solidity를 이용한 스마트 계약의 작성은 일반 객체지향 프로그래밍 언어에서 클래스를 정의하는 것과 유사하다. 이 계약은 이전 계약과 달리 법률가가 작성하는 것이 아니라 프로그래머가 작성하는 것이며, 프로그래밍 언어로 작성하므로 계약 내용이 모호하지 않다는 장점이 있다. 스마트 계약은 조건이 충족되면 자동 실행되므로 계약이 불이행되거나 손해를 볼 수 있다는 걱정을 하지 않아도 된다. 예를 들어, 디지털 상품을 거래할 때 에스크로 방식으로 필요한 이더만큼을 계약에 예치한 후 조건이 충족되면 해당 이더를 판매자에게 전달하고 디지털 상품은 지불자에게 전달하는 방식이다. 하지만 위험 요소가 전혀 없는 것은 아니다. 프로그램 코드이므로 충분히 확인되지 않은 상태에서 등록하면 심각한 결과를 초래할 수 있고 등록된 이후에는 논쟁할 수 없다. 또 관련 법률이 정비된 것은 아니므로 문제가 발생하였을 때 법적으로 보호받을 수 없다.

스마트 계약의 장점은 다음과 같다고 주장되고 있다.

- 자율성(autonomy): 중재자 없이 자동 실행된다. 계약을 강제화하기 위한 다른 추가적인 장치가 필요 없다.
- 신뢰(trust): 계약이 투명하고 자동으로 실행되며 안전하므로 믿을 수 있다.
- 백업(backup): 자동으로 중복 저장된다.
- 안전성(safety): 계약의 조작 가능성이 계산적으로 어렵다.
- 신속성(speed): 소프트웨어를 통해 자동 실행된다.
- 경제성(savings): 중재자가 필요 없어서 경제적이다.
- 정확성(accurracy): 소프트웨어로 처리되므로 사람 실수에 의한 오류는 발생하지 않는다.

이더리움에는 두 종류의 계정이 있다. 비트코인 지갑처럼 특정 사용자의 이더 잔액을 유지하는 사용자 계정(EOA, Externally Owned Account)과 스마트 계약을 유지하는 계약 계정(CA, Contract Account)이 있다. 계약 계정도 사용자 계정과 마찬가지로 이더 잔액을 유지할 수 있다. 사용자 계정은 계약 계정과 달리 연결된 코드가 없다. 사용자는 사용자 계정을 이용하여 다른 사용자 계정과 이더를 거래할 수 있고, 계약 계정을 대상으로 트랜잭션을 생성하여 계약 계정에 유지된 스마트 계약을 실행할 수 있다. 계약 계정의 코드는 사용자 계정이 생성한 트랜잭션에 의해 활성화되거나 다른 계약 계정으로부터 메시지를 받으면 활성화될 수 있다. 즉, 계약 계정은 스스로 활성화될 수 없다. 이더리움에서 모든 행위는 코드의 수행이며, 코드의 수행은 비용 지불이 필요하다. 따라서 스마트 계약의 실행을 위해서도 비용 지불이 필요하다.

16.2.6 디앱

디앱은 탈중앙화된 P2P 네트워크에서 백앤드가 구동되며, 누구의 개입 없이 서비스 제공자와 고객 간에 직접적인 상호작용을 할 수 있는 자율적으로 동작하는 앱이다. 서비스를 중앙 통제하는 주체가 없다. 페이스북, 트위터와 같은 응용은 해당 회사가 중앙에서 통제하지만, 디앱은 디앱이 운영되면 그것을 독자적으로 통제할 수 있는 주체는 없다. 디앱은 기본적으로 오픈 소스이므로 신뢰할 수 있고, 블록체인에 유지되므로 수정 및 조작할 수 없다. 블록체인에 등록된 이후에는 수정할 수 없으므로 이것이 오히려 단점이 될 수 있다.

디앱은 토큰 형태의 내부 통화를 사용하며, 앱 사용료를 지불해야 한다. 따라서 디앱을 사용하고자 하면 관련 플랫폼 지갑과 코인을 보유해야 한다. 하지만 기존 지불 시스템과 연계 없이 자연스럽게 토큰의 유통이 가능하다. 더욱이 사용자에게 자동으로 토큰 형태의 인센티브를 지급하여 참여를 유도할 수 있다, 디앱은 블록체인을 활용하며 P2P 네트워크에서 동작하므로 단일 실패점이 없어 가용성이 우수하다.

디앱과 기존 모바일 또는 웹 서비스를 비교하면 프론트엔드는 같지만, 기존 서비스의 백엔드는 보통 단일 서버(centralized)에서 구동되는 웹 기반 서버 프로그램으로 구성되는 반면에 디앱의 백엔드는 P2P 네트워크의 블록체인에서 구동되는 여러 개의 스마트 계약으로 구성된다. 즉, 이더리움 기반 디앱은 여러 개의 스마트 계약을 통해 비지니스 로직을 구현하여야 한다. 디앱에서 백엔드와 프론트엔드 간의 데이터 교환은 보통 IPFS(Inter-Planetary File System)을 통해 이루어진다. IPFS는 P2P 방식의 차세대 파일 시스템이며, 블록체인과 결합하여 널리 활용될 것으로 예측된다.

16.2.7 토큰과 ICO

비트코인과 같은 암호화폐의 등장으로 P2P 방식의 금전 교환이 가능하고 스마트 계약과 같은 기법에 의해 자동 지불이 가능해지면서 서비스 모델의 큰 변화가 오고 있다. 서비스를 이용하는 고객에게 유료 서비스를 제공할 수 있을 뿐만 아니라 거꾸로 고객에게 서비스에 필요한 무언가를 하도록 보상을 쉽게 지급할 수 있게 되었다. 이를 위해 이더리움에서는 이더리움 토큰을 쉽게 만들어 이더리움 플랫폼 위에서 동작하는 디앱에서 사용할 수 있도록 하였다. 현재 이더리움 플랫폼 위에 동작하는 새로운 디앱을 만들거나 만들 기획을 발표하고 이 앱에서 사용될 토큰을 상장하여 개발에 필요한 자금을 조달할 수 있으며, 이를 ICO(Initial Coin Offering)라 한다. 이 토큰은 해당 앱에서만 사용할 수 있지만 이더리움의 특징 때문에 이 토큰을 이더로 교환할 수 있으며, 이더는 다시 명목화폐로 환전할 수 있다.

16.3 이더리움 2.0

현재 이더리움은 이더리움 2.0으로의 전환을 거의 완료한 상태이다. 가장 최근 이더리움의 하드 포크는 2024년 3월 13일에 실행된 "Cancun-Deneb"이다. 이더리움 2.0의 가장 큰 변화는 샤딩의 도입과 PoS로의 전환이다. 샤딩의 도입으로 전체 블록체인은 64개의 샤드로 분할이 되며, 이 샤드들을 관리하고, PoS에 필요한 검증자 관리를 위해 비콘 체인이라는 것을 도입하였다.

비콘 체인은 시간 개념으로 동작하며, 그 단위가 epoch와 슬롯(slot)이다. 이 때문에 비콘 체인을 이더리움의 심박(heartbeat)이라 한다. 한 epoch는 32개의 슬롯으로 구성되며, 12초마다 한 슬롯이 만들어진다. 한 슬롯에는 하나의 비콘 블록이 만들어지며, 이 비콘 블록은 64개의 샤드 블록과 연결된다. 이더리움 1.0은 작업 증명 속도에 의해 블록 생성 속도가 결정되었지만 2.0은 정해진 주기마다 새 블록이 생성되는 방식이다.

비콘 체인의 역할은 다음과 같다.

- 병렬로 운영되는 샤드 체인을 연결하는 역할
- 활성 검증자 집합 관리
- 제안자 선정에 사용하는 의사난수 프로세스 RANDAO 제공
- 비콘 블록 확정 및 교차 샤드(cross shard) 트랜잭션 처리

현재 누구나 32ETH를 예치하면 활성 검증자로 참여할 수 있다. 검증자마다 예치 금액은 32ETH로 정해져 있다. 따라서 운영하는 검증자의 수를 늘려 더 많은 보상을 얻을 수 있다. 비콘 체인은 현재 활성 검증자 목록을 유지 및 관리한다. 샤드마다 PoS를 위해 128명 이상의 검증자로 구성된 검증 위원회가 만들어지며, 슬롯마다 이 중 한 명이 제안자(proposer)로 선정된다. 블록의 구성은 이더리움 1.0과 비슷하지만, 샤드 단위로 블록을 구성하며, 1.0과 마찬가지로 블록의 가스비 총액을 제한하고 있다. 검증자가 유효하지 않은 트랜잭션 등 부정행위가 발견되면 예치 금액을 잃게 된다. 검증 위원회 중 제안자로 선정되지 않은 남은 검증자들은 입회자(attester)가 되며, 이들은 제안자가 제안한 블록에 대해 up/down 투표를 진행한다. 2/3 이상의 up 투표를 받아야 블록이 확정되어 비콘 체인에 포함될 수 있다.

16.3.1 이더리움 2.0의 동작 흐름

이더리움 2.0의 일반 참여자는 트랜잭션을 생성하여 방송하고, 이를 수신한 노드가 유효성을 검증하고 mempool에 저장하는 것은 1.0과 차이가 없다. 또 1.0과 마찬가지로 블록 빌더는 mempool를 관찰하면서 지속해서 새 블록을 검증자에게 제안한다. 슬롯마다 랜덤하게 결정된 블록 제안자는 스스로 블록을 구성하거나 블록 빌더가 제안한 블록을 선택하여 새 블록을 제안하면 슬롯에 할당된 입회자는 제안자가 제시한 블록에 대해 찬반 투표를 진행한다. 이 투표는 전자서명 값이며, 제안자는 입회자들의 서명을 결합하여 하나의 서명만 블록에 포함한다. 제안자는 지지 서명이 포함된 블록을 전체 네트워크에 방송한다. 이더리움 노드가 새 블록을 수신하면 블록을 검증한 후에 블록에 있는 트랜잭션을 실행하여 자신이 유지하고 있는 상태를 갱신한다.

이더리움 2.0은 LMD-GHOST(Latest Message Driven Greediest Heaviest Observed SubTree) 규칙를 이용하여 일시적 포크를 해소한다. 이 규칙은 가장 긴 체인을 무조건 우선하지 않고, 더 많은 지지를 받은 체인을 우선한다. 즉, 슬롯에 할당된 검증 위원회로부터

지지를 많이 받을수록 최종 블록체인에 포함될 확률이 높아진다. 블록의 빠른 최종성을 위해 이더리움 2.0은 epoch이 끝날 때마다 캐스퍼 FFG(Casper Friendly Finality Gadget)를 진행한다. 캐스퍼 FFG는 모든 블록에 대해 투표하는 것이 아니라 정해진 체크포인트에 대해 투표한다. 이를 통해 체인의 특정 시점을 안전하게 확정한다. 캐스퍼 FFG는 위원회 단위로 이루어지지 않고 모든 검증자가 참여한다. LMD-GHOST와 캐스퍼 FFG를 결합한 분산 합의 알고리즘을 가스퍼라 한다. 블록 보상은 블록마다 지급되지 않고 epoch마다 계산되어 배분된다. 보상액은 참여율, 예치 금액 등에 의해 결정된다.

16.4 알트코인

비트코인 이후 등장한 알트코인의 수는 1,000개가 넘고 있다. 이 중 중요 알트코인을 살펴보면 다음과 같다.

- Ripple: 글로벌 송금을 목적으로 하고 있으며, 단위는 XRP이다. Ripple은 분산 합의를 위해 변형된 **비잔틴 합의**(BFT(Byzantine Fault Tolerance) consensus) 프로토콜을 사용한다.
- Namecoin: 분산형 DNS 등록과 같은 서비스를 제공하기 위해 고안된 암호화폐이다. 거래 정보 외에 다른 정보를 블록체인에 저장하여 서비스하는 최초의 시도이었다.
- 피어코인(Peercoin): 최초로 지분 증명을 사용한 암호화폐이다. 피어코인에서 사용한 지분 증명 방식은 16.6.1절에서 설명한다.
- 이더리움 클래식: 오리지널 이더리움을 말한다. 이더리움을 개발한 부탈린은 2016년에 이더리움에 발생한 DAO 공격에 따른 피해를 처리하기 위해 특정 위치부터 다시 채굴하기로 하였지만 이것에 동의하지 못한 일부는 공격 흔적이 남아 있는 상태로 계속 채굴을 이어갔다. 이것이 이더리움 클래식이며, ETH 대신에 ETC 단위를 사용한다.
- IOTA: 사물 인터넷 응용을 위해 개발된 암호화폐이다. 탱글(tangle)이라는 새로운 형태의 분산 합의 메커니즘을 사용한다. 탱글은 블록 단위로 작업 증명을 하지 않는다. IOTA에서 트랜잭션이 확정되기 위해서는 다른 트랜잭션들의 승인이 필요하며, 이를 위해 각 트랜잭션을 생성할 때 무조건 다른 두 개의 트랜잭션을 승인하도록 하고 있다. 더 자세한 것은 16.5.1절에서 설명한다.
- EOS: 이더리움과 같은 디앱 개발을 위한 플랫폼 제공이 목적인 암호화폐이다. EOS의

목표는 블록체인 기술을 이용하여 디앱을 개발하고 운영할 수 있는 분산 운영체제를 제공하는 것이다. EOS는 지분 증명을 사용하며, 1초에 100만 개의 트랜잭션을 처리할 수 있다고 주장되고 있다. 주장에 따르면 작업 증명을 사용하고 있는 이더리움에 비해 훨씬 확장성 있으며, 유연하고, 디앱 인터페이스 개발을 위한 웹 툴킷과 같은 다양한 개발 리소스를 제공하고 있다. 이 때문에 이 암호화폐를 블록체인 3.0이라고도 한다.

- ENJIN: 게임에서 사용할 목적으로 개발된 암호화폐이다.
- Zcash: zk-SNARK라는 영지식 증명 기술을 이용하여 프라이버시를 개선한 암호화폐이다.
- Monero: 링 서명 기술을 이용하여 프라이버시를 개선한 암호화폐이다. 모네로에서 사용하는 프라이버시 향상 기술을 16.7.3.1절에서 더 구체적으로 설명한다.
- Algorand: 순수 지분 증명을 사용하는 암호화폐이다. 알고랜드에서 사용하는 지분 증명 방법은 16.6.3절에서 자세히 설명한다.
- Hedera: 트랜잭션의 순서에 대한 분산 합의 기능을 가진 암호화폐이다. 헤더라에서 사용하는 순서를 합의하는 방법은 16.6.5절에서 간단히 살펴본다.
- Stack: 비트코인 2계층 블록체인 기술을 사용하며, 비트코인 기반 스마트 계약 기능을 제공한다. 이를 통해 비트코인에서 이더리움과 같은 디앱을 개발할 수 있다. BTC 외에 자체 STX 토큰도 있으며, 이를 위해 전송 증명(PoX, Proof-of-Transfer)이라는 분산 합의 기술을 사용한다.
- 기타: Litecoin, Dogecoin, Dash, Stella, Cardano, Tron, FileCoin 등

16.5 DAG 기반 분산 원장

16.5.1 IOTA

IoT를 위해 설계된 암호화폐 IOTA는 **탱글**이라고 하는 DAG 기반 분산 원장을 사용한다 [144]. 탱글은 비트코인처럼 작업 증명을 통해 경쟁하여 검증자를 선정하는 방식이 아니며, 지분 증명처럼 검증자를 어떤 기준을 이용하여 선정하지도 않는다. 또한, 트랜잭션을 모아 블록 단위로 확정하는 형태도 아니다. 트랜잭션을 생성하는 모든 사용자가 검증자 역할까

지 해야 한다. 트랜잭션을 생성한 사용자는 기존 2개의 트랜잭션을 검증하고 자신의 트랜잭션과 연결해야 한다. 탱글이 의도한 대로 동작하는 데 필요한 최소 개수가 2개이므로 2개를 사용하고 있다. 따라서 트랜잭션들이 주기가 없는 방향 그래프를 형성하게 된다. 이와 같은 방식을 사용하므로 트랜잭션 수수료가 없으며, 모든 화폐는 최초 트랜잭션에서 전부 발행하여 사용하고 있다.

새 트랜잭션은 2개의 다른 트랜잭션을 검증하므로 이 과정이 반복되면 한 트랜잭션은 여러 트랜잭션에 의해 직간접적으로 승인되는 형태가 된다. 직간접적으로 많은 트랜잭션에 의해 승인된 트랜잭션은 수정할 수 없게 되어 기존 블록체인과 마찬가지로 첨삭 전용이 된다. 2개의 다른 트랜잭션을 승인하여 형성되는 DAG가 이상적인 모습이 되기 위해서는 새 트랜잭션은 아직 승인되지 않은 트랜잭션을 선택하여 승인해야 한다. 탱글에서 다른 트랜잭션에 의해 승인되지 않은 트랜잭션을 tip 트랜잭션이라 한다. 즉, 새 트랜잭션은 2개의 tip 트랜잭션을 선택하여 승인해야 한다. 여기에는 2가지 문제가 있다. 하나는 tip 트랜잭션을 효과적으로 찾는 것이고, 다른 하나는 효과적으로 찾는 알고리즘이 있을 때 이를 사용하도록 유도하는 것이다.

tip 트랜잭션을 찾는 방법은 간단하다. 최초 트랜잭션(genesis transaction)부터 그것을 승인한 트랜잭션을 따라 tip을 만날 때까지 그래프를 탐색하면 된다. 꼭 최초 트랜잭션부터 탐색할 필요는 없다. 중간 임의의 트랜잭션부터 탐색하여도 최종적으로는 tip에 도달하게 된다. 그래프를 탐색할 때 트랜잭션을 승인한 트랜잭션이 여러 개이면 이 중 하나를 선택하여 탐색을 진행해야 한다. 이때 탱글은 축적 무게가 큰 노드가 더 높은 확률로 선택되는 알고리즘을 사용한다. 트랜잭션의 축적 무게란 자신의 무게에 그것을 직간접적으로 승인한 트랜잭션의 무게를 합한 값이다. 새 트랜잭션이 추가되면 자신의 무게를 전달하여 자신이 승인한 트랜잭션의 축적 무게를 갱신한다. 각 트랜잭션의 무게는 트랜잭션을 생성할 때 사용한 PoW에 의해 결정된다. 탱글은 트랜잭션에 서명할 때 낮은 수준의 작업 증명을 활용한다. 권장하는 방법을 사용하여 tip 트랜잭션을 선택하지 않고 마음대로 선택하면 해당 트랜잭션은 다른 트랜잭션에 의해 승인될 가능성이 작으므로 사용자 대부분은 제시된 방법을 이용하여 tip 트랜잭션을 선택하게 된다.

16.5.2 Nano

Nano[145]는 원래 RaiBlock이라는 이름으로 시작한 암호화폐이다. Nano도 IOTA처럼 트랜잭션 단위로 연결하고 확정한다. 하지만 IOTA와 달리 계정별 별도의 DAG 체인을 유지한다. 또 트랜잭션을 입금과 출금 트랜잭션으로 나누어 처리한다. 따라서 코인의 양도는 출금 계정 DAG 체인에 출금 트랜잭션을 추가하고, 입금 계정 DAG 체인에 입금 트랜잭션을 추가하여 이루어진다. 실제 전송자가 출금 트랜잭션을 방송하면 수신자는 대응되는 입금 트랜잭션을 방송하는 형태로 거래가 진행된다. 이와 같은 설계는 트랜잭션 형태를 단순화할 수 있고, 서로 무관한 계정이 참여하는 트랜잭션은 병렬로 수행할 수 있는 이점이 있다.

트랜잭션을 생성할 때 각 참여자는 간단한 작업 증명을 해결해야 한다. 출금 트랜잭션의 작업 증명은 DAG 체인의 이전 트랜잭션을 이용하여 계산하며, 입금 트랜잭션은 이전 트랜잭션과 출금 트랜잭션을 이용하여 계산한다. 이 때문에 모든 DAG 체인이 하나의 블록 격자(block lattice) 구조를 형성한다. 트랜잭션 생성을 위해 작업 증명이 필요하므로 트랜잭션의 생성 속도는 사용하는 작업 증명의 난이도에 의해 결정된다. Nano는 간단한 작업 증명을 통해 많은 트랜잭션을 생성하여 서비스의 정상 동작을 방해하는 행동을 방지하고 있다.

모든 계정의 DAG 체인이 각 노드에 중복되어 유지되고 있지만, 특정 소유자의 DAG 체인에 포함될 세부 트랜잭션은 오직 소유자만 생성할 수 있다. 이 때문에 소프트웨어 오류나 계정 소유자의 부정행위가 아니면 문제가 될 수 있는 상황의 발생은 어렵다. 하지만 출금 트랜잭션과 입금 트랜잭션이 나누어져 있어, 출금 트랜잭션만 전송자 DAG 체인에 추가되고, 입금 트랜잭션은 아직 수신자 DAG 체인에 추가가 안 된 상태일 수 있는 등 여전히 일관성이 깨질 수 있는 여지는 있다.

이 때문에 각 세부 트랜잭션이 방송되면 이 세부 트랜잭션을 확정하기 위한 가중치 기반 투표가 진행되며, 총 67% 이상이 동의해야 실제 DAG 체인에 추가되어 최종적으로 확정된다. Nano에서 이 투표 과정을 ORV(Open Representative Voting)라 한다. 모든 참여자가 이 투표에 참여할 수 있지만, 실제는 일부 참여자만 투표에 참여한다. 각 참여자는 대신 투표할 대리자를 지정할 수 있으며, 지정된 대리자의 투표 가중치는 위임한 참여자의 지분만큼 증가한다. 이를 통해 투표에 참여하지 않는 경량 노드의 운영이 가능하다.

보통 개별 트랜잭션마다 투표를 진행하는 것은 너무 무거울 수 있어, 지분 증명이나 PBFT 기반에서는 블록 단위로 확정을 위한 투표를 진행한다. 하지만 Nano에서 투표 대상인 세부 트랜잭션은 매우 단순하므로 검증하는 것이 간단하고, 세부 트랜잭션과 연결된 계정의 DAG 체인만 투표 결과에 영향을 받는다. 또 PBFT처럼 여러 라운드의 투표를 진행하는 형태도 아니다. 따라서 진행 중인 투표와 무관한 다른 계정의 거래는 병행으로 진행될 수 있으며, 여러 투표가 동시에 진행될 수도 있어, 매우 빠르고 효율적인 합의를 달성할 수 있고 높은 처리량을 제공할 수 있다.

16.6 분산 합의 프로토콜

비트코인의 블록체인은 비트코인 네트워크에 참여하는 수많은 노드가 유지하고 있으며, 이들은 모두 같은 데이터를 유지해야 한다. 이를 위해 분산 합의 프로토콜이 필요하며, 비트코인은 앞서 설명한 바와 같이 작업 증명이라는 기법을 사용하여 블록값들에 대한 분산 합의를 이루어 내고 있다. 하지만 작업 증명 방식은 확정 속도가 느리고 에너지 소비가 심각하여 환경에 나쁜 영향을 주는 등 여러 가지 문제점을 가지고 있다. 또한 자본력이 많은 사람과 기관이 유리한 방식이므로 애초 목표인 분산화 대신에 채굴은 중앙 집중화가 되어 가고 있다. 이 때문에 비트코인의 블록체인처럼 불가역성 특성을 안전하게 제공하면서 비트코인에서 사용하는 작업 증명 방식의 문제점을 극복할 수 있는 새로운 분산 합의 방식을 찾기 시작하였다. 그것의 결과로 등장한 것 중 하나가 지분 증명과 공간 증명이다.

16.6.1 실용적 비잔틴 장애 허용 합의 프로토콜

비잔틴 장애 허용이란 **비잔틴 장군 문제**(Byzantine generals' problem)[148]를 해결하는 시스템을 말한다. 비잔틴 군대가 성을 공략하기 위해 여러 부대로 나누어 성 주변 각 다른 위치에 진을 치고 있다고 가정하자. 각 부대를 통솔하는 장군은 다른 장군과 소통하여 공격 시점 또는 후퇴 시점을 결정해야 한다. 장군들은 통신 장병을 이용하여 메시지를 교환할 수 있으며, 이것이 유일한 통신 수단이다. 장군 중에 배신자가 있을 수 있고, 소통하는 과정에서 메시지가 조작될 수 있다. 이와 같은 상황에서 합의에 도달하는 문제를 비잔틴 장군 문제라 한다. 블록체인에서 분산 합의는 이 문제를 해결해야 한다. 비잔틴 장군 문제는 2/3 이상의 장군이 정직하면 비잔틴 장애 허용(BFT, Byzantine Fault Tolerance) 기법을 이용하여 합의에 도달할 수 있다.

지분 증명의 분산 합의에서는 **실용적인 비잔틴 장애 허용**(PBFT, Practical BFT) 기법[149]을 이용할 수 있다. 최초 비잔틴 장애 허용 기법은 배신자의 수가 f일 때 $O(n^f)$ 메시지 교환이 필요하다. 메시지를 전자서명하여 교환하면 수신한 메시지를 조작할 수 없으므로 필요한 메시지 수를 $O(n^2)$으로 줄일 수 있다. PBFT도 전자서명된 메시지를 교환하며 $O(n^2)$의 메시지가 필요하지만, 메시지 교환을 최소화하기 위해 통신하는 방법을 구조화하였다. PBFT에서 한 노드가 리더 노드가 되고, 나머지 노드는 보조 노드가 된다. 특정 노드가 계속 리더 노드를 하는 것은 아니다. 매번 바뀔 수 있다. PBFT 합의는 다음과 같이 이루어진다.

- 요청 단계. 클라이언트는 리더 노드에게 메시지를 보낸다.
- 사전 준비 단계. 리더 노드는 이 메시지를 모든 보조 노드에게 전달한다.
- 합의 단계. 3가지 세부 단계로 구성된다.
  - 준비 단계. 모든 보조 노드는 메시지를 확인하고, 메시지를 다른 노드에게 전달한다.
  - 완료 단계. 같은 준비 메시지를 2/3이상 수신하면 메시지를 처리하고 처리 결과를 다른 노드에게 전달한다.
  - 응답 단계. 같은 처리 결과를 2/3이상 수신하면 처리 결과를 클라이언트에 전달한다.
- 완료 단계. 2/3 이상의 노드로부터 같은 처리 결과를 받으면 클라이언트는 합의가 성공적으로 이루어졌다고 판단한다.

PBFT를 어렵게 생각할 필요는 없다. 참여자들이 투표를 진행한다고 생각하면 되고, 전체 투표자 중 2/3 이상이 같은 값에 투표하면 이 값을 인정하는 방식이다. 메시지마다 PBFT를 진행하는 것은 효율적이지 못하므로 블록체인에서는 트랜잭션을 모아 블록을 만들고, 블록에 대해 PBFT를 진행한다. 실제 지분 증명에서 단일 검증자와 다수 보조 검증자가 있을 때, 단일 검증자가 블록을 생성하여 다수 보조 검증자에게 전달하여 투표를 진행하면 이것은 PBFT를 응용하는 형태의 분산 합의 프로토콜이 된다. Tendermint[150]가 PBFT를 이용하는 대표적인 암호화폐이다.

16.6.2 지분 증명

지분 증명 방식은 라운드마다 해당 화폐에서 정한 규칙에 따라 블록을 생성할 검증자(validator)를 결정한다. 따라서 블록 생성에 대한 보상으로 새 화폐가 발행되지 않는다. 이 때문에 지분 증명에서는 채굴이라는 용어를 사용하지 않고 주조(minting)라는 용어를 사용한다. 하지만 실제 화폐를 발행하지 않으므로 주조도 올바른 용어라 보기 힘들다. 지분 증명 방식은 검증자를 결정하는 방식에 따라 체인기반 PoS와 BFT기반 PoS로 구분한다. 체인기반 PoS에서는 블록마다 단일 검증자를 사용하는 반면 BFT기반 PoS는 블록마다 다수의 검증자를 사용하며, 이들은 비잔틴 합의 프로토콜처럼 서로 메시지를 주고받아 합의에 도달한다. 일반적으로 지분 증명 방식에서 새 블록을 생성할 때 검증자는 블록 해시값을 자신의 개인키를 이용하여 전자서명하여 공개하며, 이 블록에는 작업 증명 방식과 마찬가지로 이전 블록의 해시값이 포함된다.

PoS 방식은 검증자를 결정하는 방법에 따라 차별화될 수 있다. 보통 확률과 부를 이용하여 검증자를 결정한다. 여기서 부는 보유한 암호화폐 금액 또는 검증자 역할을 하기 위해 예치한 금액을 말한다. 이와 같은 측면에서 stake(지분, 건 돈)이라는 용어를 사용하는 것이다. 따라서 검증자 결정 방법에 따라 51%의 지분을 가진 자가 작업 증명과 마찬가지로 합의 방식을 공격하고 교란할 수 있다. 하지만 보통 총발행된 특정 암호화폐의 51%를 소유하는 것은 채굴 컴퓨팅 파워를 51%를 소유하는 것보다 더 어렵기 때문에 작업 증명보다 51% 공격이 더 어렵다고 주장되기도 한다. 또 해당 화폐의 많은 지분을 소유한 자는 해당 암호화폐를 공격하는 것이 자신이 보유한 화폐의 가치를 떨어뜨리는 결과를 초래할 수 있으므로 검증자들이 부정행위를 할 확률이 적다고 주장되기도 한다.

지분 증명은 작업 증명과 달리 블록 생성에 특별한 비용이 소요되지 않으므로 검증자가 nothing-at-stake 공격이나 long range 공격 등을 할 수 있다. 예를 들어, 검증자가 고의로 여러 개의 블록을 만들어 전파하여 혼란을 초래하거나 부당한 이득을 취할 수 있다. 이와 같은 공격을 방지하기 위해 이더리움은 일정 금액을 예치해야 검증자가 될 수 있으며, 검증자가 규칙에 어긋난 행동을 하면 예치금을 잃게 된다. 지분 증명은 경쟁 방식이 아니지만 사용하는 구체적인 방법에 따라 여전히 일시적 포크가 발생할 수 있다. 일시적 포크는 네트워크 단절 등과 같은 문제 때문에도 발생할 수 있다. 이 때문에 지분 증명에서도 작업 증명처럼 가장 긴 체인 또는 가장 무거운 체인(많은 투표를 받은)과 같은 규칙을 사용한다.

피어코인[27]은 코인의 나이를 이용하여 검증자를 결정하는 방식을 사용하였다. 코인의 나이보다 지갑의 나이라고 하는 것이 더 이해하기 쉽다. 예를 들어, n일 동안 이 지갑에 있는 코인을 거래에 사용하지 않으면 이 지갑의 나이가 n이 된다. n과 지갑에 유지된 코인의 수가 많으면 많을수록 검증자가 될 확률이 높아진다. 검증자가 되면 새 코인이 이 지갑에 입금되므로 한번 검증자가 되면 최소 30일이 지나야 또다시 검증자가 될 수 있다. 각 참여자는 블록체인을 관찰하면 자신의 지갑 나이가 가장 많은지 판단할 수 있다. 하지만 각 참여자가 스스로 판단하는 형태이므로 여러 참여자가 동시에 블록을 생성할 수 있다. 이 때문에 피어코인도 일시적 포크를 해소하기 위한 규칙을 사용한다.

지분 증명이 실제 블록체인의 변경불가능성을 제공할 수 있나? 우선 검증자는 정직하다고 가정하자. 그러면 검증자가 아닌 제삼자가 블록을 수정할 수 있는가? 기본적으로 분산 저장되어 있으며, 검증자의 서명키로 서명되어 있으므로 해당 검증자의 서명키를 확보하지 않는 이상 수정하는 것은 가능하지 않다. 또 블록체인의 특성 때문에 특정 블록을 수정하면 그 이후 모든 블록을 수정해야 한다. 이를 성공적으로 수정하더라도 전체 네트워크가 이를 수용해야 하는 문제도 남아 있다. 더욱이 BFT 방식의 경우에는 여러 검증자의 서명키를 확보해야 한다. 해당 블록의 검증자를 임의로 바꿀 수 있다면 블록체인의 수정은 쉽게 이루어질 수 있다. 이 문제는 해당 블록을 검증하는 검증자의 선택 알고리즘에서 사용하는 랜덤 프로세스와 관련되어 있다. 다음 절에서 설명하는 알고랜드는 이 문제를 매우 효과적으로 해결하고 있다. Cardano에서 사용하는 지분 증명은 학술 논문을 통해 그것의 안전성을 증명하고 있다[151].

지분 증명에서 검증자는 어떤 부정행위를 할 수 있을까? 다른 사람의 코인을 이용한 지불은 트랜잭션 생성을 위한 서명키가 없으면 생성할 수 없고, 수정할 수 없다. 다른 사람의 거래를 블록에 일부러 포함하지 않을 수 있지만 블록에 포함할 거래의 선택은 검증자의 몫이므로 이것은 부정행위라 할 수 없다. 따라서 검증자는 자신의 코인과 관련된 거래에 대해서만 부정행위를 시도할 수 있다. 예를 들어, 자신의 거래를 자신이 생성한 블록에 포함한 다음, 나중에 그 블록에서 해당 거래를 삭제하여 이중 사용을 시도할 수 있다. 하지만 지분 증명도 블록들이 체인으로 연결되어 있으므로 과거 블록을 수정하기 위해서는 그 이후 모든 블록을 다시 만들 수 있어야 한다. 하지만 특정 블록의 생성을 담당하는 검증자를 명확하게 확인할 수 있으면 블록을 수정하기 위해 다른 검증자의 협력이 필요하다. 더욱이 이더

27) 피어코인이 PoS를 사용한 최초 알트코인이다. 현재는 이 외에도 ShadowCash, Nxt, Qora 등이 PoS 기반이다.

리움처럼 여러 입회자가 추가 검증하는 방식이면 각 블록을 수정할 때마다 여러 입회자의 협력도 필요하다.

16.6.3 알고랜드

알고랜드(algorand)는 MIT의 S. Micali 교수가 중심이 되어 제안된 알트코인이다[152]. 알고랜드는 비트코인과 마찬가지로 UTXO 기반이지만 작업 증명을 사용하지 않고 지분 증명을 사용한다. 지분 증명의 핵심은 검증자의 선정이다. 하지만 보통 결정적 방식을 사용하거나 정해진 풀에서 선정하는 방식을 사용하였다. 이와 달리 알고랜드는 확률적 방법으로 결정하는데, 이 결정은 조작할 수 없고, 예측할 수도 없다. 이를 위해 어떤 장려책을 사용하지도 않는다.

알고랜드에서는 라운드마다 리더와 검증자들을 확률적 방법으로 선출한다. 리더는 블록을 생성하고, 검증자들은 BFT를 통해 블록을 확정한다. 이 방식에서는 기존과 달리는 일시적 포크도 발생하지 않는다.

알고랜드에서 r번째 블록은 다음과 같이 구성한다.

$$B^r = r,\ PAY^r,\ Q^r,\ H(B^{r-1})$$

여기서 PAY^r은 이번 라운드에 포함되는 트랜잭션들의 집합이고, Q^r는 리더 선정에 사용되는 요소이다.

알고랜드에서 리더 선출을 위해 각 참여자 i는 $\sigma_i = \mathrm{Sig}_i(r \,\|\, 1 \,\|\, Q^{r-1})$를 계산한 다음, $H(\sigma_i)$를 계산한다. σ_i는 서명값이므로 오직 i만 계산할 수 있다. 계산된 해시값을 소수점 이하 수로 취급하여 시스템에서 정한 특정수 p이하이면 자신이 리더가 된다. 각 참여자는 자신이 리더가 될 수 있는지 계산할 수 있지만 다른 참여자들의 값은 계산할 수 없으므로 리더를 예측할 수 없다.

리더 자격을 얻지 못한 참여자들은 $\sigma_i' = \mathrm{Sig}_i(r \,\|\, s \,\|\, Q^{r-1})$를 계산한 다음, $H(\sigma_i')$를 계산한다. 이 값이 특정수 p'이하이면 자신이 검증자가 된다. 여기서 s는 BFT의 각 단계를

나타내는 번호이다. 즉, BFT의 단계마다 선정되는 검증자가 다를 수 있다. 검증자는 자신이 수신한 블록 중 $H(\sigma_i)$가 가장 작고 유효한 블록을 보낸 참여자를 리더로 결정하고 그 블록에 대한 BFT를 수행한다. 이 과정을 통해 정해진 임계값 이상의 검증자가 서명하면 해당 블록은 유효한 블록이 된다. 리더가 생성한 블록을 검증자가 추가로 확인하는 방식이므로 이 과정 때문에 불가역성의 안전성도 높아지며, 다수가 리더 조건을 충족하여 동시에 여러 블록이 만들어지는 문제(더 낮은 해시값을 제시한 리더를 우선함)도 해결하고 있다.

16.6.4 공간 증명

공간 증명(proof of space)은 일정한 크기의 디스크 공간을 소모하였음을 증명하는 것이다. 이를 위해 디스크 공간에 랜덤한 데이터를 저장해야 하며, 정기적으로 이 데이터가 계속 해당 공간에 유지되고 있다는 것을 증명해야 한다. 이처럼 동작하므로 이 공간을 다른 용도로 활용하지 못한다. 공간 증명은 작업 증명과 달리 에너지가 소모되는 것은 아니며, 특수 하드웨어를 통해 더 빠르게 증명할 수 있는 것도 아니다.

공간 증명은 크게 두 단계로 구성된다. 초기 설정 단계에서 증명자는 N개 블록으로 구성된 데이터를 디스크 공간에 저장해야 한다. 초기 설정 단계를 완료한 후에 증명자는 증명 단계를 계속 주기적으로 수행해야 한다. 증명 단계는 저장된 공간에 기대하는 데이터가 있는지 증명하는 단계이다. 간단하게 추상적으로 설명하면 확인자는 증명자가 저장한 N개 블록 중 블록 몇 개를 랜덤하게 선택하여 요청하면 증명자는 이들을 유지하고 있음을 증명하게 된다. 증명하는 방법은 13장에서 살펴본 POR을 생각하면 된다.

증명자, 확인자 입장에서 공간 증명은 모두 효율적이어야 하지만 초기 단계는 저장해야 하는 블록 개수 N에 비례할 수밖에 없다. 그러나 초기 단계는 계속 수행하는 부분은 아니다. 안전성 측면에서 증명자는 N개 블록을 실제 유지하지 않으면 증명을 할 수 없거나 너무 많은 시간이 요구되어야 한다.

간단한 공간 증명 방법을 생각하여 보자. 초기 단계에서 확인자가 실제 랜덤한 블록 데이터를 N개 증명자에게 전달해 줄 수 있다. 하지만 이렇게 하는 것은 비용이 많이 소요될 수 있다. 또 증명자는 데이터를 저장하지 않고 압축하여 저장할 수 있다. 확인자는 랜덤한 데이터를 의사난수 함수를 이용하여 생성하였다면 생성한 전체 데이터를 유지하지 않고 생성할 때 사용한 랜덤 seed만 유지할 수 있다.

이와 같은 문제 때문에 페블(pebble) 그래프와 머클 트리를 이용하는 방법이 제안되었다 [153]. 이 방법에서 확인자는 페블 그래프를 만들기 위한 값들을 증명자에게 제공한다. 증명자는 이 값들을 이용하여 주기가 없는 방향 그래프를 만들어야 한다. 만든 그래프 정보를 디스크에 저장하고 확인자가 요청하면 이 그래프를 이용하여 증명값을 만들어 회신한다. 증명자는 그래프 정보를 저장하지 않고 초기 단계에서 확인자가 준 정보만 유지할 수 있지만 초기 정보만 유지하면 증명해야 할 때 그래프를 다시 만들어야 하므로 시간이 너무 많이 소요된다.

공간 증명으로 불가역성을 보장해야 하는 블록체인을 만드는 방법은 직관적이지 않다. Chia(chia.net)는 검증자를 선정할 때 공간 증명을 활용한다. 하지만 공간 증명만 사용하면 그라인딩(grinding) 공격(여러 공간 증명을 만들고, 그중에서 자신에게 유리한 것을 공개하는 공격)과 같은 여러 공격이 가능할 수 있다. 이에 시간 증명(proof of time)을 추가로 사용한다. 시간 증명은 특정 함수를 특정 횟수만큼 반복 적용하였음을 증명하여 준다. 파일코인(Filecoin, filecoin.io)은 탈중앙 공간 서비스를 목적으로 하고 있으므로 노드들의 자발적인 공간 공유가 필수적이다. 이 때문에 실제 공간을 공유하고 있다는 것을 증명하는 목적으로 공간 증명을 사용한다. 이 외에 spacemesh(spacemesh.io), Signum(signum.network)도 공간 증명을 분산 합의에 활용하고 있다.

16.6.5 헤더라

헤더라(Hedera)는 지금까지 블록체인들과 달리 트랜잭션 순서에 대해 합의할 수 있도록 해준다[154]. 트랜잭션을 전송할 때 가장 최근에 수신한 트랜잭션과 가장 최근에 전송한 트랜잭션을 함께 전송하면 모든 참여자가 같은 해시 그래프를 그릴 수 있고, 이 그래프를 통해 순서에 대한 합의가 가능하다. 실제 순서는 모든 사용자가 수신한 시간의 평균값이 된다.

16.7 블록체인과 암호화폐 기술의 미래

16.7.1 폐쇄형과 공개형 블록체인

블록체인이 많은 응용에서 활용됨에 따라 다양한 종류의 블록체인이 등장하고 있으며, 블록체인의 핵심 기술인 합의 프로토콜도 다양해지고 있다. 블록체인은 다음과 같은 기준에 따라 크게 폐쇄형(private, permissioned)과 공개형(public, permissionless) 블록체인으로 구분된다.

- 기준 1. 블록체인의 분산 합의 참여에 대한 개방 여부
- 기준 2. 해당 블록체인을 사용하는 서비스 참여에 대한 개방 여부
- 기준 3. 블록체인에 기록된 데이터 접근에 대한 개방 여부

보통 암호화폐들은 누구나 사용할 수 있도록 개방하는 것이 당연하므로 공개형 블록체인을 사용한다. 예를 들어, 비트코인은 위 3가지 기준을 고려하였을 때 모두 개방되어 있으므로 전형적인 공개형 블록체인이라고 할 수 있다. 물론 비트코인의 모든 참여자가 채굴하지는 않지만, 누구든지 원하면 채굴에 참여할 수 있다.

어떤 기업에서 내부 목적으로 블록체인을 운영할 때는 공개형 대신 폐쇄형으로 운영할 수 있다. 이와 같은 블록체인은 해당 기업 관계자만 사용할 수 있으며, 이들만 블록체인에 기록된 데이터를 볼 수 있다. 보통 공개형은 아무나 쓰고 읽을 수 있으므로 다른 말로 무허가 방식(permissionless)의 블록체인이라 하고, 폐쇄형은 권한을 받은 소수만 읽고 쓸 수 있어서 허가 방식(permissioned)이라 한다. 허가 방식에서는 참여하는 노드는 서로를 알고 있으며, 운영자에 의해 허가를 받은 인증된 노드이다. 따라서 공개형 블록체인과 달리 참여하는 노드는 악의적 행동을 하지 않는다고 가정한다. 이 때문에 BFT가 아니라 CFT (Crash-Fault Tolerance) 환경만 가정하므로 상대적으로 효율적인 분산 합의 알고리즘의 사용이 가능하다.

최근에 공개형, 폐쇄형, 컨소시엄 블록체인으로 블록체인을 분류하기도 한다. 컨소시엄 블록체인은 미리 약속된 몇 개의 노드들만 분산 합의에 참여하며, 블록체인의 내용은 공개될 수 있다. 이처럼 분류하는 이유는 폐쇄형은 중앙 집중 방식에 가까운 형태이지만, 컨소

시업은 공개형과 폐쇄형의 특성이 혼합된 형태이기 때문이다.

16.7.1.1 하이퍼레저

폐쇄형 블록체인 기술을 발전시키기 위해 많은 기업이 Linux Foundation과 손잡고 블록체인 관련 다양한 프로젝트를 진행하고 있으며, 이 프로젝트들을 통틀어 **하이퍼레저**(hyperledger)라 한다. 현재 Fabric, Iroha, Sawtooth, Burrow, Indy 다섯 개의 하이퍼레저 프레임워크와 Composer, Explorer, Cello라는 하이퍼레저 모듈이 연구 및 개발되고 있다. 이들 하이퍼레저는 PoW를 사용하지 않고 복권 기반(lottery-based), 투표 기반(voting-based) 등 다양한 분산 합의 프로토콜을 개발하여 사용하고 있다.

16.7.2 블록체인 처리 속도 향상 기술

부탈린이 제안한 개념인 블록체인 트릴레마(trilemma)란 블록체인 기반 암호화폐에서 탈중앙, 안전성, 확장성 3가지 요소를 동시에 개선할 수 없다는 것을 말한다. 비트코인의 경우 탈중앙, 안전성은 높지만, 확장성은 낮다. 확장성을 개선하는 방법은 크게 온체인 기법과 오프체인 기법으로 나눌 수 있다[155]. 예를 들어, 분산 합의 기술을 바꾸어 확장성을 개선하면 온체인 기법이고, 지불 채널, 롤업 등은 오프체인 기법이다. 오프체인 기법 중 별도 독립적인 블록체인을 병행으로 운영하여 확장성을 높이는 방법도 있으며, 이처럼 동작하는 체인을 사이드체인(sidechain)이라 한다.

16.7.2.1 샤딩

샤딩(sharding)은 원래 데이터베이스를 수평 분할하여 처리 성능을 높이고, 여러 서버에서 서비스를 나누어 제공하여 부하를 분산하는 기술이다. 블록체인에서는 하나의 블록체인에 모든 트랜잭션을 처리하지 않고, 샤드(shard) 단위로 나누어 병렬로 처리하는 기술을 샤딩이라 한다[156]. 샤딩을 적용하면 샤드 수만큼 선형적으로 성능이 향상될 수 있지만, 교차 샤드 거래 문제 등으로 기대한 만큼의 성능을 얻지 못할 수 있다.

하지만 블록체인에 샤딩을 적용하기 위해 해결해야 하는 중요 문제는 다음과 같다.

- 문제점 1. 샤드 분할 기준을 결정하는 문제

- 문제점 2. 교차 샤드 거래 문제
- 문제점 3. 개별 샤드 분산 합의 알고리즘의 안전성 저하 문제

UTXO 기반에서는 보통 지갑 주소나 UTXO를 이용하여 분할하고, 계정 기반에서는 계정을 이용하여 분할한다. 샤딩의 효과를 극대화하기 위해서는 대부분의 거래는 샤드 내 거래이어야 한다. 하지만 미래의 거래 형태나 흐름을 예측하여 교차 샤드 거래를 최소화하도록 나누는 것은 쉽지 않다. 특히, UTXO 기반은 다중 입력, 다중 출력이 가능하므로 분할 기준과 상관 없이 다양한 형태의 교차 샤드 거래가 가능하다.

한 거래가 여러 샤드에 걸쳐 발생(예: 계정 기반에서 입력 계정의 소속 샤드와 출력 계정의 샤드가 다른 경우)하는 교차 샤드 거래는 관련 정보가 각 샤드에 일관되게 동기화되어 기록되어야 한다. 이때 원자성(atomicity)의 보장이 매우 중요하다. 즉, 교차 샤드 거래와 관련된 정보가 필요한 모든 샤드에 기록되어 확정되거나 하나도 확정되지 않아야 한다. 보통 샤드 내 분산 합의를 진행한 후에 개별 샤드를 종합적으로 검증하기 위한 분산 합의를 추가로 진행하는 방식을 많이 사용한다.

여러 샤드로 분할하면 각 샤드의 독립적 수행을 위해 분산 합의에 참여하는 참여자도 샤드 별로 나누어져야 한다. 작업 증명을 사용하면 해시 파워가 분산되며, 지분 증명을 사용하면 지분 비율이 낮아지고, 참여하는 검증자 수가 줄 수 있어 개별 샤드가 공격에 취약해질 수 있다. 공모 공격을 방어하고 비잔틴 검증자 쏠림 문제 등을 해결하기 위해 샤드 내 분산 합의 방법으로 지분 증명이나 PBFT 기반을 사용하면 샤드 검증자를 주기적으로 재배정하는 방법을 많이 사용한다. 작업 증명을 하더라도 각 샤드의 채굴자가 고정되어 있으면 비슷한 문제가 발생할 수 있다.

16.7.2.2 롤업

롤업(rollup)은 여러 트랜잭션을 기존 방식처럼 개별 처리하지 않고 모아 별도(오프체인) 처리하는 2계층 확장성 기술을 말한다[157]. 이렇게 모아 처리한 후에 처리한 트랜잭션의 결과를 요약하는 정보만 메인 체인에 등록하거나 모아 처리한 트랜잭션이 유효하다는 것을 증명할 수 있는 증명을 메인 체인에 등록한다. 롤업을 사용하면 15장에서 살펴본 지불 채널처럼 수수료를 절약할 수 있고, 더 많은 트랜잭션을 처리할 수 있다. 이더리움은 Arbitrum,

Optimism, Base, StarkNet, zkSync 등 여러 종류의 롤업을 사용하고 있다.

롤업은 크게 낙관적(optimistic) 롤업, ZK(zero knowledge) 롤업으로 구분한다. 낙관적 롤업에서 트랜잭션은 기본적으로 유효하다고 가정하고, 트랜잭션의 유효성을 별도 증명하지 않는다. 이 경우 유효하지 않은 트랜잭션을 포함할 수 있다. 이 문제는 나중에 부정행위가 발견되면 불이익을 주는 형태로 해결하고 있다. 롤업 데이터가 메인 체인에 등록되면 등록된 데이터를 확인하는 기간을 둔다. 이 기간에 누구나 이의 제기를 할 수 있다. 이의 제기 없이 기간이 지나면 롤업된 트랜잭션은 확정된다. 따라서 메인 체인에 등록되어도 즉시 확정되지 않는다. ZK 롤업은 모아 처리한 트랜잭션이 모두 유효하다는 것을 영지식을 이용하여 증명하는 방법을 사용한다. 따라서 확정될 때까지 기다리지 않아도 되는 이점이 있지만, 영지식 증명을 생성하고 확인하는 비용이 추가로 발생한다. 이더리움은 별도 스마트 계약을 개발하여 이 계약이 롤업에 필요한 기능을 수행한다.

롤업이 메인 체인과 독립적인 별도 블록체인을 운영하면 독립(sovereign) 롤업이라 한다. 독립 롤업은 사이드체인처럼 메인 체인과 다른 분산 합의 기술을 사용하지만, 안전성은 메인 체인에 의존한다. 독립 롤업은 메인 체인에 의미 있는 수정 없이 도입할 수 있다는 이점이 있다.

14장에서 살펴본 일괄 확인 기술을 이용하여 블록에 포함된 트랜잭션의 서명을 결합하여 블록체인에 등록할 수 있다. 이와 같은 결합 서명이 있으면 블록을 검증할 때 개별 트랜잭션의 서명을 확인하지 않고, 결합 서명 값이 블록에 포함된 모든 서명을 결합한 것인지 확인한 다음에 결합 서명 값만 검증하여 모든 서명의 유효성을 확인할 수 있다.

16.7.3 익명성 향상 기술

비트코인과 같은 암호화폐는 어느 정도 수준의 프라이버시를 제공한다. 하지만 공개형 블록체인이므로 불가피하게 노출되는 정보가 있을 수밖에 없다. 예를 들어, 특정 주소의 소유주 정보를 알게 되면 이 소유주의 거래 기록을 모두 알 수 있다. 이와 같은 정보의 노출을 줄이기 위해 여러 가지 프라이버시 기술을 암호화폐 구현에 적용하고 있다. 하지만 프라이버시 수준이 높아지면 해당 암호화폐가 불법적 거래에 악용될 소지를 높여주는 부작용도 있다. 모네로는 링 서명을 이용하고 있고, Zcash는 영지식 증명을 이용하며[158], Dash는 코인을 섞는 방법을 이용하여 거래의 프라이버시를 높이고 있다.

16.7.3.1 모네로

모네로는 링 서명, 스텔스(stealth) 주소, Pedersen 비트 약속을 이용하여, 트랜잭션의 지불자, 수취인, 금액을 숨겨준다[159]. 14장에서 살펴본 링 서명은 서명자가 여러 개의 공개키를 이용하여 링을 만든 후 서명을 진행하게 된다. 서명의 확인자는 이 링에 포함된 서명자 중 어느 서명자가 실제 서명했는지 알 수 없다. 모네로는 처음에는 서명자가 자율적으로 링 크기를 설정할 수 있도록 했지만, 현재는 링 크기를 11로 고정하고 있다. 이것은 링 크기가 또 다른 정보의 노출이 될 수 있기 때문이다.

서명의 확인자는 어떤 UTXO가 실제 사용되었는지 알 수 없으므로 이중 사용을 방지할 방법이 필요하다. 모네로는 키 이미지를 서명에 포함하여 이 문제를 해결하고 있다. 키 이미지는 서명키를 이용하여 생성하며, 트랜잭션 서명에 사용된 개인키와 키 이미지 생성에 사용된 개인키가 같음을 영지식 증명을 한다. 특정 사용자가 포함하는 키 이미지가 항상 같으면 프라이버시가 제공되지 않는다. 하지만 모네로의 UTXO 주소(공개키)는 스텔스 주소를 사용하며, 이 스텔스 주소는 수신자의 공개키와 전송자가 선택한 랜덤값으로 생성되므로 대응되는 이 UTXO를 사용하기 위한 개인키도 매번 달라진다. 따라서 키 이미지는 트랜잭션마다 독특하고 서로 연결할 수 없다.

모네로는 타원곡선 기반 공개키 암호알고리즘을 사용하고, 각 사용자는 두 개의 공개키 쌍을 사용한다. 여기서 G는 모네로에서 사용하는 타원곡선군의 생성자이다. 수신자의 공개키가 $A=aG$와 $B=bG$일 때, 스텔스 주소는 $P=H(rA)G+B$와 같이 계산한다. 여기서 r은 전송자가 선택한 랜덤값이며, 전송자는 $R=rG$를 트랜잭션에 포함한다. 수신자는 $D=H(aR)$를 계산한 후에 $DG+B$가 P와 같은지 확인하여 이 트랜잭션의 수신자가 본인인지 확인할 수 있다.

금액을 숨기기 위해 사용하는 Pedersen 비트 약속은 동형 암호 방식이므로 다중 입력의 개별 금액을 확인할 수 없지만 그것의 합과 다중 출력의 합이 같다는 것은 쉽게 확인할 수 있다.

16.7.3.2 Dash

대시는 일반적으로 거래를 하다 가지고 있는 코인을 다른 사용자의 코인과 섞어 원장에 나타나는 거래 기록의 연결 고리를 끊는 방법으로 거래의 프라이버시를 높여주고 있다. 자신이 가지고 있는 코인을 다른 사용자와 섞기 위해서는 먼저 가지고 있는 금액을 정해진 액면가로 분할해야 한다. 분할된 액면가는 기존 주소가 아니라 각 새 주소로 할당된다. 즉, 대시는 한 지갑이 여러 주소를 사용하는 형태이다. 특정 액면가로 분할된 코인은 마스터 노드를 통해 다른 사용자의 코인과 섞을 수 있다. 마스터 노드는 3명의 사용자로부터 동일 액면가의 코인을 받아 이를 섞어 다시 재분배하여 준다. 제삼자가 이 트랜잭션을 원장에서 보면 입력과 출력을 연결할 수 없다. 하지만 마스터 노드는 트랜잭션의 입력과 출력 관계를 알고 있다. 따라서 한번 섞는 것이 아니라 여러 번 다른 마스터 노드를 통해 섞어야 원하는 수준의 프라이버시를 얻을 수 있다.

16.7.4 스테이블 코인

기존 명목화폐 또는 금과 같은 실물 자산과 연동하여 안전성을 보장하는 암호화폐를 스테이블 코인이라 한다. 암호화폐가 실제 거래에 사용되기 위해서는 암호화폐 가격 변동성이 적어야 한다. 이 때문에 개발된 것이 **스테이블 코인**이다. 크게 법정화폐 담보형, 암호자산 담보형, 무담보형 3종류로 구분된다. 법정화폐 담보형은 기관에 법정화폐를 담보로 예치하는 화폐이고, 암호자산 담보형은 기관에 암호화폐를 담보로 예치하며, 무담보형은 코인의 유통량을 조절하여 코인 가격을 유지하는 방식의 화폐이다.

현재 각 나라의 중앙은행도 블록체인 기반 암호화폐의 발행을 검토하고 있으며, 중앙은행이 발행하는 암호화폐를 **CBDC**(Central Bank Digital Currency)라 한다. CBDC는 당연히 스테이블 코인 형태의 암호화폐이다. CBDC의 이점은 중앙은행이 발행하므로 신뢰할 수 있고, 명목화폐를 발행하는 비용을 절감할 수 있다. 또 국가 경계를 넘는 거래의 처리 속도를 향상할 수 있으며, 은행 시스템에 대한 접근이 어려운 지역의 경제 활동에 큰 역할을 할 수 있을 것으로 기대된다.

16.7.5 NFT

대체 불가 토큰인 **NFT**는 디지털 자산에 대한 소유권 인증서이다. NFT는 블록체인을 통해 발행하며, 블록체인을 통해 소유권 변동 내역을 관리한다. 실제 디지털 자산을 블록체인 저장하는 것은 아니고, 디지털 자산과 관련된 메타 데이터(소유권, 디지털 자산 링크 정보 등)만 블록체인에 유지한다. NFT는 쉽게 디지털 자산의 소유권을 나누어 유지할 수 있게 해준다. NFT는 스마트 계약으로 표현할 수 있으며, 이를 통해 제작한 예술가에게 수익을 계속 보장해 줄 수 있다. 현재 NFT는 주로 이더리움 토큰(ERC-71) 기반이다. 최근 비트코인 2계층 블록체인 기술을 사용하는 Ordinals NFT도 많은 주목을 받고 있다.

NFT는 다른 토큰 또는 코인과 달리 동등하게 교환할 수 없다. 이것은 각 토큰의 가치가 같지 않기 때문이다. NFT는 자신의 소유권이 아닌 디지털 자산을 발행할 수 있는 문제점과 원본이 소실될 가능성도 있다. 또 현재 거래된 NFT의 가격들이 적절한 것인지, 버블이 있는 것인지, 계속 활성화될지는 아직 미지수이다.

16.7.6 암호화폐 활성화가 가져올 변화

암호화폐를 이용하여 P2P 거래(no need for middlemen)가 가능해짐에 따라 기존에 중개자를 활용한 많은 거래가 P2P 거래로 전환할 것으로 예측된다. 대표적으로 부동산, 해외송금 등이 여기에 해당한다. 사용자는 중개수수료를 지불하지 않거나 대폭 줄일 수 있으므로 이와 같은 서비스들이 매력적이라고 느낄 수 있다. 하지만 중개자가 없다는 것은 응용에 따라 사용자 입장에서는 매우 불편할 수 있다. 예를 들어, 부동산 거래를 중개자 없이 하려고 하면 사용자가 스스로 해야 하는 일이 복잡하고 많을 수 있다. 또 부동산 거래는 보통 고액이 교환되어야 하므로 암호화폐를 통해 거래하는 것은 아직은 현실적이지 못하다. 그런데도 ATLANT(atlant.io), Averspace(averspace.com), SMART REALTY(smartrealty.io), Ubitquity(www.ubitquity.io) 등과 같은 부동산 관련 블록체인 스타트업이 많이 설립되고 있다.

소액 P2P 거래로 인한 이보다 더 중요한 변화는 프로슈머에 대한 자동 보상이 가능해진다는 것이다. 예를 들어, storj.io는 자신의 개인 컴퓨터에 남은 하드디스크 공간을 공유받고 이에 대해 보상을 해주고 있다. steemit.com은 콘텐츠를 생성하고 큐레이트 하는 사용자들에게 보상해 주고 있다. vevue.com은 사용자들이 각종 음식점의 동영상을 촬영하여 공유하면 보상해 주고 있으며, 구글맵과 이 영상을 연동하여 서비스를 제공하고 있다. 암호화폐를 이용한 소액 거래, 이더리움의 스마트 계약은 이와 같은 서비스 구축을 더 쉽게 할 수 있도록 해주고 있다.

16.7.7 블록체인의 활용

비트코인 자체보다 지금은 비트코인을 실현하기 위해 사용된 블록체인 기술에 대한 관심이 많으며, 웹 이후 세상에 큰 변화를 가져다줄 수 있는 획기적인 기술로 간주하고 있다[160, 161]. 실제 블록체인은 암호화폐의 실현 외에 다양한 용도로 활용될 수 있다. 특히, 이전에 일괄 처리하던 것을 블록체인을 통해 실시간 처리가 가능해진다. 가장 많이 생각되고 있는 응용들은 블록체인의 불가역성이 필요한 응용들이다. 몇 가지를 소개하면 다음과 같다.

- 앞으로 기존 금융기관들도 블록체인에 거래 기록을 유지할 것으로 예측하고 있다.
- 에스토니아 정부는 정부의 모든 기록을 블록체인에 저장하고 공개하고 있다. 이들은 KSI(Keyless Signature Infrastructure)라는 형태의 블록체인을 사용하고 있다[162].
- agora.vote, polys.me 등은 블록체인을 이용한 전자선거 기법을 개발하였다.
- 중고 자동차의 주행 기록을 조작할 수 없도록 차량의 주행 정보를 받아 블록체인에 기록할 수 있다[163].
- 각종 로그 정보를 기록한다. 예를 들어, 시스템 로그를 블록체인에 기록하면 공격자가 침입한 후에 침입 흔적을 지우는 것이 가능하지 않게 된다.

각종 증명서(출생, 부동산 소유, 여권 등)를 블록체인에 저장하는 것도 제안되고 있다[164]. 디지털화된 증명서를 블록체인에 저장하는 것과 일반 데이터베이스에 저장하는 것의 차이는 무엇일까? 쉽게 생각하면 블록체인은 불가역성을 제공하고 일반 데이터베이스는 그렇지 못한 것이 차이로 생각할 수 있다. 또는 블록체인은 근본적으로 분산 저장되는 반면 일반 데이터베이스는 그렇지 않다고 생각할 수 있다. 일반 데이터베이스에 데이터를 저장할 때 쉽게 조작할 수 없도록 블록체인처럼 전자서명하여 저장한다고 하자. 또 데이터 손실이나 접근의 효율성을 위해 블록체인만큼은 아니지만, 데이터베이스를 중복하여 유지한다고 하자. 그러면 블록체인과 일반 데이터베이스가 제공하는 특징의 차이가 없어 보일 수 있다. 하지만 이렇게 생각하는 것은 블록체인의 중요한 특징을 간과하는 것이 된다. 블록체인은 체인으로 데이터가 엮여 있고 첨삭 전용이므로 해당 데이터를 생성한 사용자를 포함하여 누구도 수정할 수 없다. 반면에 일반 데이터베이스는 해당 레코드를 추가한 서명키를 갖고 있는 사용자는 쉽게 레코드의 내용을 수정할 수 있다. 따라서 일반 데이터베이스도 블록체인과 같은 기능을 하기 위해서는 첨삭만 할 수 있어야 한다. 또 DID는 블록체인의 불가역성을 활용하지만. 그것의 핵심은 개인에게 자신의 정보에 대한 주권을 주는 것이다.

16.7.8 표준화

현재 블록체인 관련 기술에 대한 표준화 작업도 진행 중이다. 2016년에 블록체인 관련 기술을 표준화하기 위해 ISO 기술위원회 307이 발족하였으며, 이 기술위원회는 블록체인과 분산 원장 기술에 대한 표준화 작업을 하고 있다. 블록체인 기술이 실제 현장에서 유용하게 사용되기 위한 또 다른 걸림돌은 관련 법, 제도의 미비이다. 지금은 나라마다 독자적이고 다른 규율을 일부 적용하고 있다. 참고로 우리나라와 중국은 ICO가 금지되어 있다.

16.8 마무리

분산 암호화폐인 비트코인은 그것이 기술적으로 실현되었다는 측면에서 매우 의미가 있다. 하지만 사토시 나카모토도 이렇게 투기 수단이 될 것으로는 생각하지 못하였을 것이다. 더욱이 암호화폐를 명목화폐로 바꾸는 것이 필요하며, 일반 대중의 쉬운 접근을 위해 거래소라는 것이 생길 수밖에 없으며, 거래소 때문에 이들 암호화폐가 진정한 탈중앙 암호화폐라고 보기 힘든 측면도 있고, 여러 가지 부작용도 나타나고 있다. 이 때문에 암호화폐가 일상에서 신용카드처럼 널리 사용되기에는 아직도 갈 길이 멀다. 그러나 해외송금을 하거나 기업에서 직원들에게 월급을 줄 때 암호화폐로 주는 경우도 많이 생기고 있으므로 미래에 암호화폐가 어떤 위치를 차지할 것인지는 아직 예측하기 어렵다.

블록체인이 우리가 사용하는 서비스에 획기적인 변화를 줄 것은 분명하다. 하지만 불필요하게 블록체인을 사용하고자 하는 경향도 있다. 예를 들어, steemit의 경우에는 콘텐츠 자체를 블록체인에 등록하고 있다. 하지만 데이터 자체를 블록체인에 등록하는 것이 꼭 필요한 것인지 생각해 볼 여지가 있다. steemit에서 사용자들에게 보상하기 위한 토큰을 사용하며, 이 토큰을 안전하게 사용하기 위해 블록체인을 활용하는 것은 효과적이다. 하지만 콘텐츠까지 블록체인에 등록하면 악의적인 글이나 명예를 훼손하는 글까지도 영구적으로 삭제되지 않고 유지될 수밖에 없다.

16장 퀴즈

1. UTXO 기반과 계정 기반을 비교한 다음 설명 중 **틀린** 것은?

① 계정 기반은 한 계정의 트랜잭션을 병행으로 수행할 수 없다.
② UTXO 기반에서 제삼자는 한 계정의 보유한 총액을 알기 어렵다.
③ 계정 기반은 트랜잭션의 내용이 매우 단순하다.
④ 프로그래밍하기에는 계정 기반이 유리하다.
⑤ 일시적 포크가 발생하였을 때, 일관성 상태로 되돌아가기 위한 비용은 계정 기반이 더 저렴하다.

2. 비트코인은 UTXO 기반이고, 이더리움은 계정 기반을 사용하고 있다. 이와 관련된 다음 설명 중 **틀린** 것은?

① UTXO에서 계정의 지갑은 이 계정에 해당하는 트랜잭션 출력 중 아직 사용하지 않은 출력이 어느 블록에 있는지 유지해야 한다.
② 이더리움은 프로그래밍을 통해 거래가 이루어지며, 다양한 디앱 개발이 목적이므로 각 계정의 총액을 쉽게 알기 위해 계정 모델을 채택하였다.
③ UTXO 기반, 계정 기반 모두 한 계정의 여러 거래(트랜잭션)를 병행으로 처리할 수 있다.
④ UTXO 기반에서는 수수료를 입력과 출력 차이로 표현할 수 있지만 계정 모델에서는 거래는 항상 단순하게 한 계정에서 다른 계정으로 이체하는 형태이므로 입출력의 차이로 수수료를 나타낼 수 없다.

3. 블록체인을 어떤 응용을 만들 때 활용하고자 한다. 블록체인은 두 가지 중요한 특징은 불가역성과 데이터의 분산(여러 노드에 동일 데이터가 자동 중복 저장됨)이다. 블록체인을 활용할 때 고려할 점으로 적절하지 **않은** 것은?

① 적절한 aging 기법을 사용하여 더 이상 불필요한 데이터를 제거하는 것이 가능하지 않을 수 있다.
② 블록체인은 불가역성을 제공하므로 데이터를 삭제하고 싶어도 삭제할 수 없다. 따라서 오류가 있는 데이터, 불법적인 데이터, 프라이버시를 침해하는 데이터도 한번 저장되면 삭제할 수 없다.
③ 충분한 노드가 운영되지 않으면 데이터 분산 효과를 얻지 못할 수 있다.
④ 블록체인을 응용에 활용하고 싶으면 반드시 자체적으로 새 블록체인을 만들어 사용해야 한다.

4. 비트코인에서 블록체인의 불가역성과 분산 합의를 제공하기 위해 해시 퍼즐을 이용한 작업 증명을 이용하고 있다. 하지만 작업 증명은 에너지 소모가 많고 일시적 포크 발생 문제로 확정 시간도 느린 문제점이 있다. 이 문제를 극복하기 위해 지분 증명, 공간 증명, DAG 등 다양한 시도가 있다. 이와 관련된 다음 설명 중 **틀린** 것은?

① 지분 증명, 공간 증명, DAG는 기본적으로 소모적인 연산을 사용하지 않는다.
② 지분 증명, 공간 증명, DAG 3가지 모두 체인 형태로 연결하여 블록체인에 등록된 데이터를 수정 또는 삭제하면 그 이후 연결된 모든 것의 수정이 필요하여 수정 또는 삭제하기가 어렵게 되어 있다.
③ 지분 증명, 공간 증명, DAG 모두 여러 트랜잭션을 모아 블록을 만들고 그것을 확정하는 형태이다.
④ 지분 증명은 라운드마다 검증할 검증자를 결정하며, 결정된 단일 검증자 또는 다수 검증자가 이번 라운드의 블록을 생성한다.

5. NFT와 관련된 다음 설명 중 **틀린** 것은?

① 디지털 자산이 NFT 토큰 내에 저장되어 있다.
② 디지털 자산의 소유권을 증명하는 증서 역할을 한다.
③ 다른 토큰/코인과 달리 동등하게 교환할 수 없다.
④ 소유권 변동 내역을 블록체인에 기록하여 관리하며, 소유권을 나눌 수 있다.

연습문제

1. 디앱 중 대중적으로 큰 성공을 거둔 것이 CryptoKitty이다. 이 앱이 어떤 앱이고 어떻게 동작하는지 조사하라.

2. 비트코인 등 많은 블록체인 기반 암호화폐는 UTXO 기반이다. 하지만 이더리움은 UTXO 기반이 아니라 계정 기반이다. UTXO 기반과 비교하여 계정 기반의 장단점을 설명하라.

3. 이더리움은 트랜잭션 수수료를 가스 상한과 가스비를 이용하여 제시한다. 이와 관련하여 다음 각각에 대해 답변하라.

   ① 실제 소요된 가스가 트랜잭션에 제시한 가스 상한보다 크면 이 트랜잭션의 실행 결과는 블록체인에 반영되지 않는다. 따라서 충분히 큰 가스 상한을 제시해야 한다. 이 때문에 무조건 매우 큰 가스 상한의 제시를 생각해 볼 수 있다. 이것의 문제점을 설명하라.
   ② ①과 같이 가스가 부족하여 트랜잭션이 취소되면 이 트랜잭션을 포기하거나 다시 제출해야 한다. 다시 제출하면 이 트랜잭션의 실행을 위해 실제 필요한 것보다 큰 비용을 지불하게 된다. 왜 이와 같은 방식을 이더리움이 사용하는지 설명하라.

4. 이더리움 2.0은 작업 증명 대신에 지분 증명을 사용한다. 이와 관련하여 다음 각각에 대해 답변하라.

   ① 작업 증명 대신에 지분 증명을 사용하는 것의 이점을 제시하라.
   ② 이더리움 2.0에서 기존 블록을 수정하는 것이 가능하지 않은 이유를 구체적으로 제시하라.

5. 한 사용자는 지갑을 여러 개 만들어 참여할 수 있으며, 두 지갑이 같은 사용자 소유인 것을 알기 어렵다. 한 사용자가 매우 많은 수의 지갑을 만들어 참여한다고 지분 증명에서 검증자가 될 확률이 높아지면 여러 문제가 발생할 수 있다. 이 때문에 지분이 많다고 항상 검증자로 선택되는 방식은 올바른 검증자 결정 방식이 아니다. 따라서 확률적 요소가 검증자를 결정할 때 적용되어야 한다. 지분 증명에서 사전에 향후 라운드의 검증자를 높은 확률로 예측할 수 있다면 어떤 공격이 가능한지 설명하라.

6. 샤딩에서 다른 샤드에 소속된 사용자 간 거래를 교차 샤드(cross-shard) 거래라 한다. UTXO 기반과 계정 기반에서 교차 샤드 거래는 어떤 거래인지 제시하라. 또 교차 샤드 거래는 원자성(atomicity)을 보장해야 하는데, 교차 샤드 거래의 원자성이란 무엇인지 설명하라.

7. 각종 증명서를 블록체인에 저장하는 서비스도 등장하고 있다. 기존 공개키 기반구조를 활용하여 발급기관이 전자서명 기술을 통해 디지털 증명서를 발급할 수 있다. 이것과 비교하여 블록체인을 이용한 증명서의 차이점 또는 장점은 무엇인지 설명하라. 여기서 블록체인을 이용한 증명서란 증명서의 해시값 또는 서명값을 블록체인에 저장하는 것을 말한다.

8. 에스토니아는 블록체인에 정부의 각종 문서를 전자서명하여 저장한다. 블록체인에 저장하는 것과 일반 데이터베이스에 저장하는 것은 어떤 차이가 있는지 설명하라.

제17장

기타 응용 보안

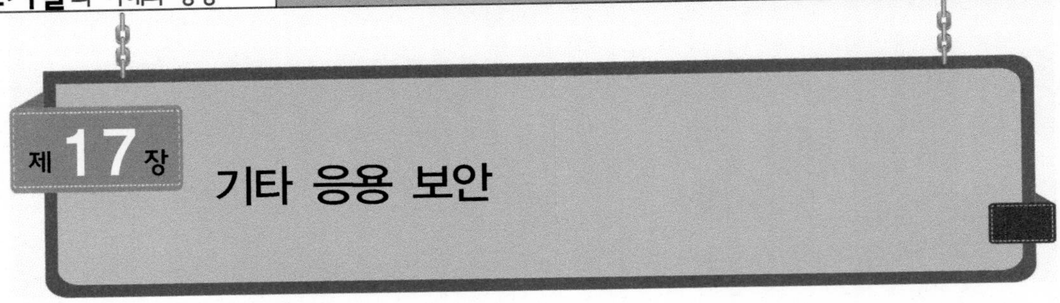

제 17 장 기타 응용 보안

17.1 애드혹 네트워크

애드혹 네트워크(ad hoc network)는 통신 기반구조를 전혀 사용하지 않고 무선 통신을 이용하는 이동 노드들에 의해 자율적으로 구성된 네트워크를 말한다. 다른 말로 이동 애드혹 네트워크(MANET, Mobile Ad hoc NETwork)라 한다. 애드혹 네트워크는 기반구조를 사용할 수 없을 때 주로 사용한다. 예를 들어, 재난이 발생하여 통신 기반구조를 사용할 수 없을 때, 재난 구조를 하기 위해 애드혹 네트워크를 사용할 수 있다.

이동 노드는 무선 통신을 이용하며, 무선 통신의 신호는 전달할 수 있는 거리가 제한되어 있다. 이 거리를 전송 반경(transmission range)이라 한다. 전송 반경은 신호 전송에 사용한 전력, 통신이 이루어지고 있는 환경의 지형과 존재하는 장애물에 영향을 받는다. 무선 통신은 보통 방향이 없이 방송되며, 전송 노드를 중심으로 전송 반경이 반지름이 되는 원을 형성하였을 때, 원 내부에 있는 모든 노드는 전송 노드가 보내는 메시지를 받을 수 있다. 무선 통신도 지향성 안테나를 이용하여 특정 방향으로만 무선 신호를 전송할 수 있다.

전송 반경이 제한되므로 이 반경보다 먼 거리에 있는 노드와 통신하기 위해서는 다른 노드의 중계가 필요하다. 따라서 애드혹 네트워크에서 노드는 다른 노드의 메시지를 라우팅하는데 협조하고 참여해야 네트워크가 정상적으로 동작한다.

이처럼 노드 간의 중계를 통해 통신하는 것을 다중 홉 라우팅이라 한다. 하지만 노드가 이동할 수 있으므로 노드가 네트워크에서 단절될 수 있으며, 네트워크가 분리될 수 있고, 결합할 수 있다. 따라서 노드가 특정 역할을 하도록 설정하는 것은 적절하지 않다. 항상 어떤 특정 노드와 통신할 수 있다는 것이 보장되지 않으므로 특정 노드에 의존하는 방식의 서비스는 사용하기 어렵다. 이 때문에 애드혹 네트워크는 대칭 구조(symmetric architecture) 모델을 사용한다. 대칭 구조란 참여 노드들이 모두 같은 책임을 공유해야 한다는 것을 말한다.

애드혹 네트워크는 참여하는 노드의 형태, 노드의 이동성, 외부망과의 연결 여부 등에 따라 분류할 수 있다. 소형 단말들이 참여하는 센서 네트워크, 사람이 휴대하고 있는 장치들이 참여하는 네트워크, 자율적으로 이동이 가능한 로봇이 참여하는 네트워크, 차량이 노드가 되는 차량 애드혹 네트워크 등이 있다. 센서 네트워크의 노드는 배치 이후에는 거의 움직임이 없는 네트워크이지만, 차량 애드혹 네트워크에서 차량은 매우 빠르게 움직일 수 있다.

17.1.1 애드혹 네트워크의 통신 모델

애드혹 네트워크의 토폴로지는 노드의 이동성 때문에 동적으로 계속 변한다. 이 때문에 특정 노드에서 다른 노드까지의 경로를 찾는 라우팅이 일반적인 네트워크에 비해 어렵다. 이와 같은 라우팅을 위해 노드는 자신의 통신 반경에 어떤 노드들이 있는지 항상 탐색하게 되며, 그 목록을 유지한다. 이를 이웃 탐색 메커니즘이라 한다. 이웃 노드란 중계 없이 직접 통신할 수 있는 노드를 말한다.

무선 매체는 공유 매체이기 때문에 같은 반경에 있는 노드가 동시에 전송하면 신호가 서로 간섭하여 정상적으로 수신할 수 없게 된다. 따라서 이를 해결하기 위한 메커니즘도 필요하다. TDMA, FDMA, CDMA, CSMA 등 이 문제를 해결하기 위한 여러 기법이 있다. 우리가 보통 사용하는 무선랜은 CSMA 방식을 사용한다.

보통 애드혹 네트워크에서 통신은 크게 플러딩(flooding) 통신과 유니캐스트 통신으로 나누어질 수 있다. 플러딩 통신이란 한 노드가 메시지를 전송하면 이 메시지가 전체 네트워크로 전파되어 모든 노드가 수신하게 되는 방식을 말한다. 반면에 유니캐스트 통신은 경로를 알고 있을 때 사용할 수 있는 방식으로 정해진 경로에 포함된 노드만 메시지를 중계하여 소스 노드의 메시지가 목적 노드로 전달된다.

애드혹 네트워크에서 최단 경로는 보통 홉 수를 이용하여 측정한다. 하지만 실제는 홉 수

뿐만 아니라 통신량도 고려할 필요가 있다[28]. 또한 각 노드의 에너지 자원 문제도 고려해야 한다. 이것을 고려하지 않으면 특정 노드의 수명이 빨리 단축되어 네트워크가 단절될 수 있다. 무선 통신 관련 분석을 할 때, 보통 링크의 대칭성을 가정한다. 한 노드가 다른 노드로 메시지를 보낼 수 있을 때 그 반대도 가능하면 링크가 대칭적이라 한다. 그러나 실제 환경에서는 링크가 대칭적이지 않을 수 있다. 두 노드가 서로 종류가 다른 장치일 수 있고, 같은 종류의 장치이더라도 상태가 다를 수 있다. 일반 네트워크와 달리 메시지를 수신하였다는 확인 메시지(acknowledgement message)를 사용하기 어려울 수 있다. 특히, 단대단 확인 메시지는 비용 때문에 거의 사용하지 않는다.

17.1.2 애드혹 네트워크 보안

애드혹 네트워크에서도 각종 필요한 보안 요구사항을 충족하기 위해 암호기술의 사용이 필요하다. 하지만 신뢰 기관에 대한 연결을 항상 보장할 수 없고, 고정 전원을 사용하지 않는 등 네트워크에 참여하는 노드의 특성 때문에 기존 환경에서 사용한 기법들을 그대로 적용하기 힘들다. 애드혹 네트워크의 경우 한 노드가 메시지를 보내면 그 노드의 모든 이웃 노드가 수신하는 방식이므로 기본적으로 방송 인증 기법이 필요하다.

이를 위해 MAC을 사용하는 것을 고려할 수 있지만 모든 노드가 같은 MAC 키를 공유하고 있어야 하며 부인방지가 제공되지 않는 문제점이 있다. 또 한 노드에 대한 공격을 통해 공유된 키가 쉽게 노출될 수 있는 문제점이 있다.

공개키를 사용하면 부인방지를 제공하는 방송 인증을 쉽게 제공할 수 있지만, 계산 비용 때문에 센서 네트워크와 같은 소형 단말이 참여하는 환경에서는 사용 자체가 가능하지 않을 수 있다. 더욱이 공개키를 사용하기 위해서는 공개키 기반구조가 필요하다. 하지만 애드혹 네트워크에서는 인증기관에 대한 시기적절한 접근을 보장할 수 없어 인증서 기반 공개키 기술의 사용을 더욱 어렵게 만든다.

28) 차량 내비게이션에서는 최단 거리뿐만 아니라 도로의 교통량을 고려하여 가장 빠르게 갈 수 있는 경로를 제시하여 주는 것처럼 애드혹 네트워크에서도 홉 수와 특정 홉 또는 특정 구간에서 발생하는 통신량을 고려할 필요가 있다.

17.1.3 TESLA

TESLA(Timed Efficient Stream Loss-tolerant Authentication)[165]는 애드혹 네트워크를 위해 제안된 지연 공개(delayed disclosure)라는 색다른 방법을 사용하는 방송 인증 기법이다. 앞서 언급한 바와 같이 공개키를 사용하면 쉽게 방송 인증을 제공할 수 있지만, 계산 비용, 기반구조의 필요성 등의 문제로 애드혹에서 사용하기 어려운 점이 있으며, 대칭키는 부인방지를 제공할 수 없다는 문제점이 있다. TESLA는 공개키, 해시체인, 대칭키를 혼합하여 생성한 해시체인을 다 사용할 때까지는 공개키의 사용 없이 대칭키만을 사용하여 방송 인증을 제공한다.

TESLA는 지연 키 공개를 이용한 대칭키 기반 방송 인증 기법을 사용하고 있다. MAC을 이용하지만 미리 MAC 키를 공유한 후에 메시지를 전송하는 것이 아니라 MAC값을 전송한 후에 MAC 키를 공개하는 방식을 사용하고 있다. TESLA에서 노드는 메시지를 전송할 때 정해진 시간 간격을 이용하여 정해진 순서에 따라 메시지를 보내야 한다. TESLA에서 한 메시지에 대한 방송 인증은 총 3시간 간격이 필요하다. 각 간격에서 전달하는 메시지는 다음과 같다.

- 간격 1. $H(K)$
- 간격 2. M, $\mathrm{MAC}.K(M)$
- 간격 3. K

노드 A가 위에 제시된 과정을 통해 메시지를 전송하였으며, 간격 1에서 전달한 해시값은 방송 인증이 된다고 가정하고, 과정이 완료하면 어떻게 M에 대한 방송 인증이 가능한지 살펴보자. 두 번째 시간 간격에서 메시지를 수신한 노드는 아직 K를 모르므로 이 메시지 대한 메시지 원천지 인증(무결성, 송신자 인증)이 가능하지 않다. 참고로 애드혹 네트워크에서는 각 노드가 메시지 중계를 하지 않는 등 여러 가지 이기적인 행동을 할 수 있으며, 심지어 메시지를 수정하여 전송할 수 있다. 하지만 메시지를 수정하더라도 나중에 이것이 A가 보낸 유효한 메시지로 인정될 수 없어야 한다.

간격 2의 메시지를 수신한 노드는 메시지를 수정할 수 있지만 아직 K는 없으므로 K를 이용한 MAC값은 만들 수 없다. 메시지를 수정하고 다른 키를 이용하여 MAC값을 계산한 후 중계할 수 있지만 이 키는 간격 1의 해시값을 충족할 수 없으므로 중간 노드가 간격 2의 메시지만 수정하여 A가 보내지 않은 것을 보낸 것으로 조작할 수 없다. 간격 3에서 K를 받으면 못 할 것이 없지만 K가 공개된 이후 수신된 K를 이용하는 메시지는 거부되므로 간격 3 이후에 메시지를 조작하는 공격은 가능하지 않다.

간격 1에 제시된 해시값이 방송 인증된다는 가정하에 이처럼 MAC키를 지연 공개하면 중간 노드에 의한 수정 공격에 강건한 MAC 기반 방송 인증을 제공할 수 있다. TESLA는 간격 1에서 제시하는 해시값의 인증을 위해 그림 17.1과 같이 해시체인과 전자서명을 활용한다. 송신자는 K_n을 랜덤하게 생성한 후에 이 값에 해시함수를 연속 적용하여 $K_{n-1} = H(K_n)$, …, $K_1 = H(K_2)$, $K_0 = H(K_1)$를 계산하여 해시체인을 생성한 후에 해시체인의 루트인 K_0를 서명하여 전제 네트워크에 전달한다. TESLA에서는 각 해시체인 값이 노드가 사용할 MAC키가 된다.

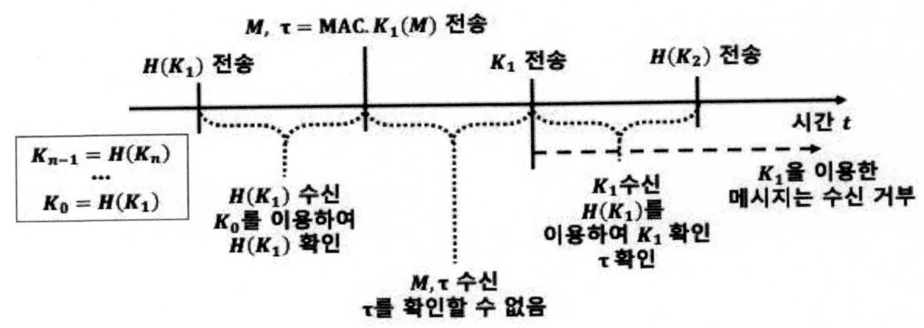

<그림 17.1> 해시체인을 이용한 Tesla

설명한 바와 같이 TESLA는 공개키를 전혀 사용하지 않는 기법이 아니다. 하지만 TESLA에서 공개키는 해시체인의 루트에 대한 서명값을 생성하고, 다른 노드의 서명값을 확인하기 위한 용도로만 사용한다. 한번 해시체인에 만들어 다른 노드에 등록하면 이 체인에 있는 모든 값을 사용할 때까지 공개키 연산 없이 메시지 원천지 인증을 제공할 수 있다.

TESLA에서 각 노드는 다른 노드의 해시체인 루트 값에 대한 전자서명 값을 유지하며, 이 값을 이용하여 간격 3에서 공개하는 대칭키를 확인한다. 이와 같은 방식을 사용하면 간격 1에서 대칭키의 해시 값을 공개할 필요가 없다. 각 노드는 이미 이전 메시지를 통해 다음에 사용할 키의 해시 값을 가지고 있다. 따라서 더 이상 3 간격이 필요하지 않고 2 간격으로 방송 인증을 할 수 있다.

각 노드는 다른 모든 노드의 해시체인 루트값을 유지하고 있어야 하며, 이 값의 보안을 위해 공개키 기술을 사용하고 있다. 해시체인을 통해 공개키 기술의 사용을 최소화하고 있지만, 이 기법은 메시지를 즉시 인증할 수 없고, 노드 간의 시간 동기화가 필요하다는 단점 등 여러 가지 한계를 가지고 있는 기법이다. 하지만 기존 여러 시도와 달리 사용한 대칭키를 공개하는 시점을 이용하여 MAC을 사용하여 방송 인증을 할 수 있도록 한 점 때문에 의미가 있는 기법이다. 어떤 문제를 해결해야 할 때, 이처럼 전혀 다른 시도를 해보지 않으면 좋은 해결책을 찾기 어려운 경우가 많다. 이와 같은 측면에서 TESLA를 이해할 필요가 있다.

17.1.4 센서 네트워크

센서 네트워크(WSN, Wireless Sensor Network)는 무선 통신 기능을 갖춘 소형 컴퓨팅 단말에 특정 센서를 연결하여 무작위로 특정 지역에 배치하여 자동으로 필요한 정보를 수집하는 애드혹 네트워크를 말한다. 군사적 목적으로 적군을 탐지하기 위해 사용할 수 있으며, 산불 감시를 위해 또는 야생 동물 관찰을 위해 사용할 수 있다.

센서 네트워크는 센서 노드들과 이들 센서 노드가 수집한 정보를 일차적으로 받는 싱크 노드로 구성되며, 싱크 노드는 다른 통신 수단을 통해 외부망과 연결되어 있다. 센서 노드들은 배치 이후에는 자율적으로 이동하지는 못하며, 다중 홉 방식의 무선 통신을 이용하여 수집된 정보를 전달한다.

보통 센서 네트워크에서 노드들은 임의로 배치되므로 각 센서 노드는 배치 정보를 사전에 알 수 없다. 또한 일반적인 컴퓨팅 노드들과 달리 계산 능력이 제한적이며, 제한된 메모리와 전력을 사용한다. 또한 전력이 부족하므로 무선 통신의 전송 반경도 짧다. 또 비슷한 위치에 있는 노드들은 같은 상황을 동시에 인식하므로 전송되는 정보가 중복될 수 있다. 따라서 통신 대역폭을 효과적으로 사용하기 위해 중간 노드는 데이터를 통합(data aggregation)해야 한다. 보통 노드의 가격이 저렴하며 부분 교체를 할 수 없으므로 네트워크 수명을 연장하기 위해 노드들을 임의로 추가할 수 있다. 더욱이 노드를 공개적인 장소나 적대적인 장소에 설치할 수 있으므로 공격자에 의해 포획되어 물리적으로 통제될 수 있으며, 공격자들이 가짜 노드들을 센서 필드 내에 설치할 수 있다.

센서 네트워크는 보통 다음을 설계 목표로 사용한다.

- 가용성(availability, survivability): 노드들이 고정 전원을 사용하지 않으므로 네트워크 수명이 중요 고려 사항이 된다.
- 확장성: 센서 필드에 비교적 많은 수의 노드를 설치할 수 있으므로 센서 네트워크에서 사용하는 프로토콜은 확장성이 있어야 한다.
- 효율성: 각 센서 노드가 가지고 있는 저장 공간의 제약과 계산 능력 때문에 프로토콜의 수행하기 위한 비용이 충분히 효율적이어야 한다.

가용성을 위해 일부 교체보다는 전체적 교체나 노드의 추가가 바람직하며, 사용하는 프로토콜이 전략적으로 에너지 사용을 노드 간에 분산해야 한다. 예를 들어, 고정된 이동하지 않는 단일 싱크를 사용하면 싱크 주변 노드는 다른 노드들에 비해 전력을 많이 사용할 수 있다. 싱크가 이동하면 라우팅이 고정되지 않으므로 장점만 있는 것은 아니다.

이와 같은 공통 요구사항 외에 각 응용에 따라 응용에서 추가로 요구되는 사항이 있을 수 있다. 보통 시기적절한 정보의 전달이 중요하며, 응용에 따라 수집되는 정보의 비밀성을 보장해야 할 수도 있다. 이와 같은 요구사항은 노드 포획과 같은 특수한 보안 위협에 대해서도 충족되어야 한다.

공격자들이 가짜 노드를 센서 필드에 설치할 수 있으므로 노드들은 자신의 이웃 노드가 합법적인 노드인지 확인할 수 있어야 한다. 이와 같은 인증 요구사항을 해결하기 위한 가장 쉬운 방법은 전자서명이지만 노드의 계산 능력을 고려하였을 때 사용하기에 부담되는 측면이 있다. 이에 대칭키 기반 기술을 많이 사용한다. 하지만 대칭키 기반 기술은 부인방지를 제공하기 어렵다는 측면이 있다.

17.1.4.1 센서 네트워크의 대칭키 기반 인증 기술

보통 센서 네트워크에서는 센서에 필요한 암호키를 탑재하여 배치하게 된다. 센서 네트워크에서 많이 사용하는 대칭키는 다음과 같다.

- 마스터키: 모든 합법적인 노드와 싱크 간에 공통으로 사용하는 대칭키
- 개별키: 특정 노드와 싱크 간에 공유된 대칭키
- 노드쌍키: 특정 두 노드 간에 공유된 대칭키

마스터키는 모든 노드가 가지고 있는 키이므로 노드가 포획되면 쉽게 노출되는 문제[29]가 있으며, 특정 노드를 식별하는 데 사용할 수 없다. 개별키는 다른 노드와의 통신에서는 사용할 수 없으며, 수집된 정보를 개별키로 암호화하여 싱크에 전달하면 중간 노드에 의한 데이터 통합이 가능하지 않다. 또한 싱크는 노드의 개수만큼의 개별키를 유지해야 한다. 노드쌍키는 노드쌍키를 효과적으로 확립할 수 있어야 하며, 수많은 노드가 배치되므로 각 노드와 공유할 수 있는 독립적인 노드쌍키를 탑재하여 배치하기가 어렵다. 따라서 이웃 노드에 따라 노드쌍키를 확립하지 못하거나 확립하기 위해서는 추가 비용이 소요될 수 있다. 노드쌍키를 사용한다는 것은 홉마다 암복호화가 이루어진다는 것을 의미하므로 개별키와 달리 데이터 통합이 가능하다. 하지만 노드마다 반복적인 암복호화로 마스터키나 개별키와 비교하여 비용이 많이 소요된다.

센서 네트워크에서 노드 간의 노드쌍키를 확립하기 위해 확률적 기법을 많이 사용한다. Eschenauer와 Gligor[166]가 제안한 기법은 수많은 대칭키로 구성된 키 풀에서 일정한 수의 키를 추출하여 각 노드에 할당한다. 이렇게 노드에 할당된 키 목록을 키 링이라 한다. 키 풀의 크기와 키 링의 크기를 적절하게 조절하면 임의의 두 노드가 공통된 키를 가질 확률이 높아진다. 키 링의 크기는 노드의 메모리 크기에 의해 결정된다. 따라서 보통 키 풀의 크기를 조절하여 공유할 확률을 결정한다. 이때 키 풀의 크기가 작으면 전체 정보를 알기 위해 포획해야 하는 노드의 수가 작아지는 문제점이 있다. 이웃 노드가 공통된 키가 없으면 다른 이웃을 활용하여 노드쌍키를 확립할 수 있다.

17.1.5 차량 애드혹 네트워크

무선 통신을 지원하는 컴퓨팅 장치를 차량과 도로에 설치하면 매우 큰 혼합 네트워크를 구축할 수 있으며, 이를 **차량 애드혹 네트워크**(VANET, Vehicular Ad-hoc NETwork)라 한다[167]. 차량에 설치되는 장치를 OBU(On-Board Unit)라 하고, 도로에 설치된 장치를 RSU(Road-Side Unit)라 한다. 이를 통해 차량 간의 통신, 차량과 기반구조 간의 통신이 가능하다. 특히, 차량 간 통신을 통해 도로 교통의 안전성을 향상할 수 있으며, 미래 자율주행에서도 중요한 역할을 할 수 있다. 예를 들어, 안개로 시야가 좁은 상황에서 사고가 발생하면 선행 차량이 뒤 차량에게 사고 사실을 알려 속도를 줄이게 함으로써 연속 추돌 사고

29) 보안 하드웨어를 이용하여 노드가 포획되어도 노드에 설치된 키를 얻을 수 없도록 할 수 있지만 제작 비용 요구사항 때문에 센서 노드에 보안 하드웨어를 사용하는 것은 보통 힘들다.

를 방지할 수 있다.

VANET에서 OBU와 RSU는 DSRC(Designated Short Range Communication)라는 통신 프로토콜을 사용한다. DSRC는 IEEE 802.11p 기반이며, 5.9 GHz 주파수 대역을 사용한다. 전송 반경은 최대 1km까지 지원하며, 전송 속도는 최대 27Mbps까지 지원한다. DSRC는 4개의 클래스로 구분되며. 클래스 3의 전송 반경은 400m이고, 클래스 4는 1km이다. 안전 운전 응용에서 각 차량은 주기적(100-300ms)으로 자신의 상태(위치, 방향, 속도 등)를 클래스 3 프로토콜을 이용하여 방송한다. 급한 경고 메시지는 전송 반경을 최대로 사용하기 위해 클래스 4를 이용한다. VANET에서도 주어진 전송 반경보다 멀리 전송하기 위해서는 다중 홉 통신이 불가피하며, 도로 교통 상황에 따라 네트워크가 단절될 수 있고, RSU의 설치 상태에 따라 항상 RSU와 통신하는 것도 가능하지 않을 수 있다. 최근 추세로 보면 차량 간 통신은 DSRC를 이용하지만, 기반구조와의 통신은 LTE, 5G, DMB 등 차량에서 사용할 수 있는 다른 통신 수단도 함께 활용하여 서비스나 보안 요구사항을 제공하는 방향으로 연구들이 진행되고 있다.

17.1.5.1 VANET의 보안 요구사항

VANET의 보안 요구사항은 다음과 같다.

- R1. 메시지 방송 인증. 수신자는 메시지 전송자가 합법적인 차량임을 확인할 수 있어야 한다.
- R2. 조건부 프라이버시. 법적 절차 없이 메시지 전송자의 실제 신원을 알 수 없어야 하며, 특정 차량의 이동 흔적을 추적할 수 없어야 한다.
- R3. 데이터 유효성. 메시지에 포함된 내용의 정확성을 검증할 수 있어야 한다.

차량 인증에 사용하는 차량의 암호키는 보안 하드웨어를 이용하여 안전하게 유지해야 한다. 차량 소유주를 포함하여 누구도 교체, 조작할 수 없어야 하며, 키의 갱신이 필요할 때도 신뢰할 수 있는 방법으로 이루어져야 한다. VANET에서 각 차량은 1초에 3개 정도의 메시지를 전송하지만 반대로 교통 상황에 따라 많은 수의 메시지를 받을 수 있다. 따라서 전자서명을 이용하여 메시지 인증을 한다고 가정하면 서명 비용보다는 확인 비용이 저렴해야 한다. 하지만 이때 일괄 확인 기법을 사용하기는 힘들다. 일괄 확인이 실패하였을 때 어느 메시지 때문에 실패하였는지 알아야 하기 때문이다. 프라이버시 보장의 경우에는 VANET

이 아니더라도 차량 운행을 통해 운전자의 프라이버시가 일부 노출될 수밖에 없다. 따라서 VANET 측면에서는 VANET을 통해 기존보다 프라이버시 노출이 더 쉬워지지 않도록 하여야 한다. 각 차량이 보낸 데이터의 유효성 검증은 암호기술을 통해 제공할 수 있는 부분은 아니다.

17.1.5.2 VANET에서 기존 공개키 기술 사용의 문제점

VANET도 다른 애드혹 네트워크와 마찬가지로 방송 인증이 필요하며, 다른 애드혹 네트워크와 달리 노드의 계산 능력이나 전력이 부족하지 않으므로 공개키 기술을 사용하면 쉽게 문제를 해결할 수 있을 것으로 생각할 수 있다. 하지만 다음과 같은 이유로 기존 인증서 기반 PKI의 활용은 여전히 힘들 수 있다.

- 문제점 1. 차량에 설치될 컴퓨팅 장치의 능력을 고려하였을 때 짧은 주기마다 서명을 생성하는 것은 문제가 되지 않지만, 교통 상황에 따라 많은 서명을 시기적절하게 확인하는 것은 부담이 될 수 있다.
- 문제점 2. 인증서 확인 과정에서 인증서 폐지 여부의 확인이 필요한데 기존 방법은 VANET에 적합하지 않다.
- 문제점 3. 프라이버시 보장을 제공하지 못한다.
- 문제점 4. 전자서명은 방지 기술이 아니라 사후 책임을 묻는 발견 기반 방식이다.

17.1.6 기타

지금까지 살펴본 네트워크 환경 외에 연속적인 연결이 보장되지 않는 노드 간의 통신을 할 수 있도록 해주는 지연 내성 네트워크(DTN, Delay Tolerant Network), 소형 이동 가능한 로봇이 센서 노드 역할을 하는 로보틱스 네트워크 등 새로운 종류의 네트워크가 등장하면 해당 네트워크에 필요한 보안 서비스를 제공하기 위한 연구가 시작된다. 네트워크 특성에 따라 기존 일반 네트워크에서 사용하던 기술을 그대로 사용할 수도 있지만, 지금까지 생각하였던 특성과 전혀 다른 특성이 있어 기존 기술을 그대로 사용하기가 어려울 수 있다.

17.2 RFID

RFID(Radio Frequency IDentification)는 무선 통신을 이용하여 물리적인 접촉 없이 개체에 대한 정보를 읽거나 기록하는 자동인식 시스템이다. 기존 바코드처럼 RFID 태그가 부착된 물건을 RFID 리더기를 이용하여 자동 인식할 수 있다. 하지만 바코드와 달리 비접촉식이며, 비시선(without line of sight)으로 인식할 수 있다. 1초에 약 100개 이상의 태그를 읽을 수 있다. RFID는 중 수동형 태그에 대해서는 EPCglobal에서 EPC Gen2(EPCglobal UHF Class 1 Generation 2)를 표준화하고 있으며, ISO에서도 RFID 관련 각종 표준화 작업을 하고 있다.

RFID 태그는 배터리 유무에 따라 크게 능동형, 수동형, 반 능동형 태그로 구분한다. 수동형 태그는 자체 전원을 가지고 있지 않으며, 외부 리더로부터 수신한 전파로 전원을 생성하여 필요한 계산을 수행하고 응답 메시지를 전송한다. 다른 두 종류는 자체 전원을 가지고 있다. 자체 전원을 가지고 있으면 메시지를 보다 멀리 보낼 수 있는 이점은 있으나 이 전원에 의해 수명이 결정되는 단점도 있다. RFID 태그는 사용 용도에 따라 그 가격이 매우 저렴하여야 한다. 따라서 이와 같은 태그들은 많은 게이트가 필요한 복잡한 회로를 가질 수 없다. 하지만 기술이 발달함에 따라 공개키 관련 모듈까지 포함하는 태그도 개발되고 있다.

RFID 시스템은 보통 태그, 리더, 데이터베이스 3가지 요소로 구성되어 있다. 리더 질의에 대해 태그는 응답을 보내게 되며, 응용 시스템과 연결된 리더는 이 응답을 데이터베이스에 질의하여 태그를 인식한다. 리더의 통신 반경과 태그의 통신 반경은 큰 차이가 있으며, 능동형 태그는 수동형보다 전송 반경이 길다. 따라서 리더와 태그 사이의 통신을 도청하기 위해서는 물리적으로 매우 가까운 위치에 있어야 한다.

RFID 시스템에서 리더는 크게 고정 리더와 모바일 리더 두 종류가 있다. 예를 들어, 마트에서는 고객이 구매하는 물건의 가격을 자동으로 계산하기 위해 계산대에 고정 리더를 부착하여 사용할 수 있으며, 박물관에서는 모바일 리더를 이용하여 관람에 활용할 수 있다. 모바일 리더는 고정 리더와 달리 데이터베이스와 연동하지 않고 자체적으로 유지한 정보를 이용하여 태그를 인식할 수 있다. 모바일 리더가 개인 장치이면 리더 프라이버시도 고려해야 할 수 있다.

데이터베이스의 경우 단일 데이터베이스를 사용하는 경우와 효율성을 높이기 위해 데이터를 여러 데이터베이스에 중복하여 사용하는 경우로 나눌 수 있다. 데이터베이스가 태그를 인식하기 위해 상호 동기화가 필요하면 데이터를 중복하여 유지하는 것이 힘들 수 있다.

보통 마트 계산대 같은 경우 리더 주변에 있는 모든 태그를 식별하는 것이 목적이다. 즉, 특정 태그를 인식하기 위한 질의가 아니다. 반면에 특정한 물건이 주변에 있는지 찾기 위한 질의도 있을 수 있다. 후자를 지정질의(designated query)라 한다. 비지정질의를 이용하여 지정질의 목적을 달성할 수 있지만, 특정 태그 하나만 식별하는 것이 목적일 때 비지정질의를 활용하는 것은 비효율적이다. 하지만 프라이버시 문제 때문에 지정질의 대상 태그 외에 주변의 다른 태그들도 일부 응답하도록 할 수도 있다.

17.2.1 RFID 시스템의 보안 문제

RFID 시스템의 가장 큰 문제는 프라이버시 문제이다. 사용자가 구매한 다양한 물건에 RFID 태그가 부착되어 있으면 모바일 리더를 이용하여 사용자가 몸에 지니고 다니는 프라이버시를 요구하는 제품의 정보가 노출될 수 있다. RFID 태그에는 kill 명령이 있으므로 구매 후 동작하지 않도록 만들 수 있지만 지능적 서비스를 받기 위해 계속 동작을 해야 하는 제품도 있으므로 이 방법만으로는 모든 문제를 해결할 수 없다.

RFID와 관련된 프라이버시 문제는 크게 다음과 같이 분류할 수 있다.

- 데이터 프라이버시: 태그의 ID를 보호하지 않은 상태로 전달하면 그것을 소지한 사용자의 프라이버시를 침해할 수 있다.
- 위치 프라이버시: 태그가 항상 같은 값을 이용하여 응답하면 소지자의 위치 정보가 노출될 수 있으며, 위치 추적이 가능할 수 있다.
- 태그 위조 공격: 태그의 응답을 재전송하여 태그를 위조하거나 실제 태그 정보를 추출하여 동일하게 응답하는 태그를 만들 수 있다.

해시함수만 사용하는 그림 17.2와 같은 RFID 프로토콜을 생각해 볼 수 있다. 리더는 태그로부터 받은 해시값과 자신이 질의 때 사용한 N_R를 데이터베이스로 전달하면 데이터베이스는 유지하는 모든 ID에 대해 N_R를 결합하여 해시값을 계산하여 어떤 태그가 응답한 것인지 식별하게 된다. 이 프로토콜은 해시함수의 일방향 특성을 이용하여 태그 식별 정보를 숨기고 있으며, 리더의 랜덤값을 이용하여 매번 다른 값을 생성하여 응답하고 있다 [168]. 하지만 공격자가 위 트랜스크립트를 확보한 다음에 리더의 질의를 다시 하게 되면 태그는 같은 값으로 응답하므로 공격자는 이전에 응답한 태그와 같은 태그임을 알 수 있게 되는 문제점이 있다.

Msg 1. Reader → Tag: N_R
Msg 2. Tag → Reader: $H(ID \| N_R)$

<그림 17.2> 정적 ID 기반 RFID 식별 프로토콜 버전 1

Msg 1. Reader → Tag: N_R
Msg 2. Tag → Reader: $H(ID \| N_R \| N_T)$, N_T

<그림 17.3> 정적 ID 기반 RFID 식별 프로토콜 버전 2

이를 보완하기 위해 태그도 랜덤값을 그림 17.3과 같이 포함할 수 있다. 이 두 개의 프로토콜은 모두 정적 ID 기반 프로토콜이다. 정적 ID 기반 프로토콜에서 태그는 항상 같은 ID 값을 이용하여 응답을 만든다. 동적 ID 기반의 경우에는 데이터베이스와 태그는 성공적 질의마다 태그를 식별하는 ID를 갱신하는 방식을 사용하고 있다. ID를 갱신하는 방법에 따라 공격자가 ID를 알아내는 것을 더 어렵게 만들 수 있지만 데이터베이스와 태그 간의 동기화가 필요하므로 데이터베이스를 중복하여 사용하기 어렵게 되는 문제점이 있다.

17.2.2 RFID 후속 기술

RFID 기술이 발전하여 NFC(Near Field Communication), Beacon과 같은 유사한 기술들이 등장하고 있다. NFC는 10cm 이하의 매우 짧은 거리의 통신으로 최근 모바일 지불에 많이 사용하고 있다. 보통 NFC 장치는 리더와 태그 역할을 동시에 수행할 수 있다. 비콘은 10m 내외의 블루투스 저에너지 기술 기반으로 일대다, 다대다 통신 서비스가 가능하다. 백화점 등에서 고객에게 상품 홍보를 위해 활용하고 있다.

17.2.3 근거리 인증

블루투스처럼 근거리 기기 간 인증의 경우 안전성을 높이기 위해 사람의 도움을 받을 수 있다. 이를 사용자 도움 인증(user-aided authentication)이라 한다. 타원곡선과 같은 기술을 이용하여 근거리 기기 간 DH 키 동의 프로토콜을 수행하는 것을 생각하여 보자. 기본 DH 키 동의 프로토콜은 중간자 공격에 취약하다. 보통 이 문제는 교환하는 값을 인증하여 방어한다. 그런데 근거리 기기 간 인증에서는 이 대신에 사람의 도움을 받을 수 있다. DH 값을 인증하지 않은 상태에서 교환하지만 교환 후에 각 기기에서 트랜스크립트에 대한 해시값을 계산한 후 그 값을 화면에 표시할 수 있고, 표시된 값을 사람이 확인하여 중간자 공격이 있었는지 확인할 수 있다. 이와 같은 DH 키 동의 프로토콜을 MA-DH(Manually Authenticated DH)라 한다.

수동 인증 DH에서 해시값 자체를 표시하고 그것을 비교하는 것은 기기에 표시하는 것 자체도 어렵고 사람이 비교하기도 쉽지 않다. 이 때문에 해시값 자체를 이용하는 대신에 OTP처럼 짧은 6자리 숫자를 이용하는 경우가 많다. 이와 같은 용도로 사용하는 짧은 값을 SAS(Short Authenticated String)라 한다. 그런데 짧은 6자리 숫자를 SAS로 사용하면 중간자가 충돌을 찾아 공격할 수 있다. 구체적으로 살펴보면 A가 g^a를 전달하면 중간자는 이것을 차단하고 g^{c_1}를 B에 전달하게 된다. 그러면 B의 SAS는 $H(g^{c_1} \| g^b)$를 이용하여 계산할 것이다. 이 값을 n이라 하면 중간자는 $H(g^a \| g^{c_2})$의 SAS가 n이 되는 c_2를 찾아야 한다. 난이도가 2^{20} 정도이므로 무시할 수 있는 공격이 아니다.

이 문제는 키 제어 요구사항을 설명할 때 사용한 프로토콜을 사용하면 방어할 수 있다. g^a를 처음 전달할 때 $H(g^a)$를 전달하고 g^b를 받은 후에 g^a를 전달하면 중간자는 g^a를 모르는 상태에서 공격에 성공할 g^b와 교체할 값을 계산할 수 없다.

17.3 미래방송 서비스

미래 방송 서비스를 대표하는 용어 중 하나는 N-스크린(multi-screen)이다. N-스크린은 다양한 기기를 이용하여 방송 서비스를 동시에 시청하는 서비스를 말한다. 단순 시청에서 끝나지 않고 플랫폼 응용을 통해 방송을 시청하면서 상호작용이 가능한 다양한 서비스를 이용할 수 있다. 이처럼 미래에는 전통 방송에 다양한 앱, 게임, SNS를 결합한 융합 서비스를 제공할 것이다. 또한 콘텐츠는 상업용뿐만 아니라 개인 콘텐츠도 널리 이용할 것으로 예측된다. 우리나라에서는 N-스크린 대신에 스마트 스크린이라는 용어를 사용한다.

N-스크린이 가능하기 위해서는 반드시 양방향 채널이 되어야 한다. 대부분 IP망 기반이며, 이를 OTT(Over The Top) TV라고도 한다. 인터넷 연결된 어떤 장치를 통해서도 서비스를 받을 수 있다는 것을 의미한다. 넷플릭스와 같은 서비스가 대표적인 N-스크린 서비스이다. 이처럼 미래 방송은 다중 플랫폼 서비스가 기본이며, 실감형, 고품질 서비스가 다양한 기기를 통해 제공될 것이다.

미래 방송 서비스의 보안을 위해 다양한 보안 기술을 결합하여 사용할 것이다. 방송국과 셋톱박스 사이에 사용하는 CAS, 셋톱박스와 스크린 사이에 사용하는 HDCP Fingerprint, 셋톱박스 내 설치하여 사용하는 스마트카드나 소프트웨어에 대한 보안 등 다양한 기기에서 유료 방송 콘텐츠를 보호하고 제한하기 위한 기술을 현재 사용하고 있으며, 이들 기술이 개선되고 보완될 것으로 예측된다.

17.4 사물인터넷

사물인터넷(IoT, Internet of Things)은 기존 컴퓨팅/통신 기술을 사용하고 있지 않던 사물에 컴퓨팅/통신 요소를 포함하여 다양한 지능적인 신규 서비스가 실현되는 환경을 말한다. 이를 실현하기 위해 스마트 그리드, 센서 네트워크, RFID, NFC, beacon, WiFi, Bluetooth, 클라우드, 빅데이터, 인공지능, 영상처리 등의 기술들이 통합되어 지능적 상황인지 기반 서비스가 제공될 것이다.

사물인터넷은 적절한 보안 메커니즘 없이는 도입 자체가 가능하지 않은 기술이다. 프라이버시 문제, 장치 인증 문제, 가용성, 고의 조작, 데이터 신뢰성 문제 등 해결해야 하는 문제가 많으며, 특정 응용에 따라 해당 응용에서 요구하는 보안 문제의 해결도 필요하다. 예를 들어, 체중계에 컴퓨팅 요소를 포함한 스마트 체중계가 있다고 하자. 이 체중계는 사용자의 체중 정보를 클라우드에 저장하고 사용자는 자신의 모바일 장치를 통해 체중의 변화를 관찰할 수 있다고 하자. 이와 같은 체중계에서 해결해야 하는 보안 문제는 어떤 것이 있을까? 보통 개인은 자신의 체중 기록이 노출되지 않기를 원한다. 또 아무나 체중계에 올라간다고 하여 모든 정보가 내 클라우드로 전송되면 곤란하다. 체중 기록의 노출은 클라우드 서비스에 대한 신뢰 문제와 연결된다.

몇 가지 예를 더 살펴보자. WIFI로 연결이 가능한 전자포트가 있다고 하자. WiFi가 지원되므로 가정 AP의 패스워드를 포트에 등록해야 한다. 그런데 전자포트가 충분히 안전하지 못하면 원격으로 포트에 접속하여 기기에 저장된 AP 패스워드를 알아낼 수 있는 문제점이 있다. 앞서 살펴본 체중계도 WiFi 기반이면 같은 문제를 가지고 있을 수 있다. 블루투스 기반 인형이 있고, 이 인형은 스마트폰과 블루투스로 연결하여 다양한 상호작용을 할 수 있고 블루투스 헤드셋 기능을 포함하고 있다고 하자. 블루투스 페어링을 아무나 쉽게 할 수 있으면 원격에서 누군가 이 인형에 접속하여 장난감을 가지고 놀고 있는 아이와 소통할 수 있는 문제점이 있다. 집에 홀로 있는 애완동물을 관찰하기 위해 또는 거동이 불편하신 노부모님의 건강 상태를 확인하기 위해 IP카메라를 사용할 수 있다. IP카메라를 해킹하여 불법적으로 접근할 수 있다면 사생활이 심각하게 침해될 수 있다는 것은 이제는 누구나 다 알고 있는 사실이다. 더구나 이와 같은 카메라가 소형화되면서 내가 있는 공간에 이와 같은 카메라가 실제 있는지 알 수 없을 수 있는 문제점도 있다. 스마트 냉장고, 스마트 TV는 우리가 모르는 사이에 해킹되어 암호화폐를 채굴하고 있을 수 있으며, 서비스 거부 공격의 좀비로 활용될 수 있다.

스마트 냉난방조절기를 사용할 때 발생할 수 있는 보안 문제를 생각하여 보자. 이 기기를 사용하면 위치와 시간에 구애받지 않고 스마트폰을 통해 집의 냉난방을 시작할 수 있다. 하지만 이 기기는 랜섬웨어 공격의 대상이 될 수 있다. 공격자는 이 장치를 해킹하여 암호화함으로써 돈을 지불하지 않으면 난방을 할 수 없도록 협박할 수 있다. 이와 같은 협박은 한 가정을 위협하는 공격일 수 있지만 여러 가구가 같은 기기를 사용하면 동시에 모든 가정의 냉난방기를 시작하게 하여 갑자기 전력 수요를 높여 사회 기반 시설에 대한 공격을 시도할 수 있는 문제점도 있다.

다양한 사물에 컴퓨팅/통신 요소가 포함될 수 있으며, 공격자에 의한 이 사물에 대한 물리적 접근이 쉬울 수 있다. 이 경우 공격자는 해당 사물을 가로채어 사물 하드웨어에 저장된 암호키와 같은 정보를 획득하기 위해 부채널과 같은 다양한 공격을 시도할 수 있다. 이전 센서 네트워크처럼 공격자에 의해 적법하지 않은 사물이 서비스 환경에 추가되어 서비스를 교란하거나 다양한 정보를 불법적으로 수집하는 공격도 가능하다.

사물 인터넷 보안은 이처럼 시스템 보안, 서비스 보안, 통신 보안, 단말 보안 등 통합적 솔루션이 필요하며, 단말 보안의 경우 RFID처럼 단말의 물리적 제한을 고려한 솔루션이 필요하다. 수평 마켓[30]이므로 각 벤더가 제공하는 요소마다 보안 메커니즘을 가지고 있을 수 있지만, 이들을 통합하는 과정에서 보안 허점이 발생할 수 있다. 또한 암호기술만으로는 모든 문제를 해결할 수 없으며, RFID처럼 경량화, 저전력화가 필요할 수 있다. 구글 글라스와 같은 새로운 단말이 등장할 것이며, 프라이버시 문제가 가장 큰 이슈 중 하나가 될 것이다. 또 소프트웨어 인증 기술도 중요한 역할을 할 것이다. 펌웨어, 소프트웨어 갱신 및 패치 과정에서 인증이 필요하다. 보안 허점이 발견되면 펌웨어 갱신이 필수적일 수 있는데, 사용자들은 IoT 기기에 대한 갱신을 시기적절하게 하지 않을 수 있으며, 업체에서 필요한 보안 패치를 시기적절하게 제공하지 않을 수 있는 문제점도 있다.

30) 사물인터넷 서비스는 한 기업이 서비스의 모든 요소를 개발/판매하지 않고 여러 다른 분야의 기업이 하나 서비스를 제공하는 형태가 된다는 것을 의미한다.

17장 퀴즈

1. 사물 인터넷 보안과 관련된 다음 설명 중 **틀린** 것은?

① 공격 대상이 되는 기기가 다양해지고 많아졌다.
② 각 기기에서 사용하는 소프트웨어를 안전하게 갱신할 수 있어야 한다.
③ 기기마다 제공하는 개별 보안 메커니즘이 안전하면 전체적으로 문제없이 사용할 수 있다.
④ 가정에서 사용하는 기기의 경우에는 기기의 허점 때문에 프라이버시가 침해될 수 있다.

2. RFID 인증 프로토콜과 관련된 다음 설명 중 **틀린** 것은?

① 고정 ID를 사용하면 데이터베이스를 중복하여 사용하기 어렵다.
② 태그는 리더 질의에 대해 항상 같은 답변을 하면 위치 추적이 가능할 수 있다.
③ 고정 ID를 사용하면 데이터베이스에서 태그를 식별하기 위해 등록된 태그 수만큼 비교하여 찾아야 한다.
④ 고정 ID 방식에서 태그를 획득하여 저장된 ID를 알아내면 태그의 과거 행적이 노출될 수 있다.

3. 무작위로 설치하는 센서 네트워크는 보통 센서 노드의 특성 때문에 대칭키 기반 인증 기술을 사용하여 합법적인 노드를 인증하고 수집하는 정보의 비밀성을 보장한다. 보통 배포하기 전에 노드에 저장된 키를 이용하여 인증한다. 센서 네트워크에서 사용하는 대칭키 종류와 관련된 다음 설명 중 **틀린** 것은?

① 마스터키는 모든 노드에 공통으로 저장하는 키이다. 마스터키를 이용하여 데이터를 암호화하면 데이터 통합이 가능하지만, 노드가 포획되어 노출되면 더 이상 비밀성을 제공할 수 없는 문제점이 있다.
② 노드마다 싱크와 공유한 독특한 키를 저장하여 사용할 수 있다. 이 키를 개별키라 하며, 이 키로 수집한 정보를 암호화하여 전송하면 데이터 통합이 가능하지 않다.
③ 노드쌍키는 특정 두 노드 간에 공유한 키이다. 사전에 사후 배치 정보를 알 수 없으며, 많은 수의 노드를 설치해야 하면 확률적인 방법밖에 사용할 수 없어, 사전에 저장된 키 중에 이웃 노드와 사용할 수 있는 키가 없을 수 있다.
④ 노드쌍키를 사용하여 수집된 정보를 암호화하여 전달하면 데이터 통합을 할 수 없다.

연습문제

1. 센서 네트워크의 대칭키 기반 인증 기법에서 키 풀의 수가 n이고, 키 링의 크기가 $k(< n)$일 때, 두 노드가 공통된 키를 가질 확률은 얼마인지 계산하라. 이와 관련하여 센서의 메모리 크기 제한 때문에 키 링에 10개의 키를 유지할 수 있다고 하자. 그러면 임의의 두 노드가 공통된 키를 가질 확률이 50%가 되기 위한 키 풀의 크기는 얼마인지 계산하라.

2. 그림 17.2와 17.3의 RFID 식별 프로토콜은 일방향 인증(리더가 태그만 인증)만 제공하고 있다. RFID 태그는 리더를 인증하기 위해 두 번째 메시지를 받은 후 어떤 응답을 만들어 줄 수 있는지 제시하라.

3. 다음과 같이 동적 ID RFID 식별 프로토콜을 구성하였다[169].

Msg 1. Reader → Tag: N_R
Msg 2. Tag → Reader: $H(ID), H_L(ID \| N_R)$
Msg 3. Reader → Tag: $H_R(ID \| N_R)$

여기서 H_L과 H_R은 해시값의 왼쪽 절반, 오른쪽 절반을 나타낸다. 메시지 2에서 리더는 $H(ID)$를 이용하여 데이터베이스를 전수조사하여 일치하는 태그를 찾고, 찾는 데 성공하면 $H(ID \| N_R)$를 계산한 후 $H_L(ID \| N_R)$ 값이 맞는지 확인한다. 확인되면 3번의 메시지를 회신하고, 태그의 ID를 $ID' = ID \oplus N_R$로 갱신한다. 태그도 3번 메시지를 확인한 후에 확인되면 태그에 저장된 ID를 같은 방법으로 갱신한다. 이와 관련하여 다음 각각에 답변하라.

① $H(ID)$를 이용하여 태그를 찾는 것과 그림 17.2와 17.3의 RFID 식별 프로토콜에서 태그를 데이터베이스 찾는 것과 어떤 차이가 있는지 설명하라.

② 제시된 프로토콜은 그림 17.3처럼 리더나 태그가 제시한 랜덤값을 활용하여 ID를 보호하고 있지 않다. 그것이 가능한 이유를 설명하라. 참고로 정적 ID 방식에서는 $H(ID)$ 형태를 사용할 수 없다.

③ 메시지 3을 전송하는 과정에서 통신의 문제가 있거나 고의적 공격 때문에 태그가 메시지 3을 수신하지 못하게 되면 어떤 문제점이 발생하는지 설명하라.

참고문헌

[1] J.A. Onieva, J. Lopez, J. Zhou, Secure Multi-Party Non-Repudiation Protocols and Applications, Advances in Information Security, Vol. 43, Springer, 2009.

[2] E. Rescorla, The Transport Layer Security (TLS) Protocol: Version 1.3, IETF RFC 8446, Aug. 2018.

[3] S. Kent, K. Seo, Security Architecture for the Internet Protocol, IETF RFC 4301, Dec. 2005

[4] Daniel J. Bernstein, The Salsa20 Family of Stream Ciphers, New Stream Cipher Designs: The eStream Finalists, LNCS 4986, Springer, 2008.

[5] Daniel J. Bernstein, ChaCha, a Variant of Salsa20, Workshop of SASC 2008, Feb. 2008.

[6] Joan Daemen, Vincent Rijmen, The Design of Rijndael: AES – The Advanced Encryption Standard, Springer, 2002.

[7] W. Diffie, M. Hellman, New Directions in Cryptography, IEEE Trans. on Information Theory, Vol.2 2, No. 6, pp. 644–654, 1976.

[8] R. Rivest, A. Shamir, L. Adleman, A Method for Obtaining Digital Signatures and Public-Key Cryptosystems, Communications of the ACM, Vol. 21, No. 2, pp. 120–126, Feb. 1978.

[9] Taher ElGamal, A Public-Key Cryptosystem and a Signature Scheme Based on Discrete Logarithms, IEEE Transactions on Information Theory, Vol. 31, No. 4, pp. 469–472, Jul. 1985.

[10] Adi Shamir, Identity-Based Cryptosystems and Signature Schemes, Advances in Cryptology, CRYPTO 1984, LNCS 196, pp. 47–53, Springer, 1985.

[11] V. Miller, Use of Elliptic Curves in Cryptography, Advances in Cryptology, CRYPTO 1985, LNCS 218, pp. 417–426, Springer, 1986.

[12] A. J. Menezes, T. Okamoto, S. A. Vanstone, Reducing Elliptic Curve Logarithms to Logarithms in a Finite Field, IEEE Transactions on Information Theory, Vol. 39,

No. 5, pp. 1639-1646, Sep. 1993.

[13] Dan Boneh, Matthew Franklin, Identity-based Encryption from Weir Pairing, Advances in Cryptology, CRYPTO 2001, LNCS 2139, pp. 213-229, Springer, 2001.

[14] Peter W. Shor, Algorithms for Quantum Computation: Discrete Logarithms and Factoring, Proc. of the Annual Symp. on Foundations of Computer Science, pp. 124-134, Nov. 1994.

[15] Lov K. Grover, A Fast Quantum Mechanical Algorithm for Database Search, Proc. of the 28th Annual ACM Symp. on the Theory of Computing, pp. 212-219, Jul. 1996.

[16] S. Santenssion, M. Myers, R. Ankney, A. Malpani, S. Galperin, C. Adams, X.509 Internet Public Key Infrastructure Online Certificate Status Protocol - OCSP, IETF RFC 6960, Jun. 2013.

[17] T. Freeman, R. Housley, A. Malpani, D. Cooper, W. Polk, Server-based Certificates Validation Procotol (SCVP), IETF RFC 5055, Dec. 2007.

[18] Satoshi Nakamoto, Bitcoin: A Peer-to-Peer Electronic Cash System, 2008.

[19] C. Allen, A. Brock, V. Buterin, J. Callas, D. Dorje, C. Lundkvist, P. Kravchenko, J. Nelson, D. Reed, M. Sabadello, G. Slepak, N. Thorp, H.T. Wood, Decentralized Public Key Infrastructure, https://danubetech.com/download/dpki.pdf, Dec. 2015.

[20] David Derler, Christian Hanser, Daniel Slamanig, Revisiting Cryptographic Accumulators, Additional Properties and Relations to Other Primitives, Topics in Cryptology, CT-RSA 2015, LNCS 9048, pp. 127-144, Springer, 2015.

[21] Jonathan Katz, Moti Yung, Unforgeable Encryption and Chosen Ciphertext Secure Modes of Operation, Int'l Workshop on Fast Software Encryption, FSE 2000, LNCS 1978, pp. 284-299, Springer, 2001.

[22] D. Aggarawal, U. Maurer, Breaking RSA Generically is Equivalent to Factoring, Advances in Cryptology, Eurocrypt 2009, LNCS 5479, pp. 36-53, Springer, 2009.

[23] Claude E. Shannon, Communication Theory of Secrecy Systems, Bell System Technical Journal, Vol. 28, No. 4, pp. 656-715, Sep. 1949.

[24] Paul C. Kocher, Timing Attacks on Implementations of Diffie-Hellman, RSA, DSS,

and Other Systems, Advances in Cryptology, CRYPTO 1996, LNCS 1109, pp. 104–113, Springer, 1996.

[25] Paul C. Kocher, Joshua Jaffe, Benjamin Jun, Differential Power Analysis, Advances in Cryptology, CRYPTO 1999, LNCS 1666, pp. 388–397, Springer, 1997.

[26] https://csrc.nist.gov/projects/post-quantum-cryptography

[27] Colin Boyd, Anish Mathuria, Protocols for Authentication and Key Establishment, Springer, 2003.

[28] Roger Needham, Michael Schroeder, Using Encryption for Authentication in Large Networks of Computers, Communications of the ACM, Vol. 21, No. 12, pp. 993–999, 1978.

[29] R.K. Bauer, T.A. Berson, R.J. Feiertag, A Key Distribution Protocol using Event Markers, ACM Transactions on Computer Systems, Vol. 1, No. 3, pp. 249–255, 1983.

[30] Li Gong, A Note on Redundancy in Encrypted Messages, Computer Communication Review, Vol. 20, No. 5, pp. 18–22, 1990.

[31] M. Abadi, R. Needham, Prudent Engineering Practice for Cryptographic Protocols, IEEE Trans. on Software Engineering, Vol. 22, No. 1, pp. 6–15, 1996.

[32] Li Gong, A Security Risk of Depending on Synchronized Clocks, ACM Operating Systems Review, Vol. 26. No. 1, pp. 49–53, Jan. 1992.

[33] Ross J. Anderson, Roger M. Needham, Robustness Principles for Public Key Protocols, Advances in Cryptology, CRYPTO 95, LNCS 963, pp. 236–247, 1995.

[34] Rolf Blom, An Optimal Class of Symmetric Key Generation Systems, Advances in Cryptology, EUROCRYPT 84, LNCS 209, pp. 335–338, Springer, 1985.

[35] C. Blundo, A. D. Santis, A. Herzberg, S. Kutten, U. Vaccaro, M. Yung, Perfectly Secure Key Distribution for Dynamic Conferences, Advances in Cryptology, CRYPTO 92, LNCS 740, pp. 471–486, 1993.

[36] Antoine Joux, A One Round Protocol for Tripartite Diffie–Hellman, 4th Int'l Symp. on Algorithmic Number Theory, LNCS 1838, pp. 385–393, Springer, 2000.

[37] Dorothy E. Denning, Giovanni Maria Sacco, Timestamps in Key Distributed Protocols, Communication of the ACM, Vol. 24, No. 8, pp. 533–535, 1981.

[38] John. C. Mitchell, Mike Ward, Piers Wilson, On Key Control in Key Agreement Protocols, Electronic Letters, Vol. 34, pp. 980–981, 1998.

[39] Li Gong, Variations on the Themes of Message Freshness and Replay – or the Difficulty in Devising Formal Methods to Analyze Cryptographic Protocols, Proc. of the IEEE Computer Security Foundations Workshop VI, pp. 131–136, Jun. 1993.

[40] Tuomas Aura, Pekka Nikander, Stateless Connections, Int'l Conf. on Informations and Communications Security, ICICS'97, LNCS 1334, pp. 87–97. 1997.

[41] Ari Juels, John Brainard, Client Puzzles: A Cryptographic Countermeasure Against Connection Depletion Attacks, Proc. of NDSS '99, pp. 151–165, 1999.

[42] Dave Otway, Owen Rees, Efficient and Timely Mutual Authentication, ACM SIGOPS Operating Systems Review, Vol. 21, No. 1, pp. 8–10, Jan. 1987.

[43] T. Matsumoto, Y. Takashima, H. Imai, On Seeking Smart Public–key Distribution Systems, Trans. of the IECE, E69, pp. 99–106, 1986.

[44] ISO/IEC IS 9798–3, Entity authentication mechanisms — Part 3: Entity authentication using asymmetric techniques, 1993.

[45] Hugo Krawczyk, SIGMA: The 'SIGn–and–MAc' Approach to Authenticated Diffie–Hellman and Its Use in the IKE Protocols, Advances in Cryptology, CRYPTO 2003, LNCS 2729, pp. 400–425, 2003.

[46] Whitfield Diffie, Paul C. Oorschot, Michael J. Wiener, Authentication and Authenticated Key Exchanges. Designs, Codes and Cryptography, Vol. 2, No. 2, pp. 107–125, 1992.

[47] G. Agnew, R. Mullin, S. Vanstone, An Interactive Data Exchange Protocol Based on Discrete Exponentiation, Advances in Cryptology, Eurocrypt 88, LNCS 330, pp. 159–166. 1988.

[48] J. Kelsey, B. Schneier, D. Wagner Protocol Interactions and the Chosen Protocol Attack, 5th Int'l Workshop on Security Protocols, LNCS 1361, pp. 91–104, 1998.

[49] R. Housley, Cryptographic Message Syntax (CMS), IETF RFC 5652, Sept. 2009.

[50] David A. McGrew, John Viega, The Security and Performance of the Galois/counter mode (GCM) of Operation, Progress in Cryptology, INDOCRYPT 2004, LNCS 3348, Springer, Dec. 2004.

[51] Daniel J. Bernstein, The Poly1305-AES Message-Authentication Code, Fast Software Encryption 2005, LNCS 3557. pp. 32-49, Springer, 2005.

[52] FIPS, Data Encryption Standard (DES), Federal Information Processing FIPS 46-3, 1999.

[53] Keith W. Campbell, Michael J. Wiener, DES is not a Group, Advances in Cryptology, Crypto 1992, LNCS 740 pp. 512-520, Springer, 1993.

[54] I. Damgard, A Design Principle for Hash Functions, In Advances in Cryptology, CRYPTO '89, LNCS 435, Springer, pp. 416-427, 1989.

[55] R. C. Merkle, One Way Hash Functions and DES, In Advances in Cryptology, CRYPTO '89, LNCS 435, Springer, pp. 428-446, 1989.

[56] A. Menezes, P. van Oorschot, S. Vanstone. Handbook of Applied Cryptography, CRC Press, 1996.

[57] FIPS, Secure Hash Standard, Federal Information Processing FIPS 180-1, 1995.

[58] Xiaoyun Wang, Yiqun Lisa Yin, Hongbo Yu, Finding Collisions in the Full SHA-1, Advances in Cryptology, Crypto 2005, LNCS 3621, pp. 17-36, Springer, 2005.

[59] Marc Stevens, New Collision Attacks on SHA-1 based on Optimal Joint Local-Collision Analysis, Advances in Cryptology, EUROCRYPT 2013, LNCS 7881, pp. 245-261, Springer, 2013.

[60] Guido Bertoni, Joan Daemen, Michael Peeters, Giles Van Assche, The KECCAK SHA-3 Submission, https://keccak.team/files/Keccak-submission-3.pdf, Jan. 2011.

[61] Tetsu Iwata, Kaoru Kurosawa OMAC: One-Key CBC MAC, Int'l Workshop on Fast Software Encryption, FSE 2003, LNCS 2887, pp. 129-153, Springer, 2003.

[62] John Black, Phillip Rogaway, A Block-Cipher Mode of Operation for Parallelizable Message Authentication, Advances in Cryptology, EUROCRYPT 2002, LNCS 2332, pp. 384-397, Springer, 2002.

[63] M. Wegman, L. Carter, New Hash Functions and Their Use in Authentication and Set Equality, Journal of Computer and System Sciences, Vol. 22, pp. 265-279, 1981.

[64] Mihir Bellare, Ran Canetti, Hugo Krawczyk, HMAC: Keyed-Hashing for Message

Authentication, IETF RFC 2104, Feb. 1997.

[65] Mihir Bellare, Phillip Rogaway, Optimal Asymmetric Encryption – How to encrypt with RSA, Advances in Cryptology, EUROCRYPT 1994, LNCS 950, pp. 91–121, Springer, 1995.

[66] D. Gillmor, Negotiated Finite Field Diffie–Hellman Ephemeral Parameters for Transport Layer Security (TLS), IETF RFC 7919, Aug. 2016.

[67] M. Lepinski, S. Kent, Additional Diffie–Hellman Groups for Use with IETF Standards, IETF RFC 5114, Jan. 2008.

[68] Mihir Bellare, Phillip Rogaway, The Exact Security of Digital Signatures – How to Sign with RSA and Rabin, Advances in Cryptology, EUROCRYPT 1996, LNCS 1070, pp. 399–416, Springer, 1996.

[69] Claus–Peter Schnorr, Efficient Signature Generation by Smart Cards, J. of Cryptology, Vol. 4, No. 3, pp. 161–174, 1991.

[70] FIPS, Digital Signature Standard (DSS), Federal Information Processing Standard FIPS 186–4, 2013.

[71] Daniel J. Bernstein, Niels Duif, Tanja Lange, Peter Schwabe, Bo–Yin Yang, High–speed High–security Signatures, J. of Cryptographic Engineering, Vol. 2, No. 77–89, Springer, Aug. 2012.

[72] C. Neuman, S. Hartman, K. Raeburn, The Kerberos Network Authentication Service (V5), IETF RFC 4120, 2005.

[73] A. Kehne, J. Schonwalder, H. Langendorfer, A Nonce–Based Protocol for Multiple Authentications, ACM Operating Systems Review, Vol. 26, No. 4, pp. 84–89, Oct. 1992.

[74] Universal Mobile Telecommunication Systems (UTMS), 3G security, Security Architecture, 3GPP TS 33.102 version 7.0.0, 2005.

[75] T. Dierks, E. Rescorla, The Transport Layer Security (TLS) Protocol: Version 1.2, IETF RFC 5246, Aug. 2008.

[76] IEEE 802.11i–2004: Ammendment 6: Medium Access Control (MAC) Security Enhancements, IEEE Standards, 2004.

[77] Dan Harkins, Simultaneous Authentication of Equals: A Secure, Password–Based

Key Exchange for Mesh Networks, Proc. of the 2nd Int'l Conf. on Sensor Technologies and Applications, pp. 839-844. Sept. 2008.

[78] Trevoe Perrin, Moxie Marlinspike, The Double Ratchet Algorithm, Open Whisper Systems Speiocifications, http://whispersystems.org/docs/specifications/doubleratchet/, 2016.

[79] Niels Provos, David Mazieres, A Future-Adaptable Password Scheme, Proc. of the USENIX Annual Technical Conf., pp. 32-32, 1999.

[80] Alex Biryukov, Daniel Dinu, Dmitry Khovratovich, Argon2: the Memory-hard Function for Password Hashing and Other Application, https://www.cryptolux.org/index.php/Argon2, Dec. 2015.

[81] Brecht Wyseur, White-box Cryptography: Hiding Keys in Software, MISC magazine, Apr. 2012.

[82] S.M. Bellovin, M. Merritt, Encrypted Key Exchange: Password-based Protocols Secure Against Dictionary Attacks, Proc. of the IEEE Symp. on Research in Security and Privacy, pp. 72-84, May 1992.

[83] S.M. Bellovin, M. Merritt, Augmented Encrypted Key Exchange: Password-based Protocols Secure Against Dictionary Attacks and Password File Compromise, Proc. of the 1st ACM Conf. on Computer and Communications Security, pp. 244-250, Nov. 1993.

[84] Stainslaw Jarecki, Hugo Krawczyk, Jiayu Xu, OPAQUE: An Asymmetric PAKE Protocol Secure Against Pre-Computation Attacks, Advances in Cryptology, Eurocrypt 2018, LNCS 10822, pp. 456-486, Springer, 2018.

[85] D. M'Raihi, M. Bellare, F. Hoornaert, D. Nccache, O. Ranen, HOTP: An HMAC-based One-Time Password Alogrithm, IETF RFC 42267, Dec. 2005.

[86] H. Krawczyk, P. Eronen, HMAC-based Extract-and-Expand Key Derivation Function (HKDF), IETF RFC 5869, May 2010.

[87] B. Kaliski, PKCS #5: Password-Based Cryptography Specification Version 2.0, IETF RFC 2898, May 2000.

[88] L. Lamport, Password Authentication with Insecure Communication, Communications of the ACM, Vol. 24. No. 11, pp. 770-772, Nov. 1981.

[89] N. Haller, C. Metz, P. Nesser, M. Straw, A One-Time Password System, IETF RFC 2289, Feb. 1998.

[90] Adam Back, Hashcash, http://www.cypherspace.org/hashcash/, 1997.

[91] Amos Fiat, Batch RSA, Advances in Cryptology, CRYPTO '89, LNCS 435, pp. 175-185, Springer, 1990.

[92] R.C. Merkle, A Digital Signature Based on a Conventional Encryption Function, Advances in Cryptology, CRYPTO '87, LNCS 293, pp. 369-378, Springer, 1988.

[93] L. Lamport, Constructing Digital Signatures from a One way function, Technical Report SRI-CSL-98, SRI International Computer Science Laboratory, 1979.

[94] Johannes Buchmann, Erik Dahmen, Sarah Ereth, Andreas H lsing, Markus R ckert, On the Security of the Winternitz One-Time Signature Scheme, Advances in Cryptology, ASIACRYPT '91, LNCS 6737, pp. 363-378, Springer, 2011.

[95] A. Huelsing, D. Butin, S. Gazdag, J. Rijneveld, A. Mohaisen, XMSS: eXtended Merkle Signature Scheme, IETF RFC 8391, May 2018.

[96] http://sphincs.org

[97] D. Wallner, E. Harder, R. Agee, Key Management for Multicast: Issues and Architectures, IETF RFC 2627, June 1999.

[98] C. K. Wong, M. G. Gouda, S. S. Lam, Secure Group Communications using Key Graphs, IEEE/ACM Transactions on Networking, Vol. 8, No. 1, pp. 16-30, 2000.

[99] A. T. Sherman, D. A. McGrew, Key Establishment in Large Dynamic Groups using One-way Function Trees, IEEE Transactions on Software Engineering, Vol. 29, No. 5, pp. 444-458, May 2003.

[100] Dalit Naor, Moni Naor, Jeff Lotspiech, Revocation and Tracing Schemes for Stateless Receivers, Advances in Cryptology, Crypto 2001, LNCS 2139, pp. 41-62, Springer, 2001.

[101] Suvi Mittra, Iolus: A Framework for Scalable Secure Multicasting, Proc. of the ACM SIGCOMM '97, pp. 277-288, Sept. 1997.

[102] Adrian Perrig, Efficient Collaborative Key Management Protocols for Secure Autonomous Group Communication, Int'l Workshop on Cryptographic Techniques and E-Commerce, CrypTEC '99, pp. 192-202, Jul. 1999.

[103] Yongdae Kim, Adrian Perrig, Gene Tsudik, Simple and Fault-tolerant Key Agreement for Dynamic Collaborative Groups, 7th ACM Conf. on Computer and Communications Security, pp. 235-244, Nov. 2000.

[104] Kui Ren, Hyunrok Lee, Kwangjo Kim, Taewhan Yoo, Efficient Authenticated Key Agreement Protocol for Dynamic Groups, Int'l Workshop on Information Security Applications, WISA 2004, LNCS 3325, pp. 144-159, Springer, 2005.

[105] Guang-huei Chiou, Wen-Tsuen Chen, Secure Broadcasting Using the Secure Lock, IEEE Trans. on Software Engineering, Vol. 15, No. 8, pp. 929-934, Aug. 1989.

[106] Emmanuel Bresson, Olivier Chevassut, Abdelilah Essiari, David Pointcheval, Mutual Authentication and Group Key Agreement for Low-power Mobile Devices, Computer Communications, Vol. 27, No. 17, pp. 1730-1737, Nov. 2004.

[107] Paul Rosler, Christian Mainka, Jorg Schwenk, More is Less: On the End-to-End Security of Group Chats in Signal, Whatsapp, and Threema, IEEE European Symp. on Security and Privacy, 2018.

[108] Y. Zheng, Digital Signcryption or How to Achieve Cost (Signature & Encryption) ≪ Cost (Signature) + Cost (Encryption), Advances in Cryptology, Crypto 97, LNCS 1294, pp. 165-179, Springer, 1997.

[109] A. Shamir, How to Share a Secret, Communications of ACM, Vol. 22, No. 11, pp. 612-613, 1979.

[110] A. Juels, B. Kaliski, PORs: Proofs of Retrievability for Large Files, ACM Conf. on Computer and Communications Security, pp. 584-597, 2007.

[111] D.L.G. Filho, P.S.L.M. Barreto, Demonstrating Data Possession and Uncheatable Data Transfer, IACR eArchive, 150, 2006.

[112] G. Ateniese, R. Burns, R. Curtmola, J. Herring, L. Kissner, Z. Peterson, D. Song. Provable Data Possession at Untrusted Stores, ACM Conf. on Computer and Communications Security, pp. 598-609, 2007.

[113] Matt Blaze, G. Bleumer, M. Strauss, Divertible Protocols and Atomic Proxy Cryptography, Advances in Cryptology, Eurocrypt 98, LNCS 1403, pp. 127-144, Springer, 1998.

[114] G. Ateniese, K. Fu, M. Green, S. Hohenberger, Improved Proxy Re-encryption Schemes with Applications to Secure Distributed Storage, ACM Trans. on

Information and System Security, Vol. 9, No. 1, pp. 1-30, Feb. 2006.

[115] J. Bethencourt, A. Sahai, B. Waters, Ciphertext-Policy Attribute-Based Encryption, IEEE Symp. on Security and Privacy, pp. 321-334, May 2007.

[116] Vipul Goyal, Amit Sahai, Omkant Pandey, Brent Waters, Attribute-Based Encryption for Fine-Grained Access Control of Encrypted Data, ACM Conf. on Computer and Communications Security, pp. 89-98, Nov. 2006.

[117] Christoph Bosch, Pieter Hartel, Willem Jonker, Andreas Peter, A Survey of Provably Secure Searchable Encryption, ACM Computing Surveys, Vol. 47, No. 2, Aug. 2014.

[118] Craig Gentry. Fully Homomorphic Encryption Using Ideal Lattices, Proc. of the 41st ACM Symp. on Theory of Computing, pp. 169-178, May 2009.

[119] Jung Hee Cheon, Andrey Kim, Miran Kim, Yongsoo Song, Homomorphic Encryption for Arithmetic of Approximate Numbers, Advances in Cryptology, Asiacrypt 2017, LNCS 10624, pp. 409-437, Springer, 2017.

[120] Jean-Jacques Quisquater, M. Quisquater, M. Quisquater, M. Quisquate, L. Guillou, M. A. Guillou, G. Guillou, A. Guillou, G. Guillou, S. Guillou, How to Explain Zero-Knowledge Protocols to Your Children, Advances in Cryptology, Crypto 1989, LNCS 435, pp. 628-631, 1990.

[121] Nir Bitansky, Ran Canetti, Alessandro Chiesa, Eran Tromer, From Extractable Collision Resistance to Succint Non-Interactive Arguments of Knowledge and Back Again, Proc. of the 3rd Innovations in Theoretical Computer Science Conf. ACM, pp. 326-349, Jan. 2012.

[122] Eli Ben-Sasson, Iddo Bentov, Yinon Horesh, Michael Riabzev, Scalable, Transparent, and Post-Quantum Secure Computational Integrity, IACR Cryptology ePrint Archive 2018-046, Mar. 2018

[123] Gustavus J. Simmons, The Prisoners Problem and the Subliminal Channel, Advances in Cryptology, CRYPTO '83, pp. 51-67, 1984.

[124] David Chaum, Hans van Antwerpen, Undeniable Signatures, Advances in Cryptology, CRYPTO '89, LNCS. 435, pp. 212-216, 1990.

[125] Joan Boyar, David Chaum, Ivan Damgard, Torben Pedersen, Convertible Undeniable Signature, Advances in Cryptology, CRYPTO '90, LNCS 537, pp.

189-205, Springer, 1991.

[126] David Chaum, Hans van Antwerpen, Desginated Confirmer Signatures, Advances in Cryptology, Eurocrypt '94, LNCS. 950, pp. 86-91, 1995.

[127] Masahiro Mambo, Keisuke Usuda, Eiji Okamoto, Proxy Signatures for Delegating Signing Operation, Proc. of the 3rd ACM Conf. on Computer and Communications Security, pp. 48-57, Jan. 1996.

[128] Christopher J. Pavlovski, Colin Boyd, Efficient Batch Signature Generation Using Tree Structure, Int'l Workshop on Cryptographic Techniques and E-Commerce, pp. 70-77, 1999.

[129] Alexandra Boldyreva, Threshold Signatures, Multisignatures, and Blind Signatures Based on the Gap-Diffie-Hellman-Group Signature Scheme, Public Key Cryptography, PKC 2003, LNCS 2567, pp. 31-46, Springer, 2003.

[130] Dan Boneh, Craig Gentry, Hovav Shacham, Ben Lynn, Aggregate and Verifiably Encrypted Signatures from Bilinear Maps, Advances in Cryptology, Eurocrypt 2003, LNCS 2656, pp. 416-432, Springer, 2003.

[131] David Chaum, Eugene van Heyst, Group signatures, Advances in Cryptology, Eurocrypt '91. LNCS 547, pp. 257-265, Springer 1991.

[132] Ronald L. Rivest, Adi Shamir, Yael Tauman, How to Leak a Secret, Advances in Cryptology, Asiacrypt 2001, LNCS 2248, pp. 552-565, Springer, 2001.

[133] Dennis Y.W. Liu, Joseph K. Liu, Yi Mu, Willy Susilo, Duncan S. Wong, Revocable Ring Signature, Journal of Computer Science and Technology, Vol. 22, No. 6, pp. 785-794, Springer, Nov. 2007.

[134] David Chaum, Blind Signatures for Untraceable Payments, Advances in Cryptology, CRYPTO '82, pp. 199-203, 1983.

[135] S. A. Brands, Untraceable Off-line Cash in Wallets with Observers, Advances in Cryptology, Crypto '93, LNCS 773, pp. 302-318. Springer, 1994.

[136] David Chaum, Untraceable Electronic Mail, Return Addresses, and Digital Pseudonym, Communications of ACM, Vol. 24, No. 2, pp. 84-90, Feb. 1981.

[137] Paul F. Syverson, David M. Goldschlag, Michael G. Reed, Anonymous Connections and Onion Routing, Proc. of the IEEE Symp. on Security and Privacy, pp. 45-54,

May 1997.

[138] Narayana R. Kocherlakota, Money is Memory, J. of Economic Theory, Vol. 81, No. 2, pp. 232-251, Aug. 1998.

[139] Stuart Haber, W. Scott Stornetta, How to Timestamp a Digital Document, Advances in Cryptology, CRYPTO '90. LNCS 537, pp. 437-455, Springer, 1991.

[140] Markus Jakobsson, Ari Juels, Proofs of Work and Bread Pudding Protocols, Secure Information Networks, pp. 258-272, 1999.

[141] Bitcoin Gold Hit by Double Spend Attack, Exchanges Lose Millions, https://www.ccn.com/bitcoin-gold-hit-by-double-spend-attack-exchanges-lose-millions/, 2018.

[142] Japanese Cryptocurrency Monacoin Hit by Selfish Mining Attack, https://www.ccn.com/japanese-cryptocurrency-monacoin-hit-by-selfish-mining-attack/, 2018.

[143] Yonatan Sompolinsky, Shai Wyborski, Aviv Zohar, PHANTOM and GHOSTDAG: A Scalable Generalization of Nakamoto Consensus, IACR Cryptology ePrint Archive 2018-104, 2018.

[144] Serguei Popov, The Tangle, Whitepaper, V.1.4.3, https://iota.org, Apr. 2018.

[145] Colin LeMahieu, Nano: A Feeless Distributed Cryptocurrency Network, https://www.exodus.com/assets/docs/nano-whitepaper.pdf, 2018.

[146] Vitalik Buterin, A Next-Generation Smart Contract and Decentralized Application Platform, https://github.com/ethereum/wiki/wiki/White-Paper, 2013.

[147] Nick Szabo, Formalizing and Securing Relationships on Public Network, First Monday, Vol. 2. No. 9, Sept. 1997.

[148] Leslie Lamport, Robert Shostak, Marshall Pease, The Byzantine Generals Problem, ACM Trans. on Programming Languages and Systems, Vol. 4, No. 3, pp. 382-401, Jul. 1982.

[149] Miguel Castro, Barbara Liskov, Practical Byzantine Fault Tolerance, Proc. of the 3rd Symp. on Operating System Design and Implementation, pp. 173-186, Feb. 1999.

[150] Ethan Buchman, Tendermint: Byzantine Fault Tolerance in the Age of

Blockchains, Master Thesis, Univeristy of Guelph, 2016.

[151] Aggelos Kiayias, Alexander Russell, Bernardo David, Roman Oliynykov, Ouroboros: A Provably Secure Proof-of-Stake Blockchain Protocol, Advances in Cryptology, Crypto 2017, LNCS 10401, pp. 357-388, Aug. 2017.

[152] Jing Chen, Silvio Micali, ALGORAND, ArXiv, https://arxiv.org/abs/1607.01341, 2017.

[153] Stefan Dziembowski, Sebastian Faust, Vladimir Kolmogorov, Krzysztof Pietrzak Proofs of Space, Advances in Cryptology, Crypto 2015, LNCS 9216, Springer, pp. 585-605, 2015.

[154] Leemon Baird, Mance Harmon, and Paul Madsen, Hedera: A Public Hashgraph Network & Governing Council, Whitepaper V.2.1, https://hedera.com/papers, 2020.

[155] Q. Zhou, H. Huang, Z. Zheng, J. Bian, Solutions to Scalability of Blockchain: A Survey, IEEE Access, Vol. 8, pp. 16440-16455, 2020.

[156] E. Kokoris-Kogias, P. Jovanovic, L. Gasser, N. Gailly, E. Syta, B. Ford, Omniledger: A Secure, Scale-out, Decentralized Ledger via Sharding, IEEE Symp. on Security and Privacy, pp. 583-598, May 2018.

[157] L. T. Thibault, T. Sarry, A. S. Hafid, Blockchain Scaling Using Rollups: A Comprehensive Survey, IEEE Access, Vol. 10, pp. 93039-93054, Aug. 2022.

[158] A. Banerjee, M. Clear, H. Tewari, Demystifying the Role of zk-SNARKs in Zcash, Proc. of the IEEE Conf. on Application, Information and Network Security (AINS), pp. 12-19, Nov. 2020.

[159] C. Cremers, J. Loss, B. Wagner, A Holistic Security Analysis of Monero Transactions, Advances in Cryptology, Eurocrypt 2024, LNCS 14653, pp. 129-159, May 2024.

[160] 마이클 케이시, 폴 비냐, 비트코인 현상 블록체인 2.0, 미래의창, 2017.

[161] 돈 탭스콧, 알렉스 탭스콧, 블록체인 혁명, 을유문화사, 2017.

[162] Ahto Buldas, Andres Kroonmaa, Risto Laanoja, Keyless Signature Infrastructure: How to Build Global Distributed Hash-Trees, IACR eprint 834, 2013.

[163] BMW Test Drives Blockchain for Car Mileage Tracking,

https://www.coindesk.com/blockchain-startup-tracks-vehicle-mileage-with-bmw/, 2018.

[164] Dubai Plans Digital Passports Using Blockchain Tech, https://www.coindesk.com/dubai-plans-gate-less-airport-security-using-blockchain-tech/, 2017.

[165] A. Perrig, D. Song, R. Canetti, J.D. Tygar, Timed Efficient Stream Loss-Tolerant Authentication (TESLA): Multicast Source Authentication Transform Introduction, IETF RFC 4082, Jun. 2005.

[166] L. Eshenauer, V.D. Gligor, A Key-Management Scheme for Distributed Sensor Networks, ACM Conf. on Computer and Communications Security, pp. 41-47, Nov. 2002.

[167] Lu Zhaojun, Qu Gang, Liu Zhenglin, A Survey on Recent Advances in Vehicular Network Security, Trust, and Privacy, IEEE Trans. on Intelligent Transportation Systems, Vol. 20, No. 2, pp. 760-776, Feb. 2019.

[168] Keunwoo Rhee, Jin Kwak, Seungjoo Kim, Dongho Won Challenge-Response Based RFID Authentication Protocol for Distributed Database Environment, Int'l Conf. on Security in Prevasice Computing, LNCS 3450, pp, 70-84, 2005.

[169] Sumi Lee, Youngju Hwang, Donghoon Lee, Jongin Lim, Efficient Authentication for Low-Cost RFID Systems, ICCSA 2005, LNCS 3480, pp. 618-627, Springer, 2005.

I/N/D/E/X

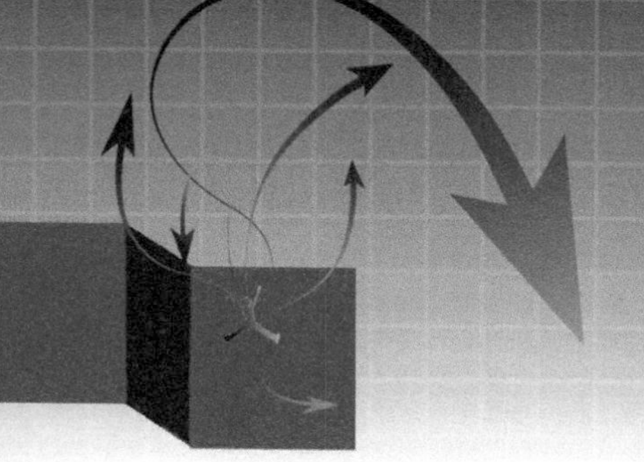

저 / 자 / 소 / 개

김상진

1995년 한양대학교 전자계산학과 공학사

1997년 한양대학교 전자계산학과 공학석사

2002년 한양대학교 전자계산학과 공학박사

2003년 ~ 현재 한국기술교육대학교 컴퓨터공학부 교수

sangjin@koreatech.ac.kr

https://www.youtube.com/SangjinKim

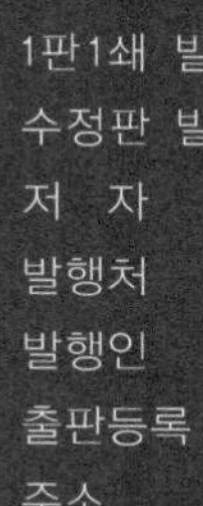

도서출판 **그린**

암호기술의 이해와 응용 수정판

1판1쇄 발행 ▶ 2023년 09월 22일

수정판 발행 ▶ 2025년 01월 22일

저 자 ▶ 김상진

발행처 ▶ 도서출판 **그린**

발행인 ▶ 윤 덕 우

출판등록 ▶ 제8-161호(1995. 5. 3.)

주소 ▶ 경기 파주시 가람로116번길 107 운정한강듀클래스 411호 (우) 10896

전화 ▶ 02) 333-2574, 2575

Fax ▶ 02) 333-2561

E-mail ▶ greenpress@greenpress.co.kr

Homepage ▶ http://www.greenpress.co.kr

정가 : 26,000원

ISBN 978-89-5727-359-3 (93560)